Han Thomas

Het Darwin Dilemma

Uitgeverij HVD

Eerste druk, juni 2011

Uitgeverij HVD

ISBN 978 90 817172 1 2
NUR 332

Wie een uur van zijn leven verspilt,
heeft de waarde van het leven nog niet ontdekt.

Charles Darwin

Proloog

Stokoud waren ze. Als glinsterende haaientanden staken ze af tegen de nachtelijke hemel. Het meest imponerend was de sprookjesachtig verlichte piramide van Cheops, *de Grote Piramide*, die als enige van de zeven klassieke wereldwonderen tot op de dag van vandaag bewaard was gebleven. Ten zuidwesten hiervan stonden de piramides van Chefren en Mykerinos. Ondanks erosie door de tand des tijds waren de perfect geometrische verhoudingen nog duidelijk zichtbaar. Het was zoals Napoleon Bonaparte het in 1798 tijdens zijn Egyptische veldtocht tot de verzamelde troepen had gezegd: *Soldaten, vanaf deze piramides kijken veertig eeuwen op u neer.*

Eens waren de miljoenen op elkaar gestapelde stenen bedekt met een spiegelgladde mantel van wit kalksteen, waardoor de piramides op het plateau van Gizeh oogverblindend geschitterd hadden in het felle zonlicht. In de loop van de tijd was deze laag verwijderd door de bewoners van Cairo om er huizen mee te bouwen, dus tegenwoordig werd de buitenkant van de piramides enkel gevormd door manshoge, trapsgewijs gestapelde blokken.

Aan de zuidzijde van de piramide van Chefren, de middelste van de drie, klom een donkere gestalte omhoog. Gejaagd keek hij omlaag om te zien of hij nog gevolgd werd. Het kostte hem zichtbaar moeite om de steile wand te beklimmen. Hijgend hees hij zich laag voor laag omhoog. De brokkelige treden waren niet allemaal even breed. Op sommige paste net een voet, andere waren zo breed dat je er met gemak op zou kunnen liggen. Na ongeveer veertig treden stopte hij met klauteren en liet zich op een brede richel behoedzaam op zijn buik zakken, waardoor hij vanaf de grond niet meer te zien was. De kleine platte cassette die hij steeds angstvallig omklemd had, legde hij voor zich neer. Na enkele ogenblikken had hij zijn ademhaling weer onder controle en begon zijn hartslag te dalen. Voorzichtig tilde hij zijn hoofd op en keek over de rand. Van bovenaf gezien leek de getrapte wand nog veel steiler. Wat hij zag stelde hem gerust, want op de treden onder hem was niemand te zien. Het leek erop dat hij door de roekeloze beklimming zijn achtervolger had kunnen afschudden. Voorlopig was hij veilig.

Ook de bewakers van het Gizeh complex, de *ghafirs*, waren nergens te bekennen. Het beklimmen van de piramides was al jaren verboden. Na talloze valpartijen en een toenemende hoeveelheid graffiti op de kolossale monumenten uit de oudheid, had de Egyptische overheid jaren geleden al ingegrepen. Waarschijnlijk concentreerde de beveiliging zich vannacht op de naastgelegen piramide van Cheops. De afgelopen dagen had een filmploeg van National Geographic Channel een nieuwe archeologische ontdekking in de Grote Piramide gefilmd en vanwege de grote mediabelangstelling lieten de Egyptische autoriteiten de enige toegang tot de piramide zwaar bewaken.

Buiten het zicht van de gedaante die nog steeds roerloos op de treden van de piramide van Chefren lag, klom aan een andere zijde nog iemand omhoog. De linkerhand van deze klimmer was in een grauw verband gewikkeld, waardoor hij bij elke trede een pijnlijke grimas trok. Blijkbaar verkeerde de man in een uitstekende conditie, want ondanks zijn verwonding bewoog hij zich lenig als een kat naar boven. Toen hij hoog genoeg was, stopte hij met klimmen en schuifelde behoedzaam naar de rand van de piramide. Voorzichtig keek hij op de andere zijde. In de verte brandden de lichten van Cairo. De hectiek van de grote stad leek ver weg op het plateau van Gizeh. Aan de andere kant rees majestueus de piramide van Mykerinos op uit de woestijn. Hij besefte dat het slechts weinigen gegund was om vanaf deze positie een blik te werpen op het statige grafmonument.

Iets verderop zag hij zijn doelwit liggen. Precies zoals hij had verwacht. Door via een andere kant aan de bestijging te beginnen had hij ongezien kunnen naderen. Voorzichtig sloop hij op hem af tot hij zich schuin boven de andere man bevond.

Die had niets in de gaten. Hij keek nog eens over de rand naar beneden, maar daar was nog steeds niemand te zien.

De man met de gewonde hand begon nu geruisloos af te dalen. Hij was nog steeds niet opgemerkt. Even verloor hij zijn evenwicht maar hij herstelde zich snel. Als hij van deze hoogte langs de hobbelige wand naar beneden zou vallen, zou hem dat op zijn minst ernstige verwondingen opleveren. Bij zijn doelwit aangekomen, bukte hij zich en greep met zijn gezonde hand razendsnel de cassette.

De eigenaar van de cassette werd volledig overrompeld. Hij was bijzonder op zijn hoede geweest, maar dat er gevaar van boven zou kunnen dreigen was geen moment in hem opgekomen. Verbouwereerd wilde hij opkijken, maar zijn hoofd werd door een schoenzool ruw terug op de stenen geduwd. Even werd het zwart voor zijn ogen. Zijn kaak voelde verdoofd en zijn wang brandde door de ontstane schaafwond. Ook zonder op te kijken wist hij dat dit de man moest zijn die hem vanavond had achtervolgd over het plateau van Gizeh. Angstig bleef hij liggen. Het had geen zin om zich te verzetten, want hij wist dat hij fysiek niet tegen hem was opgewassen.

Tevreden opende de achtervolger de cassette. De binnenkant was bekleed met schokbestendig materiaal. Het was het soort doosje waarin je iets breekbaars zou bewaren. Gebiologeerd staarde hij naar de inhoud, waardoor de aandacht voor de man onder hem wat verslapte.

Die greep zijn kans. Hij worstelde zich onder de voeten van zijn belager vandaan en deed een uitval naar de cassette. Er ontstond een korte worsteling, maar omdat het krachtsverschil groot was had de aanvaller zijn slachtoffer snel weer onder controle. De cassette viel echter naar beneden en de glazen inhoud spatte tientallen meters lager rinkelend uit elkaar op de stenen.

Beide mannen keken met een mengeling van woede en ongeloof naar beneden. Na een korte woordenwisseling stond de eigenaar van de cassette op en maakte aanstalten om te gaan afdalen. Zijn belager leek door het verlies van de cassette in verwarring gebracht. Uiterlijk onbewogen leunde hij achterover op de eeroude stenen en streek peinzend over zijn verband. Plotseling had hij zijn conclusie getrokken. Hij stond langzaam op en deed een stap in de richting van de ander, die zijn ene been al op de volgende steenlaag had gezet. Met twee handen gaf hij de andere man een enorme duw tegen zijn borst. Het ging zo snel dat hij niet eens tijd had om te reageren. Wanhopig maaiden zijn armen door de lucht, maar er was niets om zich aan vast te klampen. Met een gesmoorde kreet viel hij achterover de diepte in. Na een val van vele meters klapte zijn achterhoofd op de harde stenen. Het lichaam werd geremd door de ongelijkmatige treden en rolde nog een paar keer om zijn as waarna het tenslotte ruggelings, met het hoofd omlaag bleef stilliggen op een brede richel. Uit een gapende wond op het achterhoofd gutste helderrood bloed op het gele kalksteen.

De ander, die nog hoog op de piramide stond, keek om zich heen. Zou iemand iets gezien hebben?

Er heerste nog steeds een serene rust op het nachtelijk plateau.

In de verte, honderden meters verderop bij de piramide van Cheops, hoorde hij gelach. Dat zouden de nachtwakers wel zijn. Ze konden onmogelijk iets gezien hebben, want de zuidzijde van Chefren werd geheel aan hun zicht onttrokken. Toch kon er dadelijk een patrouille voorbij komen, want de ghafirs liepen op onregelmatige tijden hun rondes en sinds de twee mannen op de piramide waren geklommen, was er nog niemand gepasseerd.

Snel begon hij af te dalen. Toen hij bij het lichaam van zijn slachtoffer aankwam, had zich inmiddels een grote plas bloed rond het hoofd gevormd. Hij voelde met zijn vingers aan de halsslagader van de omgekeerd liggende man. Dood.

Het geluid van pratende ghafirs klonk opeens dichterbij. Blijkbaar waren ze aan hun ronde begonnen. Vlug veegde hij wat zand over de bloedplas waardoor de rode vlek vervaagde. Vervolgens ging hij zitten en met twee voeten gaf hij de dode man een stevige zet, zodat hij verder langs de schuine wand naar beneden tuimelde. Met een doffe plof landde het levenloze lichaam in het zand. Nadat hij zelf met een sprong op de grond terecht was gekomen, tilde hij het lichaam moeizaam op zijn schouders. Even wankelde hij onder het gewicht, maar hij herstelde zich en maakte zich zo snel als zijn zware last het toestond uit de voeten.

Een verharde weg markeerde de overgang van het piramidecomplex naar het begin van de woestijn. De man keek om. Nog steeds niemand, maar dat kon nu elk moment veranderen. Hij gooide het lichaam van zich af en liet zich achter een groepje losliggende keien plat in het zand vallen. Hij was nu buiten bereik van het schijnsel van de piramideverlichting, maar bepaald niet onzichtbaar. Vanachter zijn lage beschutting keek hij naar de piramide.

Druk in gesprek kwamen twee ghafirs de hoek van de piramide omlopen. Hun karabijnen bungelden losjes om de schouder. Het was duidelijk een routinerondje. Ze keken op noch om en wandelden op hun gemak langs de piramide. Een van hen stopte even en bukte zich om een schoen op te rapen die daar op de grond lag.

De man die vanachter de keien het tafereel gadesloeg, keek naar het lichaam naast zich in het zand. Aan de rechtervoet zat een stevige, bruinlederen schoen. Zijn hart klopte in zijn keel toen hij het been aan de kant schoof om de linkervoet te kunnen zien. Die was slechts gehuld in een sok.

De bewaker bekeek de schoen eens goed. Hij vond wel vaker

voorwerpen rond de piramide. Gisteren nog had hij op de onderste trede van de Grote Piramide een mobiele telefoon aangetroffen die hij grinnikend in zijn zak had gestoken en 's middags op de markt had verkocht. Hij draaide zijn ongeschoren gezicht naar zijn kameraad, die inmiddels een sigaret had opgestoken, en maakte een opmerking over de schoen. Vervolgens haalde hij zijn schouders op en gooide hem met een wijde boog de nacht in. Ze namen een slok uit hun veldfles en vervolgden hun weg.

De man achter de stenen slaakte een zucht van verlichting en begon om zich heen te kijken. Verder lopen met het lichaam op zijn nek was geen optie. Dat hield hij niet lang meer vol. Hij moest een manier verzinnen om van het lichaam af te komen.

Verderop stonden enkele auto's geparkeerd bij een schaars verlicht gebouw. De wagens stonden onder een provisorische overkapping van houten palen met een dak van golfplaten. De wagen die het verst van het gebouw af geparkeerd stond, was een oude Landrover met een open laadbak. Met een pijnlijk gezicht wreef hij over het verband om zijn gewonde hand. Tijdens zijn vlucht van de piramide, waarbij hij het dode lichaam krampachtig had moeten vasthouden, was hij onaangenaam herinnerd aan het incident.

Hij keek nog eens over de keien richting de piramides. De patrouille was inmiddels verdwenen en het enige wat hij hoorde was het geluid van een zacht briesje dat los zand over zijn haar blies. Hij besloot het erop te wagen en met veel moeite tilde hij het lichaam weer op zijn schouders. Het voelde inmiddels loodzwaar aan.

Buiten adem bereikte hij de Landrover. De legergroene lak bladderde ervan af en de kale banden waren dringend aan vervanging toe. Hij keek in de open achterbak en zag wat archeologisch gereedschap liggen: spades, schepjes, een hark en een stuk zeil. Hij legde het lichaam in de laadbak en dekte het toe met het groezelige zeil. Vervolgens liep hij om de terreinwagen heen naar de cabine. Het raam stond open. Omdat de temperatuur in deze periode zelfs 's nachts niet onder de twintig graden Celsius kwam, reed iedereen die geen airco in zijn auto had de hele dag met de ramen open. De bestuurder had niet eens de moeite genomen om de auto af te sluiten. Hij opende het portier en zag dat er geen sleutel in het contact zat. Ook het handschoenenvak bood geen soelaas, maar toen hij de zonneklep naar beneden trok, viel er een sleutelhanger in de vorm van een kleine sfinx in zijn schoot. Dat was waar hij op gehoopt had.

11

Blijkbaar werd de Landrover door archeologen gebruikt om zich over het terrein te verplaatsen en lag de sleutel klaar voor de eerstvolgende die hem nodig had.

Hij startte de auto en reed met gedoofde lichten terug naar de weg, waar hij rechtsaf sloeg. Na een paar bochten liep de weg verder in zuidelijke richting. Hij deed de verlichting aan en duwde het gaspedaal stevig in. Al na een paar kilometer stopte de verharde weg, maar de oude terreinwagen reed gewoon verder het mulle woestijnzand in. Piepend en krakend in al zijn voegen koerste de wagen steeds verder van Cairo vandaan de kale vlakte op.

Inmiddels was het bijna licht geworden en de zon zou straks weer ongenadig gaan branden. Het werd tijd een manier te vinden om van het lichaam af te komen. De man tuurde over zijn stuur in de verte. Er was op de droge zandvlakte ruimte genoeg om ongezien een lijk te dumpen, maar hoe kon hij het lichaam laten verdwijnen zonder enig spoor achter te laten?

Aan de horizon cirkelden enkele gieren in de lucht. Zwevend op hun enorme vleugels zochten zij met scherpe blik de omgeving af naar voedsel. Een van de gieren liet zich plotseling als een baksteen naar beneden vallen, om zich met zijn sterke klauwen op een prooi te storten. Dat bracht hem op een lumineus idee.

Enkele jaren geleden was hij op de Tibetaanse hoogvlakte getuige geweest van een Boeddhistische afscheidsceremonie van een overleden man. Boeddhisten geloofden in reïncarnatie, waarbij de ziel van de overleden persoon wedergeboren werd in een ander mens of zelfs in een dier. Het fysieke lichaam was voor de Boeddhist slechts een tijdelijke behuizing en ze geloofden dat de ziel na het overlijden het lichaam verliet, waarna er slechts een lege huls overbleef. Wat er vervolgens met dit stoffelijk overschot gebeurde, was in de ogen van velen uitermate luguber. Hij had destijds getwijfeld of hij wel bij het schouwspel aanwezig durfde te zijn, maar tegelijkertijd had de gedachte aan het gruwelijke spektakel dat hij te zien zou krijgen hem enorm opgewonden.

Op gepaste afstand had hij toegekeken hoe, na een afscheidsceremonie met familieleden, het in witte gebedsvlaggen gehulde lichaam van een jonge man door monniken naar een open vlakte in het hooggebergte werd gedragen. Op deze heilige plaats werd het lichaam ontdaan van alle kleding en naakt in een cirkel van stenen

12

gelegd. Hij herinnerde zich dat het lichaam van de man er bijzonder sterk en gezond had uitgezien, alsof hij niet dood was maar gewoon lag te slapen.

Voor zijn ogen voltrok zich een vreselijk schouwspel. Twee monniken in lange gewaden begonnen met vlijmscherpe messen het lichaam van de overleden man open te snijden en het haar weg te scheren. Op dat moment zat er al een groep van zeker dertig enorme gieren op een afstandje toe te kijken. Ingewanden werden naar buiten getrokken, het vlees werd met haken opgetild en weggesneden en op de ledematen werden lange inkepingen gemaakt om het de gieren gemakkelijk te maken. Toen ze hiermee klaar waren stapten de monniken uit de cirkel. Onmiddellijk dienden de gieren zich aan. Hongerig stortten ze zich op het vlees, waarbij ze een bloederig gevecht aangingen om de beste delen. Over elkaar buitelend rukten de vogels met hun sterke snavels grote hompen vlees uit de buik en slokten het gulzig naar binnen.

Na een kwartier waren de spieren en andere weke delen door de beesten opgevreten en trokken ze zich gedeeltelijk terug. De monniken stapten terug de cirkel in en joegen de laatste gieren weg, waarna ze met hamers en bijlen het overgebleven geraamte in stukken begonnen te hakken. Een van hen nam de schedel op, waarbij het kaakgewricht op en neer bewoog alsof de man nog wat laatste woorden wilde zeggen. Tenslotte werd met enkele rake klappen ook de hersenpan opengespleten.

De gieren vielen opnieuw aan en deze keer namen ze grote stukken bot met zich mee de lucht in. Na een uur was er vrijwel niets meer over van het lichaam. De Tibetanen hadden de ceremonie in het Engels *sky burial* genoemd, hemelbegrafenis. Het lichaam werd door de gieren naar de hemel gedragen en teruggegeven aan de natuur. Een functionele methode in een land waar begraven vanwege de rotsachtige bodem problematisch was en hout voor een crematie schaars.

Toen de zon opkwam en de omgeving in een goudgele gloed zette, stopte de Landrover bij een lage rotspartij. De man parkeerde de wagen dicht tegen de rotsen en stapte uit. Hij nam de omgeving in zich op en luisterde naar de immense stilte. Het contrast met de brullende motor van de Landrover kon niet groter zijn. Zo ver als hij kon kijken zag hij hetzelfde eentonige woestijnlandschap met hier en daar wat kale rotsen en golvende zandduinen. Hij speurde

13

de horizon af naar enig teken van leven, maar hij zag alleen zijn eigen kronkelende bandensporen. Slechts de gieren cirkelden loom hun rondjes.

Hij keek over de rand van de achterbak naar de gestalte onder het zeil. *Moge God zijn ziel genadig zijn. En de mijne ook*, realiseerde hij zich toen hij dacht aan wat hem nu te doen stond.

De man klom achter in de bak en trok het zeil weg. Met zijn handen in zijn zij keek hij naar het lichaam. Het hoofd lag in een vreemde knik ten opzichte van de romp. Blijkbaar was bij de val van de piramide zijn nek gebroken. Het bloed op zijn achterhoofd was gedeeltelijk opgedroogd, maar de bodem van de laadbak kleurde rood. Hij trok het ontzielde lichaam aan beide benen naar achteren en liet het met een smak in het zand ploffen. Vervolgens pakte hij hem onder zijn oksels en sleepte het lichaam op de rotsen. Hij ontdeed de dode man van zijn kleding, het horloge en de enige overgebleven schoen en gooide alles op het zeil, dat hij had uitgespreid achter in de auto.

Hij pakte een spade met een scherp blad uit de achterbak en ging voor het naakte lichaam staan met zijn voeten aan weerszijden van de benen van het slachtoffer. Hij pakte de schep stevig met twee handen beet, haalde diep adem en hief hem als een hakbijl boven zijn hoofd. Met kracht liet hij hem neerdalen op de borstkas onder zich, waarna er een felle pijnscheut door zijn hand trok. Hij zag hoe de ribben in een keer door het scherpe werktuig doorkliefd werden. Met samengeknepen lippen verbeet hij de pijn in zijn hand en bleef inhakken op het lichaam tot hij de borstkas en buik van boven tot onder had opengelegd. Vol afgrijzen keek hij naar het bloederige resultaat. Toen zette hij de schep in het linker bovenbeen en plaatste zijn voetzool erop. Alsof hij zijn tuin stond om te spitten werkte hij alle ledematen af, waarbij diepe groeven ontstonden in het bleke vlees. Tenslotte begon hij aan het karwei dat hem nog het meest tegen de borst stuitte. Hij ging aan de bovenkant van het toegetakelde lichaam staan en met de platte kant van de spade gaf hij een harde klap op de zijkant van het hoofd. Toen dat niet het gewenste resultaat opleverde, sloeg hij nog eens zo hard als hij kon met de scherpe kant. Krakend barstte de schedel open waardoor de grijze inhoud zichtbaar werd. Hij wrikte verder tot de hersenmassa naar buiten puilde, waarna hij walgend van afschuw de schep in het zand gooide en zurige resten half verteerd voedsel begon uit te braken. Vermoeid zakte hij neer op de rotsen en sloot zijn ogen.

Hij moest even zijn ingedommeld, want hij schrok wakker van een fladderend geluid. Toen hij opkeek zag hij dat een tiental gieren zich had ontfermd over het gehavende lichaam. Het was ongelooflijk hoe de reukzin van de dieren hen zo snel hierheen had gebracht. De vogels krioelden wild door elkaar en het lichaam, of wat daar nog van over was, werd grotendeels bedekt door hun lange zwart-witte vleugels. Hij zag de vaalgele koppen met hun kromme snavels agressief op en neer bewegen. Ze verdwenen bijna helemaal in de opengereten buik en borstkas en rukten grote stukken hart, lever en andere organen uit het lichaam. Toen een van de beesten zijn snavel in het geslachtsdeel van de man zette en wild met zijn kop heen en weer begon te schudden, wendde hij zijn hoofd af en sloot zijn ogen weer.

Hij liet de gieren, die intussen in aantal waren toegenomen, een half uurtje hun gang gaan en stond toen op om ze weg te jagen. Met de spade begon hij de botten fijn te stampen tot kleine stukjes, precies zoals hij de monniken had zien doen, en toen het skelet was gereduceerd tot hapklare brokken, trok hij zich terug om de gieren hun macabere werk te laten voltooien. Ze hadden meer tijd nodig dan hun Tibetaanse soortgenoten, maar uiteindelijk bleven er alleen een stuk ruggengraat en wat restanten van de schedel op de met bloed bedekte rotsen liggen. Het had nog het meeste weg van een offerplaats waar zojuist een schaap was geslacht. Het was een surrealistische gedachte dat hier net nog een volwassen man had gelegen, die nu in kleine stukjes mee naar boven was genomen.

Hij begroef de overblijfselen en strooide een dikke laag zand over het bloed op de rotsen. Spoedig zou niemand meer kunnen zien wat er zich hier had afgespeeld. Daarna legde hij de schep op de stapel kleren in de achterbak van de Landrover en vouwde het zeil dicht. Met een stuk touw dat hij in de cabine had gevonden bond hij het pakket bij elkaar. Terwijl hij het bloed op de bodem van de laadbak met woestijnzand bedekte, zag hij dat zijn eigen kleding ook onder de bloedspetters zat.

Hij stapte weer achter het stuur en startte de motor. De wagen beschreef een halve cirkel en reed terug in de richting waaruit hij was gekomen. Om de weg naar Cairo terug te vinden, hoefde hij alleen maar de sporen te volgen die de brede banden op de heenweg in het losse zand hadden achtergelaten.

Hoewel het nog steeds ochtend was, stond de zon al hoog aan de hemel. In de onvruchtbare woestijn zou het kwik weldra oplopen tot extreme temperaturen. Een zwakke ochtendbries had de banden-sporen enigszins vervaagd, maar de diepe voren waren nog duidelijk zichtbaar in het hete zand. In de loop van de dag zouden de sporen door de wind volledig uitgewist worden en zou niemand meer in staat zijn het huiveringwekkende toneel van de *sky burial* terug te vinden.

1

'Het meest fascinerende op deze oude landkaart, die opdook in 1513, is het werelddeel Antarctica. De kustlijnen van het land dat twee kilometer onder het ijs verborgen ligt, zijn namelijk zeer nauwkeurig ingetekend. Dat impliceert dat het land in kaart werd gebracht vóórdat het continent door een dikke laag ijs werd bedekt. Dat is opzienbarend omdat de Zuidpool voor de laatste keer ijsvrij was in de periode van 13.000 tot 4.000 voor Christus. Volgens de huidige wetenschappelijke inzichten bestond er in die tijd nog geen hoogontwikkelde samenleving die de geografische en cartografische kennis had om Antarctica zo gedetailleerd in kaart te brengen. Het is een groot mysterie hoe deze kaart tot stand is gekomen, want volgens de gangbare opvattingen kan hij helemaal niet bestaan.'

Mark Enquist liet een stilte vallen en keek de zaal in om de reactie op zijn woorden te peilen. Het grote auditorium van het British Museum was tot de laatste stoel bezet met wetenschappers, journalisten en andere genodigden. Er ontstond geroezemoes en de mensen keken verbaasd naar een metershoge projectie van de oude landkaart op de muur achter de spreker.

Enquist was hoogleraar antropologie aan het Birkbeck College van de universiteit van Londen. Oude beschavingen waren zijn specialisatie. Hij genoot in het academische wereldje een redelijke bekendheid omdat hij de gave had de doorgaans moeilijk toegankelijke onderwerpen zodanig te brengen dat ze een breed publiek aanspraken. Hij vond dat wetenschap niet beperkt moest blijven tot collegezalen en vakbladen. Dat was hetzelfde als een Rembrandt die bij hele rijke mensen thuis hing. Daar had niemand wat aan. Mooie kunstwerken hoorden in een museum.

Omdat hij een begaafd spreker was, werd hij regelmatig gevraagd voor lezingen en congressen. De laatste tijd werd hij ook steeds vaker uitgenodigd om presentaties te verzorgen voor bedrijven en instellingen die niets met de wetenschappelijke wereld van onderzoek en colleges te maken hadden. Dit leverde hem onder zijn collega's wel eens de bijnaam *professor Schnabbel* op, maar dat deerde Enquist niet. De oude beschavingen die hij bestudeerde lagen veelal buiten Europa, dus hij kon de bijverdiensten goed gebruiken om zijn studiereizen te bekostigen. Op dat soort uitgaven was zijn hooglerarensalaris niet berekend. Maar wat hij belangrijker vond was dat hij tijdens dit soort presentaties zijn passie kon uitdragen en zoveel mogelijk mensen deelgenoot kon maken van de erfenissen uit de oudheid.

Toen hij enkele maanden geleden een invitatie van het museum ontving om een lezing te geven op een conferentie over het Ottomaanse Rijk, hoefde hij geen seconde na te denken over een onderwerp. Deze uitnodiging kwam precies op het goede moment. Eigenlijk had het Ottomaanse Rijk maar zijdelings te maken met zijn onderwerp, maar Enquist vond het een mooie gelegenheid om naar buiten te treden met de resultaten van het onderzoek waarmee hij zich het afgelopen jaar had beziggehouden.

De landkaart die hij op dit moment aan het publiek toonde stond bekend als de kaart van Piri Reis. Deze beroemde admiraal diende in de zestiende eeuw in de Ottomaanse marine en had zijn kaart in 1513 in Constantinopel getekend op gazellehuid. Naast de noordkust van Antarctica waren ook de oostkust van Zuid-Amerika en de westkust van Afrika afgebeeld, maar het ging om de Zuidpool. Op zich was het al opmerkelijk dat iemand in 1513 een kaart had getekend waarop een continent stond dat pas 300 jaar later ontdekt zou worden, maar het meest intrigerend was dat de ingetekende kustlijn van Antarctica al minimaal zesduizend jaar schuilging onder een dikke laag ijs. Tegenwoordig kon het land onder het ijs van Antarctica in kaart worden gebracht met behulp van radar en satellieten, maar hoe deden ze dat toen?

Nu was het niet zo dat Piri Reis zelf richting Antarctica was gezeild om het continent in kaart te brengen. Uit zijn aantekeningen bleek dat hij de kaart had samengesteld uit oudere kaarten die zich waarschijnlijk in de keizerlijke bibliotheek van Constantinopel hadden bevonden. De bronnen waarop de admiraal zijn kaart had gebaseerd waren echter verloren gegaan.

'Dr. Enquist, mag ik een vraag stellen?'

Enquist keek de zaal in. Een jonge man met halflang, donker krullend haar was opgestaan en naar de interruptiemicrofoon gelopen. Hij was gekleed in een vale spijkerbroek met bruin colbert en een wit overhemd. Type journalist, dacht Enquist.

'Natuurlijk.'

'U zei net dat alleen een technologisch hoogontwikkelde samenleving in staat zou zijn om de kustlijn van Antarctica te schetsen. Maar is het niet mogelijk dat een minder ontwikkeld, zeevarend volk is afgedwaald naar het zuiden en het gebied in kaart heeft gebracht voordat het onder het ijs verdween?'

Enquist had deze vraag wel verwacht. Toen hij bijna een jaar geleden was afgereisd naar Turkije om de kaart van Piri Reis met eigen ogen te bekijken in het Topkapi paleis in Istanbul, had hij ook even met deze gedachte gespeeld. Hij had voor het eerst gelezen over de kaart van Piri Reis in het boek *Maps of the ancient sea kings*, waarin Harvard historicus Charles Hapgood de conclusie trok dat er vóórdat de Zuidpool bedekt werd met ijs, al een ontwikkeld volk moest zijn geweest. In Istanbul had hij een groep gerenommeerde geografen, cartografen en wiskundigen bij elkaar gebracht. Ze hadden toestemming gekregen om de kaart aan een nauwgezet onderzoek te onderwerpen en hun resultaten hadden de conclusie van Hapgood ondersteund. Het oordeel was unaniem geweest.

'Cartografie is een vakgebied dat hoort bij een intelligente samenleving. Tot diep in de achttiende eeuw waren we niet in staat om nauwkeurig meridianen, ooster- en westerlengte, te berekenen, simpelweg omdat de benodigde techniek nog niet beschikbaar was. Toen Columbus in 1492 land in zicht kreeg bij zijn poging om via het westen naar Azië te varen, wist hij weliswaar zijn positie ten opzichte van de evenaar, maar hij had geen idee waar hij zich precies bevond ten opzichte van Spanje, waarvandaan hij vertrokken was. Omdat hij dacht dat hij Indië bereikt had, noemde hij de inwoners Indianen. In werkelijkheid had hij de Bahama's ontdekt en was hij nog niet eens op de helft van zijn geplande reis. Pas in 1778 was James Cook de eerste ontdekkingsreiziger die over meetapparatuur beschikte waarmee hij ook lengte kon berekenen. Hierdoor was hij de eerste die betrouwbare landkaarten kon tekenen.'

Enquist draaide zich half weg van zijn publiek en wees naar de kaart achter hem.

'Zoals u ziet op de kaart van Piri Reis zijn Afrika en Zuid-Amerika exact op de juiste lengtegraad gepositioneerd.'

Hij pauzeerde even en liet zijn toehoorders alvast hun conclusie trekken.

'Piri Reis heeft zijn kaart gebaseerd op oudere kaarten. Nu zijn er tegenwoordig zeer veel oude samenlevingen bekend, maar algemeen wordt aangenomen dat de allereerste samenleving die alle kenmerken had van wat we een *beschaving* noemen, is ontstaan tussen 4.000 en 3.000 voor Christus in Mesopotamië, het beroemde land tussen de Eufraat en de Tigris, het huidige Irak. Maar geen enkele oude beschaving mag in staat worden geacht om een dergelijke kaart te produceren. Het feit dat zo'n kaart wèl bestaat,' Enquist wees naar de kaart achter zich, 'is een sterke aanwijzing voor de aanwezigheid van een verdwenen beschaving. Een mysterieuze beschaving die, voor zover we nu weten, geen sporen heeft achtergelaten. Een oeroude beschaving die leefde toen de Zuidpool ijsvrij was. Een intelligente beschaving met de hoogwaardige wiskundige kennis die nodig is om zulke nauwkeurige landkaarten te kunnen tekenen.'

De vragensteller was even uit het lood geslagen. Dit was een typisch Enquist antwoord. Met zijn enorme feitenkennis ondersteunde hij zijn betoog altijd met een stortvloed aan informatie en argumentatie. Toch was hij nog niet tevreden met het antwoord van de professor.

'Als zo'n samenleving heeft bestaan, moet deze een behoorlijke omvang hebben gehad. Hoe verklaart u dat er nog nooit wat van teruggevonden is?'

Enquist glimlachte geheimzinnig en wierp een blik op zijn horloge. Onderaan het podium stond de volgende spreker al gereed. Hij keek de zaal in en dacht een ogenblik na over de formulering van zijn antwoord.

'Er zijn wel degelijk voor iedereen zichtbare overblijfselen van deze beschaving op aarde aanwezig.'

Terwijl Enquist het spreekgestoelte verliet, ging Vincent Albright weer zitten en keek in het programmaboekje. Wat volgde was een verhandeling over de verovering van de Byzantijnse hoofdstad Constantinopel, later de hoofdstad van het Ottomaanse Rijk. Niet bijster interessant, vond hij, maar toen hij opstond om de zaal te verlaten was hij zo'n beetje de enige.

Vincent was documentairemaker voor National Geographic Channel. Hij was door zijn hoofdredacteur naar de lezing van Enquist gestuurd, want ze waren altijd op zoek naar boeiende onderwerpen. Het gerucht ging dat de antropoloog met iets nieuws zou komen, al wist niemand precies wat. Vincent had wel eens eerder een presentatie van Enquist bijgewoond en dat was erg interessant geweest. De man wist zijn publiek te boeien. Ook het verhaal dat hij zojuist had gehoord was intrigerend. Alleen had hij het gevoel gehad dat Enquist niet het volledige verhaal vertelde, want af en toe leek de professor op zijn lippen te bijten alsof hij zijn mond niet voorbij wilde praten. In de hoop hem uit zijn tent te lokken was hij naar de microfoon gelopen. Hij was aardig in zijn opzet geslaagd, want op de valreep had Enquist nog een verrassende uitspraak gedaan.

Na de presentatie had hij een afspraak met Enquist. De antropoloog had enkele dagen geleden met National Geopgraphic Channel gebeld omdat hij eens wilde praten met een goede documentairemaker. Vincent had weinig details te horen gekregen, maar hij had van zijn redactie opdracht gekregen naar de conferentie te gaan om te horen wat Enquist te zeggen had.

Hij zag dat de wetenschapper ook de zaal verliet en liep achter hem aan. Buiten het auditorium was een Italiaanse espressobar ingericht. Enquist nam een cappuccino en ging bij een van de bartafels staan waar hij zijn minilaptop openklapte. Vincent bestelde een dubbele espresso. Hij pakte het kopje aan en terwijl hij de geur opsnoof, liep hij naar de tafel van Enquist en zette zijn koffie neer.

De wetenschapper keek op en herkende de vragensteller.

Vincent stak zijn hand uit. 'Dag dr. Enquist, ik ben Vincent Albright, National Geographic Channel. We hebben een afspraak.'

Enquist knikte en schudde zijn hand. 'Aangenaam.'

Vincent bekeek de man eens van dichtbij. Enquist was van middelbare leeftijd. Zijn donkere haar begon al flink te grijzen en hoewel hij gladgeschoren was, kon je zien dat hij een zware baardgroei had. Hij was, waarschijnlijk voor de gelegenheid, formeel gekleed in een antraciet pak met gestreept overhemd, maar een stropdas droeg hij niet. Zijn intelligente bruine ogen keken Vincent onderzoekend aan.

'Ik heb net met veel belangstelling naar u geluisterd. Het verhaal over de kaart van Piri Reis was erg interessant.'

Enquist knikte. 'Ik doe al jaren onderzoek naar oude beschavingen en dit lijkt eindelijk een aanwijzing te zijn dat er al veel langer geciviliseerde mensen rondlopen dan we altijd aangenomen hebben.'

'Ik heb begrepen dat u James Wilson hebt gesproken, onze

21

hoofdredacteur,' kwam Vincent ter zake.

'Dat klopt. Ik ken James uit mijn studietijd. We spreken elkaar nog regelmatig. De reden dat ik hem gebeld heb, is dat ik overweeg om de resultaten van mijn onderzoek vast te laten leggen in een documentaire. Ik heb hem gevraagd of hij iemand kent die dat zou kunnen doen.'

Hij keek Vincent taxerend aan. 'Eigenlijk is televisie niet bepaald een medium dat wij wetenschappers plegen te gebruiken. Onze artikelen worden normaliter gepubliceerd in wetenschappelijke tijdschriften. Je wordt nu eenmaal beoordeeld op het aantal publicaties dat je op je naam hebt.'

Vincent knikte.

'Maar een film of een documentaire zou goed passen in mijn visie dat wetenschap toegankelijk moet zijn voor een breed publiek. Mijn onderzoek zou wel eens kunnen resulteren in nieuwe inzichten over de afkomst van de mensheid. In dat geval is het mijn wetenschappelijke plicht om die conclusie wereldkundig te maken.'

Enquist nipte aan zijn koffie en keek belangstellend naar Vincent. Het leek alsof hij probeerde in te schatten of de jonge filmmaker de juiste persoon was voor deze taak.

'Kun je wat vertellen over je werk?'

Vincent legde geroutineerd uit welke documentaires hij had gemaakt en hoe hij te werk ging. Hij vertelde dat het zijn uitdaging was om het verhaal van anderen zo goed mogelijk te vertellen en het visueel te ondersteunen met mooie, indrukwekkende of aangrijpende beelden.

Enquist stelde talloze vragen tussendoor, die hij vakkundig beantwoordde. Uiteindelijk knikte de wetenschapper. Hij leek tevreden.

'Ik heb nog andere afspraken, dus ik moet me nu helaas excuseren. Op een symposium als dit lopen veel collega's rond die je maar een keer per jaar ziet.'

'Ik begrijp het,' zei Vincent.

'Maar ik ben nog niet klaar met mijn verhaal, want er is meer dat je moet weten. Dat zal ik je later vertellen.'

Enquist schudde hem de hand en mengde zich onder het publiek, Vincent achterlatend met het onbevredigende gevoel dat de professor nóg geen open kaart had gespeeld.

2

Michelle Rousseau verloor bijna haar evenwicht toen de metro plotseling een bocht maakte. Snel greep ze zich vast aan de metalen paal, maar ze kon niet voorkomen dat ze de schouder van de man naast zich raakte. Hij keek geërgerd op uit zijn ochtendkrant maar toen hij de mooie vrouw zag, veranderde zijn uitdrukking en knikte hij vriendelijk. Michelle glimlachte verontschuldigend. Ze had zich voor haar afspraak netjes gekleed. Niet zo zakelijk als de vele mantelpakjes waarmee de Parijse metro op dit tijdstip bevolkt werd, maar wel representatief. Ivoorkleurige blouse, rok tot op haar knieën. Haar glanzende, bruine haar viel over haar schouders en ze had voor de gelegenheid haar gouden oorringen ingedaan. Haar houding was zelfverzekerd. Niet arrogant, maar assertief. Vorige maand was ze dertig jaar geworden. Met haar donkere ogen keek ze op het bordje hoeveel haltes ze nog moest tot aan haar bestemming.

Michelle was wetenschappelijk redacteur bij France 2, de grootste publieke televisiezender van Frankrijk. Gisteren op kantoor had hoofdredacteur David Girard op haar schouder getikt terwijl ze midden in een telefoongesprek zat.

'Michelle, kun je zo even langslopen op mijn kantoor? Maak je agenda voor morgen maar vast leeg.'

Nadat ze had opgehangen, was ze meteen naar David gelopen.

'Mijn agenda leegmaken? Wat is er zo dringend?' vroeg ze nieuwsgierig.

'Ga even zitten.'

Girard was een man wiens gezicht je niet lang onthield. Met zijn bleke huid, dunne vettige haar en enigszins timide uitstraling zou hij je huisarts kunnen zijn, maar ook de kruidenier op de hoek. Hij was echter een kei in zijn vak, kende de hele mediawereld en stond bekend om zijn woede-uitbarstingen als dingen niet snel genoeg geregeld werden. Nieuwsvoorziening was een discipline waarbij soms elke minuut telde. Voor medewerkers die zichzelf bewezen hadden, ging Girard door het vuur en Michelle was er daar een van.

Hij kwam achter zijn bureau vandaan en wees naar de tafel met vier stoelen in de hoek van zijn kamer. Zoals altijd wanneer hij overleg op zijn kamer had, sloot hij de deur.

'Ik ben net gebeld door Frédéric Dubois.'

'Dubois? Van de Sorbonne?'

'Ja, de rector van de universiteit van Parijs. Hijzelf of een van zijn collega's, daar was hij een beetje vaag over, wil graag een vooraf opgenomen interview op onze zender. Hij zei dat er op de Sorbonne een revolutionaire wetenschappelijke ontdekking is gedaan, een absolute doorbraak die het ontstaan van het leven op aarde in een heel ander licht zou plaatsen. Er waren volgens hem dringende redenen om deze doorbraak naar buiten te brengen. Blijkbaar heeft hij France 2 uitgekozen als medium. Morgenochtend heb ik een afspraak met hem en ik wil graag dat jij me vergezelt.'

Michelle keek hem verrast aan en lachte haar witte tanden bloot. De vraag verbaasde haar een beetje, want er waren collega's op de redactie met meer ervaring en een grotere staat van dienst dan zij. Zelf schaarde ze zich nog steeds onder de noemer aanstormend talent. Ze had algemene natuurwetenschappen gestudeerd, maar zoals ze tijdens haar studie al nooit een keuze had kunnen maken voor een specifiek vakgebied, had ze dat in haar beroep ook niet gedaan. Omdat ze graag op een breed terrein actief wilde zijn, was ze bij France 2 gaan werken waar ze goedbekeken populairwetenschappelijke programma's maakte. In ieder geval was dit een mooie kans om zich in de kijker te spelen.

Ze stapte uit bij de halte Cluny - La Sorbonne en liep door de met mozaïek versierde metrohal naar de trap die haar midden in het Quartier Latin bracht. Op dit vroege tijdstip was de gebruikelijke dynamiek van de levendige studentenwijk nog ver te zoeken. De Parijzenaars dronken staand aan de bar hun espresso en veel winkels waren nog dicht. Michelle stak na een paar blokken de straat over en ging naar binnen bij een van de talloze bijgebouwen van de universiteit. Ze liep door de hal van het voorname achttiende-eeuwse pand naar de receptie en besloot nog even op Girard te wachten. De receptioniste zat aan de telefoon en glimlachte vriendelijk naar haar. Michelle legde een elleboog op de balie en keek om zich heen in de hal met fraai houtsnijwerk en klassieke muurschilderingen. Precies op het moment dat de receptioniste haar telefoongesprek beëindigde, stapte David uit de lift.

'Goedemorgen,' begroette hij haar. 'Ik heb mijn auto in de parkeergarage gezet.'

24

'We hebben een afspraak met Frédéric Dubois,' zei Michelle tegen de vrouw achter de balie.

De receptioniste keek op haar beeldscherm.

'Mevrouw Rousseau en meneer Girard? U wordt verwacht. Het is op de eerste verdieping. U kunt het beste de trap nemen.'

Ze wees naar de brede marmeren trap die zich naast de receptie bevond en legde uit waar ze moesten zijn.

'Heb je nog iets meer gehoord over die ontdekking?' vroeg Michelle terwijl ze naar boven liepen. Ze was nieuwsgierig geworden naar de reden dat ze hier ontboden waren. Doorgaans kondigden onderzoekers hun resultaten niet aan op tv, maar publiceerden ze hun bevindingen in wetenschappelijke tijdschriften.

'Nee, niets,' zei Girard schouderophalend. 'We gaan ons laten verrassen.'

Bovenaan de trap liepen ze in de richting die de receptioniste had aangewezen. Ze werden opgevangen door een secretaresse die hen voorging naar een vergaderkamer. Het klassieke vertrek had een hoog plafond met ornamenten waar vroeger kroonluchters aan gehangen moesten hebben en er lag een houten vloer met visgraatmotief die wel een lakbeurt kon gebruiken. De inrichting bestond uit doorsnee kantoormeubilair. Nadat de dame hen had voorzien van koffie verdween ze geruisloos. Girard nam een slok en keek door een van de metershoge ramen naar buiten. Ze bevonden zich aan de straatzijde.

Michelle wilde nog wat vragen stellen ter voorbereiding op het gesprek, maar op dat moment kwam er een man met uitgestoken hand de kamer binnenlopen. Dat moest Dubois zijn.

'Goedemorgen,' zei hij monter, 'bedankt dat jullie zo snel konden komen.'

Hij schudde Girard hartelijk de hand en stelde zich voor aan Michelle. Blijkbaar had David de rector wel eens gesproken, want ze raakten meteen met elkaar in gesprek over een eerdere ontmoeting. Dit gaf Michelle de kans om de man eens goed op te nemen. Dubois had kort zilvergrijs haar en droeg een ronde bril met gouden montuur. Met zijn donkere pak en rode stropdas had hij ook advocaat of bankier kunnen zijn. Hij had een prettige, serieuze stem en sprak zijn woorden rustig en weloverwogen uit. Toch straalden zijn koude blauwe ogen iets onsympathieks uit, vond ze.

In zijn kielzog was er nog een andere man de kamer binnengekomen. Hij bleef een beetje afzijdig in de deuropening staan en glimlachte verlegen naar Michelle. Ze schatte hem eind veertig. Vanonder zijn warrige krullen keek hij haar vriendelijk aan. Het bruine colbert was net een maatje te groot, zijn overhemd hing bijna uit zijn broek en aan zijn voeten had hij sandalen. Omdat het erop leek dat de man ook bij het gesprek aanwezig zou zijn, besloot Michelle zich alvast aan hem voor te stellen.

'Hallo, ik ben Michelle Rousseau van France 2.'

Dubois, die druk in gesprek was met Girard, hoorde het en draaide zich om.

'Patrick, goedemorgen. Dit zijn de mensen over wie ik je verteld heb. Michelle, David, dit is professor Patrick Laurent, het hoofd van onze faculteit voor natuurwetenschappen.'

Dubois wees naar de lange tafel in het midden van de kamer.

'Laten we gaan zitten, dan kunnen we ter zake komen.'

Hoffelijk wachtte hij tot iedereen had plaatsgenomen en schoof tenslotte zelf aan. Hij legde de paperassen, die hij de hele tijd onder zijn arm had gehouden, voor zich op tafel en keek de kring rond met een gezicht waar duidelijk vanaf te lezen viel dat hij niet kon wachten om met zijn verhaal te beginnen.

'Jullie zullen je wel afvragen waarom ik jullie gevraagd heb hiernaartoe te komen,' begon hij. 'Ik heb al laten doorschemeren dat er een belangrijke ontdekking is gedaan.' Hij keek veelbetekenend naar Laurent.

'Onze universiteit neemt wereldwijd een vooraanstaande positie in, dus er worden elke maand wel nieuwe ontdekkingen gedaan. Op zich is dat niet zo bijzonder. Dat stimuleren we. Daar zijn we een onderwijs- en onderzoeksinstelling voor.'

Hij pauzeerde even.

'Maar deze ontdekking,' hij schudde zijn hoofd alsof hij nog steeds niet kon geloven wat hij wilde gaan zeggen. 'Deze ontdekking is zo onwaarschijnlijk geniaal. We hebben het hier over de Heilige Graal der natuurwetenschappen. Het is een mysterie dat de mensheid al eeuwen bezighoudt. Jarenlang zijn onderzoekers hiernaar op zoek geweest, maar niemand zal geloven dat het daadwerkelijk mogelijk is. Om de impact van deze doorbraak volledig tot jullie door te laten dringen, willen we jullie eerst wat achtergrondinformatie geven. Jullie moeten namelijk exact begrijpen waarom het zo opzienbarend is.'

De France 2 mensen knikten begrijpend.

'Professor Laurent houdt zich bezig met kwantummechanica. Dat is de theorie die zich bezighoudt met alles wat zich afspeelt op subatomair niveau, dus op het niveau kleiner dan een atoom, de bouwsteen van alles wat we kennen.'

Michelle keek naar Laurent. Voor haar was dit redelijk bekend terrein, maar haar hoofdredacteur was een leek op het gebied van natuurwetenschappen. Ze zag dat hij aandachtig luisterde.

'Vreemd genoeg kan bijna niemand zich iets voorstellen bij dat hele kleine,' ging Dubois verder. 'De wereld van het hele grote die kent iedereen. Wie verbaast zich nu niet over de enorme afmetingen van het heelal als je 's nachts naar de hemel kijkt. Ik wil graag proberen uit te leggen hoe groot het heelal nu werkelijk is, want pas als je dat weet realiseer je je hoe klein de wereld van de kwantummechanica eigenlijk is.'

Hij glimlachte even.

'Stel je voor dat we door de ruimte zouden kunnen reizen met de snelheid van het licht. Dat zou betekenen dat we een snelheid van 300.000 kilometer per seconde zouden hebben.'

'Per seconde?' vroeg Girard, die dacht dat hij per uur bedoelde.

'Per seconde,' bevestigde Dubois. 'Dat is meer dan een miljard kilometer per uur. Harder bestaat niet. Met deze snelheid duurt het iets meer dan een seconde voor we op de maan zijn en acht minuten voor we bij de zon zijn. Om echter Proxima Centauri, de dichtstbijzijnde ster na de zon, te bereiken, zouden we meer dan drie jaar onderweg zijn en als we ons hele melkwegstelsel willen doorkruisen, kost dat meer dan 100.000 jaar. Maar we kunnen nog veel verder. Als we vanaf de aarde naar het einde van het heelal willen reizen, zou dat ondanks onze fabelachtige snelheid 14 miljard jaar duren. Onderweg komen we 100 miljard sterrenstelsels als de Melkweg tegen, die elk gemiddeld 150 miljard sterren tellen. Er zijn in het heelal meer sterren dan de zandkorrels van alle stranden op aarde bij elkaar.'

Hij pauzeerde even en schonk koffie in. 'Begint het al te duizelen?'

'Indrukwekkend' vond Girard. 'Maar heeft het heelal dan een einde? Hoe moet ik me dat voorstellen?'

Dubois nam een slok. 'Omdat de afstanden in het universum zo groot zijn, gebruiken astronomen geen kilometers, maar lichtjaren als afstandsmaat. Een lichtjaar is de afstand die het licht in één jaar kan afleggen, zo'n tienduizend miljard kilometer. Ons heelal is ongeveer 14 miljard jaar oud, dus het licht van een ster die zich op 15 miljard lichtjaar van de aarde bevindt, heeft nog niet genoeg tijd gehad om ons te bereiken waardoor we die ster nog niet kunnen zien. De begrenzing van ons waarneembare heelal ligt dan ook op 14 miljard lichtjaar. Zelfs als we een telescoop zouden hebben die zo krachtig was dat hij technisch een bereik had tot voorbij de rand van de sterrenwolk, dan nog kunnen we niet verder kijken dan 14 miljard lichtjaar, want dat is nu eenmaal de ouderdom van ons heelal. Je zou het kunnen zien als een soort tijdshorizon waar je niet overheen kunt kijken.'

'Oké,' zei Girard terwijl hij de informatie even liet bezinken. 'Maar als het heelal 14 miljard jaar oud is, hoe kunnen er dan sterren bestaan van 15 miljard jaar oud?'

Dubois opende zijn mond om antwoord te geven, maar Michelle was hem voor.

'Dat komt omdat *ons* heelal 14 miljard jaar oud is. *Ons* heelal is ontstaan uit de oerknal en dijt nog steeds uit, maar wat er achter die zogenaamde waarnemingshorizon is, dat weet niemand. Misschien zijn er meer sterrenstelsels en planeten, maar het enige waar de wetenschappers het over eens zijn, is dat er zich nog materie moet bevinden. Dat is zeker. In welke vorm, dat is onbekend. Er zijn vele geleerden, serieuze wetenschappers en Nobelprijswinnaars, die geloven in meerdere, parallelle universums en in hogere dimensies.'

Dubois keek licht verbaasd naar Michelle en knikte instemmend.

Patrick Laurent had zwijgend zitten luisteren, maar schraapte nu zijn keel. De anderen draaiden hun hoofd in zijn richting.

'Voor mijn wereld hoef je niet ver te reizen,' begon hij raadselachtig. 'Mijn wereld is overal. In de verste uithoeken van het heelal, maar ook hier in deze kamer. De meest afgelegen sterrenstelsels bestaan namelijk uit precies dezelfde elementaire deeltjes als hier op aarde voorkomen. Door die deeltjes te onderzoeken komen we steeds meer te weten over het heelal.'

Hij pakte een pen uit zijn binnenzak en tekende een rechte lijn op papier.

'Een atoom,' legde Laurent uit, 'is de bouwsteen van alle materie die we kennen. Alles is opgebouwd uit atomen. Deze tafel, de koffie die we drinken, de bomen, de lucht en ook jullie en ik zijn opgebouwd uit onbeschrijflijk veel atomen. Ze bestaan uit een kern van protonen en neutronen, waar elektronen omheen cirkelen.'

Laurent schoof het papier over de tafel naar Girard, die verbaasd naar de blauwe lijn keek.

'Dit lijntje is ongeveer een millimeter dik,' wees de wetenschapper. 'Binnen die ene millimeter zouden tien miljoen atomen op een rij passen. Dat is een mate van nietigheid die ons voorstellingsvermogen ver te boven gaat.'

Michelle probeerde zich de onafzienbare rij atomen in te beelden, maar ze moest Laurent gelijk geven. Atomen waren te klein om echt te kunnen bevatten. Ze vond het nog steeds een raar idee dat zelfs haar eigen lichaam bestond uit vele minuscule deeltjes, waarvan de buitenste schil pijlsnel om de kern heendraaide. Roerloos als ze hier aan tafel zat, was haar lijf volop in beweging.

'Maar het kan nog kleiner,' ging Laurent verder. 'Zoals ik net zei, bevindt zich in het centrum van het atoom de kern. Die kern is tienduizend keer kleiner dan het atoom zelf. Dus als de kern zo groot zou zijn als een voetbal, dan cirkelen de elektronen er op een afstand van meer dan twee kilometer omheen.'

Hij liet even een stilte vallen om zijn gasten de gelegenheid te geven zich de voetbal in te beelden. Na een paar seconden ging hij weer verder.

'Dat houdt dus in dat atomen vooral uit lege ruimte bestaan en dat alle vaste materie die we om ons heen zien in feite illusionair is.'

'Ongelooflijk,' zei Girard. 'Op die manier heb ik er nooit over nagedacht.'

'We bestaan feitelijk uit vreselijk veel kleine deeltjes die afzonderlijk allemaal levenloos zijn en geen bewustzijn hebben,' vulde Michelle aan. 'Gedurende een mensenleven werken ze intensief samen en vormen ze een individu met al zijn gedachten, ideeën en opvattingen. Die onwetende atomen vormen samen een lichaam en een geest, maar zijn er zich totaal niet van bewust.'

'Dat klopt,' zei Laurent met iets van waardering in zijn stem. 'Waar hebt u gestudeerd?' Hij wachtte het antwoord evenwel niet af. 'Na zo'n dertigduizend dagen, een mensenleven, verbreken de atomen hun samenwerkingsverband en worden ze weer een deel van iets anders.'

'Van iets anders?' vroeg Girard.

'Ja, atomen blijven vrijwel eeuwig bestaan. De deeltjes waaruit u bestaat zijn al bijna 14 miljard jaar oud. Als ons lichaam na het overlijden vergaat, worden onze atomen weer een deel van de natuur. En ook vóórdat een atoom deel uitmaakte van ons lichaam is het een element geweest van vele andere mensen, planten, dieren en zelfs van de sterren, want daar is materie ontstaan. Dat kan allemaal omdat we uit zo verschrikkelijk veel atomen bestaan èn omdat atomen eindeloos en eindeloos opnieuw gebruikt kunnen worden. Omdat de atomen in ons lichaam ook tijdens ons leven voortdurend vervangen worden, kunnen we met zekerheid zeggen dat een flink deel van de atomen waaruit u bestaat ooit toebehoorde aan Mozart en een ander deel aan Caesar, Socrates en Jezus Christus.'

'Ongelooflijk,' mompelde Girard. 'En dat speelt zich dus overal om ons heen af.'

'Niet alleen om ons heen,' zei Michelle, 'maar ook miljarden lichtjaren verderop.'

Laurent knikte bevestigend.

Girard zat blijkbaar nog steeds na te denken over de schaal waarop alles zich afspeelde.

'Dus er passen tien miljoen atomen in een millimeter?'

'Oh, en dan hebben we het nog niet eens over de allerkleinste deeltjes gehad,' zei Laurent achteloos. 'Alle protonen en neutronen in de kern van een atoom bestaan uit drie quarks, die op hun beurt door nog kleinere gluonen met elkaar verbonden zijn. Volgens de snaartheorie bestaan er zelfs dimensies die miljarden keren kleiner zijn dan een atoom.'

Michelle trok haar wenkbrauwen op. Dit ging ook haar te ver.

Laurent had in de gaten dat zijn gehoor het op dreigde te geven, dus hij besloot het onderwerp af te ronden.

'Het wordt misschien wat technisch nu,' reageerde hij een beetje onzeker, 'maar ik hoop dat ik een beetje duidelijk heb kunnen maken hoe extreem klein de wereld van de kwantummechanica is.'

Michelle moest inwendig lachen omdat Laurent een beetje begon te stamelen. De man was gewend om dagelijks met vooraanstaande onderzoekers over zijn vak te discussiëren en nu moest hij opeens in kindertaal uitleggen hoe een atoomkern eruit zag. Maar volgens Dubois was dit hele betoog niet meer dan een inleiding op weg naar het eigenlijke onderwerp. Langzamerhand werd ze erg nieuwsgierig naar het vervolg. Wat had Laurent ontdekt? Wat was er zo baanbrekend dat de wetenschappers hun ontdekking via een tvinterview bekend wilden maken?

'Jullie uitleg was duidelijk,' zei ze. 'Maar wat is nu precies de reden dat we hier zijn?'

'Nog heel even geduld,' glimlachte Laurent geheimzinnig. 'Ik wil nog één tussenstap maken voordat we naar het eigenlijke onderwerp gaan.'

Michelle zakte berustend achterover in haar stoel.

'Groepjes atomen vormen samen moleculen, maar ook dan blijven het nog steeds levenloze elementen. Het wordt anders als moleculen gaan samenwerken. Gezamenlijk kunnen ze namelijk op miraculeuze wijze tot leven komen.'

Hier pauzeerde hij even. Hij dacht enkele seconden na en leek in gedachten wat feiten op een rijtje te zetten.

'In de jaren vijftig deed een student aan de universiteit van Chicago, Stanley Miller, een beroemd geworden experiment. Hij mengde water met enkele gassen en joeg daar vonken doorheen. Het water stelde de oerzee voor, met de gassen simuleerde hij de voorhistorische atmosfeer van de aarde en de vonken speelden voor bliksem. Met het resultaat verbijsterde hij de hele wetenschappelijke wereld. In zijn nagebootste oersoep dreven namelijk spontaan ontstane aminozuren. Dat zijn moleculen die de bouwstenen van het leven vormen. Zijn experiment is later nog vele malen herhaald, maar verder dan aminozuren is het nooit gekomen. De uitdaging zit hem namelijk in eiwitten. Eiwitten zijn opgebouwd uit aminozuren en voeren de belangrijkste taken in ons lichaam uit. Alleen, de kans dat eiwitten ooit spontaan zijn ontstaan is zo onwaarschijnlijk klein, dat het feitelijk onmogelijk is.'

Girard keek niet begrijpend naar Michelle. Laurent zag het.

'De allereenvoudigste eiwitten bestaan uit honderd aminozuren. Om een eiwit te vormen moeten die honderd aminozuren zich spontaan in exact de goede volgorde aan elkaar hechten. In de wetenschap wordt de kans dat dat vanzelf gebeurt als nihil beschouwd. Vergelijk het maar met iemand die honderd scrabblesteentjes in de lucht gooit die, als ze op de grond vallen, een grammaticaal goede zin moeten vormen. Als je maar vaak genoeg gooit zou dat theoretisch een keer moeten lukken, maar gevoelsmatig weet je dat het eenvoudigweg niet zal gebeuren. Nooit. Toch bestaan er ondanks die onwaarschijnlijk kleine kans honderdduizenden verschillende soorten eiwitten in de natuur, dus ergens in de geschiedenis moet

31

er toch voor de eerste keer een eiwit ontstaan zijn.'

Michelle zag dat Girard een beetje heen en weer begon te schuiven op zijn stoel. Ze begon langzaam een vermoeden te krijgen welke wending het gesprek zou gaan nemen, maar ze kon het nog niet echt geloven. Patrick Laurent vertelde ondertussen bevlogen verder.

'De laatste stap die we maken is de overgang van levenloze eiwitten naar levende cellen. Ergens in het lange bestaan van onze planeet is het er een keer van gekomen dat in de oerzeeën ronddrijvende eiwitmoleculen voorzichtig begonnen samen te werken. Uiteindelijk heeft dit geresulteerd in het ontstaan van de meest elementaire vorm van leven die er bestaat, de biologische cel. Zelfs de meest eenvoudige gistcel is werkelijk een wonder van moleculaire techniek, maar menselijke cellen zijn nog vele malen complexer. Je hebt ze in allerlei soorten en maten en je lichaam telt er biljarden. De cel is een soort chemische fabriek waarin miljoenen objecten ogenschijnlijk chaotisch rondzwemmen en tegen elkaar opbotsen. Ze halen energie uit voedsel, ze vechten tegen ongewenste indringers, ze voeren afval af, ze verrichten reparaties, ze versturen berichten en dit is nog maar het topje van de ijsberg. Al die activiteiten vinden vierentwintig uur per dag plaats in *elke* cel van je lichaam. Ik hoef niet uit te leggen dat een cel op zijn beurt weer uit meer dan honderd miljoen moleculen bestaat en uit nog veel meer atomen.'

Laurent slaakte een diepe zucht na zijn spraakwaterval en wendde zijn hoofd naar Dubois. Hij leek aan het einde van zijn verhaal te zijn gekomen.

Frédéric Dubois had met de ellebogen op tafel en zijn hoofd rustend op zijn ineengevouwen handen geluisterd. Hij nam het woord weer over van Laurent.

'Wat we jullie duidelijk wilden maken is hoe uitermate complex zelfs de meest eenvoudige vorm van leven is. Dus als jullie de volgende keer een vlieg wegjagen of een mug doodslaan, denk daar dan even aan,' zei hij met een glimlach.

Hij ging overeind in zijn stoel zitten en zette met een routineus gebaar zijn bril recht op zijn neus.

'Nu komen we bij de reden dat ik jullie hier heb uitgenodigd. Het is een publiek geheim dat wereldwijd vele universiteiten bezig zijn met een soort wedren wie als eerste vanuit het laboratorium een vorm van leven weet te creëren. Dat zou een enorme doorbraak zijn en het levert zonder enige twijfel een Nobelprijs op. Er zijn twee manieren waarop synthetisch biologen proberen om een levende cel te ontwikkelen. Ten eerste kun je al het genetisch materiaal uit een bestaande cel verwijderen en vervangen door DNA uit een andere cel. Dat levert een nieuwe, levende, eencellige bacterie op.'

'Maar dat gebeurt toch al?' merkte Michelle op.

'Ja, het klinkt als science fiction, maar dat gebeurt al.'

Laurent ging nu geestdriftig op het puntje van zijn stoel zitten. Op samenzweerderige toon ging hij verder.

'Je kunt ook vanuit het niets een volledig nieuwe cel bouwen. Dan hebben we het pas *echt* over leven creëren. Als je namelijk met levenloze bouwstenen als DNA en eiwitten een functionerende cel weet te produceren, dan heb je volledig nieuw leven geschapen.'

Michelle liet de laatste woorden van Laurent even bezinken en keek hem peinzend aan. Als dat ooit mogelijk werd, dan zou het nogal wat gevolgen hebben. Bestaande cellen nieuw leven inblazen klonk nog aannemelijk. Dat was als het oplappen van een oude auto. Je nam een bestaande auto en zette er een nieuwe motor in. Maar het assembleren van een compleet nieuwe cel waardoor een levend organisme ontstond, liep daar weer mijlenver op vooruit.

'Dat klinkt alsof de mensheid op de stoel van God gaat zitten,' zei ze tenslotte.

Dubois knikte bevestigend. 'En wij zijn op die stoel gaan zitten,' zei hij trots.

3

Vincent reed over de M2 richting Canterbury. Gisteravond had Enquist hem gebeld om een afspraak te maken naar aanleiding van hun gesprek in het British Museum. Hij wilde Vincent graag nog eens ontmoeten om verder van gedachten te wisselen over de documentaire die hij wilde maken. Ze zouden elkaar ontmoeten in het buitenhuis van de antropoloog. Vincent had de uitnodiging graag geaccepteerd, maar hij had moeten beloven met niemand over hun afspraak te praten. Dat had hem alleen maar nog nieuwsgieriger gemaakt naar wat Enquist te vertellen had. Bovendien bevestigde het zijn vermoeden dat de professor belangrijke informatie voor hem had achtergehouden. Terwijl hij door het glooiende landschap reed, dacht hij na over de woorden van de wetenschapper. Waarom deed hij zo geheimzinnig?

Hij draaide zijn auto een zandweg op. De grond was nog vochtig door de buien van vanochtend. Aan beide kanten van het pad was een lage wal van begroeide rotsblokken waar twee auto's elkaar net konden passeren. Het pad liep omhoog en maakte op de top van de heuvel een scherpe bocht naar rechts. Beneden zag Vincent aan het einde van het kronkelende pad een idyllisch wit boerderijtje liggen, dat omgeven werd door een groot erf en een met klimop begroeide muur. Vincent reed verder naar beneden en stopte voor de gesloten poort. Terwijl hij uitstapte om aan te bellen, zag hij dat er op de bovenkant van de muur glasscherven en scherpe pinnen ingemetseld waren. Waarschijnlijk had Enquist in dit buitengebied behoefte aan wat veiligheid.

'Goedemorgen,' klonk het door de intercom. 'Kom verder.'

De groene poort zwaaide automatisch open en Vincent reed stapvoets het erf op. Terwijl hij parkeerde, zwaaide de voordeur open en kwam Enquist naar buiten. Dit keer droeg hij vrijetijdskleding.

'Goedemorgen dr. Enquist.'

'Morgen Vincent. Goed dat je kon komen. Kon je het makkelijk vinden?'

'Ja hoor, geen probleem. Wat woont u hier mooi.' Vincent keek bewonderend om zich heen.

'Dit is mijn ouderlijk huis,' zei Enquist. 'Nadat mijn ouders overleden waren, heb ik het samen met mijn broer en zus geërfd. Zij komen hier vaak met hun gezinnen. Ik woon in Londen, maar ik kom hier ook regelmatig. Heerlijke omgeving, maar ik kom vooral om rustig te kunnen werken.'

'Wordt het weggetje hiernaartoe niet onbegaanbaar als het veel geregend heeft?' Vincent kon zich voorstellen dat een auto vast zou komen te zitten als het enkele dagen slecht weer was geweest.

'Daar zijn we op voorbereid.' Enquist wees naar de schuur. 'De tractor die mijn vader vroeger had, staat er nog steeds. Die haalt het altijd.'

Ze liepen naar binnen en Enquist ging Vincent voor naar zijn werkkamer die zich op de eerste verdieping bevond. Terwijl Enquist koffie inschonk, keek Vincent de ruime kamer rond. Aan de ene kant stond een groot bureau met een computer, aan de andere kant een werktafel met vier stoelen. En verder veel boeken. Alle wanden waren bezet met volle boekenkasten. Slechts het raam en de openslaande balkondeuren waren vrij. Zijn blik bleef rusten op een replica van de kaart van Piri Reis die voor een van de boekenkasten hing.

Enquist zette de koffie op tafel en zag Vincent kijken. 'De echte hangt in Istanbul,' glimlachte hij terwijl ze gingen zitten.

De wetenschapper kwam meteen ter zake. 'Ik wil je graag wat vertellen over de oude volkeren die ik bestudeer,' begon hij. 'Ze leefden voornamelijk buiten en wisten veel over de natuur en de sterrenhemel. In veel culturen werd de wisseling van de seizoenen uitbundig gevierd, want het begin van een nieuw jaargetijde was een belangrijke gebeurtenis. Denk bijvoorbeeld aan de midzomernachtfeesten. De seizoenen worden veroorzaakt doordat de aarde ten opzichte van haar baan rond de zon een beetje scheef staat.'

Hij stond op en pakte een boek met kleurrijke afbeeldingen uit de kast.

'Kijk,' zei hij terwijl hij het opensloeg bij een plaatje van het zonnestelsel. 'De Noordpool en de Zuidpool bevinden zich ten opzichte van de baan om de zon niet recht, maar schuin boven elkaar. De aarde staat dus een beetje scheef. De baan van de aarde rond de zon duurt precies een jaar. Dat is geen toeval, want wij hebben de tijd die de aarde nodig heeft om rond de zon te draaien simpelweg *jaar* genoemd. Net zoals we de tijd die de aarde nodig heeft om rond

35

haar eigen as te draaien *dag* noemen. Het punt in die baan rond de zon waarop de Noordpool het meest naar de zon wijst is bij ons op het noordelijk halfrond de langste dag. Zes maanden later is de Zuidpool het dichtst bij de zon. Dat is onze kortste dag. Het begin van lente en herfst wordt aangeduid als de equinoxen. Op die dagen zijn de Noord- en Zuidpool even ver verwijderd van de zon, die dan recht boven de evenaar staat. Je kunt je voorstellen dat op deze twee dagen dag en nacht overal ter wereld precies even lang zijn.'

Enquist keek Vincent aan. 'Dit is te volgen neem ik aan.'

Vincent knikte.

'Oké, dan gaan we nu een stapje verder.' Enquist nam een wereldbol van een van de boekenplanken en zette die tussen hen in op tafel. Vincent begreep nu waarom de bol schuin op zijn standaard stond.

'Naast haar baan om de zon en het draaien om haar as maakt de aarde nog een derde beweging.' Enquist nam de wereldbol van zijn standaard af. Op de plaats van de denkbeeldige aardas stak er een ijzeren pin door de globe waarmee hij op zijn standaard stond. Hij pakte de bol met twee handen vast en zette hem met de onderste pin op tafel. Vervolgens gaf hij hem een slinger. Als een draaitol begon de bol rondjes te draaien, waarbij hij langzaam over de tafel bewoog.

Vincent keek niet begrijpend naar Enquist.

Enquist knikte naar de bol. 'Let op wat er nu gebeurt.'

De tol ging langzamer draaien en begon heen en weer te schommelen. Tenslotte viel hij om.

'Zag je dat?'

Vincent schudde zijn hoofd. 'Ik ben bang dat ik niet begrijp wat u bedoelt.'

'Wat gebeurde er vlak voor hij omviel?'

'Hij begon te schommelen.'

'Precies! En dat is nu wat de aarde in werkelijkheid ook doet. We draaien niet alleen met ruim 100.000 kilometer per uur rondjes om de zon en met meer dan de snelheid van het geluid om onze as, maar we maken onder invloed van de aantrekkingskracht van de zon en de maan ook een soort langzame schommelbeweging.'

Vincent keek naar buiten. Hij had niet het gevoel dat hij zich met zoveel snelheid door de ruimte bewoog.

'Deze beweging,' ging Enquist verder, 'is alleen niet zo extreem als bij een tol, maar gedurende vele duizenden jaren schommelt de aarde enkele graden op en neer. Astronomen noemen dit *precessie*. Als gevolg van dit fenomeen verandert de sterrenhemel zoals wij die zien vanaf de aarde, elk jaar een heel klein beetje. De sterren zijn vaste punten, maar door de precessie van de aarde lijkt het alsof de sterrenbeelden elk jaar een beetje van plaats veranderen. De jaarlijkse verandering is zo klein dat het eigenlijk niet te zien is. Op deze manier maakt de aarde in ongeveer 26.000 jaar een rondje langs de twaalf sterrenbeelden van de dierenriem.'

Enquist pakte de kopjes op om nieuwe koffie te halen.

'Heb je al een vermoeden waar ik naartoe wil, Vincent?' vroeg hij terwijl hij de kamer uitliep.

'Het is heel boeiend wat u vertelt, maar nee, eigenlijk niet.'

Hij stond op en opende de balkondeuren. Buiten zag hij de zandweg waarover hij gekomen was vanaf de groene heuvel naar beneden kronkelen. In de verte, op de top, was een auto gestopt. De chauffeur stapte uit en keek in de richting van de boerderij.

Enquist keerde terug met de koffie.

'Verwacht u nog iemand,' vroeg Vincent terwijl hij terug naar binnen kwam.

'Nee, hoezo?'

Vincent wees naar buiten, maar de auto was alweer verdwenen.

'Er stond net een auto op de top van de heuvel. Dat pad leidt toch alleen naar deze boerderij?'

'Ja, dat klopt.' Enquist keek met gefronst voorhoofd naar buiten. 'Maar het wordt ook wel gebruikt door boeren om de weilanden te bereiken die aan het pad grenzen. Ik spreek ze af en toe. Je moet je buren toch een beetje te vriend houden.'

'Buren?' glimlachte Vincent, die in de wijde omtrek geen enkel huis zag.

'Ach ja, alles is relatief.'

Hij vervolgde zijn verhaal.

'Momenteel komt de zon op waar 's nachts het sterrenbeeld Vissen te zien is, maar als gevolg van precessie gaan we langzaam richting het tijdperk van de Waterman. De zon zal dan ongeveer 2.200 jaar lang opkomen in het sterrenbeeld Waterman. Astrologen noemen het verschijnsel dat de zon in 26.000 jaar langzaam langs de twaalf sterrenbeelden schuift *precessie van de equinoxen*. Maar goed, precessie is dus een terugkerend en zeer regelmatig verschijnsel. Het is niet met het blote oog waar te nemen, maar met onze moderne technologie kunnen we het exact berekenen en voorspellen.'

Nog steeds begreep Vincent de relevantie van het betoog van Enquist niet zo goed.

'Maar waarom is precessie dan zo belangrijk?'

'We vermoeden dat de zeer oude beschaving waarover ik gesproken heb, hier kennis van had. Uit historische geschriften blijkt dat de oude Egyptenaren, maar ook de Maya's en de Azteken al wisten dat het punt waar de zon opkomt heel langzaam verschuift. Ook uit de stand van hun bouwwerken is dit af te leiden. Maar hoe konden ze dit weten? Ze hadden niet de technologie om het waar te kunnen nemen, dus misschien hebben ze die kennis wel overgenomen.'

Dus daar wilde Enquist naartoe. 'U zei tijdens uw presentatie in het British Museum dat u wist waar dat volk geleefd zou hebben.'

'Dat klopt. Ik heb een vermoeden, maar ik heb nog geen bewijs.'

Enquist werd onderbroken door zijn mobiele telefoon en keek op het display.

'Sorry,' verontschuldigde hij zich. 'Deze moet ik even opnemen.'

Hij stond op en bracht de telefoon naar zijn oor.

'Enquist.'

Terwijl hij door het raam naar buiten keek, luisterde hij aandachtig naar de beller. Plotseling lichtten zijn ogen op.

'Dat is goed nieuws!'

Er verscheen een brede glimlach op zijn gezicht en hij knikte voldaan.

'Oké, bedankt Peter. Ik bel je straks terug.'

Hij draaide zich om naar Vincent.

'Ik kan je nog niet zeggen waar dit precies over ging. Het is iets waar we al heel lang mee bezig zijn en waar we enorm veel energie in gestoken hebben. Ik kreeg net het bericht dat er een cruciale doorbraak is.'

Hij dacht even na.

'Ik ben bang dat het betekent dat we ons gesprek even uit zullen moeten stellen, want dit heeft mijn onmiddellijke aandacht nodig.'

'Oké,' zei Vincent terwijl hij zijn teleurstelling probeerde te verbergen. 'Uw onderzoek heeft uiteraard voorrang. Maar eigenlijk wil ik nog één ding weten.'

'En dat is?'

'Toen u me gisteravond belde, zei u dat ik tegen niemand mocht vertellen dat ik hiernaartoe zou komen. Vanwaar die geheimzinnigheid?'

'Ik ben je inderdaad wat uitleg verschuldigd,' knikte Enquist en hij liet zich op een stoel zakken.

'Vincent, mijn onderzoek is niet onomstreden. In eerste instantie was dat een van de redenen om het resultaat vast te laten leggen in een documentaire. Maar daarnaast heb ik sinds mijn lezing in het British Museum het gevoel dat iemand me achtervolgt. Ik weet het niet zeker, maar er zijn opeens erg veel toevalligheden en daar houd ik als onderzoeker niet van. Ten eerste ben ik een usb-stick kwijt. Hij zat in m'n laptop op het moment dat wij elkaar ontmoetten in het British Museum. Mijn presentatie stond erop. Ten tweede is er een inbraakpoging gedaan bij mij thuis in Londen. Gelukkig is mijn appartement goed beveiligd, dus het is bij een poging gebleven. En tenslotte hoorde ik van mijn secretaresse op de universiteit dat ze een man had aangetroffen op mijn werkkamer die daar niets te zoeken had.'

Enquist stond op en keek door het raam naar buiten.

'En nu zei jij dat er net iemand op de heuvel stond. Kijk, op zichzelf zijn het allemaal dingen waar ik me geen zorgen om zou maken.'

'Maar als al die gebeurtenissen vlak na elkaar plaatsvinden, dan is dat vreemd,' vulde Vincent aan.

'Inderdaad. Het lijkt erop dat er iemand geïnteresseerd is in mij of in mijn onderzoek. Daarom ben ik blij dat ik je baas heb gebeld. Het is nu extra belangrijk dat de resultaten van mijn onderzoek worden vastgelegd.'

'Hebt u enig idee wie het zou kunnen zijn?'

'Nee. Ik heb genoeg concurrenten, maar concurrerende wetenschappers gaan elkaar doorgaans te lijf in vakbladen. Bovendien heb ik nu geen tijd om me hier druk over te maken, want ik moet terug naar Londen. Er is werk aan de winkel.'

Enquist begeleidde Vincent naar de voordeur. 'Excuses voor dit abrupte eind. Zodra ik meer tijd heb, zal ik je bellen.'

Ze schudden elkaar de hand en Vincent liep terug naar zijn auto. Terwijl hij door de poort reed, keek hij in zijn achteruitkijkspiegel. De voordeur was dicht. Waarschijnlijk was Enquist zijn spullen al aan het pakken. Wat voor nieuws zou hij ontvangen hebben met dat telefoontje? Zou het over de locatie van die verloren bescha-

ving gaan? Enquist had tijdens zijn lezing gezegd dat er zichtbare overblijfselen bestonden, maar waar was die locatie dan? En waarom had
niemand dat ooit eerder ontdekt?

Hij passeerde de plek op de heuvel waar hij vanuit de boerderij
de auto had zien staan en besloot om even te stoppen. In de verte
zag hij Enquist bij de boerderij een weekendtas in zijn auto zetten.
Hij stapte uit en keek om zich heen, maar hij had eigenlijk geen
idee waar hij op moest letten. Er liep een klein paadje in de richting
van de weilanden aan de andere kant van de heuvel. Hij deed een
paar stappen op het pad om te zien of hij iets bijzonders zag. Zat
er echt iemand achter Mark Enquist aan? Misschien was het toch
gewoon een lokale boer geweest.

Hij stapte weer in en vervolgde zijn weg terug naar Londen.

4

Michelle was even sprakeloos. Dus ze waren er op de Sorbonne in geslaagd om een levende cel te scheppen. Hun uitleg had er in ieder geval toe bijgedragen dat ook Girard nu moest beseffen wat voor een fenomenale prestatie dit was.

'Gefeliciteerd,' zei Girard. 'Ik ben erg onder de indruk.'

Dubois keek hen glimlachend aan. 'Maar jullie vragen je natuurlijk nog steeds af waarom we dit op tv bekend willen maken.'

Girard en Michelle knikten.

Dubois' blik werd plotseling ernstig.

'Zoals ik net vertelde, is er wereldwijd een wedloop bezig wie als eerste vanuit het laboratorium leven weet te creëren. Het is een nek-aan-nekrace geworden, want veel onderzoekers hebben de laatste jaren grote vooruitgang geboekt op dit gebied. Een aantal universiteiten in Europa, de VS en Japan schijnt er dicht tegenaan te zitten. Hoe ver ze precies gevorderd zijn weten we niet, want uit concurrentieoverwegingen werkt iedereen in het diepste geheim. Om te voorkomen dat er informatie weglekt is ons project omgeven met strenge veiligheidsmaatregelen. De belangen zijn namelijk groot. Vergeet niet dat de overgang van moleculen naar een levende cel een enorme, maar dan ook werkelijk enorme stap is. Aan de finish ligt een Nobelprijs te wachten.'

'Is die Nobelprijs het enige belang dat er speelt?' vroeg Michelle.

Dubois schudde zijn hoofd. 'Niet het enige, maar het is wel belangrijk. De hele race is een prestigekwestie. Een Nobelprijs geeft status, maar het opent ook vele deuren als het gaat om subsidies en investeerders, waarmee het tevens een geldaangelegenheid wordt.'

Dubois stond op. 'We hebben alleen een probleem.'

Langzaam liep hij naar het raam. Met zijn handen op zijn rug staarde hij peinzend naar buiten en bleef zo een tijdje staan. Laurent keek de twee anderen veelbetekenend aan, maar hield zijn mond.

'Wat is het probleem, Frédéric?' verbrak Girard de stilte.

Dubois draaide zich om.

'Het probleem is de leider van het onderzoek, professor Moreau.'

Michelle keek naar Laurent. Was hij dan niet de wetenschapper die het project leidde?

Dubois zag haar blik. 'Patrick is het hoofd van de faculteit,' legde hij uit. 'Het onderzoek vindt plaats onder zijn verantwoordelijkheid, maar hij is er niet rechtstreeks bij betrokken. Nicolas Moreau is synthetisch bioloog en staat aan het hoofd van een team wetenschappers dat jarenlang bezig is geweest met het bouwen van een levende cel.'

'Ik neem aan dat zijn afwezigheid hier iets te maken heeft met je probleem,' zei Girard.

'Dat klopt.'

Dubois deed zijn colbert uit, hing het over de stoel en schoof weer aan.

'Twee weken geleden werd bekend dat Moreau er definitief in geslaagd was om een levende cel te produceren. Patrick en ik zijn direct naar zijn lab gegaan en we hebben het met eigen ogen onder de microscoop kunnen zien. Het was werkelijk fascinerend. We hebben toen meteen met Moreau besproken hoe we dit nieuws wereldkundig zouden gaan maken. Iedereen was het erover eens dat we de gebruikelijke route zouden volgen. Moreau had zijn artikel vrijwel gereed en het lag klaar om ingezonden te worden naar Science. Tot aan het moment van publicatie zouden we geheimhouding in acht nemen. We verwachtten grote mediabelangstelling, dus we waren al begonnen met de voorbereidingen voor interviews en persconferenties, toen zich een complicatie aandiende. Een dag nadat hij zijn ontdekking aan ons bekendmaakte, is Nicolas Moreau van de aardbodem verdwenen. Spoorloos. Hij is 's ochtends niet op zijn werk verschenen en heeft niets meer van zich laten horen. We tasten volledig in het duister.'

Dubois zweeg en leunde achterover in zijn stoel.

Michelle wist niet wat ze hoorde. Enkele minuten geleden leek het er nog op dat ze gewoon een interview moest gaan voorbereiden, hoewel het over een bijzonder sensationeel onderwerp zou gaan, maar nu leek het verhaal een heel andere wending te gaan nemen.

'Hebben jullie de politie ingeschakeld?' vroeg Girard.

'Uiteraard. We hebben aangifte van vermissing gedaan. De politie is hier meerdere keren geweest en het team van Moreau is uitgebreid verhoord. Ze hebben zijn werkkamer en het lab doorzocht en ze zijn ook bij hem thuis geweest, maar het heeft allemaal niets opgeleverd.'

'En zijn familie?' vroeg Michelle.

'Moreau is vrijgezel. Hij heeft geen kinderen. Zijn hele leven staat in het teken van de wetenschap. Hij brengt meerdere avonden per week door in zijn laboratorium en de rest van zijn tijd besteedt hij voor een belangrijk deel aan congressen, lezingen en dat soort zaken. Ik neem aan dat de politie ook de rest van zijn sociale leven is nagegaan, maar dat heeft in de afgelopen week in ieder geval niet tot aanknopingspunten geleid.'

'Vreemde zaak,' vond Girard. 'Wat denken jullie zelf?'

Dubois haalde zijn schouders op.

'Het is bizar dat Moreau precies op het moment dat hij zijn levenswerk voltooid heeft, is verdwenen. Er moet een verband zijn. Dat heb ik ook aan de politie verteld. Wat ik vermoed, maar dat kan ik op geen enkele manier hard maken, is dat de concurrentie hier iets mee te maken heeft.'

'Bedoel je dat ze Moreau weggekocht hebben?' vroeg Girard.

'Dat is een mogelijkheid,' knikte Dubois, 'hoewel het dan vreemd blijft dat hij zonder bericht is verdwenen. Bovendien lijkt hij me niet gevoelig voor geld. Moreau werkt al zijn hele leven op de Sorbonne. Hij leeft voor de wetenschap, dus ik kan me niet voorstellen dat hij gezwicht is voor materieel gewin. Ik denk eerder aan de mogelijkheid dat hij onvrijwillig verdwenen is. Chantage, ontvoering, wie zal het zeggen? Misschien zit ik er naast, maar er zijn heel wat instellingen die er veel voor over zouden hebben om onze celtechnologie in hun bezit te krijgen.'

Uit de laatste zin van Dubois sprak frustratie. Hij klonk als iemand die net de jackpot door zijn vingers had zien glippen. Alsof hij er even aan had mogen ruiken, maar er bij nadere inspectie van zijn lotnummer achterkwam dat hij zich toch één cijfertje vergist had.

'Mmm,' zei Girard, 'dat zijn serieuze aantijgingen. Maar als ik het goed begrijp zijn er geen concrete aanwijzingen.'

Dubois schudde zijn hoofd.

Bij Michelle borrelden enkele vragen op. Ze kon de gevolgen nog niet overzien, maar de impact van het scheppen van nieuw leven moest gigantisch zijn. Er zouden enorme discussies ontstaan op wetenschappelijk, ethisch en religieus gebied. Toch had ze moeite om te geloven dat zoiets mogelijk was. Op dit moment won

43

haar nieuwsgierigheid het echter van de scepsis, dus zette ze haar bedenkingen tijdelijk opzij.

'Meneer Dubois, mag ik vragen wat onze rol dan precies is? Als de ontdekker van deze celtechnologie is verdwenen, wie moet er dan geïnterviewd worden?'

'De cellen zijn het resultaat van jarenlange inspanningen door een team van onze universiteit,' zei Dubois. 'We kunnen niet toestaan dat binnenkort mogelijkerwijs een andere instelling de primeur heeft. Die eer komt ons toe, dus we willen het nieuws zo snel mogelijk bekend maken. Nu is de plotselinge verdwijning van Moreau niet ons enige probleem. Met hem zijn ook de cellen verdwenen. Ze werden bewaard in het lab, maar daar zijn ze niet meer en zelfs zijn aantekeningen zijn onvindbaar. Patrick bekijkt momenteel of het mogelijk is om het proces van het bouwen van een cel te reconstrueren, maar zonder de onderzoeksgegevens van Moreau is dat onmogelijk. We houden er dus rekening mee dat we het nieuws moeten brengen zonder direct bewijs. Wat ik wil doen is het volgende. We gaan ons niet in allerlei rare bochten wringen, maar we vertellen gewoon de feiten. Op de Sorbonne is leven gecreëerd, maar de verantwoordelijke wetenschapper is op onverklaarbare wijze verdwenen, waardoor we het bewijs niet kunnen tonen. We leggen de situatie uit, we laten naaste collega's van Moreau aan het woord die het onderzoek toelichten en we geven achtergrondinformatie. Alleen, we brengen het nieuws niet via het gebruikelijke kanaal, maar we doen het op tv, voor een groot publiek. We laten er geen misverstand over bestaan dat de ontdekking *hier* is gedaan, op de Sorbonne. Op die manier maaien we het gras voor de voeten van de concurrentie weg. Ga dus met het team van Moreau praten, kijk rond, laat je voorlichten en doe ideeën op. Patrick zal je rondleiden en introduceren.'

Dubois keek naar zijn gasten aan de andere kant van de tafel.

'Wat zeggen jullie daarvan?'

Girard liet zich achterover in zijn stoel zakken en wendde zijn hoofd naar Michelle.

'Wat vind jij ervan? Lijkt het je wat?'

Lijkt het je wat? Natuurlijk leek het haar wat. Dubois vroeg niet alleen of ze de bekendmaking van hun ontdekking wilden regisseren, maar ze mochten ook de berichtgeving rondom de verdwijning van Moreau doen. Dat was een fantastische kans, maar toch twijfelde ze.

Wetenschappelijk gezien was het onacceptabel om het nieuws zonder degelijke bewijsvoering naar buiten te brengen. Het druiste in tegen alles wat ze tijdens haar opleiding had geleerd. Daar moest ze nog maar eens over nadenken. Voorlopig leek het haar geweldig om te doen.

'Het is natuurlijk zorgwekkend dat professor Moreau verdwenen is. Hopelijk is hij spoedig terecht. Maar ik begrijp de urgentie waarmee u het nieuws naar buiten wilt brengen. Ik wil het graag doen.'

Dubois knikte tevreden. 'Mooi.'

Hij keek op zijn horloge en maakte aanstalten om op te staan.

'Ik moet naar mijn volgende afspraak. Als jullie nog tijd over hebben, kan Patrick jullie alvast voorstellen aan het team van Moreau. Bedankt voor jullie tijd en ik zou het op prijs stellen als jullie voorlopig geheimhouding in acht willen nemen.'

Hij deed zijn colbert weer aan, schudde hen de hand en liep naar de deur. Halverwege draaide hij zich nog even om.

'Ik wil dat de waarheid naar buiten komt. Zowel over het creëren van de cellen als over de verdwijning van Moreau.' Hij knikte kort en verliet de kamer.

Michelle staarde hem na. Dit was haar kans. Als ze dit goed zou aanpakken zou haar naam als journaliste gevestigd zijn.

Laurent keek hen vragend aan. 'Willen jullie nog even met me meelopen naar het lab?'

'Graag,' knikte ze. 'Jij ook, David?'

Hij knikte en pakte zijn telefoon. Ze hoorde hem zijn secretaresse opdracht geven om de afspraak waar hij eigenlijk naartoe moest af te zeggen.

Laurent stond op en wenkte hen mee naar de gang. Ze volgden hem en kwamen via de trap één verdieping hoger uit. Links en rechts waren twee lange gangen, maar rechtdoor werd de doorgang geblokkeerd. Voordat ze verder konden lopen, moesten ze eerst langs een detectiepoortje. Laurent hield zijn badge ertegen en liep erlangs. Hij wenkte een veiligheidsbeambte en legde uit dat hij twee gasten van Frédéric Dubois wilde rondleiden. De man knikte en vroeg of ze hun tas op de lopende band voor het röntgenapparaat wilden zetten. Terwijl de inhoud van haar tas gecontroleerd werd, liep Michelle door het poortje dat de portier voor haar had geopend. Toen ze erdoor was, wenkte de beveiliger Girard. Op het moment dat hij door het poortje liep begon er een rood licht te knipperen. De veiligheidsman pakte een metaaldetector en begon het lichaam van Girard te onderzoeken op verboden voorwerpen. Michelle waande zich op een vliegveld. Ze ondergingen een complete security check. Aan het plafond zag ze een zwarte bol hangen. Daar zat ongetwijfeld een camera in. Laurent zag haar rondkijken.

'De belangen zijn groot,' zei hij verontschuldigend. 'Er wordt niets aan het toeval overgelaten. Spionage is een reëel risico, dus onbevoegden mogen hier absoluut niet komen. Zelfs onze eigen medewerkers worden gecontroleerd.'

De beveiliger had niets onrechtmatigs gevonden bij Girard en ze konden doorlopen. Maar niet nadat ze zich eerst hadden gelegitimeerd en de bewaker hun namen had ingevoerd in zijn computer. Ook kregen ze beiden een bezoekerspas die ze zichtbaar moesten dragen.

Laurent opende de matglazen deur die toegang verschafte tot een grote open ruimte. Overal stond apparatuur opgesteld. Langs alle wanden, maar ook op werkeilanden verspreid over het laboratorium stonden proefopstellingen. Tientallen wetenschappers, velen in witte jassen, stonden over hun instrumenten gebogen. Sommigen keken geconcentreerd op hun computer, anderen tuurden door geavanceerde microscopen. Laurent sprak een vrouw aan die met een beschermende bril en latex handschoenen over een onafzienbare rij reageerbuisjes stond gebogen.

'Sophie, weet je waar Olivier is?'

Vanuit haar ooghoeken keek ze wie de vraag stelde. Toen ze Laurent herkende, kwam ze overeind en keek onderzoekend naar zijn gasten.

'Oh, dag Patrick. Hij liep hier net nog rond. Waarschijnlijk is hij in zijn kantoor.'

'Dank je.'

Ze liepen naar de andere kant van het lab, waar zich enkele kamers bevonden die ingericht waren als kantoor. De bovenste helft van de wanden bestond uit glas. In een van de kamers zat een man achter een computer. Hij zat met zijn rug naar hen toe. Laurent tikte met zijn ring op de openstaande deur waarop de man zich omdraaide.

'Olivier, ik wil je even aan een paar mensen voorstellen.'

Hij stond op en schudde hen de hand. 'Olivier Leblanc,' zei hij vriendelijk.

Hij was een hip geklede dertiger. Met zijn sneakers en getailleerde, witte blouse die losjes over zijn spijkerbroek hing, was hij niet bepaald het prototype onderzoeker, vond Michelle. Zijn jongensachtige uitstraling maakte dat hij net zo goed in een café of bij een reclamebureau had kunnen werken. Laurent legde hem kort uit wie de mensen van France 2 waren en wat ze met Dubois hadden besproken.

'Olivier is de rechterhand van Nicolas Moreau,' zei Laurent terwijl hij zijn gezicht weer naar de twee redacteuren wendde. 'Hij is bij Moreau gepromoveerd op biobricks, de bouwstenen van de cel. In afwezigheid van Moreau is hij de man met de meeste kennis.'

Michelle knikte. Ze vond hem vrij jong voor zo'n belangrijke functie. Toen Laurent aan het woord was, had ze Leblanc even staan observeren. Ze wist het niet zeker, maar ze dacht dat ze een zekere terughoudendheid bespeurde. Het leek wel of hij wat argwanend stond tegenover het idee om op dit moment met de resultaten van hun jarenlange inspanningen naar buiten te treden. Het was slechts een gevoel, want de rest van zijn houding leek heel open en enthousiast, maar doorgaans liet haar intuïtie haar niet in de steek.

'Dus Frédéric Dubois heeft besloten dat we onze ontdekking bekend gaan maken,' zei hij. 'Dat had ik wel verwacht. Hij is natuurlijk bang dat een buitenlandse universiteit ons inhaalt nu ons onderzoek stilligt.'

'Stilligt?' vroeg Girard. 'Is het project dan niet succesvol afgerond nu het resultaat bekend is?'

Leblanc schudde zijn hoofd.

'Het project is pas afgerond als er tastbaar bewijs van het resultaat ligt. En dat is nu precies wat er ontbreekt. Met Nicolas zijn ook de cellen verdwenen, dus we moeten eerst proberen om bewijsstuk nummer één terug te vinden.'

'Wat is het probleem daarbij?' vroeg Michelle. 'Je weet nu toch hoe het moet.'

Ze wist dat het niet zo eenvoudig lag, maar ze wilde Leblanc een beetje uit zijn tent lokken.

'Nee, was het maar zo gemakkelijk. We zijn jarenlang bezig geweest om heel langzaam, stapje voor stapje een cel te bouwen. Tien jaar geleden begonnen we met het aaneenrijgen van wat eiwitten en aminozuren. Heel geleidelijk, met veel vallen en opstaan, hebben we dat uitgebouwd door steeds kleine stukjes toe te voegen. Uiteindelijk zijn we er ook in geslaagd om kunstmatig gefabriceerd DNA in te brengen. Kunstmatig gefabriceerd, maar wel uit bestaande, in de natuur voorkomende eiwitten. We hebben het DNA van eenvoudige gistcellen nagemaakt. Vaak zaten we op een dood spoor. Letterlijk. Onze cel wilde maar niet leven. Tot twee weken geleden. Toen ik 's ochtends om half acht op mijn werk kwam, was Nicolas er al. Hij is er altijd vroeg. Regelmatig gaat hij de hele nacht door en slaapt daarna een paar uur op de universiteit. Hij heeft hier ergens een bed staan. Deze keer had hij niet eens geslapen. Hij had rode ogen van vermoeidheid, maar hij was dolenthousiast. Hij vertelde dat het hem die nacht gelukt was om ons schepsel leven in te blazen. De cel had namelijk voldaan aan een van de voorwaarden die noodzakelijk zijn om iets een levend wezen te mogen noemen. Hij had zichzelf vermenigvuldigd. Nicolas was erin geslaagd om een mitose, een celdeling, tot stand te brengen en dat was de doorbraak die we nodig hadden.'

Laurent knikte. 'Ik heb het met eigen ogen door de microscoop gezien.'

'Maar om op je vraag terug te komen,' ging Leblanc verder, 'we kunnen het niet reproduceren. Ten eerste is de originele cel weg. Het zou ons jaren kosten om het opbouwen daarvan over te doen. En ten tweede is het mij nog steeds onduidelijk hoe het Nicolas uiteindelijk gelukt is om de vonk te laten overslaan. Hij is er niet aan toegekomen om bekend te maken hoe hij onze cel dat laatste zetje heeft gegeven, want de volgende dag was hij verdwenen en met hem zijn aantekeningen.'

'Ik neem aan dat je hem vrij goed kent,' zei Michelle. 'De politie heeft deze vraag ongetwijfeld ook gesteld, maar heb je enig idee wat de beweegredenen van Moreau zouden kunnen zijn? Wat voor een man is het?'

'Ik ken hem alleen als collega. Ik weet niet veel van zijn privéleven, voor zover hij dat heeft. Eigenlijk was hij altijd aan het werk. Naaste familie heeft hij niet. De enige hobby waar hij wel eens over sprak, was zijn sportwagen. Hij heeft een Porsche 911 uit 1969, waar hij veel aan sleutelt. Veel mensen hebben zo'n klassieker als tweede auto, maar Nicolas kwam er elke dag mee naar zijn werk, want het was zijn enige auto. Dat deed hij alleen omdat hij hem hier in de parkeergarage kon zetten, want er was geen haar op zijn hoofd die erover dacht om hem buiten te parkeren. Ook weet ik dat hij bridge speelt. Hij schijnt er vrij goed in te zijn, doet mee aan wedstrijden en zo. Verder is hij volgens mij al tien jaar alleen met het project bezig.'

'Denk je dat Moreau ergens in het buitenland voor het grote geld heeft gekozen?' vroeg ze.

'Dat lijkt me niet waarschijnlijk. Nicolas ging voor erkenning, niet voor geld. Maar je weet natuurlijk nooit wat geld met mensen doet.'

'Dubois opperde de mogelijkheid dat Moreau ontvoerd zou kunnen zijn omdat andere instellingen jullie technologie in handen willen krijgen,' zei Girard. 'Wat denk je daarvan?'

'Dubois kijkt te veel spannende films, denk ik. Wat zouden die instellingen daarmee opschieten? Het zal uiteindelijk toch wel bekend worden dat Moreau met zijn team van de Sorbonne verantwoordelijk is voor het resultaat. Het feit dat een andere instelling eventueel de primeur heeft, doet daar niets aan af. Bovendien zal het niet lang duren voordat de technologie voor iedereen bekend wordt, want als Moreau zijn artikel eenmaal gepubliceerd heeft, is er geen enkele reden meer om nog geheimzinnig te doen.'

'Maar wat kan dan de reden zijn dat hij is verdwenen?' bleef Girard doorvragen.

Leblanc haalde zijn schouders op. 'Dat vraag ik me ook al twee weken af.'

Laurent nam het over. 'De politie heeft de gegevens opgevraagd die met behulp van de toegangspasjes geregistreerd worden. Daarop kun je precies zien hoe laat mensen het gebouw binnenkomen en verlaten. Het blijkt dat Moreau 's avonds laat is vertrokken, maar sindsdien zijn ze het spoor volledig bijster.'

Michelle streek met een routineus gebaar haar bruine lokken naar achteren. 'Olivier, ik zou graag deze week een afspraak met je maken om wat meer te weten te komen over het project.'

'Geen probleem.'

Ze overhandigde haar visitekaartje en ze spraken af om later deze week bij elkaar te komen. Laurent begeleidde hen via de detectiepoortjes naar de lift en nam daar afscheid. Girard stapte door de geopende liftdeur naar binnen en duwde op min twee, de parkeergarage. Hij keek vragend naar Michelle.

'Je was toch met de metro? Wil je meerijden naar kantoor?'

'Oké,' knikte Michelle.

'Wat vond je van deze ochtend?' vroeg ze toen ze in de lift stonden.

'Ik heb met verbazing zitten luisteren. Elke keer nam het verhaal weer een nieuwe wending. Toen ik dacht dat met het creëren van leven het hoogtepunt bereikt was, kwam daar weer die verdwijning van Moreau overheen.'

'Denk je dat ik me moet concentreren op het brengen van het nieuws over de cellen, of mag ik me ook bezighouden met de verdwijning van Moreau?'

'Nou,' zei Girard diplomatiek, 'volgens mij heeft Dubois je de vrije hand gegeven. Ik wil een topverhaal waarmee we zoveel mogelijk kijkers trekken voor France 2.'

'Mooi,' zei ze tevreden.

De liftdeur opende zich en ze liepen de halfduistere parkeergarage in. De ruimte was opvallend groot voor een ondergrondse parking midden in Parijs, maar deed toch krap aan omdat hij bestond uit vele kleine ruimtes die door middel van nauwe doorgangen met elkaar verbonden waren. Girard wist niet meer precies waar hij zijn auto had neergezet en keek zoekend rond. Elke sectie leek als twee druppels water op de vorige. Uiteindelijk vond hij hem terug in een afgelegen hoekje en konden ze instappen. Voordat hij de motor startte, wendde Girard zijn hoofd nog even ernstig naar Michelle.

'Ik wil je wel een waarschuwing meegeven. Ik weet niet wat voor vreemde verrassingen er nog meer gaan opduiken in deze zaak, maar de vermissing van Moreau is in handen van de politie. Ik wil absoluut niet dat je het gevaar opzoekt, want dit zou nog wel eens een vervelend wespennest kunnen worden. En het laatste wat we kunnen gebruiken, is dat er straks ook een redacteur van France 2 vermist wordt.'

'Oké David,' lachte ze. 'Ik zal me netjes aan de regels houden. Ik ben blij dat je je zorgen over me maakt.'

Girard startte hoofdschuddend de auto. Hij kende Michelle nu al enkele jaren en hij wist dat zijn waarschuwing feitelijk aan dovemansoren gericht was. Eigenwijs als ze was, liet ze zich door niemand wat wijsmaken en trok ze gewoon haar eigen plan. Voorzichtig stuurde hij de auto door de smalle ondergrondse paden, waarbij de banden het typische piepende parkeergaragegeluid maakten. Michelle keek in gedachten verzonken door het raam en liet de rijen auto's aan zich voorbijtrekken.

'Hé!' riep ze opeens terwijl ze overeind veerde. 'Stop!'

Girard dacht dat hij iets dreigde te raken en trapte abrupt op de rem. Michelle, die haar gordel nog niet had vastgemaakt, moest zich schrap zetten om niet tegen de vooruit te vliegen.

Girard keek een tikje geërgerd opzij. 'Wat was dat nou?'

'Rij eens een stukje achteruit,' zei ze gejaagd. 'Ik zag wat.'

Zuchtend legde Girard zijn arm over de passagiersstoel, keek achterom en reed stapvoets een paar meter achteruit.

'Stop maar,' zei Michelle en ze wees triomfantelijk tussen twee geparkeerde auto's door. 'Hoeveel oude Porsches zouden er in deze garage staan, denk je?'

Girard keek in de richting die ze aanwees. Achter in de hoek, gedeeltelijk aan het oog onttrokken door een groezelige muur en enkele dikke pilaren, stond een glimmende, klassieke Porsche geparkeerd.

'Wat?' bracht hij uit. 'Dat is onmogelijk! Die kan de politie toch niet over het hoofd gezien hebben?'

'Lijkt me ook niet, hoewel het hier natuurlijk wel een gigantisch doolhof is. Jij had net ook moeite om je auto terug te vinden.'

Girard voelde zich door deze opmerking een beetje in zijn eer aangetast. Als man hoorde je de weg te weten. Girard was helaas niet gezegend met een bovenmatig ontwikkeld richtinggevoel, maar daar kwam hij liever niet voor uit.

'Nou, het was nog vroeg en ik had haast vanochtend,' verdedigde hij zich. 'Maar je mag toch verwachten dat de politie de hele parkeergarage heeft uitgekamd?'

Michelle keek naar de rode sportwagen.

'Je hebt gelijk. We moeten even natrekken of dit hem daadwerkelijk is. Ik bel Olivier Leblanc. Die weet wel of het de goede kleur is. Ik heb net zijn nummer gekregen.'

Ze pakte haar telefoon en begon in haar tas te rommelen op zoek naar het papiertje met het nummer van Leblanc. Toen ze het niet meteen kon vinden begon ze te twijfelen. Ze had het toch in haar tas gestopt? Geërgerd vervloekte ze zichzelf. Ze zou willen dat ze wat beter georganiseerd was.

'Doe geen moeite, we hebben toch geen bereik hier,' zei Girard op zijn eigen telefoon kijkend. 'We moeten eerst naar buiten.'

Michelle schudde haar hoofd. 'Als we buiten staan, kunnen we niet controleren of het wel de Porsche van Moreau is. Stel dat Leblanc het kenteken of een ander kenmerk weet. Dan moeten we dat meteen kunnen controleren. Ik probeer het gewoon even. Terug

51

naar binnen gaan kan altijd nog.'

Ze keek op haar telefoon en zag dat ze één streepje bereik had. Dat was het proberen waard. Ongeduldig rommelde ze in haar tas.

Girard keek geamuseerd toe. Uit de berg typische damestasartikelen, die het midden hield tussen een kleine drogisterij en een kantoorboekhandel, viste ze het telefoonnummer op. Terwijl de telefoon overging, keerde Girard voorzichtig de auto en reed terug naar de verste uithoek van de parkeergarage waar hij aan het einde van een doodlopende gang stopte voor de bewuste rode Porsche.

'Dag Olivier, je spreekt met Michelle Rousseau' … 'Ik heb nog een vraag. Hoe ziet die Porsche van Moreau er eigenlijk uit?' … 'Rood?' … 'Oh, oké.' … 'Nou, nee, voor het geval we hem ergens tegenkomen.' … 'Bedankt Olivier.' … 'Ja, tot ziens.'

Ze keek veelbetekenend naar Girard. 'Hij is dus rood.'

'Dan wordt het steeds aannemelijker dat dit de auto van Moreau is.'

Michelle opende het portier. 'Olivier zei nog iets. Hopelijk neemt dat je laatste twijfels weg. Moreau had enkele dagen voor zijn verdwijning geklaagd dat er iemand in de parkeergarage tegen zijn auto was aangereden, waardoor er een barst in zijn achterlicht was gekomen. Hij herinnerde het zich nog omdat Moreau teleurgesteld was dat de dader geen briefje had achtergelaten. De politie is dus op zoek naar een rode Porsche met een gebroken achterlicht.'

Ze stapte uit en liep om de Porsche heen, die achteruit was ingeparkeerd. Ze boog zich voorover en verdween even volledig uit het zicht. Toen ze zich weer oprichtte sprak haar gezicht boekdelen.

5

Nog geen half uur nadat Vincent was vertrokken van de boerderij was Enquist gereed om terug naar Londen te gaan. Hij had zijn kleding en wandelschoenen terug in de weekendtas gedaan. Zijn laptop en enkele mappen met onderzoeksgegevens lagen erbovenop. Hij schakelde het alarm in en sloot de voordeur af. Terwijl hij naar zijn auto liep, zag hij dat de rozen gesnoeid moesten worden en dat er wat dakpannen op de schuur los lagen. Normaal vond hij dat soort klusjes een leuke onderbreking van zijn werk, maar voorlopig zou hij daar niet aan toekomen. Hij reed de poort uit en wachtte even tot het hek zich automatisch gesloten had. Daarna gaf hij gas en reed de heuvel op.

John Gallagher hoorde de auto naderen en dook weg achter de struiken. Vanachter de dichte begroeiing zag hij Mark Enquist de top van de heuvel passeren. Gelukkig stopte hij niet, zoals die filmmaker van daarnet. Omdat hij niet had verwacht dat de eerste auto zou stoppen, had hij halsoverkop weg moeten duiken. De filmmaker had slechts vluchtig rondgekeken, maar toen hij een stukje het pad was opgelopen, had Gallagher zijn adem moeten inhouden om niet ontdekt te worden.

Waarom was hij hier uitgestapt? Waarschijnlijk hadden de mannen in de boerderij hem gezien toen hij hier gestopt was. Het plotselinge zicht op de boerderij had hem overvallen. Pas toen hij uit zijn auto was gestapt om beter naar beneden te kunnen kijken, had hij zich gerealiseerd dat hij goed zichtbaar moest zijn vanuit de boerderij. Toen hij op de eerste verdieping iemand het balkon zag opkomen, was hij snel terug in zijn auto gesprongen en achteruitgereden. Hij had de auto verdekt geparkeerd en was teruggelopen naar de top om de omgeving te verkennen.

Hij stond op en klopte het zand van zijn kleren. Hij had Enquist het gebouw goed zien afsluiten, dus die zou wel onderweg zijn naar Londen. De boerderij lag er verlaten bij. In een stevig tempo begon hij aan de afdaling. Hij droeg bergschoenen, een groene bodywarmer en een rugzakje, dus als hij onverhoopt iemand tegenkwam zou hij hopelijk aangezien worden voor een wandelaar.

Na een kwartier lopen kwam hij bij de toegangspoort tot het erf. Hij inspecteerde de muur en zag dat het mogelijk moest zijn om tegen de onregelmatig gemetselde stenen omhoog te klimmen. Eenmaal boven wachtte hem echter een kordon van ijzeren pinnen en vlijmscherpe glasscherven. Hij besloot om de boerderij heen te lopen en uit het zicht van eventuele voorbijgangers een geschikte plek te zoeken om over de muur te klimmen. Dat was het geval aan de achterkant. Voorzichtig zette hij zijn ene voet op een steen die een beetje uit de muur stak en langzaam trok hij zich omhoog tot hij over de muur heen kon kijken. Hij plaatste zijn handen zorgvuldig tussen de scherven en zwaaide met beide benen tegelijk over de muur. Na een harde landing kwam hij moeizaam overeind en keek naar de boerderij. Op de begane grond hadden de meeste ramen gesloten luiken. De kleinere ramen hadden geen luiken, maar daar waren ijzeren spijlen in de witte muur gemetseld. Op de eerste verdieping waren de luiken open en aan de voorkant was een houten balkon met openslaande deuren. Misschien zou hij daarop kunnen klimmen. Hij liep een stukje achteruit en keek nog eens goed. Op dat donkergroene balkon had hij straks die filmmaker zien staan. Plotseling begon zijn hart sneller te kloppen. Het leek wel alsof een van de balkondeuren op een kiertje stond! Zou Enquist vergeten zijn om de deuren af te sluiten toen hij vertrok? Hij keek rond over het erf en liep naar de schuur naast het woonhuis. Hij opende de houten schuifdeur die niet op slot zat en keek naar binnen. De ruimte werd slechts verlicht door enkele kleine raampjes hoog in de muur. Toen zijn ogen gewend waren aan de duisternis zag hij een oude tractor staan. Verder stond er een werkbank, tuingereedschap, enkele fietsen, tuinmeubels en veel spullen die zo met het grof vuil meekonden.

Zijn oog viel op een ladder. Dat was precies wat hij nodig had. Hij nam de ladder van de muur en droeg hem naar buiten waar hij hem tegen het balkon plaatste. In een oogwenk was hij boven, waar hij constateerde dat een van de deuren inderdaad openstond. Hij glipte naar binnen en sloot de deur achter zich. Even bleef hij op de drempel staan en terwijl hij onwennig zijn ogen door de kamer liet glijden, maakte een vreemd soort spanning zich van hem meester. Dit was de eerste keer in zijn leven dat hij bij iemand inbrak. Er stond een computer op het bureau en hij herkende de landkaart die hij in het British Museum had gezien tijdens de lezing van Enquist.

Dit moest zijn werkkamer zijn. Eigenlijk hoefde hij niet verder te zoeken, maar uit nieuwsgierigheid verkende hij het huis. De grote overloop was omgeven door een houten balustrade en beneden zag hij een brede hal. Hij liep de trap af en keek even rond in de vertrekken op de begane grond. Er was een grote keuken, een gerieflijke zitkamer en nog wat kleinere kamers. Gallagher concludeerde dat als de informatie die hij zocht hier aanwezig was, deze zich in Enquists werkkamer zou bevinden. Hij stopte met zijn inspectie en liep weer naar boven.

Steven Cox zette met de afstandsbediening de televisie zachter omdat de telefoon op het lokale politiebureau overging. De telefoniste stond buiten te roken en had hem gevraagd even op de telefoon te letten.

'Cox,' nam hij op.

'U spreekt met de centrale meldkamer,' zei een vrouwenstem aan de andere kant. 'We hebben zojuist een automatische inbraakmelding ontvangen uit uw gemeente.' Ze noemde het adres.

'Oké, dank u. We gaan een kijkje nemen.' Cox kende de procedure. Dit soort meldingen was over het algemeen loos alarm, maar de politie was verplicht om poolshoogte te gaan nemen. Hij bonsde op de deur van het toilet.

'Kom op Frank, we moeten eropuit.'

Hij gespte zijn pistool om, pakte zijn jack en pet van de kapstok en liep naar buiten.

'Barbara, we zijn naar een inbraakmelding,' zei hij in het voorbijgaan. 'De telefoon is nu onbezet.'

Ze knikte en drukte haar sigaret uit.

Hij stapte in de politiewagen en wachtte tot zijn collega naar buiten kwam.

Cox kende het adres. Er was daar maar één huis en dat was de boerderij van de familie Enquist. Sinds de oude Enquist was overleden kwamen zijn volwassen kinderen er nog regelmatig. Hij wist niet dat de boerderij een inbraakalarm had. Waarschijnlijk was de familie op de boerderij aanwezig en waren ze vergeten om het alarm uit te schakelen of zoiets. Dat zouden ze zo zien. Nadat zijn collega was ingestapt, draaide Cox de patrouillewagen de weg op en reed het dorp uit.

John Gallagher ging aan het bureau op Enquists werkkamer zitten en zette de computer aan. Tijdens het opstarten leunde hij achterover in de comfortabele bureaustoel en dacht terug aan de lezing in het British Museum. Het presidium had hem opdracht gegeven hierbij aanwezig te zijn en verslag uit te brengen. Met stijgende verbazing had hij het ongeloofwaardige verhaal van Enquist aangehoord. Na afloop van de presentatie was hij onopvallend achter de wetenschapper aan de zaal uitgelopen en had hij zich aan een tafeltje vlakbij hem geposteerd waar hij een krant had opengeslagen. Hij zag dat iemand zich aan Enquist voorstelde en dat de twee in gesprek raakten. Ongemerkt probeerde hij de conversatie te volgen waardoor hij opving dat Enquist een documentaire wilde maken over het onderwerp dat hij zojuist gepresenteerd had. Daar was Gallagher van geschrokken. In dat geval zou de antropoloog met zijn verhaal een miljoenenpubliek kunnen bereiken. Dat zou het presidium nooit toestaan.

Op dat moment schoof Enquist zijn laptop terzijde en zag hij een usb-stick zitten. Omdat ze hun gesprek al aan het afronden waren, trok hij snel de stick uit de laptop. Enquist, die met zijn rug naar hem toe stond, had niets in de gaten. Gallagher sloeg rustig zijn krant dicht en liep weg. *Gij zult niet stelen* stond er in Exodus 20:1-17, waarin Mozes op de berg Horeb in de Sinaï de tien geboden had ontvangen. God zou hem deze zonde in het belang van de goede zaak wel vergeven, dacht hij. Thuis had hij meteen zijn computer aangezet. Op de stick had hij een bestand gevonden wat de presentatie van Enquist bleek te zijn. Hij had het bestand meteen naar het presidium gemaild en verteld dat Enquist van plan was om media-aandacht te zoeken met zijn controversiële ideeën.

Nog diezelfde dag was hij gebeld. Ze waren zeer tevreden geweest over zijn werk, maar ze wilden graag meer details over de theorie van Enquist. Hij had opdracht gekregen om verder uit zoeken waar Enquist mee bezig was en over welk bewijsmateriaal hij beschikte om zijn opvattingen te ondersteunen. Hiertoe had Gallagher informatie gekregen over het huisadres van Enquist, zijn werkplek op de universiteit en zijn buitenhuis waar hij regelmatig verbleef. De boodschap was duidelijk geweest. In het belang van de goede zaak was alles geoorloofd. Hoewel hij nog nooit van zijn leven een strafbaar feit had gepleegd, zou hij alles in het werk stellen om het presidium niet teleur te stellen.

Hij was niet succesvol geweest bij een inbraakpoging in het appartement van Enquist en ook op de universiteit was hij niet verder gekomen vanwege de sociale controle. Daarom was hij nu hier, zijn laatste optie.

Gallagher zag dat de computer beveiligd was met een password. Hij pakte een laptop uit zijn rugzak en verbond de twee computers met een snoertje. Hij wilde proberen om het password te kraken door middel van een *brute force* aanval, waarbij met behulp van een elektronisch woordenboek alle mogelijke combinaties van bestaande woorden en tekens op de PC van Enquist werden afgevuurd. Dat ging met een snelheid van miljoenen passwords per seconde, dus hij hoefde alleen maar te wachten op een *hit*. Hij stond op en liet zijn ogen langs de eindeloze rijen met boeken gaan. Inca's, Maya's, Etrusken, Grieken, maar vooral veel boeken over Egypte. De volgende boekenkast werd zelfs helemaal in beslag genomen door boeken over piramides, farao's, de Sfinx, het hield niet op.

De computer was nog steeds bezig met zijn bombardement. Ongeduldig wendde hij zijn hoofd naar het raam en keek naar buiten. Plotseling stokte zijn adem in zijn keel. Op de top van de heuvel zag hij een politiewagen naderen die langzaam over het pad naar beneden reed. Terwijl allerlei vragen door zijn hoofd flitsten, rende hij in paniek naar het bureau van Enquist, rukte de kabel uit de computer en propte de laptop in zijn rugzak. In drie stappen was hij bij de balkondeuren, maar op het moment dat hij het balkon op wilde springen bedacht hij zich en maande zichzelf tot kalmte. Als hij nu naar buiten zou gaan, zouden de agenten hem zeker zien. Het was beter om even te wachten tot ze verder naar beneden waren gereden, waar ze geen rechtstreeks zicht meer op het huis hadden. Terwijl hij stond te wachten, bonkte zijn hart in zijn keel. Hij deed zijn rugzak om. Wie had de politie gewaarschuwd? Hoe wisten ze dat hij hier was?

Op het moment dat de politiewagen om een bocht verdween, stapte hij vlug het balkon op en zette de deuren terug in dezelfde stand. Hopelijk had hij alles achtergelaten zoals hij het had aangetroffen. Hij wipte over de reling en daalde snel maar beheerst af. Met de ladder op zijn nek rende hij naar de schuur, hing hem terug, sloot de deur en sprintte vol adrenaline het gazon over. De politie kon nu elk moment arriveren. Zijn ogen zochten gejaagd naar een plek om terug over de muur te klimmen. Achterin de tuin zag hij een kleine houten poort die hij aan de buitenkant niet gezien had. Zover was hij niet gekomen. Hijgend stopte hij bij de poort en voelde aan de klink. Natuurlijk zat hij op slot. De poort werd omgeven door klimop, die zich in de loop der jaren stevig op de muur had vastgezet. Op hoop van zegen tastte hij met zijn handen in de takken tot hij voldoende houvast had en begon zich omhoog te trekken. Toen hij met zijn handen bij de bovenkant van de muur kon, pakte hij met zijn vingertoppen voorzichtig de rand vast.

Het geluid van de naderende politiewagen zwol aan. De auto stopte bij de poort en de motor werd afgezet. Gallagher hoorde de portieren dichtslaan. Zijn hart ging nu als een razende tekeer. Hij plaatste zijn handen zo goed mogelijk op de rand van de muur, maar omdat hij de scherven probeerde te mijden, zette hij zich niet goed af waardoor hij half uit balans over de muur zwaaide. Toen hij zich aan de andere kant naar beneden liet vallen voelde hij een felle pijnscheut door zijn linkerhand trekken, maar zijn lichaam zat te vol adrenaline om er acht op te slaan. Hij landde hard op de grond, krabbelde overeind en maakte zich uit de voeten in de richting van een rij oude eiken. Terwijl hij rende kwam de pijn terug en in een flits keek hij naar zijn hand. Hij moest zich toch gesneden hebben aan die glasscherven, want hij zag bloed. Uitgeput bereikte hij de beschutting van de bomen en naar adem snakkend liet hij zich op de grond vallen. Toen hij zijn arm optilde om eens goed naar zijn hand te kijken, werden zijn ogen groot van verbazing en afschuw.

6

Na een korte rit door het centrum van Parijs stopte Girard op het Place du Marché. Daar bevond zich het *Commissariat Central* van het eerste arrondissement. Door zijn functie als hoofdredacteur bij France 2 had hij een enorm netwerk in Parijs, waardoor het hem weinig moeite had gekost om te achterhalen welk bureau de zaak Moreau behandelde. Eerst had hij hoofdcommissaris Lambert gebeld, die hij persoonlijk kende. Na de gebruikelijke uitwisseling van beleefdheden had hij uitgelegd dat ze mogelijk nieuwe informatie hadden over de verdwijning van Moreau. Lambert had hem onmiddellijk doorverwezen naar de juiste mensen. Het had hem nog twee telefoontjes gekost voordat hij rechtstreeks contact had met de rechercheurs die op de zaak zaten. Tevreden over de effectiviteit van zijn netwerk parkeerde hij voor het politiebureau.

Uit de informatie die ze tot nu toe hadden gekregen, was gebleken dat Moreau 's avonds van de universiteit was vertrokken en de ochtend daarna niet op zijn werk was verschenen. Nu zijn auto nog in de parkeergarage bleek te staan, wierp dat een nieuw licht op de zaak. Blijkbaar was Moreau niet, zoals ze aanvankelijk hadden aangenomen, met de auto vertrokken, maar te voet. Dat zou betekenen dat de politie al die tijd op de verkeerde plaats had gezocht. Als Moreau het lab lopend verlaten had, dan was hij waarschijnlijk niet op weg naar huis gegaan, maar had zijn bestemming dichter in de buurt van de universiteit gelegen. Of misschien had hij wel de metro genomen. In ieder geval was Girard benieuwd naar wat de politie te vertellen had. Eigenlijk had hij de zaak aan Michelle willen overlaten, maar omdat politiebezoek in principe niet tot de taken van een wetenschapsjournaliste behoorde, had hij besloten om mee te gaan. Ze liepen samen het politiebureau binnen en meldden zich bij de receptie. De baliemedewerker draaide een nummer en sprak enkele woorden in de telefoon. Minder dan een minuut later kwam er een korte man met brede schouders en wilskrachtige kaken in kordate tred op hen toelopen. Zijn donkere haar was strak achterover gekamd en vertoonde diepe inhammen. Zijn zwarte ogen keken hen onderzoekend aan.

'*Monsieur Girard, quelle surprise.*'

Blijkbaar was hij verrast dat de hoofdredacteur van France 2 zelf naar het bureau was gekomen. Hij stelde zich voor als hoofdinspecteur Arthur Martin van de Direction Centrale de la Police Judiciaire.

'Mijn chef is gebeld door hoofdcommissaris Lambert, dus u moet wel over belangrijke informatie in de zaak Moreau beschikken.'

'Misschien,' glimlachte Girard. Lambert had zelf dus ook nog een telefoontje met de betrokken politiefunctionarissen gepleegd.

'Laten we eerst even een plek zoeken waar we rustig kunnen praten,' nodigde Martin hen uit en hij ging hen voor een gang in. Onderweg stopte hij bij een koffieautomaat en plaatste een kartonnen bekertje in het apparaat.

'Koffie?'

Michelle schudde haar hoofd. 'Nee, dank u.' Ze had liever thee, maar de thee uit koffieautomaten smaakte altijd naar koffie. Ze wees naar de waterkoeler en pakte zelf een bekertje. Girard koos voor koffie. Terwijl het bekertje volliep, kon Martin zijn nieuwsgierigheid niet langer bedwingen.

'De verdwijning van Moreau staat blijkbaar hoog op de agenda als hoofdcommissaris Lambert zich er persoonlijk mee bemoeit.'

Girard knikte. 'Dat kun je wel zeggen.'

'Waarom is het eigenlijk zo belangrijk?'

Girard nam het bekertje aan van Martin. 'Nou, Moreau is in wetenschappelijke kringen natuurlijk een bekende persoonlijkheid,' draaide hij er een beetje omheen.

'We hebben tot nu toe nog geen enkele aanwijzing voor een misdrijf gevonden,' reageerde Martin. 'Ik heb de indruk dat we niet alles te horen hebben gekregen.'

Michelle keek op van de waterkoeler. Het soort vragen dat Martin stelde was niet het soort vragen dat hij zou moeten stellen. Snel zette ze alle feiten op een rij en trok haar conclusie. Martin had inderdaad niet het volledige verhaal gehoord, besefte ze. Hij wist niet wat Moreau ontdekt had! Ze probeerde ongezien de aandacht van Girard te trekken.

Hij weet het niet! zeiden haar lippen zonder geluid te maken.

Terwijl Martin zich voorover boog om een vol bekertje koffie uit de machine te halen, keek Girard haar niet begrijpend aan.

De cellen! Hij weet het niet! wees Michelle naar Martin.

Girard fronste zijn wenkbrauwen. *Hoezo niet?*

Martin keek weer op en liep met de koffie in zijn hand in de richting van een verhoorkamer. Hij wenkte de anderen hem te volgen. Op de drempel werd hij aangesproken door een geüniformeerde collega. Michelle maakte handig van de gelegenheid gebruik.

'Hij weet niets over de ontdekking van Moreau,' siste ze. 'Ze hebben het hem niet verteld.'

'Hoezo niet?'

'Hij stelt de verkeerde vragen. Als hij het geweten had, zou hij niet vragen waarom de verdwijning van Moreau zo belangrijk is. We moeten niets tegen hem zeggen totdat we weten waarom Dubois en de anderen het hem niet verteld hebben.'

'Komen jullie?' onderbrak Martin hen. Hij was inmiddels de verhoorkamer ingelopen en stond achter een tafel met vier stoelen.

Michelle liep naar binnen en nam plaats aan de tafel. Girard volgde aarzelend en ging naast haar zitten. Terwijl Martin zijn stoel aanschoof, knikte hij onmerkbaar.

Oké.

'Zo,' zei Martin en hij vouwde zijn handen voor zich op tafel. 'Wat hebben jullie te vertellen?'

Girard schraapte zijn keel en dacht koortsachtig na. Dit was een andere opening van het gesprek dan hij in gedachten had. Had Michelle gelijk? Wist Martin niet dat Moreau leven had gecreëerd in zijn laboratorium? Waarom hadden dan zowel Dubois, Laurent als Leblanc niet gezegd dat ze de politie onwetend hadden gelaten over het onderzoek? En was het verstandig om geen open kaart te spelen met de politie? Hij trommelde peinzend met zijn vingers op tafel, waarna hij besloot om Michelle het voordeel van de twijfel te geven en voorlopig te zwijgen over de ontdekking van Moreau. Hij kon er altijd later nog op terugkomen.

'We zijn zojuist bij Frédéric Dubois geweest, de rector van de Sorbonne. Hij heeft ons gevraagd om een reportage te maken over het onderzoek waar Nicolas Moreau momenteel mee bezig is. Tijdens dit gesprek heeft Dubois ons verteld over zijn verdwijning.'

'Waarom maken jullie een reportage over dat onderzoek?'

Girard aarzelde even. 'Dubois vond de resultaten de moeite waard om aan een breder publiek te presenteren.'

Martin kneep zijn ogen tot spleetjes. 'Wat heeft Moreau dan precies ontdekt?'

Dus toch! dacht Girard. Hij voelde dat de ogen van Michelle hem met een triomfantelijke *zie je wel* blik aankeken, maar hij durfde haar niet aan te kijken.

'Moreau doet onderzoek naar biobricks, de bouwstenen van een biologische cel. Hij probeert ook om celeigenschappen te veranderen door nieuw DNA in te brengen. Dergelijk onderzoek staat op dit moment in het middelpunt van de belangstelling, omdat het nogal wat ethische vragen oproept.'

Girard herinnerde zich dat Dubois had gezegd dat dit soort dingen al gebeurde. Hij vertelde dus niets nieuws en hoopte dat Martin het zou slikken.

De hoofdinspecteur knikte half overtuigd. Of was het half begrijpend? Girard wist het niet zeker.

'En gaat die reportage gewoon door nu Moreau verdwenen is?'

'We zijn bezig met de voorbereidingen. Vanochtend hebben we Olivier Leblanc gesproken, zijn assistent.'

Martin keek hen zwijgend aan. Het was niet in te schatten wat hij dacht. Michelle besloot de stilte maar te verbreken.

'Toen we net de universiteit verlieten is ons iets opgevallen, maar we weten niet zeker of het van belang is.'

'En dat is?'

'Dubois vertelde ons dat u het huis van Moreau hebt doorzocht. Ging u ervan uit dat hij op de avond van zijn verdwijning naar huis is gegaan?'

Martin reageerde lichtelijk geïrriteerd. Hij was duidelijk gewend om zelf de vragen te stellen.

'Nou, we hadden geen idee waar Moreau zou kunnen zijn. Het is dan bepaald niet ongebruikelijk om een onderzoek te beginnen bij het huis van de persoon in kwestie. Bovendien reed Moreau normaliter elke avond naar huis, dus het leek een goed startpunt voor ons onderzoek.'

'Waarom denkt u dat Moreau naar huis is *gereden?*' vroeg Michelle. Ze bleef doorvragen omdat ze van Martin wilde horen of de politie gezien had dat de auto er nog stond op de avond van de verdwijning. De hoofdinspecteur begon zich nu zichtbaar te ergeren aan haar directe manier van vragen stellen. Dit was de omgekeerde wereld, leek hij te denken. Hij was hier de hoofdinspecteur.

'Moreau is 's avonds vertrokken uit zijn laboratorium, want hij is uitgelogd uit het registratiesysteem. Zijn auto stond niet meer in de parkeergarage, dus we gingen er aanvankelijk vanuit dat hij gewoon naar huis is gereden. Hij bleek echter niet thuis geweest te zijn.'

Martin keek nu ongeduldig naar Michelle. 'Mag ik nu vragen wat de reden is van jullie bezoek? Je zei net dat jullie iets opgevallen was. Wat was dat dan?'

'De auto van Moreau, de rode Porsche, staat nog steeds in de parkeergarage. We hebben hem zojuist zien staan,' zei Girard rustig.

'Pardon?' Martin keek hem achterdochtig aan en wendde zijn hoofd naar Michelle. Die knikte instemmend.

'Weten jullie dat heel zeker?'

'We hebben het kenteken niet gecontroleerd,' zei Girard, 'maar Olivier Leblanc vertelde ons dat de wagen van Moreau een kapot achterlicht had. Dat had deze auto ook. Een rode, klassieke Porsche met een gebroken achterlicht. Hoeveel rijden er daar van rond?'

'De auto staat in de verste uithoek van de garage, half verscholen achter pilaren,' voegde Michelle toe. 'Hij is gemakkelijk te missen. Je moet er bijna voor staan om hem te kunnen zien.'

Martin perste hoofdschuddend zijn lippen op elkaar en nam de hoorn van het telefoontoestel dat op tafel stond. Hij toetste een nummer in.

'Pascal, kun je even naar verhoorkamer drie komen?' vroeg hij kortaf. Hij hing op en keek de beide redacteuren aan. 'We zullen eens even horen wat er precies gebeurd is,' zei hij nog niet helemaal overtuigd.

Even later werd er op de deur geklopt en kwam er een jonge, blozende rechercheur binnen. Hij knikte beleefd en keek vragend naar Martin.

'Pascal, jij hebt toch die parkeergarage bij de Sorbonne geïnspecteerd? Je zou ook kijken of de auto van Nicolas Moreau er nog stond. Dat zou een oude Porsche moeten zijn, rood. Die is toch niet aangetroffen?'

Pascal schudde gedecideerd zijn hoofd. 'Nee, hij stond niet op zijn vaste parkeerplaats.'

'Ben je daar honderd procent zeker van? Deze mensen beweren namelijk dat de bewuste auto er nog staat. Of misschien dat hij er *weer* staat,' zei Martin nadrukkelijk in de richting van Michelle.

'Ik weet het heel zeker. Ik weet zelfs het nummer van het parkeervak nog. Nummer 121 was leeg.'

'Had Moreau dan een vaste parkeerplek?' vroeg ze.

'Ja,' knikte Pascal. 'Alle medewerkers van de universiteit die recht hebben op een parkeerplaats hebben een vast nummer. Ze mogen hun auto alleen op die plek neerzetten.'

Michelle had inderdaad gezien dat de parkeervakken in de garage genummerd waren, maar ze kon zich niet herinneren wat het nummer was van de plek waar de Porsche stond.

Ze dacht aan het kapotte achterlicht en keek de jonge rechercheur aan. 'Is nummer 121 helemaal achterin de garage? Tussen enkele pilaren en een muur?'

'Eh, nee. De plek van Moreau is juist vlakbij de ingang.'

Ze keek naar Girard. 'Misschien had Moreau zijn auto op een rustig plekje neergezet om te voorkomen dat er opnieuw iemand tegen zijn Porsche aan zou rijden,' opperde ze.

Martin keek hen vragend aan en Michelle legde uit wat Olivier Leblanc had verteld.

'Uit de geregistreerde gegevens van de toegangspasjes bleek dat Moreau vertrokken was,' zei Martin. 'Dat hebben we gecontroleerd door na te gaan of zijn auto ook weg was. Dat leek op dat moment voldoende, maar dit is nieuwe informatie.'

Hij wendde zich tot zijn collega. 'Ik stel voor dat je onmiddellijk teruggaat naar de parkeergarage om deze informatie te verifiëren.'

Girard ging in op de mogelijkheid die Martin net geopperd had.

'Zou het inderdaad zo kunnen zijn dat de Porsche *weer* in de garage staat? Dus dat hij tussentijds is weggeweest?'

'Dat is moeilijk na te gaan, want de parkeergarage is niet uitgerust met een camerasysteem,' zei Martin. 'Maar de toegang tot het laboratorium heeft wèl videobewaking. We hebben kopieën gemaakt van de videobestanden om de beelden te kunnen bestuderen. Helaas zijn we daar wegens tijdgebrek nog niet aan toegekomen. Ik zal er onmiddellijk prioriteit aan geven.'

Martin wilde nog weten hoe ze de Porsche precies ontdekt hadden. Terwijl Michelle antwoord gaf en de situatie in de parkeergarage zo nauwkeurig mogelijk probeerde te beschrijven, leek de hoofdinspecteur met zijn gedachten af te dwalen. Hij knikte afwezig en haar woorden leken langs hem heen te gaan. Toen ze uitgesproken was, keek hij haar bedachtzaam aan.

'Oké, mevrouw Rousseau. Dank u voor uw toelichting en u beiden bedankt dat u hier gekomen bent. We zullen de parkeergarage nogmaals inspecteren en ook de videobeelden bekijken. Wellicht levert het nieuwe inzichten op. Als u nog wat te binnen schiet, wilt u mij dan bellen?'

Martin maakte aanstalten om op te staan. Kennelijk had hij genoeg gehoord.

Michelle keek naar Girard. Het was duidelijk geworden dat de politie niets wist over de cellen van Moreau. Vreemd, ze waren gekomen om het onderzoek verder te helpen. In plaats daarvan leek het alsof de zaak alleen maar eigenaardiger werd. Ze stond op en schudde de hoofdinspecteur de hand. Girard deed hetzelfde en volgde haar naar buiten. De beide rechercheurs bleven achter in de kamer.

Toen Girard de kamer had verlaten, liep Martin naar de deuropening en keek hen na.

'Zal ik dan nog maar een keer naar de parkeergarage gaan?' vroeg Pascal, die ook in de verhoorkamer was blijven staan.

'Nee, daar stuur ik iemand anders op af,' zei Martin in gedachten verzonken. 'Volgens mij verbergen ze iets. Ze hebben niet alles verteld. Ik weet alleen niet wat, maar we gaan proberen om daarachter te komen.'

Op dat moment liep er een collega in burger voorbij. Martin sprak hem haastig aan.

'Marc, heb je even?'

De man knikte.

'Zie je die man en vrouw die daar naar buiten lopen?' Martin knikte met zijn hoofd naar de uitgang waar Girard op dat moment als laatste door de deur liep. 'Dat zijn twee mensen van France 2. Ik wil dat ze geschaduwd worden. Ga al hun gangen na. Pascal praat je onderweg wel bij.'

'Ik?' vroeg de jonge rechercheur verbaasd.

'Ja. Dit is Marc Dupont. Ga met hem mee en hou je ogen en oren open. Wellicht steek je nog wat op van zijn twintig jaar ervaring.'

Martin wendde zijn hoofd weer naar Dupont. De man had kort, peper-en-zoutkleurig haar, een stevige, gladgeschoren kin en een atletisch postuur. Hij was onopvallend gekleed in een neutraal overhemd en een kort jack.

'Pak die blauwe 407 maar,' zei hij wijzend naar de Peugeot die achter de auto van Girard stond geparkeerd. 'Hier zijn de sleutels.'

De ervaren rechercheur grinnikte. 'Heb jij soms de sleutels van het hele wagenpark in je broekzak?'

'Schiet nou maar op, ze stappen al in. Ik bel je zometeen met meer details.'

Dupont zag dat er haast geboden was. De man zat al achter het stuur en de vrouw stapte net in.

'Lekker ding,' knipoogde hij tegen Pascal, 'het is geen straf om achter haar aan te zitten.'

Pascal lachte onzeker.

'Kom op, jongeman, jij rijdt.'

Ze renden naar de uitgang en stapten vlug in de 407.

7

'Hij wist het niet, hè!' zei Michelle met een zelfvoldane glimlach.

'Nee, dat had je goed gezien. De wetenschappers hebben het voor hem verzwegen.'

Girard draaide de Avenue de l'Opéra op. 'Ik vraag me alleen af waarom ze het niet verteld hebben.'

'Mij lijkt de meest logische verklaring dat het project zo geheim is, dat ze zelfs de politie niets wilden vertellen om de kans op uitlekken te minimaliseren.'

'Maar ze houden cruciale informatie achter,' wierp Girard tegen. 'Volgens mij mag dat niet.'

'Dat weet Dubois ook wel. Ik denk dat hij de politie selectief heeft ingelicht. Misschien weet de baas van Arthur Martin meer.'

'Hmm. Waarom verzwijgt hij dan voor ons dat ze de politie niet op de hoogte hebben gebracht? Als jij net niet zo scherp was geweest, had ik mijn mond voorbij gepraat en had Martin het nu ook geweten.'

'Dubois en Laurent hebben er natuurlijk niet op gerekend dat wij naar de politie zouden stappen. Het was puur toeval dat ik die Porsche zag staan. Als ik de andere kant op had gekeken, waren we nooit bij Martin beland.'

Girard keek in zijn spiegel. 'Misschien heb je gelijk.'

'Ik zit nog met een ander dilemma, David. De prestatie van Moreau is een enorme wetenschappelijke doorbraak, maar wij journalisten kunnen op geen enkele manier controleren of het echt waar is. Ik weet hoe cellen er onder een microscoop uitzien, maar als Olivier Leblanc ze zou tonen, kan ik niet beoordelen of ze kunstmatig gecreëerd zijn. De evolutie heeft er miljarden jaren over gedaan om leven te scheppen, dus ik vind het een beetje voorbarig om zomaar aan te nemen dat het Moreau in een tijdsbestek van enkele jaren gelukt zou zijn. Wat als het niet waar is?'

'Misschien moet je wederhoor toepassen,' suggereerde Girard. 'Weet je nog iemand?'

Michelle dacht even na. Ze reden inmiddels op de Rue de Rivoli, langs de Jardin des Tuileries, de tuin in hartje Parijs die zich uitstrekte van het Louvre tot aan het Place de la Concorde, waar het wemelde van de wandelaars.

'Misschien moet ik eens gaan praten met Richard Petit. Dat is een bekende evolutiebioloog. Hij houdt er weliswaar wetenschappelijk omstreden denkbeelden op na, maar hij is zeer kundig op zijn vakgebied. Hij zou ons kunnen helpen door vanuit een ander perspectief naar deze zaak te kijken.'

'Waarom is hij omstreden?'

'Hij benadert de wetenschap vanuit een andere invalshoek. Oh, wacht even.'

Michelle werd onderbroken omdat haar telefoon ging. Terwijl Girard om de Egyptische obelisk op het Place de la Concorde heenreed, graaide ze in haar tas en keek op het display.

'Het is Olivier Leblanc,' zei ze verbaasd. Na haar telefoontje vanuit de parkeergarage had ze zijn naam opgeslagen in haar telefoon. 'Wat wil die nou?' Weifelend keek ze naar haar mobieltje.

'Als je hem opneemt kom je erachter,' zei Girard terwijl hij de brug over de Seine nam.

'Allo?'... 'Dag Olivier.'

Het werd even stil en Michelle luisterde aandachtig.

'Ja natuurlijk, geen probleem. Ik ben nog in de buurt. Tot zo, Olivier.'

'Tot zo?' vroeg Girard verwonderd nadat Michelle had opgehangen.

'Ja. Hij zei dat er nog iets was wat hij wilde vertellen. Iets wat hij nog aan niemand anders had verteld. Of ik meteen langs wilde komen.'

'Interessant. Nu meteen?'

'Ja, dat vroeg hij.'

'Jij alleen?'

'Eh,' twijfelde ze. 'Hij noemde je naam niet, maar ik neem aan dat jij natuurlijk ook ...'

'Hou maar op, ik weet genoeg,' lachte hij. 'Je hebt blijkbaar meer indruk gemaakt dan ik. Ik kan trouwens toch niet mee, want ik moet naar kantoor. En uiteindelijk is dit jouw klus. Ik zal je nog even afzetten.'

Michelle knikte. Vanaf nu stond ze er alleen voor.

Girard stopte bij het laboratorium en nadat hij haar nog een keer op het hart had gedrukt voorzichtig te zijn, stapte ze uit. Haar lange haar golfde op de wind terwijl ze de straat overstak en benieuwd naar wat Leblanc te vertellen had, liep ze het statige gebouw met de hoge ramen binnen. De vrouw achter de receptie herkende haar en lachte vriendelijk.

'Hallo,' zei Michelle, 'deze keer kom ik voor Olivier Leblanc. Ik heb een afspraak met hem. Michelle Rousseau.'

De receptioniste draaide zijn nummer. 'Mevrouw Rousseau is ge-arriveerd voor u,' zei ze toen hij opnam.

'U wordt verwacht op de tweede verdieping,' zei ze terwijl ze de hoorn oplegde.

'Dank u, ik weet de weg.'

Opnieuw liep ze via de brede trap naar boven. Aan de andere kant van de detectiepoortjes stond Olivier haar al op te wachten. Ze moest dezelfde veiligheidsprocedure doorlopen als vanochtend en kreeg van de veiligheidsbeambte wederom een bezoekerspas uit-gereikt.

'Zichtbaar dragen,' zei hij erbij.

'Hallo Michelle,' begroette Olivier haar. 'Blij dat je meteen kon komen.'

'Ik ben benieuwd wat voor informatie je met me wilt delen.'

'Loop eerst even mee naar mijn kantoor,' nodigde hij haar uit. 'Dat vertel ik je achter een gesloten deur.'

Ze liepen opnieuw over de onderzoeksafdeling naar de kamer van Leblanc en Michelle ging op een stoel voor zijn bureau zitten. Olivier deed de deur dicht en ging aan de andere kant van het bureau zitten. Hij maakte wat ruimte vrij door een laptop aan de kant te schuiven en de verspreid liggende A4'tjes met grafieken en tabellen op een stapel te leggen. De oordopjes van zijn mp3-speler, die los om zijn nek hingen, dansten hierbij speels op en neer.

'Ik zal maar meteen met de deur in huis vallen. Ik heb vanoch-tend niet het hele verhaal verteld.' Hij zei het niet op verontschul-digende toon, maar eerder alsof hij haar in het complot wilde betrekken.

'Oh? Bedoel je dat jullie niet aan de politie hebben verteld dat Nicolas Moreau voor God speelt?'

Michelle kon zich niet voorstellen dat Olivier haar daarvoor had teruggeroepen, maar omdat ze dit onderwerp toch ter sprake wilde brengen, gooide ze het maar vast op tafel.

Olivier leek lichtelijk verbaasd. 'Hoe weet jij dat nou?'

'Laat maar,' wuifde ze zijn vraag weg. 'Dat zal ik je zometeen uitleggen.'

Olivier ging er toch op in. 'De reden dat we het niet aan de politie hebben verteld, is dat we elk risico op uitlekken wilden voorkomen. We hebben gezegd dat Nicolas een baanbrekende ontdekking heeft gedaan die wereldwijd zal inslaan als een bom. Daarmee hadden ze voldoende informatie om hun werk te kunnen doen, vonden we. Overigens heeft Dubois wel in vertrouwen de hoofdcommissaris van Parijs ingelicht, dus die is op de hoogte.'

'Je bedoelt Lambert?'

'Ja, hoofdcommissaris Lambert. Ken je hem?'

'Nee, niet persoonlijk. David Girard kent hem.'

'Wat ik vanochtend voor jullie verzwegen heb, is het volgende.' Olivier ging achterover hangen in zijn comfortabele kantoorstoel en zette één been op een openstaande bureaulade.

'De dag voor zijn verdwijning, dus dat was op de dag van de grote doorbraak, riep Nicolas me bij zich in zijn kantoor. Hij was natuurlijk nog helemaal euforisch en hij vertelde enthousiast dat we nu eindelijk konden gaan publiceren. We zagen de krantenkoppen al voor ons. Een tijdje discussieerden we verder over het resultaat van onze jarenlange inspanningen tot Nicolas opeens serieus werd. Hij begon te vertellen dat hij zich de laatste tijd zorgen maakte over de vertrouwelijkheid van ons onderzoek en dat hij niet zeker wist of onze cel, die zich de nacht ervoor gedeeld had in twee nieuwe cellen, wel veilig was in het lab.'

Olivier dacht even na over zijn volgende zin, maar voor hij iets kon zeggen viel Michelle hem in de rede.

'Heb je dit ook aan de politie verteld?'

'Jazeker, dit weten ze. Maar wat ze niet weten, is dat Nicolas mij gevraagd heeft om de cellen te bewaren.'

Ze keek hem met open mond aan. 'Wat?'

'Ik heb de cellen in mijn bezit,' zei hij met een flauwe glimlach.

'Wow,' bracht Michelle na een korte stilte uit.

Ze had min of meer verwacht dat Olivier met een aanwijzing zou komen die mogelijk in de richting van de verdwenen onderzoeker zou kunnen leiden, maar dit was een verrassende wending waar ze niet op had gerekend.

'Dat werpt een nieuw licht op de zaak. Maar waarom heeft Moreau dat dan aan je gevraagd?'

Olivier haalde zijn schouders op. 'Wist ik het maar, dan kon ik tenminste actie ondernemen. Nu weet ik niet precies wat verstandig is om te doen.'

Hij keek even voor zich uit.

'Waarschijnlijk had Nicolas het vermoeden dat er iemand achter zijn cellen aanzat. Hij kreeg alleen niet de kans om te vertellen waarom hij dat dacht. Het was ontzettend druk die dag en we werden gestoord omdat Frédéric Dubois binnenkwam. Nicolas zei nog dat hij er later op terug zou komen en dat ik moest doen wat hij gezegd had. De volgende dag is hij niet op komen dagen, dus hij heeft me niet meer kunnen vertellen waar zijn vermoedens op gebaseerd waren.'

'Maar Dubois heeft de cellen daarna toch nog onder de microscoop gezien?' herinnerde Michelle zich.

'Dat klopt. Meerdere mensen hebben die dag door de microscoop gekeken, onder anderen de collega's op de afdeling. Maar aan het eind van de dag heb ik de cellen in veiligheid gebracht.'

'En waar zijn ze nu?'

Olivier zweeg.

'Oké. Maar waarom heb je dit niet tegen de politie verteld?'

'Nicolas vroeg me om er met niemand over te praten. Ik weet dus niet wie ik kan vertrouwen. Zelfs de politie weet niet wat de exacte aard van ons onderzoek is, dus als ik tegen hen over de cellen begin, zouden ze onmiddellijk vragen wat er dan zo belangrijk aan is. Dan kan ik het niet meer geheim houden. Ik zou de hoofdcommissaris kunnen bellen, maar ja, dat kan altijd nog.'

Michelle knikte en stelde de vraag die al een tijdje op haar lippen brandde.

'Maar waarom vertel je dit allemaal tegen mij?'

'Jij bent toch al op de hoogte van het resultaat van ons onderzoek en ik wil dat je weet dat het bewijs nog steeds in ons bezit is. Ik wil erkenning voor ons werk. Bovendien,' hij aarzelde even, 'leek je me wel te vertrouwen.'

'Ik voel me vereerd,' zei ze oprecht. 'Wie weten er nog meer dat jij de cellen in je bezit hebt?'

'Niemand. Alleen jij en ik.'

'Ik heb nog een andere vraag,' zei Michelle, die in haar hoofd verder aan het filosoferen was geslagen over de impact die de ontdekking zou hebben. 'Weet je wat ik me al sinds vanochtend afvraag?'

Olivier schudde langzaam zijn hoofd.

'Is dit allemaal echt mogelijk? Het klinkt me tot nu toe in de oren als science fiction. Misschien zal niemand geloven dat zoiets extreem complex als een biologische cel door mensenhanden gemaakt kan worden.'

Olivier begon te lachen en kwam overeind in zijn stoel. Hij legde beide ellebogen op het bureau en keek Michelle vol overtuiging aan.

'Natuurlijk is het mogelijk. Het bewijs is overal om ons heen te vinden. Het is de natuur toch ook gelukt? Het enige verschil is dat de natuur er via het evolutieproces enkele miljarden jaren over heeft gedaan. Door puur toeval is er ergens op die lange weg leven ontstaan. Wij hebben de kunst kunnen afkijken, waardoor we het sneller hebben kunnen klaarspelen.'

Michelle dacht even na. De evolutietheorie, hoe zat het ook alweer? Ze was geen specialist op dat terrein.

'De theorie dat de mens van de aap afstamt en dat dieren zich aanpassen aan de steeds veranderende omstandigheden?' diepte ze op uit haar geheugen.

'Ja,' glimlachte Olivier. 'Je zegt het alleen een beetje kort door de bocht. Als wetenschapper heb ik er wel het een en ander op aan te merken.'

'Hoezo?' Eigenlijk was ze wel geïnteresseerd in wat achtergrond bij haar reportage. Ze had er alleen niet op gerekend dat ze al een soort interview zou gaan afnemen, dus ze had geen laptop bij zich. Ze pakte een schrijfblok uit haar tas en opende haar vulpen.

'Kijk,' begon Olivier, 'de basis voor het feit dat er evolutie plaatsvindt, is dat dieren keihard moeten vechten voor hun bestaan. De meeste dieren die geboren worden, zullen nooit volwassen worden omdat ze voor die tijd allang zijn opgegeten door andere dieren of omgekomen zijn van de honger.

Neem bijvoorbeeld konijnen. Net zoals bij mensen, is geen enkel konijn precies gelijk aan een ander. Er bestaan verschillen in lengte, gewicht, vorm van oren en neus, enzovoort. Dat is allemaal toeval. Zo wordt er ook wel eens een konijn geboren met iets langere achterpoten, waardoor hij harder kan rennen. Daardoor heeft hij minder kans om gegrepen te worden door een roofdier en misschien kan hij ook wel verder lopen op zoek naar voedsel. Dit konijn heeft dus een grotere kans om volwassen te worden dan zijn soortgenoten. En hoe langer hij leeft, hoe vaker hij zich kan voortplanten, waarbij hij de eigenschap die hem in staat stelt langer te leven doorgeeft aan zijn nakomelingen. Zijn kinderen zullen door overerving ook langere achterpoten hebben, waardoor ze allemaal een grotere kans hebben om volwassen te worden en op hun beurt die eigenschap kunnen doorgeven. Dit zal ten koste gaan van de konijnen die minder hard kunnen lopen, want de totale populatie zal ongeveer gelijk blijven omdat de hoeveelheid voedsel niet verandert. Dit heeft tot gevolg dat er steeds meer konijnen zullen komen die hard kunnen lopen.'

'Dus dat is survival of the fittest,' begreep Michelle.

'Precies. Die term is alleen een beetje misleidend, want er is geen enkel konijn dat zich tijdens zijn leven aanpast. Er is namelijk helemaal geen doel. Door puur toeval werd er een konijn geboren dat iets harder kon lopen dan de rest. Omdat dat een bijzonder nuttige eigenschap bleek te zijn, leefde hij langer dan andere konijnen, waardoor hij meer nakomelingen zou krijgen. Er ligt dus geen vooropgezet plan aan ten grondslag.'

'Ik snap het. Dus dankzij de voortplantingsdrift van dieren heeft het leven zich uiteindelijk in vele richtingen kunnen ontwikkelen.'

'Niet *dankzij* de voortplantingsdrift. Voortplantingsdrift is niet de oorzaak van evolutie, maar een gevolg. Dieren planten zich niet voort om hun soort in stand te houden, maar diersoorten kunnen zichzelf juist alleen maar in stand houden *als* ze zich voortplanten. Dat is een essentieel verschil. Alleen diersoorten met geslachtsdrift blijven bestaan. Soorten die seksueel te weinig actief zijn, sterven uit omdat ze te weinig nakomelingen krijgen. Daarom hebben alle diersoorten die er momenteel bestaan een enorm libido. Dat geldt zeker ook voor de mens. Als dat namelijk niet zo zou zijn, waren we er niet meer geweest. Dan waren we allang uitgestorven.'

Michelle knikte. Natuurlijk! Evolutie zat zo simpel in elkaar. Briljant in zijn eenvoud.

'Maar veel gelovigen zullen dat niet met je eens zijn.'

'Daar zijn we ons van bewust. Het is ook een van de redenen dat ons project met zoveel veiligheidsmaatregelen is omkleed. Maar nogmaals, het leven is wel degelijk door toeval ontstaan. De evolutietheorie is namelijk onverminderd van toepassing. Je zei net dat Patrick Laurent jullie vanochtend heeft uitgelegd hoe de wereld van atomen en moleculen in elkaar zit, dus misschien heeft hij ook verteld over de oersoep, de warme, ondiepe zee waarmee de aarde ooit gedeeltelijk bedekt was en dat daar allerlei verschillende soorten moleculen in ronddreven. Veel van die moleculen gingen chemische reacties met elkaar aan. Soms leidde dat tot een verbetering, waardoor de moleculen groter, sterker en complexer konden worden. Het leven is dus niet van het ene op het andere moment ontstaan, maar er is een lange, lange evolutionaire weg van levenloze moleculen aan vooraf gegaan.'

Michelle knikte geïnteresseerd en probeerde zoveel mogelijk aantekeningen te maken. Had ze maar een voice recorder meegenomen, dacht ze teleurgesteld. Ze had grote moeite om alle informatie te verwerken. Olivier wachtte glimlachend tot Michelle bijgeschreven was en rondde daarna zijn verhandeling af.

'Uiteraard moesten deze voorlopers van de biologische cel nog een gigantische ontwikkeling doormaken om uiteindelijk te evolueren naar de meest elementaire vorm van leven, het eencellige organisme. Maar na verloop van tijd waren ze met vele triljarden en ze hadden honderden miljoenen jaren de tijd. De kracht van het cumulatieve effect over een zeer lange tijdspanne wordt vaak onderschat. Het feit dat wij hier zitten bewijst dat het er een keer van gekomen moet zijn.'

Olivier wachtte weer even tot Michelle deze laatste informatie op papier had gezet.

'En nu heb ik een vraag aan jou,' zei hij alsof hij een tegenprestatie verlangde voor zijn verhaal. 'Je bent me nog een verklaring schuldig.'

'Een verklaring schuldig?' Ze was even de draad kwijt omdat ze met haar gedachten nog bij zijn verhaal was. 'Oh ja. Je wilt natuurlijk graag weten hoe wij wisten dat jullie de politie niet alles verteld hebben over het onderzoek.'

'Precies.'

Michelle vond dat Olivier er recht op had om dit te weten. Bovendien was er bij haar een vermoeden gerezen dat ze aan hem wilde voorleggen, want ze zou zijn hulp nodig hebben. Ze begon te vertellen wat er allemaal gebeurd was nadat ze vanochtend samen met Girard het laboratorium had verlaten. Olivier hoorde met stijgende verbazing aan dat de Porsche van Moreau nog in de parkeergarage stond en dat ze de politie hierover hadden ingelicht.

'Luister Olivier. Ik heb erover nagedacht en iedereen gaat ervan uit dat Moreau op de avond voor zijn verdwijning uit het lab vertrokken is. De politie komt tot die conclusie omdat zijn toegangspas is uitgelogd uit het systeem. Ze zijn zo zeker van hun zaak dat ze geen prioriteit geven aan het bestuderen van de videobeelden ter controle. Waar volgens mij niemand aan gedacht heeft, is de mogelijkheid dat Moreau het pand nooit verlaten heeft.'

Olivier keek haar verwonderd aan. 'Je bedoelt dat hij nog steeds in het gebouw aanwezig zou kunnen zijn?'

'Precies. Moreau ging altijd met de auto naar zijn werk en die auto staat hier nog steeds. Verder heeft de politie bij hem thuis geen enkel spoor aangetroffen, maar ze hebben nauwelijks onderzoek gedaan in het lab omdat ze ervan uitgingen dat hij was vertrokken. Het ligt niet erg voor de hand, maar hij zou nog in het gebouw kunnen zijn. Ik vind dat we die mogelijkheid moeten onderzoeken.'

'Maar hij is uitgelogd,' wierp Olivier tegen. 'Dat is voldoende bewijs dat hij is vertrokken.'

'Zijn *badge* is uitgelogd, Olivier. Dat hoeft niet noodzakelijkerwijs te betekenen dat Moreau zelf ook is uitgelogd. Dubois sprak vanochtend over de mogelijkheid van chantage of ontvoering. We kunnen niets uitsluiten.'

Olivier liet het allemaal even bezinken. Hij draaide zijn stoel en staarde in gedachten door de glazen wand over de afdeling. Niets wees erop dat het onderzoek stillag. De wetenschappers waren zoals altijd druk in de weer met alle opstellingen en apparatuur in het lab.

'Wat is je plan?' vroeg hij tenslotte.

'In de ruimte van de detectiepoortjes hangt een zwarte bol aan het plafond. Daar moet een camera inzitten. Martin zei dat het laboratorium was uitgerust met een videosysteem.'

Olivier begreep meteen waar Michelle naartoe wilde. 'Daar zit inderdaad een camera achter. Monsieur Bernard, de beveiligingsman, heeft een computer in zijn kantoortje waarop hij de beelden kan bekijken.'

'Laten we niet wachten tot de politie eindelijk tijd heeft om die film te bekijken. Denk je dat hij ons de beelden wil laten zien?'

'Dat denk ik niet,' zei hij peinzend. 'Maar misschien hebben we monsieur Bernard niet nodig.'

'Hoe bedoel je?'

'Ik werk al mijn hele professionele leven in dit laboratorium. Ik ben gepromoveerd bij Moreau en daarna ben ik continu betrokken gebleven bij zijn onderzoek. Maar ik ben mijn carrière hier begonnen als nachtportier. Het ideale studentenbaantje, want er was nooit wat te doen. Je hoefde alleen maar in je hokje te zitten, dus je had zeeën van tijd om te studeren. Meestal zat ik hier beneden in de portiersruimte naast de receptie. Nicolas hield zich toen ook al niet aan kantooruren, dus ik maakte 's avonds wel eens een praatje met hem. Op die manier ben ik in het onderzoek gerold. Maar wat ik hier eigenlijk mee wil zeggen, als nachtportier moest je weten hoe het camerasysteem werkt. Als het in al die jaren niet te veel veranderd is ...'

'Oké,' zei Michelle. 'Maar volgens mij hebben we dan wel een praktisch probleem, want hoe krijgen we toegang tot die computer zonder dat Bernard het ziet?'

Olivier dacht even na en begon een beetje terug te krabbelen. 'Moeten we niet gewoon Arthur Martin bellen? We willen de politie er zoveel mogelijk buiten houden als het om wetenschappelijke informatie gaat, maar dit houdt rechtstreeks verband met de verdwijning van Nicolas.'

Michelle had echter de smaak te pakken en wilde haar plan doorzetten.

'Zoals je net zei, dat kan altijd nog. Bovendien wil ik wel zeker weten dat we iets relevants te melden hebben als we naar de politie stappen.'

Olivier zweeg een paar seconden en leek toen een beslissing te nemen. 'Misschien weet ik wel wat. Loop even met me mee, Bernard heeft op dit moment dienst.'

Hij stond op en liep zijn kantoor uit. Michelle volgde hem naar de uitgang van het laboratorium. Achter de balie bij de detectiepoortjes zat een wat oudere man in een donkerblauw beveiligingsuniform.

'Goedemiddag, monsieur Bernard,' zei Olivier. 'Dit is Michelle Rousseau van France 2. U hebt haar zojuist een bezoekerpas uitgereikt. Michelle zal de komende tijd zeer regelmatig het lab bezoeken, dus ik zou haar graag een tijdelijke toegangsbadge willen geven. Dan hoeft ze niet elke keer de hele procedure te doorlopen.'

Bernard knikte. 'Dat kan. Dan heb ik uw legitimatiebewijs nog een keer nodig en we moeten even een pasfoto maken. De volgende keer dat u hier komt ligt de badge klaar.'

'Hebt u niet even tijd om het meteen te doen? Michelle komt

76

later vandaag misschien nog terug en het is altijd zo'n gedoe om door die poortjes heen te komen. Dat kunnen we een dame toch zeker niet aandoen?' knipoogde hij naar Bernard.

'Nou,' Bernard trok een moeilijk gezicht, 'ik moet die foto met de overige gegevens in het systeem zetten en op een pasje printen. Dat kan alleen beneden en ik kan mijn plek niet zomaar verlaten.'

'Oh, ik hou wel een oogje in het zeil,' zei Olivier gemoedelijk. 'Als u dit even zou kunnen regelen, dan pas ik ondertussen even op de winkel.'

'Nou, vooruit dan maar,' bromde Bernard. 'Eigenlijk moet Nicolas Moreau trouwens tekenen voor nieuwe badges, maar ik neem aan, in zijn afwezigheid ...'

Hij keek ongemakkelijk naar Olivier. Afwezigheid was eigenlijk niet het goede woord voor de situatie.

'Ik ben zijn plaatsvervanger, dus dat is geen probleem.'

Bernard knikte en pakte een digitale camera uit zijn lade. Hij vroeg Michelle plaats te nemen tegen de witte muur en maakte een foto van haar. Tevreden keek hij naar het resultaat.

'Je staat er mooi op,' zei hij tegen Michelle terwijl hij haar liet meekijken. 'Ik loop even naar beneden. Als er wat is, moet je me meteen bellen. Ik ben bij de receptie.'

Hij verdween met de camera en het rijbewijs van Michelle naar de lift.

Ze lachte bewonderend. 'Dat doe je goed.'

'Bernard is niet zo handig met computers, dus ik denk dat we zeker een kwartier de tijd hebben.'

Olivier ging achter de computer van Bernard zitten en pakte de muis vast. Het scherm was niet geblokkeerd en alle programma's stonden nog open. Al die namen van folders zeiden hem niets, dus hij begon lukraak in het systeem te grasduinen. Hij wist dat de opnames een maand rechtstreeks beschikbaar bleven en daarna ergens anders werden opgeslagen. Michelle keek mee over zijn schouder en wees naar een folder die *security data* heette. Olivier opende de folder en aan de rechterkant van het beeldscherm verschenen de dagen van de afgelopen maand. Hij klikte op een willekeurige datum en zag een reeks filmbestandjes staan die allemaal dezelfde naamsopbouw hadden. Jaar, maand, dag, uur. Met bonkend hart opende hij een bestandje. Op het scherm zagen ze de ruimte met de detectiepoortjes verschijnen die zich vlak voor hen bevond. Het was een statisch beeld waar ze naar keken, want er was niemand te zien. Olivier klikte op de knop om het beeld versneld af te draaien. Nu zagen ze af en toe iemand voorbij lopen. Onder in beeld liep de tijd mee. Olivier sloot het filmpje af en rekende snel terug wat de datum van Moreau's verdwijning was. Hij opende de goede folder en klikte op het filmpje van acht uur 's avonds, want ze wisten dat Moreau op de avond van zijn verdwijning zoals gewoonlijk laat vertrokken was. Ze zagen hetzelfde beeld. Er gebeurde niets. Zelfs met versneld afspelen passeerde er niemand. Om acht uur 's avonds was het natuurlijk niet druk meer in het lab. Opeens zagen ze iemand door het poortje lopen, maar omdat de beelden zo snel aan hun netvlies voorbij trokken, konden ze niet goed zien wie het was. Olivier speelde het fragment opnieuw af. Nu op normale snelheid. Ze zagen een vrouw in een lange jas met een schoudertas.

'Dat is Sophie,' zag hij, 'een van onze medewerkers.'

Michelle herkende de vrouw. Ze had haar vanochtend in het lab gezien.

Olivier spoelde weer door, maar al snel schudde hij moedeloos zijn hoofd.

'Dit gaat veel te lang duren. Als je de beelden versneld afdraait gaat het ongeveer vijf keer zo snel. Dat betekent dat we nog steeds twaalf minuten nodig hebben om een uur film te bekijken. Die tijd hebben we niet. Misschien is hij pas na elven vertrokken. Bernard komt zo terug.'

Michelle dacht koortsachtig na. Ze waren vlakbij hun doel. Hoe konden ze dit oplossen?

'Kun je die bestandjes niet naar jezelf mailen?' opperde ze. 'Dan kunnen we in alle rust kijken.'

'Nee, ze zijn veel te groot. Kopiëren naar een andere schijf, zodat we ze vanaf mijn computer kunnen benaderen, lukt ook niet.'

Ze slaakte binnensmonds een verwensing. Dit was frustrerend. Ze waren er zo dichtbij.

'Wacht,' siste ze gejaagd. 'Er moet ook een lijst zijn met gegevens over binnenkomst- en vertrektijden van het personeel. Daardoor weet de politie dat Moreau uitgelogd was. Op die lijst kun je zien hoe laat Moreau precies is weggegaan. Als we het exacte tijdstip weten, kunnen we het snel opzoeken op de film met behulp van de klok die onder in beeld meeloopt.'

'Goed idee.'

Met rode wangen van opwinding begon Olivier verder te zoeken. Michelle keek ingespannen mee over zijn schouder, toen ze plotseling het belletje van de lift hoorde. Ze schrok op en keek op haar horloge. Er waren tien minuten verstreken sinds Bernard hen alleen gelaten had. De deuren gingen open en er stapte een man uit die al lopend geconcentreerd op een printje keek. Olivier sloeg zijn ogen op, herkende de man als een collega en verlegde zijn aandacht weer naar het beeldscherm. Zonder op te kijken hield de man zijn badge bij de scanner en liep ongehinderd het laboratorium in.

'Lukt het?' vroeg Michelle ongeduldig. 'We hebben niet veel tijd meer.'

Olivier schudde grimmig zijn hoofd. 'Neem de trap en ga snel even beneden kijken of hij nog bezig is. Hij zit in de ruimte naast de receptie. Hier heb je mijn badge, dan kun je snel op en neer lopen.'

Aarzelend nam ze de badge aan.

'Doe het nou maar. Ik neem de verantwoordelijkheid wel,' spoorde hij haar aan.

Ze knikte nerveus. Probleemloos liep ze door de tourniquet naar de trap, maar toen ze haar voet op de eerste trede zette, bedacht ze zich en liep terug naar de lift. Olivier wierp haar vanachter de computer een verbaasde blik toe en schudde driftig zijn hoofd. Ze kon zijn gedachten lezen. Als ze de lift nam, zou iedereen in de hal haar meteen kunnen zien. Dat viel te veel op. Ze was echter helemaal niet van plan om met de lift te gaan. Ze keek door het langwerpige raampje naar binnen. Het was zo'n ouderwetse, krakende lift waar misschien net vier personen inpasten als ze geen problemen hadden met enige intimiteit. De lift stond er nog. Sinds die man net het laboratorium was binnengegaan, was hij niet van zijn plaats geweest. Ze opende de deur en keek zoekend om zich heen. Snel rende ze terug naar het kantoor van Bernard en pakte het exemplaar van *Le Monde* dat ze net had zien liggen. De verbaasde blik van Olivier negerend rende ze weer naar de lift en legde de krant tussen de deur, zodat hij niet meer dicht kon vallen. De lift kon nu niet meer van zijn plaats komen. Triomfantelijk zwaaide ze naar Olivier en liep snel de trap af.

De receptie was twee verdiepingen lager. Ze had gezien dat Bernard op weg naar beneden de lift had genomen. Hij was niet meer de jongste, dus ze ging ervan uit dat hij de lift ook zou gebruiken om naar boven te komen. Daardoor zou Olivier wat tijd winnen op het moment dat Bernard de lift riep. Na de eerste trap kwam ze op de verdieping waar ze vanochtend Dubois en Laurent hadden gesproken. Vlug liep ze de hoek om en nam de tweede trap. Op de onderste trede bleef ze staan en pakte haar telefoon. Terwijl ze net deed of ze een gesprek voerde, zette ze één been op de vloer en keek voorzichtig naar de ruimte naast de receptie die Olivier beschreven had. Door de glazen wand zag ze Bernard achter een computer zitten. Gerustgesteld slaakte ze een zucht.

Net toen ze zich om wilde draaien om terug naar boven te lopen, leek het erop dat hij bijna klaar was. Hij stond op en liep naar de hoek van de kamer. Ze kon niet precies zien wat hij deed, maar enkele ogenblikken later zag ze dat hij een badge in zijn hand had. Hij leunde met zijn armen over elkaar geslagen tegen een kast en leek geanimeerd in gesprek te zijn met een collega. Michelle rende zo snel als ze kon de trap op. Ze liet de krant liggen en snelde door naar Olivier, die nog steeds als in trance aan de computer zat gekluisterd.

'En?' hijgde ze terwijl ze de badge in zijn borstzak liet glijden.

'Ik heb het,' bracht hij opgewonden uit. 'Ik heb hier de lijst met binnenkomst- en vertrektijden gevonden.'

Michelle keek op het scherm en zag een lange lijst met namen, gesorteerd op datum en tijd. 'Kijk,' zei Olivier en hij cirkelde met het pijltje over het midden van het scherm.

'Moreau,' las ze. 'Dus hij is om half tien vertrokken.'

'Eenentwintig uur tweeëndertig en twaalf seconden, om precies te zijn.'

Hij switchte terug naar de camerabeelden. Michelle zag weer de bekende ruimte bij de poortjes. De tijd stond stil op 21:32:01.

'Let nu goed op.' Olivier startte de film.

Ze zag dat er vanuit het laboratorium een man op de poortjes afliep. Ze schatte hem rond de dertig. Hij had een intelligent gezicht, kort rossig haar in een zijscheiding en een stevige kin. Met zijn bleke huid zag hij er heel Engels uit. In zijn ene hand droeg hij een leren tas, in zijn andere hield hij een kartonnen koffiebeker met een plastic deksel. Bij het detectiepoortje zette hij de beker even neer en tastte in zijn binnenzak naar zijn badge. Hij hield de pas tegen het apparaat en nadat hij de beker weer had opgepakt verdween hij uit beeld. Olivier stopte de film en keek naar Michelle.

Ze keek naar klok. Die stond op 21:32:18.

'Volgens die lijst had Moreau zes seconden geleden voorbij moeten komen,' zei ze weifelend, 'maar dat is duidelijk niet gebeurd.'

'Dat klopt. De man die je voorbij zag lopen is Walter Beaney. Hij staat op de lijst, kijk maar, om 21:32:09, dat is drie seconden voordat Moreau vertrokken zou moeten zijn. Kijk nu wat er gebeurt als ik de beelden stilzet op 21:32:12, precies het moment waarop Nicolas is uitgelogd.'

Michelle schudde vertwijfeld haar hoofd en keek onrustig in de richting van de trap. Bernard kon nu niet lang meer wegblijven. Als de lift niet kwam zou hij ongetwijfeld toch de trap nemen. Voorlopig verscheen er echter nog niemand. Ze wendde haar blik weer naar het beeldscherm. De klok stond nu stil op 21:32:12 en haar mond zakte open van verbazing.

8

Vincent Albright schrok op van de bel. Na zijn bezoek aan Enquist was hij naar huis gereden en aan het werk gegaan. Hij was vorige maand met een filmploeg in Peru geweest om opnames te maken van de oude Incastad Machu Picchu en was nu druk bezig om beelden te monteren en commentaar te schrijven. Verstoord keek hij op van zijn computer. Wie stond er in hemelsnaam voor zijn deur? Hij kon zich niet herinneren dat er hier ooit iemand onaangekondigd had aangebeld. Vincent had nauwelijks contact met de buren en met zijn vrienden maakte hij meestal afspraken.

Hij had een appartementje in the Docklands. Het oude havengebied aan de Thames was in de jaren tachtig en negentig in hoog tempo gerenoveerd tot een gebied met dure woningen en kantoren. Veel pakhuizen waren omgebouwd tot luxe appartementscomplexen. Vincent woonde ook in zo'n oud pakhuis, maar het pand was al zo lang geleden verbouwd, dat het inmiddels weer in verval dreigde te raken. In ieder geval was het betaalbaar.

Zuchtend stond hij op en opende een raam aan de straatkant.

'Hallo?' riep hij vanaf de tweede verdieping.

Beneden deed een man in een lange regenjas een stap achteruit en keek omhoog.

'Sorry dat ik u stoor,' riep hij terwijl hij een badge liet zien. 'Ik ben rechercheur Adam McDowell van de *Metropolitan Police Service* en dit is mijn collega Tom Marshall.' Hij wees op de man die naast hem stond. 'Bent u Vincent Albright?'

'Ja, dat ben ik,' bevestigde hij.

'Mogen we even bovenkomen?'

'Eh, natuurlijk,' zei Vincent verbaasd. 'Ik zal de deur opendoen.'

Hij duwde op de knop om de deur op de begane grond te openen. Politie? Waar zou dat over gaan? Terwijl de rechercheurs over de trappen naar boven liepen, ordende hij snel de paperassen op zijn bureau en raapte wat rondslingerende kleren op. Met een stapeltje kleding nog in zijn hand opende hij de deur.

Rechercheur McDowell had een streng gezicht en een kalend voorhoofd. Marshall was een lange magere jongen met piekhaar, duidelijk de assistent van McDowell. Hij had een stapeltje foto's in zijn hand.

McDowell deed het woord. 'Dag meneer Albright. Ik wil u graag een paar vragen stellen. Mogen we even binnenkomen?'

'Natuurlijk. Komt u verder.'

Hij ging de rechercheurs voor naar de woonkamer. Daar draaide hij zich om en keek hen vragend aan.

McDowell stak zijn hand uit naar Marshall die hem de foto's overhandigde. 'Kent u dit huis?'

Hij liet Vincent een foto zien.

'Dat is het huis van Mark Enquist,' zei hij verbaasd.

'Klopt het dat u daar vandaag bent geweest?' vroeg McDowell verder.

'Ja, dat klopt, ik had een afspraak met dr. Enquist. Hij belde me of ik hem daar kon ontmoeten.'

'Wanneer hebt u Mark Enquist voor het laatst gezien?'

'Dat was toen ik bij hem vertrok.' Vincent dacht onmiddellijk aan de vreemde incidenten waarover Enquist verteld had.

'We dachten al dat u er geweest was,' zei McDowell. 'We hebben zijn secretaresse gebeld en die zei dat Enquist vandaag op de boerderij zou zijn. Er stonden geen afspraken in zijn agenda, maar er stond wel *Vincent Albright NGC bellen*. Daarom zijn we bij u uitgekomen.'

Hadden ze die informatie uit de agenda van Enquist? Wat was er aan de hand?

'Is er iets met hem gebeurd? Ik heb hem vanochtend nog gesproken.'

McDowell ging onverstoorbaar verder. 'Hoe laat was u bij hem?'

'Kunt u mij vertellen wat er precies gebeurd is?' vroeg hij bezorgd.

'Wilt u alstublieft eerst mijn vraag beantwoorden,' kapte McDowell hem af.

'Ik was er om half tien en ik ben ongeveer een uur gebleven.'

'Hebt u samen met Enquist de boerderij verlaten?'

'Nee, terwijl ik daar was werd hij gebeld. Vervolgens excuseerde hij zich omdat hij dringend terug naar Londen moest. Toen ben ik vertrokken.'

'Dus Enquist bleef alleen achter?' McDowell keek hem scherp aan.

'Ja, maar hij maakte aanstalten om ook te vertrekken.'

'Hebt u gezien dat hij vertrok?'

'Nee.'

'Waarom was u bij Enquist?'

Vincent legde uit dat een documentaire over Enquists werk de aanleiding voor hun ontmoeting was geweest. Hij vertelde globaal wat ze besproken hadden, maar zorgde ervoor dat hij geen details losliet over wat Enquist hem verteld had.

McDowell liet hem een close-up van het balkon aan de voorkant zien. 'Bent u in deze kamer geweest?'

'Dat is zijn werkkamer,' zei Vincent. 'Daar hebben we gezeten.'

McDowell pauzeerde even.

'Er is vandaag ingebroken. De inbreker is over de muur geklommen en is vervolgens het huis binnengedrongen.'

Hij wees naar de balkondeur. Vincent zag dat hij een beetje open stond.

'De dader is tijdens zijn werk gestoord toen de lokale politie arriveerde. De boerderij heeft namelijk een alarmsysteem. Er zijn verder geen braaksporen aangetroffen, dus hij moet via dat balkon zijn binnengekomen. Toen hij moest vluchten is hij achterin de tuin over de muur geklommen.'

McDowell liet een foto van de poort in de tuin zien en wees op de losgerukte klimop.

'Terwijl hij over de muur sprong heeft hij een ongelukje gehad. Wilt u misschien die kleren even wegleggen?'

Vincent keek niet begrijpend naar de twee truien die hij nog steeds vasthield. Hij hing ze over een stoel. McDowell keek onderzoekend naar Vincents hand terwijl hij een nieuwe foto liet zien. Vincent pakte de foto aan en bekeek hem. Het was een detailopname. Hij bewoog de foto dichter naar zijn gezicht en keek nog eens beter. Was dat wat hij dacht dat het was?

'Is dat een vinger?' vroeg hij verwonderd.

In het gras tussen de boterbloemen lag een menselijke vinger. Het leek wel een schilderij met frisse groene en gele tinten, dat werd ontsierd door een grauwe vinger in het midden. Het was een morbide gezicht.

'Dat is inderdaad een vinger,' bevestigde McDowell. 'Het is een pink om precies te zijn. Hij is gevonden aan de buitenkant van de poort.'

McDowell liet hem de volgende foto zien. Vincent zag een close-up van een van de ijzeren pinnen op de muur. Om de pin hing een gouden ring. Het leek wel alsof iemand de ring om de pin had geschoven. Zou de inbreker een visitekaartje achtergelaten hebben? Plotseling begreep hij het verband met de afgerukte pink.

'U gaat me toch niet vertellen ...' begon hij ongelovig.

'Tijdens zijn ontsnapping is de inbreker met zijn ring aan die pin blijven hangen. Door zijn gewicht en door de snelheid waarmee hij sprong is zijn pink afgerukt.'

Vincent kon een gevoel van misselijkheid niet onderdrukken.

McDowell liet hem een detailfoto van de ring zien. Het was een kleine gouden zegelring met een felgroene steen erin. Om de steen waren de woorden *deo volente* gegraveerd.

'Als God het wil,' zei Vincent hardop.

'Hebt u die ring eerder gezien?'

Vincent schudde zijn hoofd.

'Weet u zeker dat Enquist hem niet droeg?'

'Ja,' zei hij gedecideerd. Dat wist hij heel zeker. Zo'n opvallende ring had hij zich beslist herinnerd.

'Weet u al van wie die pink is?'

'Nee. In ieder geval is hij niet van u.'

'Ben ik dan soms verdachte?'

'Niet direct, maar we kunnen op dit moment niets uitsluiten. De technische recherche is nog met het onderzoek bezig. Ik verwacht de resultaten in de loop van de dag. Ze hebben ons alleen deze foto's gemaild.'

'Mark Enquist kan bevestigen wat ik u net verteld heb.'

'Dat is nu juist het probleem,' bemoeide Marshall zich met het gesprek. 'We kunnen de heer Enquist niet vinden.'

Vincent keek de rechercheur vragend aan. 'Niet vinden?'

'Dat is correct,' nam McDowell het weer over. 'We proberen sinds afgelopen middag Enquist te bereiken om de inbraak te melden, maar hij is onvindbaar. We hebben inmiddels wel zijn broer op de hoogte gebracht. Die is meteen naar de boerderij gekomen. Vreemd genoeg lijkt er niets te zijn ontvreemd.'

'Hij zei dat hij terug naar Londen moest,' zei Vincent.

'Hij is niet thuis en zijn mobiele telefoon staat uit. Niemand lijkt te weten waar hij uithangt. We wachten even af of hij zich morgenochtend op zijn werk meldt,' zei McDowell. 'En anders laten we de zaak over aan de lokale politie. Als u nog iets te binnen schiet wat ons verder zou kunnen helpen, horen we het graag.'

Vincent dacht even na. Hij was niet van plan om details los te laten over de geheimzinnige oude beschaving, maar het feit dat Enquist onvindbaar was, baarde hem zorgen. Misschien kon hij maar beter vertellen wat hij wist.

'Enquist dacht dat hij gevolgd werd.'

Hij vertelde over de vreemde gebeurtenissen en ook lichtte hij McDowell in over de onbekende man die hij op de heuvel bij de boerderij had gezien.

Marshall noteerde alles driftig. 'Hebt u een signalement van die man?'

'Nee,' antwoordde Vincent. 'Waarschijnlijk was het een man. Ik zag het aan zijn manier van bewegen, maar zelfs dat durf ik niet met honderd procent zekerheid te zeggen. Hij was te ver weg.'

'En de auto?' wilde Marshall weten.

'Wit, een personenauto, meer zou ik er niet over kunnen zeggen.'

'We wisten van die inbraakpoging in zijn appartement,' zei McDowell. 'Toen we Enquist niet konden bereiken hebben we een bezoekje aan zijn woning gebracht en het viel ons meteen op dat de voordeur recentelijk beschadigd is. De rest is nieuw voor ons. Dit plaatst de zaak wel in een ander daglicht. Het betekent dat we niet tot morgen wachten, maar dat we direct verder zoeken.'

Hij borg zijn notitieboekje op en maakte aanstalten om te vertrekken. De argwaan die hij aanvankelijk had gekoesterd leek verdwenen. Vincent dacht dat het feit dat hij alle tien zijn vingers nog had, daar zeker aan had bijgedragen.

Vlak voor de deur draaide McDowell zich om. 'Weet u door wie Enquist gebeld werd toen u bij hem was?'

'Nee. Hij noemde hem Peter.'

'Waar ging het gesprek over?'

'Het was een heel kort gesprek. Het ging over een doorbraak in zijn onderzoek. Enquist zei alleen dat hij onmiddellijk terug moest naar Londen.'

'Oké, meneer Albright, dank voor uw medewerking en nogmaals, als u zich nog meer relevante zaken herinnert, kunt u mij altijd bellen.'

Vincent liet de mannen uit. 'Zou u mij op de hoogte willen houden?' vroeg hij aan McDowell. 'Ik ben erg benieuwd wat er aan de hand is.'

De rechercheur knikte. Hij sloot de deur en liep terug naar de kamer. Peinzend staarde hij uit het raam. Terwijl hij de beide rechercheurs in een onopvallende grijze Ford zag stappen dacht hij aan Enquist. Wat voerde hij in zijn schild? De politie had die inbreker bijna op heterdaad betrapt en verder niemand in de boerderij aangetroffen, dus Enquist moest kort na hem vertrokken zijn. Maar waar was hij gebleven en wat hield die belangrijke doorbraak in? Hij had gezegd dat hij zou bellen voor een nieuwe afspraak dus er zat niets anders op dan te wachten op een telefoontje.

Peinzend zette hij zich weer achter zijn computer.

9

'Hoe kan dat nu?' vroeg Michelle terwijl ze perplex naar het stilstaande videobeeld keek. De witte cijfers van de tijd stonden nog steeds op 21:32:12, het uitlogtijdstip van Nicolas Moreau. De wetenschapper was echter nergens te zien. Wat ze wel zag, was dat de man die drie seconden geleden met zijn badge door het poortje was gelopen, zijn beker koffie had opgepakt die hij even had neergezet om zijn pasje tevoorschijn te kunnen halen. Olivier had het beeld stilgezet precies op het moment dat hij zijn koffie oppakte.

'Zie je het niet?' vroeg Olivier haastig. Ook hij besefte dat Bernard nu elk moment kon opduiken. 'Hij haalt die beker langs de scanner! Het pasje van Nicolas moet in die beker zitten!'

'Wat?' bracht Michelle uit. Plotseling besefte ze dat de mogelijkheid die ze had geopperd voor haar ogen bewaarheid werd. De badge van Moreau werd bewust naar buiten gesmokkeld, waardoor voor de buitenwereld de suggestie werd gewekt dat Moreau het laboratorium had verlaten. Die man, hoe had Olivier hem ook alweer genoemd, Walter Beaney, had er duidelijk geen rekening mee gehouden dat er achter die zwarte bol aan het plafond een camera schuilging.

'Wie is die Walter Beaney?' stamelde ze nog steeds uit het lood geslagen. 'Het klinkt niet erg Frans.'

'Klopt. Walter is een Engelse wetenschapper. Hij was een briljante student en hij is bezig met promotieonderzoek aan Oxford. Hij werkt hier tijdelijk in een soort uitwisselingsprogramma. Volgens mij is hij binnengehaald door Moreau en Laurent, al weet ik niet precies hoe dat is gegaan. Het lijkt er in ieder geval op dat we eens een praatje met hem moeten gaan maken.'

'Een praatje maken? Kunnen we nu niet beter de politie op de hoogte stellen van wat we ontdekt hebben?'

'Nog even niet. Walter is een bekwaam onderzoeker en een aardige jongen. Ik kan me eigenlijk niet voorstellen dat hij iets kwaads in de zin heeft. Misschien heeft Nicolas hem op een of andere manier ook in het complot betrokken. Ik wil niet het risico lopen dat we onbewust onderzoeksgegevens lekken omdat we te veel informatie naar buiten hebben gebracht.'

Opeens hoorden ze een bescheiden verwensing uit de richting van de lift komen. Michelle en Olivier waren zo in beslag genomen door de videobeelden, dat ze niet meer op de omgeving hadden gelet. Geschrokken keken ze beiden in de richting van het geluid.

'Wat doet die krant nou weer tussen de deur?' hoorden ze Bernard mopperen.

'Snel, hou hem even bezig, dan sluit ik alle programma's af,' zei Olivier op gedempte toon terwijl hij Michelle met zachte drang in de richting van de lift duwde. Ze begreep dat ze nu snel in actie moest komen en liep uiterlijk rustig naar Bernard, die zich net bukte om de krant op te rapen. Op het naderende geluid van Michelles tikkende hakken draaide hij zich om.

'Het is toch niet te geloven,' klaagde hij. 'Er lag een krant tussen de deur.' Hij keek naar links en naar rechts, maar de gangen waren leeg. 'Waarschijnlijk wil iemand de lift even vasthouden. Hebben jullie niemand gezien?'

'Ja, er is wel iemand het laboratorium binnengelopen,' herinnerde Michelle zich, 'maar we hebben niet echt op de lift gelet.'

'Nou ja, hij doet het in ieder geval weer.' Hij draaide zich om en maakte aanstalten om naar zijn werkplek te lopen.

'Is het gelukt met het pasje?' vroeg ze vlug.

'Oh ja, dat zou ik bijna vergeten.' Hij overhandigde het pasje en begon een korte verhandeling over het gebruik ervan. Uit haar ooghoek zag Michelle ondertussen dat Olivier achter de computer vandaan was gekomen. Hij stond nonchalant tegen de balie geleund en knikte nauwelijks merkbaar.

'Als je mij die bezoekerspas geeft, dan kun je even proberen of de nieuwe badge werkt,' zei Bernard.

Michelle gaf haar bezoekerspas af en liep probleemloos door het poortje. Bernard liep achter haar aan en nam weer plaats achter de balie.

'Nog iets gebeurd hier?' vroeg hij op een toon die aangaf dat hij geen verrassend antwoord verwachtte.

'Nee, niets. Dank u voor de snelle service, monsieur Bernard,' zei Olivier en hij liep in de richting van het lab. Hij opende de glazen deur en liet Michelle galant voorgaan. Net toen hij achter haar aan naar binnen wilde lopen hoorden ze de stem van Bernard.

'Monsieur Leblanc!'

Geschrokken keken ze elkaar aan. Zou Bernard iets gemerkt hebben? Had Olivier de computer niet achtergelaten zoals hij hem aangetroffen had? Met knikkende knieën liep Olivier terug naar de balie terwijl hij koortsachtig probeerde te bedenken of hij iets vergeten zou kunnen zijn.

'U moet nog even tekenen voor de pas van mevrouw Rousseau,' zei Bernard terwijl hij hem een vel papier toeschoof.

Met een onhoorbare zucht van verlichting zette hij glimlachend zijn handtekening.

'Zooo.' Michelle plofte opgelucht neer in de stoel voor Oliviers bureau.

'Dit is een concrete aanwijzing die in de richting van Nicolas Moreau zou kunnen leiden,' zei Olivier.

'Inderdaad. Maar hoe nu verder?'

Olivier stond tegen zijn bureau geleund en staarde door de grote glazen wand naar de bedrijvigheid op de werkvloer. Na een korte stilte hakte hij de knoop door.

'Ik denk dat ik maar eens even met Walter Beaney ga praten,' besloot hij. 'Misschien kan ik voorzichtig polsen of hij iets verbergt.'

'Weet je dat wel zeker? Als Moreau inderdaad onvrijwillig verdwenen is, kan het gevaarlijk zijn.'

'Het lijkt me onwaarschijnlijk dat Walter niet te vertrouwen zou zijn. Hij doet uitstekend werk hier en zijn achtergrond is dik in orde. Ik ga gewoon als collega's onder elkaar even een babbeltje met hem maken.'

Hij kwam overeind om het laboratorium in te lopen. Terwijl hij naar de deur liep, bedacht Michelle zich opeens iets.

'Olivier,' riep ze hem terug.

De onderzoeker draaide zich om en bleef vragend in de deuropening staan.

'Je zei vanochtend toch dat Moreau hier wel eens bleef overnachten?'

'Klopt. Dat deed hij regelmatig.'

'Waar sliep hij dan? Is er hier ergens een slaapkamer?'

'In de kelder. Een gedeelte van het lab bevindt zich op min één. Daar is een grote verdieping met onderzoeksruimtes, maar daar zitten ook het magazijn en de proefdieren en volgens mij is er ook ergens een slaapkamer.'

'Kunnen we daar niet eens een kijkje nemen?' vroeg Michelle nieuwsgierig.

'Nou, er is weinig te zien,' hield Olivier af. 'Bovendien mag je er als bezoeker niet komen. Voornamelijk vanwege de proefdieren. Ze zijn een beetje bang voor het Bambi-effect, denk ik.'

'Het Bambi-effect?'

'Ja, dat het zielig is voor de dieren. En uiteraard speelt ook de geheimhouding van het onderzoek een rol. Misschien kunnen we er later nog even naartoe lopen.'

'Dus ik mag daar niet zomaar naar binnen,' probeerde ze.

'Oh, waarschijnlijk wel. Er is een rechtstreekse trap naar de kelder. Vanuit de lift hebben ze in de kelder een systeem met detectiepoortjes, net als hier. Maar als je eenmaal door de poortjes op deze verdieping bent, kun je met de trap.'

Olivier opende de deur. 'Als je me nu even wilt excuseren, dan ga ik kijken of Walter er is. Hier om de hoek staat een koffieautomaat. Denk je dat je je even alleen kunt amuseren?'

Michelle knikte. Dat ging zeker lukken.

Nadat Olivier de kamer verlaten had, liep ze naar de koffieautomaat. Voor het apparaat stond een man die zo te zien nog wel even bezig was. Hij had een dienblad bij zich met uitsparingen voor acht plastic bekertjes en er stond pas één bekertje in. Verontschuldigend keek hij haar aan. Michelle glimlachte geduldig en keek onderzoekend om zich heen. Tegenover de koffieautomaat bevonden zich een dames- en een herentoilet. Naast de twee witte deuren was een derde deur, waarop het bekende gekartelde logo van een trap stond. Nonchalant liep ze in de richting van de deur. Op het moment dat de wetenschapper bij de koffieautomaat voorzichtig een bekertje schuimende cappuccino op zijn dienblad zette, opende ze geruisloos de deur en glipte vlug naar binnen. Ze kwam terecht in een trappenhuis dat in niets leek op de brede marmeren trap die ze vanaf de receptie had genomen. Haar voetstappen klonken hol in de kale betegelde ruimte zonder daglicht. Snel begon ze af te dalen. Op de eerste verdieping ontwaarde ze de contouren van een deur die daar ooit gezeten moest hebben. De toegang was dichtgemetseld en geëgaliseerd, maar de witte verf was net wat helderder dan op de rest van de muur. Ze liep gauw verder. Op min één was wel een deur. De trap ging nog verder door naar beneden en ze zag dat ook daar de deur dichtgemetseld was. Dat moest de oude ingang van de parkeergarage zijn. Voorzichtig opende ze de deur en keek in een lange tl-verlichte gang. Ze stapte naar binnen en zag dat zich aan beide kanten grotere of kleinere kamers bevonden. De meeste deuren stonden open. Besluiteloos bleef ze staan en keek een beetje aarzelend rond. Uit een van de kamers kwam een man in een witte jas haar richting op. Hij keek haar onderzoekend aan, maar knikte vriendelijk in het voorbijgaan. Ze besefte dat ze niet bij de ingang moest blijven hangen. Verderop in de gang stonden op een tafel enkele printers opgesteld. Ze liep er gedecideerd op af en pakte een vrijwel blanco blaadje van de tafel. Het zag eruit als een testpagina die er al een hele tijd lag. Aandachtig naar het papier starend begon ze door de gang te lopen, terwijl ze vanuit haar ooghoeken elke kamer binnenkeek die ze passeerde. Ze zag overal hetzelfde soort activiteiten als boven in het laboratorium. Wetenschappers die druk bezig waren met ingewikkelde opstellingen. De gang maakte een haakse bocht naar rechts. Toen ze de hoek omliep zag ze dat er weer iemand op haar af kwam. Alsof ze verdiept was in zeer ingewikkelde formules, keek ze geconcentreerd op het vel papier en liep de naderende man langzaam tegemoet. Ze keek bewust niet op toen hij langsliep, maar ze kon zijn priemende blik bijna voelen op haar huid. Naar zichzelf kijkend concludeerde ze dat ze er niet bepaald uitzag als een wetenschapper. De meeste vrouwelijke onderzoekers liepen niet, zoals zij, hooggehakt in een korte rok en een panty rond. Misschien had de man wel gewoon naar haar benen gekeken. Daar was ze wel aan gewend. Toch was ze er niet gerust op. Als iemand haar zou aanspreken, had ze geen ander verhaal klaar dan dat ze een nieuwsgierige journaliste was die op eigen houtje aan het rondneuzen was.

De gang kwam uit op een grote ruimte die wel een kopie leek van het laboratorium op de tweede verdieping. Hier kon ze niet onopgemerkt naar binnen lopen, dus ze draaide zich om. Net toen ze aan het overwegen was om ergens een witte jas van de kapstok te pakken, sloeg haar hart een keer over. Aan het eind van de gang herkende ze de warrige krullen en het te ruime colbert van Patrick Laurent, het faculteitshoofd. Hij stond met zijn rug naar haar toe druk met iemand te praten, maar zijn lichaamstaal verried dat hij op het punt stond zich om te draaien. Oogcontact was in dat geval onvermijdelijk. Wanhopig keek ze om zich heen op zoek naar een uitweg, maar ze kon nergens naartoe. De enige mogelijkheid was de gesloten deur waar ze op dit moment voor stond. De meeste deuren hadden naambordjes, maar deze bood geen enkele indicatie voor wat erachter zou kunnen zitten. Misschien was het wel een bezemkast. Laurent mocht haar absoluut niet zien, want dan liep ze het risico dat ze van de opdracht gehaald zou worden. Of erger nog, dat de opdracht aan France 2 voorbij zou gaan. Waarschijnlijk was hij niet bepaald gediend van een verslaggever die zonder toestemming rondscharrelde op een project dat met zo veel geheimhouding omgeven was. Olivier had haar nog wel gewaarschuwd. Ze vervloekte zichzelf dat ze weer eens zo eigenwijs was geweest. Frédéric Dubois had weliswaar een soort carte blanche afgegeven om met iedereen te praten, maar ze nam aan dat dit niet was wat hij bedoeld had.

Michelle legde haar hand op de klink en voelde of de deur open was. Deze gaf mee en één tel later stond ze in een kleine tussenruimte voor een tweede deur. Even twijfelde ze. Ze hoorde een vaag geluid aan de andere kant van de deur dat ze niet meteen kon thuisbrengen. Het leek wel of er apparaten stonden te zoemen in de ruimte achter de deur, maar dan apparatuur die wel wat smeerolie kon gebruiken. Zou het een computerruimte zijn? Ze kon in ieder geval niet meer terug. Als ze nu weer de gang op zou lopen, zou ze waarschijnlijk oog in oog staan met Laurent, dus ze besloot het erop te wagen. Langzaam bewoog ze de klink omlaag en keek voorzichtig om de hoek, klaar om de deur direct weer te sluiten als wat ze zag haar niet beviel. Haar ogen moesten even wennen aan het gedempte licht, want vergeleken met de felle lampen op de gang was het schijnsel erg zacht. Toen ze iets beter keek, zag ze opeens wat het geluid was dat ze had gehoord. De ruimte was gevuld met honderden kooien vol piepende muizen en ratten. Ze was bij de proefdieren terecht gekomen! Er leek verder niemand aanwezig te zijn, dus Michelle begon verwonderd tussen de kooien door te lopen. Tegen de zijwand stond de gebruikelijke apparatuur opgesteld. De grote kooien waren ruim voorzien van stro en in de meeste verblijven hingen ratelende molentjes en trapjes, waar de knaagdieren driftig overheen renden. Sommige muizen duwden brutaal hun neus door de tralies en keken Michelle met hun kraaloogjes nieuwsgierig aan toen ze voorbijliep. Wat een bedrijvigheid, dacht ze terwijl ze langs de ritselende dieren liep.

Plotseling sloeg haar hart voor de tweede keer in korte tijd over. Ze hoorde met een droge klap de deur van de gang naar de kleine tussenruimte dichtslaan. Er stond iemand in het halletje! Haar maag trok samen toen de deur openzwaaide en het enige wat ze kon doen was ineenduiken. Ze zakte bliksemsnel door haar knieën en verborg zich achter een rij tafels met kooien. Op de grond gehurkt kroop ze met bonkend hart diep onder een tafel. Door het gangpad hoorde ze voetstappen dichterbij komen. De rubberzolen maakten een piepend geluid op het linoleum. Gespannen wachtte ze af. Ze zag twee benen passeren die enkele meters verderop stil bleven staan voor een kooi. Tot haar ontsteltenis herkende ze de sandalen en de grijze wollen sokken van Patrick Laurent. Ze dook nog dieper onder de tafel en hield angstvallig haar adem in. Na enkele eeuwigdurende seconden liepen de benen verder, maar Michelle durfde zich nog steeds niet te bewegen. Ze bleef zitten, maar in haar ongemakkelijke houding kreeg ze al snel last van kramp. Het vreemde was dat ze, sinds de voetstappen zich verwijderd hadden, geen enkel geluid meer had gehoord behalve dat van de schuifelende muizen. Misschien was Laurent ergens in stilte aan het werk gegaan. Ze kwam geruisloos overeind en keek in gebogen houding behoedzaam over de kooien heen door de ruimte. Alles zag er precies hetzelfde uit als toen ze binnen was gekomen. Geen spoor van Laurent. Om de hoek liep de ruimte door. Waarschijnlijk was hij daar aan het werk. Ze besloot gebruik te maken van het moment. Met prikkelende benen omdat het bloed weer begon te stromen, maakte ze zich stilletjes uit de voeten. Ze ging het halletje binnen en zette voorzichtig de deur naar de gang op een kiertje. Niemand te zien. Ze stak haar hoofd om de hoek en zag dat de hele gang leeg was. Haastig liep ze rechtstreeks terug naar de uitgang en nam de trap omhoog. Voor even was ze genezen van haar naspeuringen naar Moreau. Die slaapkamer in de kelder kon nog wel even wachten. Met een zucht van verlichting betrad ze de tweede verdieping. Bij de koffieautomaat nam ze een beker koffie en liep daarna naar het kantoor van Olivier, die alweer achter zijn bureau zat.

'En?' vroeg ze bij binnenkomst.

'Nou, dit geloof je niet,' zei hij uit het lood geslagen. Hij leek geen acht te slaan op haar lange afwezigheid. 'Walter Beaney heeft zich ziek gemeld. Ik heb net geprobeerd om hem te bereiken, maar hij neemt niet op.'

'Ziek gemeld? En jij wist dat niet? Je bent toch zijn baas?'

'Er werken hier veel mensen,' zei Olivier verontschuldigend. 'We hebben iedereen verdeeld over onderzoeksgroepen per aandachtsgebied met een teamleider aan het hoofd. De mensen horen zich ziek te melden bij hun teamleider. Het valt mij niet direct op als er iemand afwezig is. Hoe dan ook, dit kan geen toeval zijn.'

'Betekent het dat we nu de politie gaan inlichten?'

Olivier knikte peinzend. 'Ik denk het wel. Maar ik wil nog even nadenken of er een logische verklaring is. Misschien past dit allemaal in een plan dat Nicolas bedacht heeft. Maar anders zal ik de politie op de hoogte moeten brengen.'

'En de cellen?' wilde Michelle weten. 'Misschien gaat het niet in de eerste plaats om Moreau, maar om de cellen.'

'Dat is een mogelijkheid. We moeten er alleen achter zien te komen wat hier precies aan de hand is. Tot die tijd laat ik de cellen waar ze zijn. Ik wil eerst meer duidelijkheid proberen te krijgen over de situatie waarin we terecht zijn gekomen.'

Michelle knikte instemmend. 'Ik hoop maar dat ze op een veilige plek staan,' sloot ze het onderwerp af. 'Ik wil je nog iets anders vragen, Olivier.' Ze herinnerde zich het gesprek van vanochtend in de auto met David Girard. 'Je hebt gezegd dat het echt mogelijk is om een cel na te bouwen, maar toch wil ik uit journalistiek oogpunt meerdere invalshoeken belichten. Daarom wil ik eens met Richard Petit gaan praten. Ken je die?'

Olivier lachte schamper. 'Natuurlijk ken ik die. Iedereen die iets doet op het gebied van celbiologie kent hem. Je hoeft de krant maar open te slaan en je komt een artikel van hem tegen. Hij houdt er controversiële denkbeelden op na, maar ik moet toegeven dat hij op het gebied van de evolutiebiologie erg goed is. Hij verricht belangrijk onderzoek.'

'Waarom vind je hem controversieel?'

'Hij gelooft in intelligent design. De meeste wetenschappers staan daar zeer sceptisch tegenover. Hij denkt dat God verantwoordelijk is voor de creatie van het leven.'

'Volgens mij zeggen aanhangers van intelligent design niet per se dat God hiervoor verantwoordelijk is.'

'Wie dan wel?'

Michelle dacht even na. 'Dat wil ik dus eigenlijk aan Richard Petit vragen. Intelligent design is een populaire theorie die in de jaren negentig van de vorige eeuw uit de Verenigde Staten is komen overwaaien. De aanhangers, onder wie veel prominente wetenschappers, denken dat er in de natuur zulke extreem complexe mechanismen voorkomen, dat het onmogelijk is dat die hebben kunnen ontstaan door het toevallige proces van evolutie. Die systemen bestaan uit zoveel ingewikkelde onderdelen, dat ze alleen kunnen werken in de vorm die ze nu hebben. Als er ook maar één onderdeeltje zou ontbreken, zou het niet meer functioneren. Hun redenering is dat een dergelijk systeem niet via evolutie gevormd kan zijn, omdat een half systeem niet kan bestaan. Een half systeem functioneert immers niet, waardoor het niet zou overleven. Volgens hen moet er een intelligent ontwerp achter zitten.'

'Als je het mij vraagt proberen ze God via de achterdeur de wetenschappelijke wereld binnen te smokkelen.'

'Interessant,' zei Michelle. 'Ik ga proberen om een afspraak met Petit te maken.'

'Nicolas kent hem maar al te goed. Hij reageert regelmatig op zijn artikelen over intelligent design. Daarin staan ze lijnrecht tegenover elkaar. Hele polemieken hebben ze uitgevochten. Onlangs hebben ze zelfs een discussie gevoerd in een actualiteitenprogramma op tv.'

'Interessant,' herhaalde Michelle. 'Oké, nou, bedankt voor alle informatie, Olivier. We houden contact. Ik zal je niet langer ophouden.'

Ze schudde zijn uitgestoken hand en nam afscheid. Tevreden verliet ze het laboratorium en zwaaide in het voorbijgaan naar Bernard, die achter zijn computer de krant zat te lezen. Ze nam de trap naar beneden. In de hal glimlachte ze vriendelijk naar de receptioniste en liep door naar buiten.

10

De wekker van Vincent ging af om tien voor zeven. Uit een diepe slaap kwam hij langzaam tot leven. Moeizaam tilde hij zijn hoofd op en keek als verdoofd naar de oplichtende rode cijfers. Hij gaf een klap op de snoozeknop, zodat hij nog tien minuten had om wakker te worden.

Hoewel hij als documentairemaker vaak zijn eigen tijd kon indelen, stond hij altijd vroeg op. 's Ochtends verzette hij het meeste werk. Dan was hij, zoals nu, bezig met het selecteren en bewerken van ruw beeldmateriaal of met research. Zijn criterium voor nieuwe opdrachten was dat het onderwerp interessant genoeg moest zijn om veel kijkers te boeien. Hij hield niet van thema's waar slechts een beperkt publiek voor was of van bedrijfsfilms waar hij zijn creativiteit niet in kwijt kon. Vaak werkte hij met een thema waar hij geen verstand van had, zodat hij gedwongen werd om achtergrondkennis op te doen. Dan beet hij zich enkele weken vast in het onderwerp en terwijl hij het internet afzocht of boeken en tijdschriften las, tekenden zich in zijn hoofd al de eerste contouren af van een beeldverhaal. 's Avonds was hij enkele keren per week in de sportschool of joggend langs de Thames te vinden, ging hij eten in de stad met vrienden of collega's of kwam hij moe thuis, bestelde een pizza en kwam de bank niet meer af.

Na tien minuten ging de wekker weer en Vincent hees zich uit bed. Hij zette zijn espressomachine aan en liep naar de douche. Hij dacht aan het bezoek van de rechercheurs van gisteren en begon zich weer af te vragen waar Enquist toch zou zijn. Zou hij woord houden en hem informeren over de voortgang van zijn geheimzinnige onderzoek? Terwijl hij onder de hete straal stond, bedacht hij zich dat McDowell het voorval op de boerderij aanvankelijk leek te beschouwen als een ordinaire inbraak die hij eigenlijk wilde overlaten aan de lokale politie. Tot hij hoorde van de overige vreemde gebeurtenissen. Die waren voor McDowell aanleiding geweest om verder onderzoek te verrichten. Zou Enquist dan misschien toch niet uit vrije wil verdwenen zijn?

De douche had zijn slaap gedeeltelijk weggespoeld. Een dubbele espresso zou zometeen de rest doen. Hij veegde de beslagen spiegel schoon en begon zijn gezicht in te zepen. Terwijl hij het scheermes op zijn wang zette, hoorde hij in de keuken de telefoon gaan. In zijn boxershort liep hij naar zijn mobiele telefoon. Hij zag een onbekend nummer.

'Vincent Albright.'

'Met McDowell, Metropolitan Police Service, goedemorgen.'

'Meneer McDowell, goedemorgen, u bent er vroeg bij.'

'Ik zit aan het einde van mijn nachtdienst, maar ik wil u toch nog even informeren over Mark Enquist. Ik bel u toch niet wakker?' informeerde de rechercheur beleefd.

'Nee hoor.'

Hij schraapte zijn keel. 'Ik had u beloofd om te bellen zodra we iets meer wisten.'

'Ja, is er nieuws?'

'Hij is terecht. Dat wil zeggen, we weten ongeveer waar hij is.'

'Oké, dat is goed om te horen. Waar is hij dan?'

'Na uw informatie van gisteren zijn we een onderzoek gestart. Een van de eerste dingen die we in zo'n geval doen is het nagaan van de credit card gegevens van de verdwenen persoon. Het was meteen raak. Het bleek dat Enquist gisteravond met het vliegtuig het land heeft verlaten. Hij heeft de universiteit op de hoogte gebracht van zijn plannen. Omdat er verder geen aangifte is gedaan in verband met de inbraakpoging in zijn appartement is er voor ons geen reden om door te gaan met deze zaak. Het onderzoek naar de inbraak op de boerderij is in handen van de lokale politie daar. Dat wordt uiteraard verder uitgezocht.'

Dus Enquist was ervandoor, dacht Vincent. Zou McDowell loslaten wat zijn bestemming was? Daar zou namelijk wel eens de sleutel voor zijn geheimzinnigheid kunnen liggen.

'Waar is hij dan naartoe?'

Blijkbaar was het geen geheim. 'Mark Enquist heeft gisteren om kwart voor zes op Heathrow vlucht BA0155 naar Cairo genomen,' antwoordde McDowell.

'Cairo?' dacht Vincent nadat hij had opgehangen. Hij leunde met zijn elleboog tegen het raamkozijn en keek peinzend naar buiten. In de verte zag hij de wolkenkrabbers van Canary Wharf hoog uittorenen boven de stad. Aan de overkant van de straat stond een jonge vrouw in een zijden ochtendjas voor het raam. Lachend zwaaide ze naar hem en stak haar duim omhoog. Vincent keek naar zichzelf en zag dat zijn slanke gespierde lichaam slechts gehuld was in een boxershort. Gecombineerd met het scheerschuim op zijn gezicht en de nonchalante houding waarmee hij in de venster-bank leunde leek hij wel een acteur in een commercial van *Gillette*. Hij lachte terug en liep weg van het raam.

Hij herinnerde zich de onafzienbare rij boeken over Egypte in de werkkamer op de boerderij. Misschien was de bestemming niet zo verrassend. Lag de sleutel tot de verloren beschaving in het land van de farao's? Vincent ging verder met scheren, kleedde zich snel aan en dronk een kop koffie.

Op het moment dat hij de deur uit wilde gaan op weg naar het metrostation, hoorde hij een sms-bericht binnenkomen. Hij haalde zijn mobiel uit zijn zak en keek naar het display. *Mark Enquist*, zag hij op het oplichtende scherm. Nieuwsgierig opende hij het bericht. Dus Enquist zat te sms'en vanuit Egypte.

Kom zsm naar Cairo om te beginnen met film, gr. Mark Enquist, las hij. Verbluft keek hij naar zijn telefoon. Begreep hij dat goed? Wilde En-quist dat hij onmiddellijk zou afreizen naar Egypte? Waarom had hij zo'n haast? Hij sms'te terug. *Interessant! Waarom zo'n haast?* Binnen een minuut had hij alweer een sms terug. Terwijl hij het berichtje opende, verbaasde hij zich over de snelle draadloze communicatie met Egypte. *Leg ik je hier uit. Zeer interessante ontwikkelingen. Bel me als je er bent.*

Vincent dacht even na. Enquist moest gisteravond laat zijn aan-gekomen in Cairo. Hij keek op zijn horloge. Het was bijna acht uur. Het zou in Egypte waarschijnlijk een uur of twee later zijn, dus voor Enquist was het ook nog ochtend. Blijkbaar was een van zijn eerste activiteiten van vandaag het sturen van een sms geweest. Kennelijk vond hij het van belang om hem erbij te betrekken. Wat was er zo dringend of belangrijk dat hij er direct voor naar Egypte zou moeten afreizen? Vincent begon langzamerhand erg nieuwsgierig te worden en hij voelde zelfs een zekere spanning opkomen. Enquist had ge-zegd dat het geen geheim was waar hij mee bezig was, maar zijn snelle vertrek en de raadselachtige sms'jes riepen wel de nodige vra-gen op. Zouden de inbraak op de boerderij en de andere gebeur-tenissen Enquist ertoe gedwongen hebben zich terughoudender op te stellen? Anderzijds had Enquist hem zelf gevraagd of hij een documentaire over zijn onderzoek wilde maken, dus dit was zijn kans. Hij besloot hem met beide handen aan te grijpen en zich in het avontuur te storten. *Ik kom graag. Ik laat nog weten met welke vlucht,* sms'te hij.

Vincent liep terug de kamer in. Opeens had hij veel te regelen. Ticket, bagage, afspraken verzetten. Als hij National Geographic Channel zou laten weten dat hij de kans had om een spectaculair verhaal rond Mark Enquist te maken, dan kon die film over Peru waarschijnlijk wel even wachten. Terwijl hij het nummer opzocht voor zijn eerste telefoontje kwam er nog een sms'je binnen. *Zorg dat je niet gevolgd wordt.*

11

Michelle legde haar bestek op het lege bord en pakte de theepot die de ober zojuist had neergezet. Ze schonk zichzelf in en zette haar ellebogen op tafel. Met de kop in haar handen staarde ze door de opstijgende damp van de hete thee naar buiten. Ze liet alle gebeurtenissen van gisteren nog eens de revue passeren. Eerst het wetenschappelijke verhaal van Dubois en Laurent, met als climax de verdwijning van een gerenommeerd wetenschapper. Toen haar ontdekking van de Porsche en het aansluitende bezoek aan het politiebureau. En alsof dat nog niet genoeg was, het bericht dat Olivier wist waar de cellen waren, hun inbraak op de computer van Bernard en haar speurtocht in de kelder. Eigenlijk was ze van die laatste schrik nog steeds niet helemaal bekomen. Er waren dagen in haar leven dat er minder gebeurde, dacht ze glimlachend terwijl ze de theekom aan haar mond zette. Straks had ze een afspraak met Richard Petit. Dat had Girard voor haar geregeld. Gisteravond had ze het interview voorbereid en in gedachten liep ze nog eens door haar vragen heen. Ze werd gestoord door de telefoon.

'*Allo?*' nam ze op.

'Michelle?' hoorde ze een stem hijgen. 'Met Olivier spreek je.'

'Olivier?' vroeg ze verbaasd. Aan zijn jachtige stemgeluid te horen was er iets niet in orde. 'Je hijgt als een paard. Het lijkt wel of er iemand achter je aanzit.'

'Eerder andersom. Ik achtervolgde iemand op de trap. De cellen zijn weg! Waar ben je? Ben je in de buurt?'

'Eh, ja. Toevallig wel. Ik zit vlakbij de Sorbonne te ontbijten, want ik heb straks een afspraak hier in de buurt.'

'Kun je meteen komen? Naar de hal beneden, dan kom ik daar ook naartoe. Ik leg het zometeen wel uit.'

Ze wilde nog wat zeggen, maar hij had al opgehangen. De cellen waren weg, had hij gezegd. En hij zat in een achtervolging. Hoeveel gekker ging het nog worden? Verontrust stond ze op en legde geld op tafel. Ze gebaarde naar de serveerster dat ze had betaald en liep snel naar buiten. Toen ze enkele minuten later het bijgebouw van de Sorbonne binnenkwam, stormde Olivier net de trap af. Hij zag

Michelle meteen en rende naar haar toe. De receptioniste keek hem verbouwereerd na. Dit gebeurde anders nooit in de voorname zaal.

'De cellen zijn gestolen!' riep hij met ingehouden stem, bang om gehoord te worden. Zijn ogen draaiden wild in het rond.

'Rustig, rustig,' probeerde Michelle hem te kalmeren. 'Wat is er precies gebeurd?'

Nog nahijgend van zijn inspanning begon hij met horten en stoten te vertellen. 'Ik liep vanochtend naar de kelder om aan het werk te gaan. Omdat ik daar toch was, besloot ik even naar de celkweken te gaan kijken, maar ze waren er niet meer. Ze waren gewoon weg!'

Hij haalde diep adem en kwam langzaam tot rust.

'Waar stonden ze dan precies?' vroeg Michelle. Nu hij toch had verteld dat ze in de kelder hadden gestaan, kon ze dat wel vragen vond ze.

'In de proefdierenruimte. Achterin is een gedeelte waar kweken van cellen en bacteriën worden bewaard. Daar had ik ze gewoon tussen gezet. Twee petrischaaltjes met elk één cel. Na de eerste celdeling heeft Nicolas de twee cellen namelijk van elkaar gescheiden. Tussen al die andere schaaltjes en reageerbuizen zou niemand ze zoeken. Dacht ik.'

De proefdierenruimte? realiseerde ze zich. Daar was ze gisteren geweest.

'Ik ben gisteren in de kelder geweest en toen stonden ze er nog,' ging hij verder. 'Ik heb direct onder de collega's rondgevraagd of iemand iets had gezien. Enkele mensen hadden gisteren een onbekende vrouw zien rondlopen, maar er waren ook twee collega's die zojuist Walter Beaney haastig hebben zien vertrekken. In hun ogen was dat niet verdacht. Zij wisten niet dat Walter ziek hoorde te zijn. Ik ben onmiddellijk naar hem op zoek gegaan. Het lab op de tweede, de trap, de lift, ik heb alles gecheckt maar ik heb hem niet kunnen vinden.'

Olivier keek onrustig langs haar heen naar buiten in de hoop dat Beaney voorbij zou lopen. Michelle stond in tweestrijd. Ze wilde Olivier vertellen dat ze stiekem in de kelder was geweest, maar ze kon niet goed inschatten hoe hij zou reageren. Op dit moment genoot ze zijn vertrouwen en dat wilde ze graag zo houden. Maar aan de andere kant had Olivier haar ook in vertrouwen genomen door haar meer te vertellen dan de politie wist. Ze besloot open kaart te spelen.

'Die onbekende vrouw die je collega's in de kelder hebben gezien, dat was ik. Nadat jij het lab ingelopen was om Walter Beaney te zoeken, heb ik de trap naar beneden genomen. Ik wilde namelijk een kijkje nemen in de slaapkamer waar Moreau wel eens sliep. Misschien kunnen we daar nog een aanwijzing vinden. Op dat moment kwam ik Patrick Laurent tegen, dus ik moest me verbergen in de proefdierenruimte.'

Ze keek Olivier aan en probeerde zijn reactie te peilen. Hij leek het niet erg te vinden.

'Waarom moest je je verbergen voor Patrick?'

'Ik ging ervan uit dat hij mijn aanwezigheid in de kelder niet erg op prijs zou stellen, dus ik heb me verstopt in de proefdierenruimte. Even later kwam hij daar ook binnen. Hij liep door naar achteren, naar de kweken. Hij heeft me niet gezien. Denk je dat Laurent wist dat jij de cellen daar bewaarde?'

Olivier schudde zijn hoofd. 'Nee, niemand wist het. Patrick is niet rechtstreeks betrokken bij het onderzoek, maar hij bemoeit zich overal mee. In dat opzicht is het niet vreemd dat hij bij de proefdieren binnenloopt.'

'Ik heb me een tijdje verborgen gehouden en toen ik niets meer hoorde, ben ik weggeslopen.'

Hij knikte. 'Laten we naar buiten gaan. Walter Beaney moet nog in de buurt zijn. Heb je nog iets gevonden in die slaapkamer?'

'Daar ben ik niet meer geweest. Toen ik uit de proefdierenruimte kwam, ben ik meteen terug naar boven gegaan.'

Al pratend liepen ze naar buiten. Olivier tuurde met samengeknepen ogen door de straat. Het was druk op de trottoirs aan beide kanten van de weg. Veel mensen waren op weg naar hun werk of naar college. Michelle wilde net vragen wat Olivier nu van plan was, toen hij opgewonden zijn hand op haar arm legde. Met zijn andere hand wees hij naar het einde van de straat.

'Daar gaat hij! Op de fiets!'

Michelle keek in de aangewezen richting en zag nog net een bleke man met rossig haar de hoek omfietsen. Hij had zich enkele dagen niet geschoren en droeg een honkbalpetje. Hij leek nog even over zijn schouder in hun richting te kijken.

'Rennen!' riep Olivier en hij sprintte weg. Hij begon tussen de mensen door te slalommen, maar na drie bijna-botsingen besloot hij verder te gaan over de weg. Michelle kon bijna niet anders dan achter hem aanrennen, maar al na enkele meters besefte ze dat haar hoge hakken haar te veel hinderden. Ze zou haar schoenen uit kunnen trekken, maar ze had een beter idee.

'Olivier!' riep ze. 'We moeten ook fietsen hebben!'

Ze stopte bij een fietsenstalling van *Vélib* en duwde snel haar credit card in de automaat. Vélib stond voor vélo libre en was een initiatief van de gemeente Parijs om het autoverkeer terug te dringen. Verspreid over de stad waren meer dan twintigduizend fietsen geplaatst en overal in het verkeer zag je fietsers opduiken op nieuw aangelegde fietspaden.

Olivier kwam terugrennen en ze namen beiden een fiets uit het rek. In volle vaart stoven ze de straat uit. Toen ze de hoek omreden zagen ze Beaney honderden meters verderop fietsen. Hij moest net stoppen voor een rood licht wat hun de kans gaf iets van hun achterstand in te lopen. Toen Beaney zijn voet aan de grond zette keek hij even over zijn schouder. Hij herkende de aanstormende Olivier onmiddellijk en aarzelde geen moment. Het rode licht negerend laveerde hij behendig tussen de auto's door en in hoog tempo fietste hij verder over de Boulevard Saint-Michel in de richting van de Seine. Bij de kade sloeg hij af en even later smeet hij zijn fiets op de grond en daalde snel een stenen trap af die naar het water leidde. Michelle zag het, maar begreep zijn actie niet. Daar beneden, aan de oever van de Seine, zou hij als een rat in de val zitten. Daar liepen over het algemeen slechts smalle richels van nauwelijks een meter breed. Wat had het voor zin om daar naartoe te vluchten? Buiten adem kwamen ze aan bij de kade. Ze zetten hun fietsen tegen de sierlijk bewerkte stenen borstwering en vlogen de trap af. Tot hun verbazing was Beaney nergens meer te bekennen. Een rijtje afgemeerde kajuitbootjes dobberde vredig op de golven van passerende schepen, maar verder lag de aanlegplaats er verlaten bij. De geluiden van de hoger gelegen straat klonken hier gedempt, waardoor er een serene rust heerste aan het water. Onderaan de trap bleven ze staan. Olivier, die voorop liep, draaide zich half om naar Michelle.

'Hij zal toch niet op een van die bootjes zitten?'

'Dat lijkt me onwaarschijnlijk. Dan kan hij nergens heen.'

De stenen kade liep ongeveer honderd meter door. Aan het einde was weer een trap omhoog.

'Misschien is hij daarginds weer naar boven gelopen,' dacht Olivier en hij begon behoedzaam over de smalle rand te lopen. Michelle volgde vlak achter hem. Ze betwijfelde of Beaney in staat was om die afstand zo snel te overbruggen. De eeuwenoude kade was glad door opspattend water en mosgroei en ze moest goed opletten om geen misstap te maken. Het viel haar op dat de kleine bootjes zo kalm op het kabbelende water dreven. Als daar zojuist een volwassen man op gesprongen was, dan zouden de vaartuigjes nog na moeten schommelen. Hoewel je je gemakkelijk zou kunnen verbergen achter een kajuit, was dat niet erg waarschijnlijk. Ze verlegde haar aandacht naar de andere kant. Daar liep de muur, opgetrokken uit grote grijze blokken, omhoog naar straatniveau. Olivier had zijn blik nog steeds op de vaartuigjes gericht toen hij langs een diepe nis in de muur liep.

Michelle zag het aankomen en wilde nog roepen, maar ze was te laat. Uit de nis verschenen als uit het niets twee armen die Olivier een stevige duw gaven. Hij wankelde en probeerde wanhopig zijn evenwicht te bewaren. Hij was echter te zeer uit balans gebracht en met een schreeuw viel hij tussen twee boten in het water. Walter Beaney stapte uit de nis tevoorschijn en greep Michelle vast. Met zijn rechterhand omklemde hij haar keel en met de andere bedekte hij haar mond. Ze probeerde te gillen, maar het geluid werd in de kiem gesmoord.

'Hou je mond,' snauwde Beaney in Frans met een zwaar Engels accent. 'En jij, in het water blijven,' beet hij de spartelende Olivier toe. Deze klampte zich vast aan de kant en keek met een mengeling van woede en verbazing naar Beaney.

'Wat is dit, Walter?' hijgde hij. 'Waarom doe je dit?'

'Hou je mond, zei ik toch!' Beaney keek om zich heen op zoek naar een uitweg. Michelle voelde hoe zijn zwetende hand haar gezicht nog steviger omklemde. Ze moest ervan kokhalzen.

'Politie!' riep een luide stem uit de richting van de andere trap.

Ze keek op en zag een man in burger naar beneden komen lopen. Met getrokken legitimatie liep hij op hen af en maakte zich kenbaar als rechercheur. Beaney zag het gevaar naderen en duwde Michelle ruw van zich af. Ze kon zich ternauwernood vastgrijpen aan een ijzeren ring in de muur, waardoor ze net niet in het water viel. Beaney ging er ijlings vandoor en rende met grote sprongen terug de trap op. Opgelucht wreef Michelle over haar keel, die behoorlijk dichtgeklemd had gezeten.

'Gaat het?' vroeg de rechercheur, die inmiddels gearriveerd was.

Ze knikte.

'Marc Dupont, recherche,' stelde hij zich voor. De rechercheur stak een hand uit naar Olivier en hielp hem uit het water. Even later stond hij druipend weer op de kade.

'Walter! We moeten achter hem aan!' riep de drijfnatte Olivier en hij wilde achter Beaney aan de trap oprennen.

'Rustig maar,' remde Dupont hem af. 'Die wordt wel opgevangen door mijn partner. Walter zei je?'

'Ja, Walter Beaney, een collega. Ik snap hier werkelijk niets van. Wat bezielt hem in hemelsnaam?'

Ze liepen de trap op. De twee rechercheurs hadden het slim gespeeld door hen van twee kanten in te sluiten. Michelle vroeg zich wel af hoe het kon dat de politie precies op het goede moment was opgedoken.

Bovenaan de trap herkende ze tot haar verbazing Pascal, de jonge rechercheur van gisteren. Met getrokken pistool zat hij op één knie en tuurde in de verte. Beaney was nergens meer te bekennen. Dupont snelde naar zijn collega toe.

'Wat is er gebeurd?'

'Hij is ontsnapt,' zei Pascal terwijl hij teleurgesteld zijn pistool terugduwde.

'Ja, dat is duidelijk,' stelde Dupont vast, 'maar hoe kan dat?'

'Ik zag die fietser naar boven komen, dus ik probeerde hem tegen te houden. De verdachte reageerde niet op mijn bevel om te stoppen, maar rende keihard op me af. Er was geen tijd meer om mijn pistool te trekken. Hij dook met zijn volle gewicht in mijn maag. Voor ik overeind kon komen zat hij alweer op zijn fiets. Ik twijfelde of ik moest schieten, maar met al die mensen om ons heen ...'

Mismoedig schudde hij zijn hoofd. Het was de eerste keer dat hij tijdens een actie zijn pistool had moeten trekken.

'Heel verstandig,' zei Dupont. 'Het is veel te druk hier. In welke richting is hij gevlucht?'

Pascal wees naar de Notre Dame. 'Die kant op.'

'Die zijn we dus kwijt,' concludeerde Dupont.

Michelle keek in de richting die Pascal had aangewezen. Op het Ile de la Cité, het eiland in de Seine waarop Parijs ooit was gesticht, staken de twee stompe torens van de Notre Dame statig boven het water uit. Beaney was opgegaan in het drukke verkeer. Die was niet meer in te halen. Haar oog viel op twee jongens die tien meter verderop op een bankje zaten. Tussen hen in hielden ze een blauw kunststof doosje. Een van hen zette de cassette op zijn knieën en opende het deksel. Ze keken beiden nieuwsgierig naar de inhoud en lichtelijk teleurgesteld haalden ze een plat, rond, glazen schaaltje met deksel tevoorschijn. Verwonderd hielden ze het omhoog en probeerden te kijken wat erin zat. Ze zagen alleen maar een laagje heldere vloeistof.

Opgewonden stootte Michelle de doorweekte Olivier aan en knikte naar de jongens op het bankje. 'Is dat wat ik denk dat het is?'

Olivier stond net te kijken of zijn mobiel het nog deed na het onvrijwillige bad. Hij wendde zijn hoofd om te zien waar ze op doelde.

'De cellen!' riep hij uit. Zonder aarzelen stormde hij, een spoor van druppels achterlatend, op de twee jongens af. Michelle volgde hem en ook de rechercheurs renden verbaasd achter hem aan.

'Voorzichtig, voorzichtig!' riep Olivier de jongens al van verre toe. 'Laat het niet vallen!'

Bij het bankje aangekomen nam hij het glazen schaaltje over en plaatste het zorgvuldig terug in een van de twee ronde uitsparingen in de schuimrubberen binnenkant van het kistje. Nauwgezet sloot hij het deksel en pakte de cassette op.

'Hoe komen jullie hieraan?' vroeg hij aan de jongens, die tot nu toe bedremmeld hadden gezwegen. Dupont knikte en liet zijn politiebadge zien. Zijn gezicht verried echter dat hij geen enkel idee had van wat er zich hier allemaal afspeelde.

'Er kwam net een fietser in volle vaart over het trottoir aanrijden,' stotterde een van de jongens. 'Hij kon ons niet meer ontwijken en botste tegen ons op. Daarbij viel dit doosje op de grond. Hij zei niet eens iets, maar ging er onmiddellijk weer vandoor. We riepen hem nog, maar hij hoorde ons niet.'

'Oké. Jullie vinden het vast niet erg als ik dit meeneem,' zei Olivier resoluut.

Ze schudden hun hoofd. Dupont noteerde hun namen en telefoonnummers, maar hij begreep nog steeds niet wie de ontsnapte fietser was, of wat er in de cassette zat.

'Ik denk dat jullie me wat uitleg verschuldigd zijn,' zei hij tegen Olivier en Michelle nadat hij zijn notitieboekje had opgeborgen.

Olivier fronste zijn wenkbrauwen. Hij zag in dat hij de ontdekking van Moreau niet langer verborgen kon houden. Wel dacht hij dat het zowel voor Moreau als voor het onderzoek het beste zou zijn om zo min mogelijk mensen op de hoogte te brengen van het geheime project.

'Ik kan me voorstellen dat u een verklaring wilt voor wat er net allemaal gebeurd is,' zei hij tegen Dupont, 'maar wat er in deze cassette zit is zeer vertrouwelijk. Ik wil hierover alleen een verklaring afleggen bij Arthur Martin, die het onderzoek leidt.'

Dupont dacht even na en knikte. Arthur Martin was tenslotte ook degene die hem gevraagd had om deze mensen te schaduwen.

'Akkoord, maar dan wil ik jullie verzoeken om nu mee naar het bureau te gaan.'

Dupont liep mee terwijl ze hun fietsen naar de dichtstbijzijnde stalling brachten.

'Ik neem aan dat het geen toeval was dat jullie precies op het goede moment ter plaatse waren,' zei Michelle.

Dupont schudde zijn hoofd.

Eigenlijk mochten ze van geluk spreken dat ze gevolgd waren door de rechercheurs, bedacht Michelle zich. Anders was ze misschien zelf ook wel in het water beland. Of erger nog. Bij de gedachte aan de klamme hand van Beaney voor haar mond liepen de koude rillingen over haar rug.

Ze zetten hun huurfietsen in een stalling en stapten bij de rechercheurs in de auto op weg naar het bureau.

12

Vincent keek een beetje verdwaasd rond. Het was nog donker, maar door een kier tussen de zware overgordijnen drong daglicht binnen. Hij herkende de hotelkamer waar hij gisteravond op bed was geploft en vrijwel direct in slaap was gevallen. Onmiddellijk herinnerde hij zich weer het uitzicht over nachtelijk Cairo vanuit het raampje van de Boeing 777. Hij had de omgeving graag bij daglicht vanuit de lucht willen zien. Op Heathrow had hij nog snel een boekje over Egypte gekocht waarin hij op een spectaculaire satellietfoto had gezien hoe de Nijl als een groene slang door het woestijnlandschap kronkelde en na een reis van meer dan zesduizend kilometer bij Cairo uitwaaierde over de vruchtbare Nijldelta. Er woonden zeventien miljoen mensen in de grootste stad van Afrika, wat in ieder geval de eindeloos verlichte vlakte onder hem verklaarde.

Zoals hij al verwacht had, waren ze bij National Geographic Channel laaiend enthousiast geweest toen hij over de uitnodiging van Enquist vertelde. Hij had kort uitgelegd wat het onderzoek inhield en dat hij de indruk had dat er nog veel meer opzienbarende informatie moest zijn waarvan hij de details nog niet kende. Hij had van hoofdredacteur James Wilson toestemming gekregen om naar eigen inzicht research voor de documentaire te doen. Diezelfde avond nog had hij een vlucht naar Cairo genomen.

Het was acht uur. Hij pakte zijn mobiele telefoon en zocht het nummer van Enquist op. De telefoon ging direct over.

'Enquist,' hoorde hij een bekende stem zeggen.

'Goedemorgen dr. Enquist, u spreekt met Vincent Albright.'

'Vincent! Waar ben je? Ben je al in Cairo?'

'Ja. Ik ben gisteravond laat geland. Ik zit in een hotel in het centrum van Cairo.'

'Goed dat je bent gekomen! Laten we samen ontbijten, dan breng ik je op de hoogte van alle ontwikkelingen. Kun je naar mijn hotel toekomen?'

'Natuurlijk, waar is dat?'

'Ik zit in het *Mena House*, een bekend hotel. Ik zou een taxi nemen. De taxichauffeur weet wel waar het is. Zorg dat je niet te veel betaalt,' adviseerde hij. 'Ik zie je in de ontbijtzaal.'

Binnen een kwartier stond Vincent buiten op de stoep voor zijn hotel. Het was warm en stoffig en hij rook de uitlaatgassen van de voorbijrazende auto's. Hij stak een hand op. Onmiddellijk stopte er een oude, zwart-witte Toyota.

'*Where you wanna go, sir?*' riep de chauffeur vrolijk door het open raam.

'Eh, het Mena House,' antwoordde Vincent.

'Oké, stap maar in!'

Vincent opende het portier en nam plaats naast de chauffeur. Aan de binnenspiegel hingen fleurige kralen en op het dashboard lag een soort schapenvacht. Uit de speakers schetterde harde Arabische muziek.

'Het Mena House is het beste hotel van Cairo,' riep de chauffeur boven de muziek uit. 'Logeert u daar?'

'Nee, ik heb er een afspraak,' zei Vincent terwijl hij zijn gordel omdeed. Dat bleek geen overbodige luxe. De taxirit was nog het beste te vergelijken met een ritje in een achtbaan. Luid toeterend haalde de chauffeur links en rechts andere auto's in, waarbij hij regelmatig op de verkeerde weghelft terecht kwam. Telkens als Vincent dacht dat een botsing nu echt onvermijdelijk was, manoeuvreerde hij de taxi behendig rakelings langs de andere auto's. Het deed hem denken aan hoe hij vroeger als klein jongetje met zijn vader in de botsauto's zat.

Na een tijdje kwamen ze in de buitenwijken en leken ze de stad uit te rijden. Waarom zou Enquist in een hotel buiten de stad zitten? Dat leek hem helemaal niet praktisch. Hij keek voor zich uit en zag plotseling aan het einde van de straat een enorme piramide opdoemen. De chauffeur bracht hem naar de piramides!

'Weet je zeker dat je me naar het hotel brengt en niet naar de piramides?' vroeg hij bezorgd. Hij was niet van plan om in een van die commerciële stunts te trappen, waarbij de taxichauffeur commissie kreeg als hij zijn klant op toeristische plaatsen afzette.

'Het hotel ligt vlakbij de piramides,' riep de chauffeur terwijl hij eindelijk de muziek wat zachter zette. 'Het ligt zevenhonderd meter van de piramides, het is gebouwd in 1869, het heeft meer dan vijfhonderd kamers en een achttien holes golfbaan,' dreunde hij op.

110

Vincent had de piramides nog niet eerder in het echt gezien. Hij had nooit geweten dat ze zo dicht bij de stad lagen. Op foto's leken ze zich altijd midden in de woestijn te bevinden. Het maakte de piramides niet minder indrukwekkend.

Even later stopte de chauffeur voor de ingang van het hotel. Vincent betaalde hem en liep naar binnen. Het Mena House was opgetrokken in koloniale stijl met Arabische invloeden en was omringd door een oase van groene, tropische tuinen. Bij de receptie zei hij dat hij een afspraak had met Mark Enquist.

'Dr. Enquist is al in de ontbijtzaal,' zei de receptionist vriendelijk en hij legde uit waar het was.

Terwijl hij de grote eetzaal betrad, zag hij Enquist al zitten aan een tweepersoons tafeltje bij het raam. Enquist zag hem ook en stak zijn hand op. Terwijl Vincent naar het tafeltje liep stond Enquist op om hem te begroeten.

'Vincent! Goed dat je er bent, ga zitten. Koffie?'

'Heerlijk.'

Terwijl Enquist koffie inschonk, ging Vincent zitten en keek ademloos naar buiten. Hij zag twee van de drie piramides. Cheops en Chefren, dacht hij. Ze leken zo dichtbij dat je ze bijna aan kon raken. Het was een beetje onwezenlijk dat hij hier koffie zat te drinken met een van de allerberoemdste uitzichten ter wereld op de achtergrond.

'Overweldigend, vind je niet?' zei Enquist. 'Ik ben hier nu al zo vaak geweest, maar elke keer maakt het weer evenveel indruk. Alsof ik de piramides telkens opnieuw voor de eerste keer zie.'

Vincent knikte terwijl hij aan de hete koffie nipte. 'Ongelooflijk.'

'Het is alsof je in een restaurant zit te eten, terwijl er verderop enkele beroemde filmsterren zitten,' zei Enquist. 'Je schenkt er geen aandacht aan, maar je bent je continu bewust van hun aanwezigheid.'

'Het lijken wel perfecte driehoeken,' zei Vincent bewonderend.

'Het *lijken* niet alleen perfecte driehoeken,' Enquist pakte een servetje en begon te tekenen, 'het *zijn* perfecte driehoeken.'

Hij tekende een vierkant en trok een diagonaal kruis tussen de hoeken.

'Zo kijk je vanaf de bovenkant naar de Grote Piramide. De vier zijden zijn vrijwel exact even lang. De langste zijde is 230 meter en

45 centimeter. De kortste zijde is 230 meter en 25 centimeter. De andere twee zijden zitten ertussen. Er zit dus slechts twintig centimeter verschil tussen de langste en de kortste zijde. Dat is minder dan een tiende procent. In de moderne bouwkunde worden grotere marges gehanteerd.

Verder zijn de vier zijden kaarsrecht en *exact* naar de vier windstreken gericht. Er bestaat geen hedendaagse metselaar die een muur zo extreem waterpas kan metselen, we hebben het over een afwijking van minder dan een tiende graad. Natuurlijk kunnen we tegenwoordig ook wel een muur bouwen met een vergelijkbaar geringe afwijking, maar daar hebben we geavanceerde hulpmiddelen voor nodig.

De top van de piramide bevindt zich *exact* op het kruispunt van de diagonalen.' Enquist tikte met de pen op het kruis. 'Met andere woorden, de top zit precies in het midden. Stel je voor. De piramidebouwers hebben jarenlang zwaar werk verzet en miljoenen blokken steen omhoog gesleept, waarvan sommige tot vijftienduizend kilo wegen en dan komt de top precies in het midden uit en is de hellingshoek van de vier zijden overal 52 graden.'

Enquist legde de pen neer en keek naar buiten.

'Dat is ongekend voor een bouwwerk dat meerdere hectaren beslaat. Het moeten briljante, hoog ontwikkelde bouwkundigen zijn geweest,' zuchtte hij.

'Maar ze gingen nog verder.' Hij keek Vincent aan. 'Ken je het getal *pi*?'

Vincent knikte. 'Daar kun je toch de omtrek van een cirkel mee berekenen?'

'Klopt,' zei Enquist, 'en ook de oppervlakte.' Hij tekende de Griekse letter pi op het servet: π.

'Pi is een oneindig getal dat een hoog ontwikkeld niveau van wiskunde vereist. Het verbazingwekkende is dat het getal pi is gebruikt bij de constructie van de Grote Piramide.'

Opnieuw keek Vincent vragend naar Enquist.

'Als je in de formule voor de omtrek van een cirkel de *oorspronkelijke* hoogte van de piramide invult, de top is namelijk in de loop der eeuwen afgebrokkeld, dan levert de uitkomst met behulp van pi de exacte omtrek van de piramide aan de grond op.'

Verbluft keek Vincent door het raam naar de piramide alsof hij de berekening wilde controleren.

'Neem een broodje,' zei Enquist. Hij zag dat Vincent nog geen hap had gegeten sinds hij was gaan zitten. Terwijl Vincent aan zijn ontbijt begon, ging Enquist verder.

'Nu was het in de oudheid al bekend dat de verhouding tussen de diameter en de omtrek van een cirkel ongeveer drie was, maar de Griek Archimedes berekende het getal pi pas in de derde eeuw voor Christus als eerste nauwkeurig. De gangbare theorie onder egyptologen is dat de piramide van Cheops ongeveer 2.500 jaar voor Christus is gebouwd. Het is dus hoogst verbazingwekkend dat de piramidebouwers de exacte waarde van pi al meer dan 2.000 jaar *voor* Archimedes hebben gebruikt.'

Enquist glimlachte. 'Hoewel het voor de meeste archeologen en egyptologen ondenkbaar is dat oude volken deze kennis al zouden kunnen hebben,' voegde hij eraan toe.

Hij pauzeerde even en schonk nog een kop koffie in. Toen hij zag dat Vincent net een hap van zijn sandwich had genomen, vervolgde hij zijn verhaal.

'Kijk, het is natuurlijk aardig om te weten dat de oude Egyptenaren het getal pi kenden, maar het echte opzienbarende is dat alles klopt. Miljoenen loodzware rotsblokken zijn met wiskundige precisie op elkaar gestapeld en vervolgens afgedekt met een gladde laag wit kalksteen. Waarschijnlijk was de top van goud. In zijn boek *How the pyramids were built* zegt Peter Hodges dat de piramide van Cheops meer weegt dan de hele *City of London* bij elkaar. En dan hebben we het nog niet eens gehad over de mysterieuze manier waarop ze die blokken in hemelsnaam meer dan honderd meter naar boven hebben kunnen verplaatsen. In de valleitempel, iets verderop, zijn zelfs blokken van tweehonderdduizend kilo verwerkt. In Europa zijn we onder de indruk van al die schitterende middeleeuwse kathedralen, maar die vallen volledig in het niet bij de prestaties van de Egyptenaren, terwijl de piramides bijna 4.000 jaar eerder zijn gebouwd. Aan het begin van de menselijke beschaving, toen die kennis er nog helemaal niet hoorde te zijn. Maar hij was er wel degelijk. En zo ben ik weer terug bij mijn stelling dat er een beschaving is geweest die veel ouder is dan we tot nu toe altijd gedacht hebben.'

Vincent keek peinzend naar buiten. De piramides zagen er groots uit in het ochtendlicht. Het leek net alsof ze in de weelderige tuin van het hotel stonden. Waar anders ter wereld had je zo'n grandioos uitzicht?

Waar anders? Ineens ging hem een lichtje op. Zou Enquist hier-aan gedacht hebben?

13

Michelle Rousseau opende de deur van het restaurant voor haar afspraak met Richard Petit. Er schoot onmiddellijk een jongeman tevoorschijn om haar jas aan te nemen. Zoals alle Franse obers ging hij gekleed in een wit overhemd en een zwarte broek. Ze had gereserveerd, dus hij begeleidde haar naar een tafel bij het raam. Michelle keek om zich heen. Ze had een goed restaurant uitgekozen. Niet te chique, het was geen sterrentent of zo, maar zeker representatief. Er hingen grote kroonluchters aan het plafond die zacht geel licht uitstraalden en de tafeltjes waren onberispelijk wit gedekt. Ze had wat goed te maken omdat de afspraak gisteren vanwege de achtervolging op Beaney niet door was gegaan.

Op de vraag van de ober of ze alvast iets wilde drinken bestelde ze neutraal een *Perrier*. Haar gast was er nog niet en hoewel het in Frankrijk een goede gewoonte was om wijn bij de lunch te drinken, wilde ze geen alcohol bestellen omdat ze niet zeker wist wat voor een indruk dat zou maken. Mineraalwater leek haar de beste keuze.

De deur zwaaide open en er kwam een kleine man met een rond, kaal hoofd binnen. Zijn double-breasted colbert kon niet verhullen dat er een stevige buik onder schuilging. Aan een touwtje om zijn nek hing een leesbril. Hij vroeg wat aan de toegesnelde ober, die vervolgens in haar richting wees. Dat moest Petit zijn. De ober ging hem voor naar haar tafel en Michelle stond op om zich voor te stellen.

'Goedemiddag, Michelle Rousseau van France 2,' zei ze. 'Fijn dat u kon komen.'

'Richard Petit,' antwoordde hij eenvoudig. Hij had een rustige, vriendelijke stem.

Ze gingen zitten en na wat inleidende vriendelijkheden besloot Michelle ter zake te komen.

'Meneer Petit,' begon ze, 'ik ben bezig met een reportage over celbiologie. Ik heb een aantal deskundigen gesproken die geloven dat het in de nabije toekomst mogelijk zal zijn dat mensenhanden een levende cel bouwen. Deelt u die mening?'

'U wilt weten of de wetenschappelijke wereld de rol van God kan gaan overnemen?' vroeg Petit. 'Die vraag wordt mij wel vaker gesteld.'

Hij keek naar buiten. Er liep een piepklein vliegje over het raam. Het insect was nog geen twee millimeter groot.

'Zie je dat beestje?' wees hij. 'Dat nietige wezentje is een voorbeeld van superieure technologie waar de menselijke stand der techniek slechts bij in de schaduw kan staan. We beschouwen dit soort diertjes meestal als een onbeduidende levensvorm, maar binnenin onze kleine vriend klopt een hartje. Hij heeft nieren, een darmkanaal, een ademhalingsstelsel en spieren. Vanuit zijn minibrein worden commando's gegeven die in de vorm van elektrische signalen via zijn zenuwstelsel naar zijn organen worden gezonden. En het meest wonderlijke van allemaal is nog wel dat hij zich, zoals alle dieren, kan vermenigvuldigen.'

Michelle keek hem lichtelijk geamuseerd aan.

'Wat ik hiermee wil zeggen is dat dit kleine vliegje een extreem complex wezen is. In theorie is het inderdaad mogelijk dat de mens zelf een biologische cel fabriceert. Op dit moment worden in diverse laboratoria zelfs pogingen hiertoe gedaan. Maar zelfs een individuele cel is zo buitengewoon gecompliceerd dat ik betwijfel of het ooit zal lukken.'

Michelle knikte. Ze zweeg over de cellen van Nicolas Moreau.

'Weet je iets over de werking van een cel?' vroeg Petit.

'Ja,' zei ze bewust neutraal. 'Maar ik ben geen expert.'

'Dan weet je vast wel dat er op microniveau ongelooflijk wonderlijke processen plaatsvinden. Maar als je ècht wilt weten hoe het leven zich in elke cel van ons lichaam heeft georganiseerd, dan moet ik je introduceren in de wereld van het DNA. Daar worden alle codes voor het aanmaken van nieuwe eiwitten bewaard.'

'Graag.'

'Eiwitten behoren tot de allerbelangrijkste bestanddelen van ons lichaam, omdat ze bijna alle taken in een cel verrichten en daarmee verantwoordelijk zijn voor alle functies en activiteiten van ons lichaam. Zo regelen eiwitten in ons oog dat we kunnen zien en zijn stofwisselingseiwitten bezig om ons voedsel om te zetten in energie.'

Michelle knikte. 'Veel onderdelen van ons lichaam zijn toch ook opgebouwd uit eiwitten? Spieren, botten, bloedvaten.'

'Precies. En al die informatie is opgeslagen in je DNA. Een DNA-streng lijkt op een in elkaar gedraaide ladder met drie miljard treden.

Ze zitten opgerold in elke celkern. Als je hem zou uitrollen heeft een DNA-streng een lengte van anderhalve meter, maar helemaal opgerold past hij moeiteloos in een celkern van minder dan een honderdste millimeter groot. Telkens als ik dat door de microscoop zie, voel ik me als mens zeer nietig vergeleken bij het brein achter deze complexiteit.'

Michelle probeerde er zich een voorstelling van te maken.

'Elk van die drie miljard treden van de ladder bestaat uit twee verschillende moleculen, die samen een code vormen. Allemaal samen vormen die drie miljard combinaties de blauwdruk van het menselijk lichaam.'

Hij keek Michelle aan, die gebruik maakte van de pauze die hij liet vallen.

'Hoe zijn die drie miljard combinaties van moleculen dan verantwoordelijk voor al die uiteenlopende functies in ons lichaam?'

'Oké.' Hij lachte vriendelijk. 'Dus je wilt ècht het naadje van de kous weten. Het is lastige materie, maar ik zal het zo beknopt mogelijk uit proberen te leggen.

Continu scheuren er stukjes van de DNA-ladder open, waardoor er als het ware twee halve ladders ontstaan, met elk halve treden. In de celkern drijven ook losse moleculen rond, die zelf ook allemaal halve treden vormen. Die losse moleculen hechten zich volgens een strikt regime aan de uitstekende moleculen van de opengescheurde DNA-ladder, waardoor ze zelf een nieuwe halve ladder zullen vormen. Dit wordt een RNA-streng genoemd. De RNA-streng, die nieuwe halve ladder, maakt zich los van de opengescheurde DNA-ladder en neemt zo een stukje code mee. De originele DNA-streng sluit zich weer en de nieuwe RNA-streng verlaat de celkern en komt in het celvocht buiten de kern terecht, waar hij gezelschap krijgt van miljarden andere moleculen. Daar drijven ook ribosomen tussen, die verantwoordelijk zijn voor de productie van eiwitten. Het eerste ribosoom dat de RNA-streng tegenkomt leest zijn code en op basis van die handleiding in het RNA zullen zich specifieke aminozuren aan de RNA-streng hechten. Gezamenlijk vormen die aminozuren een gespecialiseerd eiwit, dat zich direct met zijn specifieke taak in het lichaam zal gaan bezighouden. In elke cel worden op die manier een miljoen aminozuren per seconde aan elkaar geknoopt tot eiwitten. Dit proces vindt permanent plaats in elk van de biljarden cellen in je lichaam. Fantastisch toch?'

117

Petit keek naar Michelle alsof hij zelf verantwoordelijk was voor het ontwerp.

'En eigenlijk is het nog veel ingewikkelder dan hoe ik het nu schets. Kortom, die chemische cellenfabriek zit zo wonderbaarlijk knap in elkaar dat het mij persoonlijk onmogelijk lijkt dat wetenschappers ooit zelf een cel zullen bouwen. Maar ik zal het je nog sterker vertellen.'

Petit boog zich voorover en keek Michelle indringend aan.

'Ik ben ervan overtuigd dat ook de natuur niet in staat is geweest om zelf leven te creëren.'

Na deze stelling liet hij zich afwachtend achterover zakken. Hij wist uit ervaring dat zijn standpunt uiteenlopende reacties opriep.

Michelle dacht onmiddellijk aan de woorden van Olivier Leblanc over intelligent design. 'Ik neem aan dat u het nu over uw paradepaardje hebt, over intelligent design.'

'Inderdaad.' Petit trok verwonderd zijn wenkbrauwen op. 'Dus je bent al op de hoogte van de opvattingen van ID-aanhangers?'

'Nou, niet precies,' haastte ze zich te zeggen. 'Ik zou er graag iets meer over willen weten omdat het mij een interessant tegenwicht in mijn reportage lijkt voor al die wetenschappers die van mening zijn dat je een biologische cel kunt nabouwen.'

Petit knikte goedkeurend. 'Nábouwen is precies het goede woord. Dat is namelijk wat ze proberen. Zij hebben een voorbeeld, een blauwdruk. Maar ooit is de eerste cel ontstaan en de stap van levenloos materiaal naar die eerste, meest primitieve cel is zo gigantisch groot, dat de kans dat leven spontaan is ontstaan wat mij betreft nihil is. Wat de meeste mensen niet weten is dat wetenschappers nog steeds volledig in het duister tasten over hoe leven is ontstaan uit levenloze elementen. Als je het hun vraagt, luidt het antwoord steevast dat het ooit door toeval ontstaan moet zijn. Maar hoe precies? Niemand die het antwoord weet. Er zijn onderzoekers die geprobeerd hebben om de kans te berekenen dat de juiste moleculen de juiste eiwitten vormen en dat die vervolgens spontaan een cel vormen met al zijn complexe processen en DNA. Ze kwamen op kansen als 1 op $10^{40.000}$, dus een 1 met 40.000 nullen. Die kans is onvoorstelbaar klein. Ter vergelijking, het aantal deeltjes in ons heelal wordt geschat op slechts 10^{80}. Een van die onderzoekers, de astronoom Fred Hoyle, vergeleek dit met de kans dat een tornado die een vuilnisbelt passeert uit het afval toevallig een Boeing 747 fabriceert. In theorie is dat mogelijk omdat al het materiaal om een vliegtuig te bouwen op een vuilnisbelt aanwezig is, net zoals alle moleculen die nodig zijn voor een cel ook in de natuur aanwezig zijn. Maar in de praktijk is de kans dat daaruit toevallig een levende cel ontstaat verwaarloosbaar klein.'

'Maar het is er wèl een keer van gekomen,' probeerde Michelle hem te prikkelen. 'Ooit heeft de eerste cel zich gevormd.'

'Als het leven spontaan is ontstaan als gevolg van een natuurwet, dan kan de aarde niet de enige plek zijn waar dit gebeurd is. Dan moet het op vele plaatsen in het heelal zijn gebeurd. Echter, omdat onze kennis op het gebied van astronomie en kosmologie een enorme stap voorwaarts heeft gemaakt, zijn steeds meer wetenschappers van mening dat de kans op buitenaards leven zeer klein is, ondanks de vele miljarden sterren aan de hemel. Dat heeft alles te maken met het antropisch principe.'

Michelle nam net een slok uit haar glas en keek hem vragend aan.

'Het antropisch principe komt erop neer dat veel waardes die voorkomen in de natuur heel precies blijken te kloppen. Als die natuurconstanten ook maar een fractie zouden afwijken, zou het leven nooit ontstaan kunnen zijn.'

'Wat voor waardes zijn dat dan?'

'Er zijn talloze voorbeelden. Als de kernkrachten in een atoom ook maar iets zouden afwijken van hun huidige waardes, zouden de elektronen niet rond de kern kunnen draaien zoals ze dat doen. Dan zouden er dus geen deeltjes zijn in het heelal en had er nooit leven kunnen ontstaan. En ook onze eigen aarde is exemplarisch voor het antropisch principe. Als de aarde wat dichter bij de zon had gestaan, zoals Venus, of wat verder weg, zoals Mars, was leven niet mogelijk geweest. Onze planeet heeft precies de goede temperatuur om vloeibaar water mogelijk te maken, een voorwaarde voor het ontstaan van leven. Het feit dat al deze waardes zo precies op elkaar afgestemd zijn, kan niet op toeval berusten. Het lijkt erop dat er een ontwerp aan het heelal ten grondslag heeft gelegen.'

Terwijl Petit zweeg en een stukje stokbrood uit het mandje nam dat de ober had neergezet, dacht Michelle even na over deze woorden. Het klonk haar niet onlogisch in de oren wat hij beweerde, maar was het ook zo?

'Je kunt ook omgekeerd redeneren,' stelde ze. 'De kosmos houdt

119

niet op aan het einde van ons waarneembare heelal. Daarachter is ook nog ruimte en materie. Veel wetenschappers denken dat er veel meer heelallen zijn dan alleen het onze. Als er vele werelden bestaan buiten ons blikveld, dan is het logisch dat alle mogelijke waardes voor zullen komen en dat in één van die werelden de omstandigheden voor het ontstaan van leven ideaal zullen zijn. En dat is toevallig bij ons het geval. Op dezelfde manier moet er om één van die miljarden sterren een planeet cirkelen waar de omstandigheden precies goed zijn om leven te laten ontstaan. En dat is toevallig de aarde. Op al die andere planeten zijn de omstandigheden net iets anders, waardoor er geen leven kan ontstaan. Dus op deze manier redenerend heeft het alles te maken met kansberekening. Vergelijk het maar met lottowinnaars. Veel mensen die grote prijzen winnen, vragen zich af hoe het toch mogelijk is dat juist zij de gelukkigen zijn. Maar er moet nu eenmaal een winnaar uitkomen. Dat staat van tevoren al vast.'

Ze werden onderbroken door de ober, die hun bestelling wilde opnemen. De man vroeg vriendelijk of ze al een keuze hadden kunnen maken. Michelle had de menukaart al bestudeerd toen ze in haar eentje zat te wachten en bestelde een salade met brood. Petit sloeg snel de kaart open en liet zijn ogen over de regels gaan. Ondertussen praatte hij gewoon door tegen Michelle.

'Ik zal je het bekende voorbeeld geven van de aap die een boek schrijft,' gooide hij het over een andere boeg. 'Stel dat je een groot aantal apen op een computer laat tikken. Uiteindelijk, na miljarden jaren doelloos tikken, zal er een aap tussen zitten die toevallig de letters in de goede volgorde zet en op die manier een boek schrijft. Maar als dat zou gebeuren, is het dan niet veel aannemelijker dat die aap wist wat hij deed? Is het niet aannemelijker dat hij een boek *wilde* schrijven? Dezelfde gedachtegang kun je volgen voor de exacte afstelling van al die parameters in het heelal. Het is veel aannemelijker dat het een vooropgezet plan was. Veel astronomen trekken de laatste jaren voorzichtig de conclusie dat de kosmos gebaseerd is op een nauwkeurig opgezet ontwerp. Net zoals bij de schrijvende aap, is de kans namelijk veel te klein dat al die waardes en verhoudingen in het heelal toevallig zo precies op elkaar zijn afgestemd.'

Hij keek op naar de ober.

'Doet u die biefstuk maar,' zei hij op de kaart wijzend.

Terwijl de ober geamuseerd, maar beleefd lachend de menukaarten oppakte woog Michelle de woorden van Petit af.

'Dus volgens u is de kans nihil dat het leven spontaan is ontstaan,' zei ze toen de ober zich had teruggetrokken. 'Hoe verklaart u het dan? Is God soms degene die verantwoordelijk is voor dat ontwerp?'

Petit schudde zijn hoofd.

'Het is wel zo dat veel intelligent designaanhangers gelovig zijn, maar om zuiver onderzoek te kunnen doen moet je wetenschap en religie strikt gescheiden houden. ID-wetenschappers constateren slechts dat er een intelligent ontwerp lijkt te bestaan, maar wie of wat verantwoordelijk is voor dit ontwerp laat men in het midden. Simpelweg omdat men het niet weet. En zelfs als die ontwerper een soort individuele vorm zou moeten aannemen, dan beweren we daarmee nog steeds niet dat het God is. Het zou ook een soort hogere intelligentie of buitenaards leven kunnen zijn.'

'Dan veranderen alleen tijdstip en locatie van het ontstaan van leven,' merkte Michelle op. 'De vraag *wie schiep de schepper?* blijft bestaan.'

'Daar heb je gelijk in.'

'Maar hoe komt het dan dat intelligent design altijd in het religieuze hoekje gedrukt wordt?' vroeg Michelle. Ze herinnerde zich de uitspraak van Olivier dat ID-aanhangers probeerden om God via de achterdeur de wetenschap binnen te loodsen.

'Goede vraag. De belangrijkste reden is volgens mij dat de ID-opvattingen niet overeenkomen met de huidige stand van de wetenschap. Onze kennis is gewoon nog niet toereikend genoeg om het te kunnen verifiëren en daarom wordt ID gemakshalve maar onder de godsdiensten geschaard. Maar is het niet zo dat nieuwe, controversiële theorieën in het begin altijd ter discussie staan omdat ze vaak zeer onwaarschijnlijk lijken? In het verleden werden standpunten die afweken van de heersende opvattingen ook altijd met argusogen bekeken. Denk maar aan Pythagoras toen hij zei dat de aarde niet plat was maar rond, of aan Copernicus, die ontdekte dat de aarde om de zon draait en niet andersom. Zij werden aanvankelijk niet geloofd. De rooms-katholieke Kerk plaatste het werk van Copernicus zelfs op een lijst met verboden boeken. Bovendien bedienen ID-wetenschappers zich nadrukkelijk van empirisch onderzoek. Ze kijken alleen naar aantoonbare feiten, wat van de gelovigen onder ons bepaald niet gezegd kan worden.'

Petit had deze laatste woorden een beetje verbitterd uitgesproken.

121

Waarschijnlijk voelde hij zich ondergewaardeerd als wetenschapper omdat zijn denkbeelden niet algemeen geaccepteerd werden, dacht Michelle. Ze besloot hier nog even op door te gaan.

'Ik heb begrepen dat u Nicolas Moreau kent,' gooide ze de knuppel in het hoenderhok.

'Moreau? En of ik die ken. Hij is de voorman van de groep wetenschappers die intelligent design het leven zuur probeert te maken. Moreau is een van die mensen die levende cellen proberen te bouwen,' zei hij laatdunkend. 'Ik wens hem veel succes, want het is onmogelijk. Ik zou er nog aan toe willen voegen dat hij en zijn darwinistische vrienden er nog steeds niet in geslaagd zijn om de intelligent designvoorbeelden onderuit te halen.'

'Kunt u goed opschieten met Moreau?'

'Oh, persoonlijk heb ik niets tegen hem,' zei Petit schouderophalend. 'Hij is een bekwaam en gerespecteerd lid van de wetenschappelijke gemeenschap, maar we zullen nooit vrienden worden.'

Michelle knikte en schakelde terug naar het onderwerp.

'U zei net nog iets interessants. Wat zijn eigenlijk die ID-voorbeelden die de darwinisten niet onderuit kunnen halen?'

'Ah,' zei Petit. 'Het grote pijnpunt. De biochemicus en hoogleraar Michael Behe heeft hier een boek over gepubliceerd, Darwin's black box. Hierin beschrijft hij onder andere hoe extreem gecompliceerd de processen zijn die plaatsvinden in een biologische cel. Hij gebruikt hiervoor de term *onherleidbaar complex*. Een systeem is onherleidbaar complex als het uit een reeks samenwerkende onderdelen bestaat die allemaal onmisbaar zijn om het systeem te laten werken. Als je een van die onderdelen weg zou halen, dan werkt het systeem niet meer. Als voorbeeld noemt hij de flagellamotor. Dat is een microscopisch kleine propeller waarmee bacteriën zich met tienduizend omwentelingen per minuut voortbewegen. Hij bestaat uit een serie zeer ingewikkelde samenwerkende onderdelen en als er ook maar één onderdeel zou ontbreken, kan de bacterie niet meer zwemmen. In evolutietermen is het onmogelijk dat een flagellamotor zich stapje voor stapje heeft ontwikkeld in de richting van de functie waarvoor hij bedoeld is. Evolutie met zijn toevallige afwijkingen kan zich namelijk niet bewust in een bepaalde richting ontwikkelen. Elk stapje in het ontwikkelingsproces moet functioneel zijn. Een giraffe met een iets langere nek heeft al betere overlevingskansen omdat hij iets beter bij de blaadjes kan die hoog in de boom hangen. Maar zoiets als een half ontwikkelde flagellamotor kan niet bestaan. Die werkt namelijk niet. En zo beschrijft hij meer voorbeelden, zoals het immuunsysteem en de bloedstolling die allemaal wijzen op ontwerp. Het mooie is dat darwinistische wetenschappers nog steeds niet kunnen verklaren hoe dit soort onherleidbaar complexe mechanismen via het evolutieproces hebben kunnen ontstaan. Behe werd destijds bekritiseerd omdat hij met intelligent ontwerp als verklaring kwam, maar de darwinisten kunnen op hun beurt niet aantonen dat het via de evolutionaire weg is gegaan. Zelfs Charles Darwin in eigen persoon heeft in *the origin of species* geschreven dat zijn theorie in duigen valt wanneer bewezen wordt dat er leven voorkomt dat niet ontstaan is door een ontwikkeling van voortdurende kleine aanpassingen.'

Michelle had geconcentreerd zitten luisteren. Deze zienswijze was in ieder geval de alternatieve invalshoek waar ze naar op zoek was.

'Bovendien bestaat de mens nog maar veel te kort om door evolutie tot stand gekomen te kunnen zijn. Pulitzer Prize-winnaar John McPhee zei ooit dat als je beide armen strekt en je beschouwt de afstand tussen je vingertoppen als de 4,5 miljard jaar durende geschiedenis van de aarde, je het verleden van de mens er met één beweging van een nagelvijl vanaf kunt halen.'

Michelle knikte glimlachend. Voor dit moment had ze voldoende zware kost te verwerken gekregen. Omdat de ober op dat moment verscheen met hun borden, besloot ze tijdens het eten over te schakelen naar een wat luchtiger onderwerp.

14

Vincent keek peinzend naar Enquist. 'Dus u zegt dat de kennis die nodig was voor het bouwen van de piramides in 2.500 voor Christus al heel lang aanwezig was. Met andere woorden, dat er toen al een samenleving was die lang genoeg bestaan had om die kennis stap voor stap te ontwikkelen.'

'Dat is inderdaad wat ik beweer.'

'Hoe kan het dan,' zei Vincent bedachtzaam, 'dat de piramides de enige bouwwerken uit die tijd zijn die er op aarde voorkomen. Ik bedoel, er zijn natuurlijk wel meer imposante gebouwen op aarde te vinden, maar die zijn allemaal jonger en minder indrukwekkend. Er zijn, behalve de piramides, nooit andere overblijfselen uit die tijd gevonden van hetzelfde niveau. Dat zou betekenen dat onze mysterieuze beschaving zonder enige ervaring met dit soort enorme projecten, ineens, zomaar uit het niets, wereldwonderen als de piramides uit de grond heeft gestampt. Ik zou eerder een soort ontwikkeling verwachten, waarbij we ook oudere, minder complexe bouwwerken hadden moeten aantreffen.'

'Dat is een terechte vraag die ik mezelf ook heb gesteld. En je hebt gelijk wanneer je zegt dat er geen andere overblijfselen van onze oude beschaving zijn gevonden. Het is trouwens ook merkwaardig dat de piramides uit latere dynastieën bouwkundig juist minder gecompliceerd in elkaar zitten dan de piramides van Gizeh; alsof de Egyptenaren geprobeerd hebben om ze na te bouwen. Toch duiden de aanwijzingen die we tot nu toe hebben verzameld erop dat het een volk van een behoorlijke omvang moet zijn geweest. Zo'n volk heeft ongetwijfeld ergens zijn sporen nagelaten. Ze moeten op een aanzienlijke oppervlakte hebben geleefd. In een gebied dat hun voldoende bestaansrecht bood. Vruchtbare grond, zoet water, in de buurt van de zee.'

Enquist boog zich over de tafel heen en sprak zijn woorden langzaam en nadrukkelijk uit.

'Vincent, zo'n gebied bestaat. En het is volkomen logisch dat we hun overblijfselen tot nu toe niet gevonden hebben.'

'En waar is dat dan?'

Enquist keek op zijn horloge. 'We hebben zo een afspraak, maar dit kan ik nog wel even uitleggen.'

'We?'

'Ja. Je wilt toch een documentaire maken? Vanaf nu ga ik je overal bij betrekken. We hebben over een half uur een afspraak in de Grote Piramide.'

'*In* de piramide van Cheops?' vroeg Vincent terwijl hem een gevoel van opwinding bekroop.

'Jazeker, het is nog geen tien minuten lopen vanaf hier. We hebben nog wel even tijd.'

Enquist pakte een kleine rugzak die naast de tafel op de grond stond en nam zijn laptop eruit.

'Ik heb me natuurlijk afgevraagd hoe het mogelijk is dat een hoogontwikkelde samenleving geen sporen achterlaat.'

'Kunnen ze niet als een soort Atlantis onder de zeespiegel zijn verdwenen?' probeerde Vincent.

'Dat is een mogelijkheid, maar ik denk dat het ook anders gegaan zou kunnen zijn,' zei Enquist.

Het viel Vincent op dat Enquist de nadruk legde op *zou kunnen.*

'De Amerikaanse professor Charles Hapgood heeft een hele tijd geleden alweer, in 1958, een boek geschreven dat *Earth's shifting crust* heet. Hierin oppert hij de mogelijkheid dat er in het verleden regelmatig een verschijnsel op aarde heeft plaatsgevonden dat hij *aardkorstverschuiving* noemt. Hierbij verschuift het buitenste deel van de aarde, de dunne aardkorst, in zijn geheel over het vloeibare binnenste deel, het magma, zoals een loszittende sinaasappelschil over de vrucht binnenin zou bewegen.'

'Pardon?' zei Vincent. 'Dat klinkt niet erg geloofwaardig.'

'Misschien niet,' zei Enquist, 'maar de theorie heeft ten minste één aanhanger en dat is bepaald niet de minste.' Hij draaide de laptop zodat Vincent mee op het scherm kon kijken. 'Albert Einstein schreef een voorwoord in het boek van Hapgood.'

Vincent keek op. '*De* Albert Einstein?'

'Inderdaad.' Enquist zocht even en vond het bestand dat hij bedoelde. 'Lees het maar even.'

Met stijgende verbazing las Vincent de woorden van de Nobelprijswinnaar die gezien werd als één van de meest briljante geesten uit de geschiedenis.

Ik ontvang regelmatig brieven van mensen die me willen raadplegen over hun nog ongepubliceerde ideeën. Uiteraard hebben deze ideeën zelden enige wetenschappelijke waarde. De allereerste brief, echter, die ik van de heer Hapgood ontving overrompelde me. Zijn idee is origineel, zeer eenvoudig en, als het zichzelf blijft bewijzen, van groot belang voor alles wat te maken heeft met de geschiedenis van de aardkorst. Ik denk dat dit verbazingwekkende, fascinerende idee serieuze aandacht verdient van iedereen die zich bezighoudt met de theorie van de ontwikkeling van de aarde.

Vincent keek even op en las verbaasd verder.

In een poolstreek vindt er voortdurend ijsafzetting plaats, die niet symmetrisch over de pool verdeeld wordt. Door deze asymmetrisch afgezette ijsmassa veroorzaakt de rotatie van de aarde een centrifugerende kracht die wordt overgebracht op de harde aardkorst. De voortdurend toenemende centrifugerende kracht die zo ontstaat, zal op een bepaald moment een beweging van de aardkorst over het binnenste van de aarde veroorzaken, waardoor de poolstreken in de richting van de evenaar verschuiven.

'Interessant,' zei Vincent nadat hij het gelezen had. 'Dus die professor, wat was z'n naam ook alweer?'
'Hapgood.'
'Dus die professor Hapgood had een revolutionair idee. Maar toch,' Vincent trok weer een kritisch gezicht en wees naar een tekstregel op het scherm, 'Einstein bouwt wel een voorbehoud in. Hij zegt dat het idee zich moet blijven bewijzen. Hij is blijkbaar niet helemaal overtuigd.'
'Klopt. Maar ik heb je nog niet alles laten lezen. Na hun eerste briefwisseling bleven Einstein en Hapgood corresponderen. Ze hebben elkaar uiteindelijk zelfs ontmoet. In een van die brieven zegt Einstein dat we het idee van aardkorstverschuiving niet bij voorbaat naar de prullenbak moeten verwijzen, alleen omdat het niet past in de traditionele opvattingen over de geschiedenis van de aarde. Maar, zei Einstein terecht, er is wel geologisch en paleontologisch bewijs nodig. Vervolgens heeft Hapgood een half jaar lang bewijzen verzameld die hij naar Einstein heeft opgestuurd. Nadat hij de argumentatie van Hapgood had bestudeerd was dit het antwoord van

Einstein.'

Enquist zocht even naar de juiste passage en Vincent las weer van het scherm.

Ik vind uw argumenten zeer overtuigend en ik heb de indruk dat uw hypothese juist is. Ongetwijfeld hebben er, herhaaldelijk en in korte tijd, significante bewegingen van de aardkorst plaatsgevonden.

'Stel je voor,' ging Enquist verder, 'door rotatie en precessie van de aarde en door het gigantische gewicht van de ijskappen zou de aardkorst plotseling een ongekend krachtige beweging over haar zachte binnenkant kunnen maken. Dit gaat natuurlijk gepaard met heftige aardbevingen, overstromingen en tsunami's. Zoals Einstein schreef, zullen de poolstreken zich door de immense krachten die optreden in de richting van de evenaar verplaatsen, wat smeltend ijs en een stijging van de zeespiegel tot gevolg zal hebben. Omgekeerd betekent het ook dat andere gebieden vanuit een warmere omgeving in een poolstreek terecht zullen komen, waardoor ze abrupt geconfronteerd worden met extreme kou. Er zal totale verwarring heersen op aarde. De zon komt ineens ergens anders op. Mens en dier moeten zich aanpassen, anders zullen ze het niet overleven. Dit zou kunnen verklaren waarom vele grote zoogdieren zo plotseling zijn uitgestorven. In Siberië zijn in de loop der jaren vele ingevroren mammoeten gevonden die perfect geconserveerd waren. In het Zoölogisch Instituut van St. Petersburg wordt een beroemd geworden exemplaar bewaard, de Berezovka mammoet, naar de plaats waar hij is aangetroffen. Toen dit dier gevonden werd, had hij nog onverteerd voedsel in zijn mond en maag. De maaginhoud bestond uit planten die normaal voorkomen in een gebied met een gematigd klimaat. Als hij na zijn dood geleidelijk was ingevroren zou het voedsel in zijn maag nog verteerd zijn door het maagzuur en als hij nog even geleefd had, dan zou hij toch zeker zijn mond nog leeggegeten hebben? Allemaal factoren die erop wijzen dat ze opeens blootgesteld werden aan zeer lage temperaturen.'

Enquist klapte de laptop dicht en deed hem terug in zijn rugzak.

'Goed, terug naar het oorspronkelijke onderwerp. Hoe is het mogelijk dat een ontwikkeld volk met hoogwaardige kennis geen enkel spoor achterlaten heeft. Ze moeten ergens gewoond hebben, er moeten overblijfselen van huizen zijn, gebruiksvoorwerpen, andere restanten, maar er is niets!'

Vincent herinnerde zich het betoog van Enquist in het British Museum weer en ineens viel het kwartje.

'Het zou dus kunnen dat het land onder Antarctica niet altijd op de Zuidpool heeft gelegen, maar dat het als gevolg van zo'n aardkorstverschuiving vanuit een warmere streek in het poolgebied terecht is gekomen.'

'Juist!' zei Enquist. 'Onder het ijs van Antarctica ligt een enorme landmassa. Er is daar ruimte genoeg om de restanten van onze verdwenen samenleving te herbergen.'

'Een opwindende gedachte,' zei Vincent, 'maar gaat de theorie van Atlantis niet op? Zouden die restanten niet ergens op de bodem van de oceaan kunnen liggen?'

'De hele zeebodem is in kaart gebracht, Vincent. Atlantis is nergens aangetroffen. De conclusie dat er onder het ijs van Antarctica sporen van een oude samenleving te vinden zouden kunnen zijn, is eerder getrokken door Graham Hancock in zijn boek *Fingerprints of the Gods.*'

Enquist keek op zijn horloge en kwam overeind. 'Kom, we gaan.'

Vincent stond ook op en volgde hem naar de uitgang.

'Zelfs Plato had het al over een volk dat woonde in een ommuurde stad met tempels en paleizen, met havens en vele welvarende dorpen, dat verwoest is door ongekende aardbevingen en overstromingen,' zei Enquist terwijl ze door de lobby naar buiten liepen.

'*Have a nice day, dr. Enquist,*' zei de receptionist.

Buiten was het inmiddels behoorlijk warm geworden. Zeker als je vanuit de airco in het hotel naar buiten liep, werd je bijna overvallen door de hitte, merkte Vincent. Terwijl hij zijn zonnebril opzette, bedacht hij zich dat hij tijdens het ontbijt zo in beslag was genomen door de hoeveelheid informatie die Enquist over hem had uitgestort, dat hij niet eens had gevraagd wat nu eigenlijk de reden was dat Enquist zo halsoverkop naar Egypte was vertrokken. En, ook niet onbelangrijk, waarom had hij zelf spoorslags naar Cairo moeten afreizen? Wat was er zo dringend? Enquist leek de rust zelve, maar er stond iets te gebeuren.

'Dr. Enquist,' vroeg hij terwijl ze op weg gingen naar de piramides, 'u hebt me nog niet verteld waarom u opeens zo razendsnel bent afgereisd naar Egypte.'

Enquist knikte. 'Ik werd gebeld door Peter Mueller. Hij is de leider van het *Pyramid Explorer*-team. Je gaat hem zo ontmoeten.'

'Pyramid Explorer?' vroeg Vincent. Enquist riep meer nieuwe vragen op dan dat hij er beantwoordde.

'Ja, die ga je ook ontmoeten,' lachte Enquist geheimzinnig.

'Luister Vincent, de kaart van Piri Reis, de kennis van precessie, aardkorstverschuiving, de onwaarschijnlijke nauwkeurigheid waarmee de piramides gebouwd zijn, ze bevatten allemaal aanwijzingen dat er lang voor de oudste bekende samenlevingen een ander volk bestaan heeft, dat plotseling is verdwenen en nauwelijks sporen heeft achtergelaten. Alleen het keiharde, onomstotelijke bewijs ontbreekt.'

Ze waren de Grote Piramide nu zeer dicht genaderd. Enquist knikte naar boven.

'Er is veel ontdekt binnenin deze piramide. De Koningskamer, de Koninginnekamer, het gangenstelsel, het is allemaal zeer ingenieus. Maar de piramide heeft nog niet al zijn geheimen prijsgegeven.'

Vincent veegde de zweetdruppels van zijn voorhoofd. Hij had het behoorlijk warm gekregen van het korte wandelingetje in de brandende zon. Had de piramide nog niet al zijn geheimen prijsgegeven? Er was al zo enorm veel onderzoek gedaan bij de piramides van Gizeh. Hij kon zich niet voorstellen dat er iets over het hoofd was gezien.

'Bent u iets op het spoor?' informeerde hij.

Enquist wees naar een vrachtwagentje dat aan de zijkant van de piramide van Cheops stond geparkeerd in het zand. Naast de wagen stond een witte tent. De zijwanden waren tot boven toe opgerold, dus blijkbaar diende hij alleen om schaduw te verschaffen. Onder de tent stonden enkele mensen over een lange tafel gebogen. Ze waren druk in overleg en keken naar witte vellen papier die uitgespreid over de tafel lagen.

'Daar moeten we zijn. Nu ga je ontdekken waarom je hier bent.'

Vincents nieuwsgierigheid was gewekt. Hij kon na alle zinspelingen van Enquist niet wachten om ingewijd te worden in het geheimzinnige onderzoek waar Enquist zo weinig over had willen loslaten, maar dat nu blijkbaar een cruciale fase inging. Toch schoot hem nog iets anders te binnen.

'Hebt u eigenlijk nog wat van de politie gehoord over de inbraak?'

Enquist keek hem niet begrijpend aan. 'Welke inbraak?'

Vincent realiseerde zich dat Enquist met zijn gedachten bij andere zaken was. 'De inbraak op uw boerderij, thuis in Engeland.'

'Oh, natuurlijk. Ze brengen me op de hoogte als er ontwikkelingen zijn, maar ik heb tot nu toe niets gehoord. Die inbraak en de mogelijke achtervolger zijn de reden dat ik met stille trom naar Egypte ben vertrokken. Hopelijk heeft het effect gehad, want ik heb niet de indruk dat ik nog gevolgd word. Is jou iets ongebruikelijks opgevallen tijdens je reis hiernaartoe?'

'Nee, niets bijzonders.'

15

John Gallagher legde zijn tas op een karretje en liep de vertrekhal in. Het was druk op Heathrow. Met één hand manoeuvreerde hij het karretje tussen toeristen, zakenlui en afscheid nemende familieleden door. Met zijn andere hand diepte hij een ticket op uit zijn binnenzak. Terwijl hij het vluchtnummer opzocht stopte hij bij een scherm met vertrekinformatie om te kijken waar hij moest zijn. Vlucht BA0155 naar Cairo, terminal vier. Nadat hij zijn bagage had ingecheckt liep hij naar de douane. De man achter de balie wierp een snelle blik op zijn paspoort en keek hem doordringend aan. Daarna tikte hij enkele gegevens in op zijn computer.

Gallagher voelde een zekere nervositeit. Hij was ongezien ontkomen op de boerderij van Enquist, maar je wist nooit wat een gedetailleerd sporenonderzoek zou opleveren. Hij keek naar zijn verbonden hand. De politie zou zijn pink wel gevonden hebben onder aan de muur, maar de kans dat er een connectie met hem werd gelegd was uiterst klein. Hij kwam in geen enkele politiedatabase voor, dus een eventueel DNA-onderzoek zou niets opleveren.

Nadat hij was weggevlucht van de boerderij had hij in zijn auto een verbandtrommel gevonden, zodat hij zijn gewonde hand provisorisch had kunnen verbinden. Daarna had hij de maximale hoeveelheid pijnstillers ingenomen. Hij was teruggereden naar Londen en had zich aan het eind van de middag gemeld bij de eerste hulp van een ziekenhuis aan de rand van de stad. Met zijn afgerukte pink kreeg hij onmiddellijk voorrang. De arts in opleiding keek met een deskundig oog naar zijn hand en vroeg wat er gebeurd was. Gallagher had een vaag verhaal opgehangen dat hij als onervaren zeiler met zijn pink in de lijnen was blijven haken. Terwijl het schip overstag ging, klapte de giek om en werden de lijnen met een ruk strakgetrokken. Zijn pink werd afgesneden en viel in het water. Omdat ze eerst terug naar de wal hadden moeten zeilen, had het uren geduurd voordat hij een ziekenhuis kon bereiken. Gallagher had ervoor gezorgd dat hij een pijnlijk gezicht trok bij de herinnering.

De arts keek hem meewarig aan en had opeens minder haast. Het enige wat ze dan kon doen was de wond zo goed mogelijk behandelen. Ze gaf hem het advies om zo snel mogelijk een specialist te bezoeken en ook een afspraak met een plastisch chirurg te maken. Nadat ze zijn hand opnieuw verbonden had, was ze de wachtkamer ingelopen naar de volgende patiënt. Gallagher was niet eens geregistreerd. In het ziekenhuis zou hij dus ook geen sporen achterlaten.

De douanier schoof zijn paspoort terug over de balie en wenste hem een goede reis. Gallagher liep opgelucht verder. Het viel hem op dat het in het gebied na de douanecontrole een stuk rustiger was. Mensen hadden hun bagage afgegeven, de incheckstress was voorbij en men kon zich ontspannen in de vele taxfree winkels. Hij plofte neer op een stoel en keek op zijn horloge. Hij had nog bijna twee uur voordat zijn vlucht zou vertrekken. Tijd genoeg om zich op zijn bestemming te oriënteren.

John Gallagher was een gelovig man. Hij was opgegroeid met de Bijbel in een christelijke gemeenschap op het platteland van Engeland. In zijn tienerjaren had hij zich, zoals veel van zijn leeftijdgenoten, afgezet tegen de opvoeding van zijn religieuze ouders. Hij was met goede cijfers afgestudeerd en had een baan gevonden bij zakenbank Morgan Stanley in de Londense City. Als optiehandelaar had hij veel geld verdiend en aan het einde van het jaar incasseerde hij door zijn goede resultaten grote bonussen. Levend in de extravagante wereld van Porsches en Rolexen leek het geloof iets uit een ver verleden. Hij bewoonde een appartement in de dure Londense wijk Kensington waar hij eigenlijk alleen maar sliep, want na de lange werkdagen stortte hij zich in het uitgaansleven. Op het kwistige gedrag en het poenerige imago van John en zijn vrienden, die elkaar allemaal kenden uit de bankwereld, kwamen veel vrouwen af. Gul met sieraden, verre vakanties en weekendjes New York palmde hij de ene na de andere vrouw in. Zijn relaties duurden echter zelden langer dan enkele weken.

Na verloop van tijd viel het hem steeds zwaarder om zijn levensstijl vol te houden. Aan de ene kant was daar zijn loodzware baan met hoge targets waarvoor hij continu op zijn tenen moest lopen. Aan de andere kant kon hij de verleidingen van het bruisende nachtleven niet weerstaan. Gecombineerd met het zware drankgebruik eiste dit uiteindelijk zijn tol. Met behulp van pillen had hij zich nog een tijdje staande kunnen houden, maar toen de beurzen wereldwijd een pas op de plaats maakten, begonnen zijn resultaten een neerwaartse lijn te vertonen waar hij niet meer uitkwam. Hij kreeg een burn-out, raakte in een depressie en verloor zijn baan. Toen hij zich een maand lang niet had laten zien in het uitgaansleven, werd hij niet meer gebeld door zijn vrienden en vanwege zijn exorbitante levensstijl had hij weinig reserves op de bank.

Om zich te bezinnen op de toekomst besloot hij zich een tijdje terug te trekken bij zijn ouders. In zijn geboortedorp, weg uit de hectiek van de grote stad, kwam hij tot rust. Tijdens lange wandelingen door de omgeving dacht hij na over hoe hij verder wilde. Zijn school, het voetbalveld, de kerk, alles bracht beelden van vroeger naar boven. Zelfs de bakker die naar hem zwaaide herinnerde hem aan een tijd waarin hij onbezorgd gelukkig was geweest.

Zijn vrienden van vroeger, die dichter bij God waren gebleven dan hijzelf, vertelden vol enthousiasme over wat hen bezighield en hoe God hen daarin bijstond. De meeste jongens waren na hun studie teruggekeerd naar hun oude omgeving waar ze een veilige baan en een gelukkig gezin hadden. Ze zetten zich in voor de gemeenschap en leidden een sociaal leven met de Kerk als bindende factor. Als hem gevraagd werd wat hij al die jaren had gedaan, dan was hij in twee minuten klaar. Ook al was hij de snelle jongen met de glanzende carrière, zijn leven leek leeg en oppervlakkig vergeleken met dat van zijn oude vrienden.

Gallagher was ook weer naar de kerk gegaan en het voelde als een thuiskomst. Dominee Winters stond nog steeds op de kansel en knikte hem blij verrast toe. John luisterde aandachtig naar de preek en vol energie en inspiratie stapte hij de kerk uit. Hij merkte dat hij dat dynamische gevoel elke keer opnieuw kreeg als hij na een mis naar buiten liep. Langzaam maakte het gevoel zich van hem meester dat hij daar iets mee moest. Hij wilde zich inzetten voor de Kerk en het woord van God uitdragen, zodat hij dat gevoel kon overbrengen op andere mensen.

In de bankwereld had John geleerd om dingen groot aan te pakken, dus zijn toekomst zou niet op het Engelse platteland liggen. Zijn moeder was Amerikaanse en hijzelf was geboren in Texas, waar hij de eerste drie jaar van zijn leven had doorgebracht. Daarna was hij met zijn ouders naar Engeland verhuisd. Dit betekende dat John nog steeds een Amerikaans paspoort had. Hij was terug naar Texas gegaan en had zich aangesloten bij *Lakewood Church* in Houston.

Lakewood was een bijzonder, in Europa onbekend, fenomeen. Het was een zogenaamde *megachurch*. De Lakewood megachurch was de grootste in zijn soort en was gehuisvest in het voormalige basketbalstadion van de Houston Rockets, dat na een grondige verbouwing plaats bood aan 16.000 kerkgangers. Het meest opzienbarende was nog dat die 16.000 mensen er ook steevast elke week zaten. Het was dan ook geen gewone kerkdienst, waar al die gelovigen op af kwamen, maar een strak geregisseerd amusementsspektakel met mediagenieke televisiedominees, enorme videoschermen, gospelkoren en een lichtshow. Er waren contracten gesloten met alle grote *networks*, dus de wekelijkse tv-uitzending van de dienst werd bekeken in tientallen miljoenen huishoudens in de Verenigde Staten en was ook te zien in meer dan honderd andere landen. Voor wie het gemist had, was de show te bekijken via de Lakewood website, waar je ook boeken en CD's kon kopen, je aan kon sluiten bij een van de vele discussiegroepen of een verzoek kon indienen om voor je te laten bidden. Kortom, het was een miljoenenbusiness met een uitgekiende marketingstrategie die gerund werd als een professioneel bedrijf.

Gallagher herkende deze aanpak. In het bedrijfsleven had hij geleerd dat ondernemingen die zich niet tijdig aan de laatste technologie en communicatiemiddelen aanpasten, onherroepelijk failliet gingen. Stilstand was achteruitgang. Zo moest ook de Kerk continu met haar tijd meegaan om de boot niet te missen. Wat dat betreft hadden ze het in Amerika veel beter begrepen dan in Europa, waar kerken al jarenlang met een gestage leegloop te kampen hadden.

Hoewel de megachurches technologisch en visionair vooropliepen, was hun gedachtegoed zeer conservatief. Het was gebaseerd op een letterlijke interpretatie van de Bijbel; dat Jezus Christus aan het kruis was gestorven ter vergeving van onze zonden, dat hij was herrezen uit de dood en terug zou keren op aarde. Ze namen krachtig stelling tegen zaken als abortus, euthanasie en homoseksualiteit, maar ook tegen de evolutietheorie en de gedachte dat de aarde ouder zou zijn dan zesduizend jaar.

John Gallagher kon zich wel vinden in het mediabeleid en de opvattingen van Lakewood. Hij wist dat Amerika voor het overgrote deel bestond uit gebieden als de *Mid West* en de *Bible Belt*, waar God en de Kerk centraal stonden in het dagelijkse leven. Eigenlijk stond dat niet zo ver af van de manier waarop hij zelf was opgevoed. In Houston had hij zijn diensten aangeboden bij Lakewood Church om te helpen bij de verdere professionalisering van de strategie. Ze hadden zijn aanbod dankbaar geaccepteerd.

Hij voelde zich onmiddellijk thuis bij Lakewood. De mensen waren warm en geïnteresseerd. Naast zijn werk sloot hij zich aan bij een aantal discussiegroepen waarin gepassioneerd over het geloof werd gesproken en in korte tijd had hij een behoorlijke vriendenkring opgebouwd. En dat was niet het type 'uit het oog, uit het hartvrienden' dat hij uit Londen kende. Op een van die sessies was hij in contact gekomen met Lisa Abramowicz. Haar grootouders waren rooms-katholieke Poolse immigranten, maar Lisa had zich meer aangetrokken gevoeld tot de protestantse Kerk. Ook had ze zich aangesloten bij de *young earth creationists*, die de eerste hoofdstukken van het Bijbelboek Genesis, waarin God in zes dagen de wereld schiep, letterlijk namen. Ze stelden dat een complex wezen als de mens onmogelijk door middel van een evolutieproces kon zijn ontstaan. Dat moest het werk zijn van een schepper. Ze probeerden hiervoor zoveel mogelijk wetenschappelijk bewijs te verzamelen.

Lisa was een charismatische vrouw van eind dertig. Met haar blonde haar, vuurrode lippenstift en onberispelijke kleding was ze niet onaantrekkelijk. Ze was bijzonder fel in het debat en kon vurige pleidooien houden voor een verdere verspreiding van de creationistische opvattingen. Ook was ze er bijzonder trots op dat bijna de helft van de Amerikaanse bevolking zich kon vinden in het beeld dat God de wereld had geschapen. Haar beweging probeerde via politieke kanalen het creationisme in schoolboeken te laten opnemen en was er al in geslaagd om de evolutietheorie als enige en onomstotelijke waarheid behoorlijk af te zwakken in de lesprogramma's van Texas en Californië. Schoolboeken waren big business en omdat deze twee staten de grootste afnemers van schoolboeken in de Verenigde Staten waren, vervulden ze een voorbeeldfunctie. Als de Texaanse overheid bepaalde boeken goedkeurde of adviseerde, dan werd dat overgenomen door andere staten. De beslissingen van de *Texas State Board of Education* hadden grote invloed op wat scholieren in het hele land de komende jaren zouden lezen. Uitgevers wisten dit en hielden nauwgezet in de gaten wat er in Texas gebeurde.

Lisa en haar geloofsgenoten hadden veel bereikt door uitgeverijen die boeken uitgaven waarin de evolutietheorie als enige juiste zienswijze stond vermeld, onder druk te zetten door hun boeken het predicaat *controversieel* te geven. Dit had negatieve invloed op waar het allemaal om draaide, de verkoopcijfers. Ook bezochten ze scholen, waar ze het creationisme actief onderwezen aan jonge kinderen. Als gastdocent brachten ze de kinderen bij dat er weinig overtuigend bewijs bestond voor de evolutietheorie, dus dat Darwin onmogelijk gelijk kon hebben.

John bezocht steeds vaker de gespreksgroepen op Lakewood en mengde zich fanatiek in de discussies. Hij voelde zich sterk betrokken bij het streven van Lisa om het creationisme actief uit te dragen. De gedreven vrouw maakte grote indruk op hem en John voelde zich steeds meer tot haar aangetrokken.

Na afloop van een bijeenkomst op vrijdagavond stonden ze met een groepje nog wat na te praten en ze besloten het gesprek voort te zetten in een café in de buurt. 's Avonds was het aangenaam warm in Houston. Het was niet meer zo heet als overdag en met een licht briesje was het dan heerlijk buiten. In de Ierse pub was het druk en veel mensen stonden met hun glas in de hand buiten op het terras. Binnen werd muziek gedraaid en hoewel er aan het plafond grote ventilatoren hingen die op volle toeren draaiden, was het er broeierig. John keek om zich heen. Hij zag veel mannen in pak die na een hectische werkweek stonden te ontladen in de pub. Er werd behoorlijk gedronken en even waande hij zich terug in Londen. Er kwam een ober voorbij en ze bestelden bier en wijn. Gallagher draaide zich om en stond ineens tegenover Lisa. Ze stond schuin tegen de bar geleund en hij moest zijn hoofd dicht naar haar gezicht toe bewegen om zich verstaanbaar te kunnen maken. Hun heupen en schouders raakten elkaar en hij rook haar parfum. Hij herkende de geur van een vrouw met wie hij in Londen een kortstondige relatie had gehad. Net zoals de pakken en stropdassen riep ook de parfum associaties op met zijn oude leven in Londen. Hij had de neiging om het bekende repertoire van verhalen en grappen op te diepen waarmee hij in Londen zo vaak succes had gehad, maar hij wist dat hij met dit soort acties geen enkele kans maakte bij Lisa.

Plotseling was er een opstootje achter hen. Gallagher draaide zich om.

'Kijk nou wat je gedaan hebt! Weet je wel hoe duur dit pak is?'

Een dikke man met kalend voorhoofd en een bril met zilveren montuur viel fel uit tegen Susan, die vanavond samen met John en

Lisa bij Lakewood Church was geweest. Susan had per ongeluk wijn over de man gemorst. Op zijn witte overhemd zat een rode vlek en ook zijn pak zat vol met spetters. De man had duidelijk te veel gedronken en werd agressief.

'Kijk nou hoe ik eruit zie, stomme trut. Hoe kun je dat nou doen!'

De man had zijn armen in de lucht geheven en keek naar zijn overhemd. Uit pure woede smeet hij zijn lege glas voor de voeten van Susan op de grond. Het spatte uit elkaar en de scherven vlogen in het rond. De verbouwereerde Susan kon geen woord uitbrengen en keek trillend naar het gebroken glas rond haar voeten. De vrienden van de man lachten en klopten hem op zijn schouder.

Gallagher draaide zijn hoofd naar Lisa, maar die was al op weg naar de dikke man.

'Doe even normaal!' riep ze woedend. 'Ze deed het niet expres en dat weet jij ook!'

De aandacht van de groep verplaatste zich nu naar Lisa.

'Hoor jij bij haar? Breng jij dan mijn kleren naar de stomerij?'

'Bied je excuses aan, eikel!' schreeuwde Lisa razend.

'Excuses?' schamperde de man. 'Die verwacht ik van haar.' Hij wees naar Susan, die nog steeds stond te beven.

Gallagher liep langzaam naar het ruziënde groepje toe. De man zou ten overstaan van zijn vrienden nooit excuses aanbieden. Dat was een verloren strijd voor Lisa. Hij kende het type wel. De man herinnerde hem aan zichzelf in de periode dat hij in Londen woonde. Hij had waarschijnlijk de hele week onder grote stress gewerkt en stond nu met veel alcohol in zijn lijf stoom af te blazen. Gallagher stapte op de man af, die nu Lisa stond uit te foeteren. Hij legde een hand op zijn schouder.

'Rustig aan, man. Het ging allemaal per ongeluk.' Hij wees naar de scherven op de grond. 'Volgens mij was dat een whiskyglas. Loop even met me mee naar de bar, dan krijg je een nieuwe van me.'

Gallagher gaf de man nu de mogelijkheid om zonder gezichtsverlies weg te lopen. Bovendien hoopte hij dat hij de man kon kalmeren door hem even te isoleren van zijn vrienden.

'Dus ik krijg een nieuwe whisky van jou?' zei hij al iets kalmer. 'Daar zeg ik geen nee tegen.'

'Bij de bar gooien we meteen even wat witte wijn over je overhemd, dan is die vlek zo verdwenen,' zei Gallagher. 'Zware week gehad?'

Hij nam de man mee naar de bar en knipoogde in het voorbij-gaan naar Lisa.

'Ik zal zorgen dat hij zometeen zijn excuses aan Susan aanbiedt,' zei hij snel in haar oor. 'Stel haar maar even gerust.'

Bij de bar bestelde Gallagher twee whisky's. De dikke man kalmeerde snel en bleek weer voor rede vatbaar. Toen Lisa en een schoorvoetende Susan zich even later ook bij de bar meldden, verontschuldigde hij zich voor zijn gedrag.

'John hier zei dat het me zou sieren als ik mijn excuses aanbood en ik denk dat hij gelijk heeft. Sorry voor mijn gedrag van daarnet, dat was niet gepast. Kan ik jullie wat te drinken aanbieden?'

Terwijl de man zich omdraaide naar de barkeeper, voelde John een hand op zijn arm. Hij herkende de parfum van Lisa. Haar lippen raakten even zijn oor toen ze begon te praten.

'We kunnen mannen zoals jij gebruiken, John.'

'We?' vroeg hij.

Lisa bleef dicht bij Gallagher staan, zodat de omstanders niet mee konden luisteren.

'De discussies die we op Lakewood voeren zijn erg inspirerend. Het is alleen jammer dat het bij discussies blijft. Onze ideeën komen vaak de vergaderzaaltjes niet uit. Daarom hebben we buiten Lakewood om een gremium gevormd dat verder wil gaan. We hebben een groep sterke mensen verzameld die zich in wil zetten voor verdere verspreiding van het creationisme want zoals we allemaal weten, is het scheppingsverhaal de enige juiste theorie. En daarbij gaan we niets uit de weg. Een recente enquête van *Newsweek* heeft uitgewezen dat bijna de helft van alle Amerikanen niet in de evolutietheorie gelooft, maar dat is te weinig. We hebben grootse plannen, John, en daarin zie ik een belangrijke rol weggelegd voor jou.'

Gallagher schrok op uit zijn gemijmer toen er een omroepbericht door de vertrekhal klonk. Hij keek op zijn horloge. Nog een uur voor zijn vlucht naar Cairo zou vertrekken. Hij stond op en liep in de richting van de gate. Het boarden zou zo wel beginnen. Onderweg stopte hij bij een boekwinkel. Hij liet zijn karretje met bagage bij de ingang staan en wandelde naar binnen. Mensen bladerden wat in bestsellers en tijdschriften om de tijd te doden. Hij liep naar de reisboeken en liet zijn ogen over de titels gaan. De hele wereld was zo'n beetje vertegenwoordigd. Zijn blik bleef rusten bij de sectie over Egypte. Hij pakte het eerste boek uit de rij en bladerde er door-heen. Het stond vol met schitterende foto's maar dat was niet waar hij in geïnteresseerd was. Hij zette het terug en nam een reisgids van *Lonely Planet*. Dat leek er meer op. Het handboek stond vol met compacte informatie en handzame plattegronden. Met name dat laatste was belangrijk. Zijn missie voor het presidium naar Cairo was duidelijk. Hij had alleen nog geen idee waar Enquist zich precies zou bevinden in die gigantische stad. Hij kon natuurlijk wel enkele voor de hand liggende plaatsen bedenken, maar hij was nog nooit in Cairo geweest en hij wist niet waar al die beroemde bezienswaardigheden zich bevonden. In het vliegtuig had hij mooi de tijd om zich op de stad te oriënteren en een strategie te bedenken waarmee hij het dreigende gevaar kon afwenden.

16

'Vincent, mag ik je voorstellen aan Peter Mueller,' zei Enquist. 'Peter is de ingenieur die de leiding heeft over het Pyramid Explorer-team.'

Mueller was een grote blonde man met een sympathiek gezicht. Waarschijnlijk was hij al een tijdje in Egypte, want zijn gezicht en onderarmen, die uit de opgerolde mouwen van zijn witte blouse staken, waren gebruind door de zon. Hij kwam onder de tent vandaan en klopte het woestijnzand van zijn kleding. Hij lachte breed en stak zijn hand uit.

'Peter, dit is Vincent Albright van National Geographic Channel. Hij gaat een documentaire maken over ons project, wat ik je verteld heb.'

'Aha,' zei Mueller, 'dus jij gaat ons beroemd maken!'

Vincent schudde zijn hand. 'Voorlopig weet ik niet eens wat het project precies inhoudt, maar dr. Enquist is zo enthousiast dat ik maar op hem vertrouw. Ik moet zeggen dat ik langzamerhand wel erg nieuwsgierig begin te worden. Wat zijn jullie op het spoor?'

Enquist liep naar de tafel, die eigenlijk niet meer was dan een houten blad op schragen, en begon te zoeken in een stapel papier.

'Gisteren lag hier een doorsnede van de piramide, Peter. Daarmee kan ik aan Vincent uitleggen waar we mee bezig zijn. Ah, dit is hem.'

Enquist pakte een groot vel papier en legde het midden op tafel.

'Kijk even mee,' wenkte hij.

Vincent kwam naast hem staan. Op de print zag hij een driedimensionale afbeelding van de piramide van Cheops, waarop alle inwendige gangen en kamers waren weergegeven.

'Wat weet je over de piramide?' vroeg Enquist.

Vincent keek over zijn schouder naar de echte piramide. Van de buitenkant leek het een grote massieve steenmassa, maar de Egyptische bouwers hadden binnenin een ingenieus stelsel van kamers, gangen en schachten geconstrueerd.

'Nou, ik zou zeggen, basiskennis,' antwoordde Vincent. 'Ik heb me in het vliegtuig ingelezen.'

'Ik zal een korte toelichting geven, dan kun je je straks beter oriënteren als we naar binnen gaan.'

Enquist wees naar een punt aan de buitenkant van de piramide. Op die plek begon een gang die schuin afdaalde naar een kamer die diep in de bodem onder de piramide lag.

'Dat is de oorspronkelijke ingang,' zei Enquist. 'Toen de bouw van de piramide voltooid was, is de opening verzegeld, dus aan de buitenkant was niet te zien waar de ingang zich bevond. Rond 820 na Christus heeft de Arabische kalief Abdullah Al Mamun op zoek naar verborgen schatten en verloren gegane kennis een gat laten breken in de noordzijde. Hij baande zich op goed geluk een weg door het kalksteen en stuitte puur toevallig op een gang, waardoor hij toegang kreeg tot het bestaande gangenstelsel. De tunnel van Al Mamun is tegenwoordig nog steeds de ingang van de piramide.'

'Wat zijn dat?' vroeg Vincent. Op de plek waar vanuit de dalende gang een andere gang begon die schuin omhoog liep naar het hart van de piramide, waren zwarte vierkantjes getekend. 'Het lijkt wel of de toegang tot die stijgende gang geblokkeerd is.'

'Goed gezien,' zei Enquist. 'Je kunt inderdaad niet rechtstreeks in de stijgende gang komen, want aan het begin zijn een paar enorme granietblokken geplaatst. De mannen van Al Mamun slaagden er ook niet in om hier doorheen te breken, maar omdat het duidelijk was dat er iets achter die blokken moest zijn, hebben ze een tunnel om de blokken heen gehakt. Op die manier hebben ze de stijgende gang ontdekt.'

Enquist bewoog zijn vinger over de tekening.

'De stijgende gang komt op een soort kruispunt. Vanuit daar gaat er een horizontale gang naar de Koninginnekamer en op hetzelfde punt begint ook de grote galerij die omhoog loopt naar de Koningskamer. Vanuit dit kruispunt loopt ook nog een verticale schacht omlaag. Deze komt uit op de dalende gang, vlakbij de onderaardse kamer. Verder zie je dat er vanuit de Koningskamer en vanuit de Koninginnekamer in totaal vier smalle schachten schuin omhoog steken.'

'Zoekt u iets, meneer?' vroeg Mueller opeens.

Vincent en Enquist keken op. Op een paar meter afstand was er een voorbijganger gestopt die zwijgend naar het groepje stond te kijken. Op de vraag van Mueller mompelde hij een verontschuldiging en liep snel verder.

'Dat gebeurt wel vaker,' lachte Mueller. 'We staan hier op een ongebruikelijke plaats, dus we krijgen veel belangstellenden die komen informeren waar we mee bezig zijn.'

Enquist was nog niet klaar met zijn verhaal.

'Toen Al Mamun aan zijn breekwerk begon was de piramide volledig verzegeld. Er waren nooit eerder mensen zo diep doorgedrongen in de piramide, dus ze dachten enorme rijkdommen aan te treffen. Helaas bleek de piramide volledig leeg te zijn.'

'Leeg?' vroeg Vincent verbaasd. Hij dacht aan het graf van Toetanchamon in de Vallei der Koningen. Toetanchamon was een vrij onbeduidende farao geweest die jong gestorven was, maar zijn bescheiden graf had een fantastische schat aan kunst- en gebruiksvoorwerpen prijsgegeven met als hoogtepunt het wereldberoemde gouden dodenmasker. Als een relatief onbelangrijke heerser als Toetanchamon, die vooral beroemd was geworden omdat zijn graf volledig ongeschonden was tot Howard Carter het in 1923 opende, al met zoveel pracht en praal was omgeven, wat zou je dan niet mogen verwachten bij een farao als Cheops, voor wie zo'n gigantisch monument was gebouwd.

'Volledig leeg,' herhaalde Enquist. 'Er is nog geen kruik, of zelfs maar een scherf gevonden. Ook zijn er geen muurschilderingen of hiërogliefen te vinden, waarvan veel andere graven rijkelijk zijn voorzien. Het is onduidelijk of er wel ooit een farao in is begraven. Al Mamun trof in de Koningskamer wel een granieten bak aan die je met enige fantasie een sarcofaag zou kunnen noemen, maar er lag geen mummie in. En vind je het niet vreemd dat helemaal nergens in de Grote Piramide de naam van de farao voorkomt voor wie dit kolossale monument is gebouwd? Stel je voor, als na jaren van bovenmenselijke inspanningen het bouwwerk eindelijk voltooid is, dan wil je toch laten zien ter ere van wie al die arbeid is verricht?'

'Kan de piramide niet al eerder leeggeroofd zijn?' vroeg Vincent. 'Tussen 2.500 voor Christus en 800 na Christus zit 3.300 jaar.'

'Uiteraard is dat een mogelijkheid,' knikte Enquist, 'maar dan zouden de grafrovers óf via een onbekende route toegang tot de piramide gehad moeten hebben, óf alle verwijderde blokken minutieus teruggeplaatst moeten hebben nadat ze de piramide leeggeroofd hadden. Bovendien is dat nog steeds geen verklaring voor het ontbreken van afbeeldingen en inscripties op de muren.'

'Fascinerend,' vond Vincent. In zijn hoofd was hij al bezig om alle informatie in een verhaal te verwerken.

'Maar er is nog een andere mogelijkheid,' zei Enquist terwijl hij Peter Mueller aankeek. 'De gangen en lege kamers die tot nu toe in de piramide zijn gevonden zouden ook een rookgordijn kunnen zijn. Misschien bevindt de echte schat zich wel ergens anders in de piramide.'

'Ergens anders? Bedoelt u dat nog niet alle kamers ontdekt zijn?'

Vincent dacht dat alle geheimen van de Grote Piramide inmiddels wel blootgelegd waren.

'Waar zou die ruimte zich dan kunnen bevinden?'

'Nou, het is maar een mogelijkheid,' haastte Enquist zich te zeggen. 'Maar wel een mogelijkheid waar we rekening mee moeten houden. Ga maar na, de piramide heeft een inhoud van 2,6 miljoen kubieke meter. De Koningskamer heeft slechts een inhoud van ruim driehonderd kubieke meter. In theorie is er dus nog ruimte voor duizenden andere kamers. Het is nooit bewezen dat de piramide buiten de bekende kamers en gangen een massief blok steen is.'

'Zijn jullie soms zo'n verborgen grafkamer op het spoor?' vroeg Vincent verwachtingsvol.

'Nee, we hebben nog niets ontdekt,' temperde Enquist zijn opwinding. 'Overigens zijn we niet per se op zoek naar de mummie van Cheops. Zoals ik net al zei is de piramide volledig onbeschreven, wat hoogst ongebruikelijk is. Het feit dat de naam van de farao naar wie deze piramide is genoemd nergens te vinden is op zijn grafmonument geeft te denken.'

Enquist hief beide handen op om zijn stelling te benadrukken.

'De vraag is of de piramide wel iets te maken heeft met Cheops en of het wel een grafmonument is. Daar is nooit enig bewijs voor gevonden. De twee bovenste kamers noemen we Koningskamer en Koninginnekamer, maar er is niets aangetroffen wat doet vermoeden dat er een koning en een koningin in begraven zijn.'

Vincent keek Enquist aan. Dat laatste ging in tegen alle gangbare theorieën van gezaghebbende egyptologen. De meeste deskundigen schreven de Grote Piramide toe aan Cheops, ook wel Chufu genoemd, de tweede koning van de vierde dynastie van het oude Egypte. Maar de experts moesten tegelijkertijd toegeven dat er zeer weinig bekend was over deze farao.

Enquist wees naar de tekening. 'Ik moet een nuance aanbrengen. Het is niet zo dat er *helemaal* geen inscripties zijn gevonden. Zie je die ruimtes boven de Koningskamer?'

Vincent zag vijf kleine kamers die zich verticaal boven de Koningskamer bevonden.

'De bovenste vier van die kamers werden in 1837 ontdekt door de Britse kolonel Howard Vyse. In dat afgelegen deel van de piramide vond hij de enige inscripties die in het hele bouwwerk zijn aangetroffen, waaronder de naam Chufu, of Cheops. Het zijn slordig aangebrachte hiërogliefen, waarvan taaldeskundigen hebben gezegd dat ze spelfouten bevatten, soms ondersteboven staan of in alle andere Egyptische geschriften pas in latere dynastieën voor het eerst opduiken. Vreemd genoeg hebben egyptologen deze vondst klakkeloos geaccepteerd als bewijs dat Cheops de bouwer van de piramide is.'

Enquist haalde schamper zijn schouders op.

'Ik geloof dat Vyse, die zeer veel geld in zijn onderzoek had gestoken en wel een succesje kon gebruiken, de tekens zelf heeft aangebracht. Dat zou in ieder geval het amateuristische karakter van de inscripties verklaren.'

'Ik krijg de indruk dat u de luis in de pels van de traditionele egyptologen bent,' zei Vincent.

'Dat hoor ik wel vaker. Het motiveert me alleen maar.'

'Wat denken jullie dan in hemelsnaam wèl aan te treffen?'

'Daar heb ik wel bepaalde ideeën over,' glimlachte Enquist, 'maar eerst zal ik uitleggen wat we van plan zijn.'

Hij wees naar de middelste kamer binnenin de piramide.

'Ons onderzoek richt zich op de schachten die vanuit de Koninginnekamer schuin omhoog lopen. Er is vaak gezegd dat het ventilatieschachten zijn, maar dat is zeer onwaarschijnlijk. Dan zouden de bouwers ze wel horizontaal naar buiten hebben laten lopen. Dat is namelijk een veel eenvoudiger constructie dan een schacht die schuin omhoog loopt. Om een schuine schacht te kunnen maken, moeten al die steenblokken in de verschillende lagen nauwkeurig op maat gemaakt worden zodat er een lange, rechte schacht ontstaat. Voor een horizontale schacht was een uitsparing, een soort goot, in één steenlaag al voldoende geweest.'

'Oh, ik dacht dat die schachten er achteraf in geboord waren,' zei Vincent.

'Nee, de Egyptenaren hebben het zichzelf moeilijk gemaakt, zoals we inmiddels van ze gewend zijn bij de bouw van de piramides.'

Vincent knikte. 'En waarom concentreren jullie je op de Koninginnekamer en niet op de Koningskamer?'

Enquist gaf met zijn vlakke hand een klap op de tekening omdat die door een windvlaag van de tafel dreigde te waaien. Hij zette een colablikje op de rand van het papier en raapte een steen van de grond die hij aan de andere kant van het vel papier neerlegde. Toen wees hij naar de schachten die als enorme voelsprieten uit de kamers staken.

'Er is een belangrijk verschil tussen de twee kamers. In tegenstelling tot de Koningskamer, lopen de schachten van de Koninginnekamer niet door tot aan de buitenkant van de piramide. Ze zijn uitwendig niet zichtbaar. Hierdoor is het uitgesloten dat ze bedoeld zijn als ventilatiekanalen. Ook aan de binnenkant liepen ze oorspronkelijk niet door tot in de kamer. De schachten zijn tijdens de bouw van de piramide bewust aan het oog onttrokken. Daarom zijn wij van mening dat ze een onderzoek waard zijn. Niemand weet bijvoorbeeld hoe ver de schachten precies de piramide inlopen, want dat is nog nooit onderzocht.'

'Maar wie is er dan op het idee gekomen om in de Koninginnekamer op zoek te gaan naar verborgen schachten?' vroeg Vincent. 'Want als het goed begrijp kon je vroeger niet zien dat er achter de muren van de Koninginnekamer schachten zaten.'

'In 1872 ging de Engelsman Waynman Dixon, geïnspireerd door de schachten in de Koningskamer, op zoek naar een soortgelijke constructie in de Koninginnekamer. Hij ontdekte dat zich daar ook schachten bevonden en brak door de muur heen op de plaats waar de schachten begonnen. Sindsdien is er nauwelijks onderzoek verricht in de schachten. Enerzijds omdat egyptologen niet geïnteresseerd waren, maar ook omdat de schachten heel krap en dus nauwelijks toegankelijk zijn.'

'Laat me raden,' zei Vincent. 'Jullie hebben een manier gevonden om in de schachten te kijken.'

'Precies,' knikte Enquist. 'En dat is het gedeelte waar Peter verantwoordelijk voor is.'

Mueller had tot nu toe alleen maar geluisterd naar het gesprek tussen Enquist en Vincent. Af en toe had hij instemmend geknikt bij de uiteenzettingen van Enquist, maar hij had zich voornamelijk afzijdig gehouden. Nu Enquist zijn naam noemde werd hij ineens weer de enthousiaste ingenieur die zich aan Vincent had voorgesteld.

'Het is tijd om naar de Koninginnekamer te gaan,' zei hij opgewekt.

Vincent bespeurde zowel bij Mueller als bij Enquist een soort ingetogen spanning. Alsof ze nerveus waren voor wat er stond te gebeuren. Want dat er iets opwindends ging plaatsvinden was hem inmiddels duidelijk.

'Kom op Vincent, we gaan.' Enquist pakte zijn rugzak op uit het woestijnzand en liep richting de ingang van de piramide.

Mueller legde de stapels papier in de vrachtwagen en sloot hem af. Vervolgens liep hij met Vincent achter Enquist aan.

'Ik zal blij zijn als we zometeen in de piramide zijn,' zei Mueller terwijl hij met zijn blouse wapperde voor enige verkoeling op zijn lichaam. 'Binnen is het minder heet.'

Terwijl ze door het mulle zand naar de noordzijde van de piramide liepen vroeg hij of Enquist al iets verteld had over het Pyramid Explorer project. Het viel Vincent op dat Mueller met een Duits accent sprak. Hij antwoordde dat Enquist het wel genoemd had, maar dat hij verder erg geheimzinnig had gedaan.

'We zullen je niet lang meer in spanning laten,' lachte Mueller. 'Eerlijk gezegd zijn we zelf ook een beetje zenuwachtig nu het eindelijk zover is, maar het is een gezond soort spanning. We hebben de missie grondig voorbereid en er is eindeloos getest.'

Ze liepen de hoek van de piramide om. Vincent zag een houten bordje op de piramide staan. Op de bovenste regel stonden door de zon gebleekte blauwe Arabische tekens. Op de onderste regel stond tegen een afgebladderde gele achtergrond de betekenis in het Engels: *no climbing.* Er stond al een groep toeristen te wachten om naar binnen te mogen. Ze liepen de rij voorbij en begonnen aan de korte klim naar de ingang. Tussen de enorme steenblokken door was er een trapje uitgehouwen dat het de toeristen gemakkelijker maakte om de ingang te bereiken.

'Hoeven jullie niet op je beurt te wachten?' Een vrouw met een grote zonnebril en een strooien hoed die ze met een witte doek om haar hoofd had geknoopt was blijkbaar chagrijnig omdat ze in de felle zon op haar beurt moest wachten.

'Personeel!' riep Mueller jolig terug.

Terwijl ze naar boven liepen vroeg Vincent zich af hoe de wetenschappers ongestoord konden werken met al die toeristen in de piramide.

'Hebben jullie geen last van al die mensen, Peter?'

Mueller schudde zijn hoofd.

146

'Nee, de Koninginnekamer is gesloten voor het publiek. We hebben de ruimte voor onszelf.'

De trap eindigde bij de door Al Mamun geforceerde ingang. Enquist stond bij een witte getraliede deur al met de bewakers te praten en wenkte hen. Achter elkaar liepen ze naar binnen. Vincent zette zijn zonnebril tussen zijn donkere krullen en liep achter Enquist en Mueller aan de dalende gang in. De claustrofobische omgeving maakte indruk op hem. Na een tijdje kwamen ze bij de afsplitsing naar de stijgende gang. In het flauwe schijnsel van de verlichting zag Vincent de dalende gang verder lopen richting de onderaardse kamer. Enquist liep de lage gang in die omhoog leidde naar de grote galerij. Vincent kon de gedachte niet onderdrukken dat ze onder miljarden kilo's steen doorliepen. Hij stelde zichzelf gerust met het idee dat de gangen al vele duizenden jaren standhielden, dus dat de kans klein was dat hij onder een enorme berg stenen begraven zou worden.

Gebukt liep hij achter Enquist aan en een kleine veertig meter verder kwamen ze uit bij de grote galerij. In tegenstelling tot de nauwe gangen waar ze zich tot nu toe doorheen hadden geworsteld, was de grote galerij ruim acht meter hoog. Vincent keek verbaasd in het rond.

'Mooi hè,' zei Enquist die zag dat Vincent onder de indruk was. Hij wees naar boven. 'Deze trap komt verderop uit bij de Koningskamer, maar die zie je een andere keer nog wel.'

Enquist opende het hek waarmee de horizontale gang was afgesloten. Hij bukte zich en schuifelde de lage gang in op weg naar de Koninginnekamer. De hoogte was hier niet veel meer dan een meter, dus hij moest diep door zijn knieën.

'We zijn er bijna Vincent,' riep hij vanuit de gang.

'Aan het einde van deze gang is de Koninginnekamer,' gebaarde Mueller.

Vincent boog zich voorover en liep voorzichtig de gang in, oppassend dat hij zijn hoofd niet stootte tegen het lage plafond. In de verte zag hij feller licht branden. Daar, enkele tientallen meters verderop, moest het zijn. Hij hoorde ook gedempte stemmen. Ze waren blijkbaar niet de enigen die zich in het hart van de piramide bevonden. Behoedzaam liep hij verder tot hij uiteindelijk de Koninginnekamer instapte waar hij weer rechtop kon staan.

Na de verrassing van de grote galerij werd Vincent opnieuw getroffen door de omvang van de ruimte die zich zo diep in de piramide bevond. De kamer was niet helemaal vierkant, Vincent schatte hem op zo'n vijf bij zes meter. Het was het formaat van een flinke huiskamer, maar dan een met een heel hoog plafond, want dat reikte wel tot een meter of zes, dacht hij. Er hing een serene, mystieke sfeer in de kern van de piramide. Eerbiedig keek hij rond. In het midden van de normaalgesproken lege kamer stond een grote tafel, die ongetwijfeld in delen naar binnen was getransporteerd. De tafel was bezaaid met gereedschap, onderdelen, kabels en computers. In de hoeken stonden lampen opgesteld die de kamer, vergeleken bij de schaars verlichte gangen van zojuist, in een zee van licht zetten. Tegen de achterwand stonden talloze metalen kratten opgestapeld waarin al het materiaal naar binnen moest zijn gebracht. Twee jongens zaten geconcentreerd naar een beeldscherm te turen. Toen ook Mueller uit het gat in de hoek was gekropen, stonden ze op.

'Goedemorgen heren,' zei de langste van de twee, 'we zijn bezig met de laatste voorbereidingen. Geen problemen tot zover. Alles werkt naar behoren.'

'Goed om te horen,' zei Peter. 'Mag ik jullie voorstellen aan Vincent Albright. Hij is van National Geographic Channel. Vincent, dit zijn Kurt Feldmann en Ralph Lahaye. Ze studeren werktuigbouwkunde in Londen en zijn beiden technicus bij het Pyramid Explorer team.'

Vincent schudde hen de hand.

'Gaan jullie me nu eindelijk vertellen wat Pyramid Explorer is?'

Enquist was naar een hoek van het vertrek gelopen.

'Dit is Pyramid Explorer.'

Vincent liep naar hem toe en keek ongelovig naar het meest merkwaardige apparaat dat hij ooit had gezien.

17

John Gallagher wandelde zijn hotel uit en sloeg linksaf. Hij zette er stevig de pas in en keek even op de plattegrond in zijn reisgids. Na enkele minuten kwam hij uit op het drukke Midan Orabiplein in het centrum van Cairo. Hij liep tussen de stalletjes en straatverkopers door en ging zitten bij een theehuis dat gammele houten stoelen en tafeltjes op het trottoir had staan. De meeste plaatsen werden bezet door mannen, sommigen in kaftans, die sterke thee dronken en een traditionele waterpijp rookten. Gallagher bestelde ook thee en sloeg de reisgids weer open om de kaart van Cairo te bestuderen.

Omdat hij niet onnodig wilde opvallen, had hij ervoor gekozen om niet in zijn hotel te ontbijten, maar zich in de anonimiteit van down town Cairo te begeven. Mocht iemand navraag naar hem doen bij zijn hotel, dan moest het personeel zich geen gezicht kunnen herinneren. Hij was afgelopen nacht ruim na twaalven aangekomen bij het hotel en hij was ingecheckt door een slaperige nachtportier. De man had hem nauwelijks aangekeken, dus die zou hem waarschijnlijk niet herkennen.

Een vriendelijke ober bracht zijn thee en informeerde of hij misschien ook wilde roken. Hij keek naar de Arabieren naast hem en zag dat de tabaksrook in de waterpijp eerst door een laagje water heen werd gezogen alvorens hij geïnhaleerd werd. Hij schudde zijn hoofd en nipte aan de hete thee. Hij concentreerde zich op de kaart van de stad. Na de presentatie in het British Museum was het duidelijk dat Enquist iets op het spoor was. Het presidium had hem naar Egypte gestuurd met de opdracht om de antropoloog op te sporen en uit te zoeken wat hij in zijn schild voerde. Hoe ze erachter waren gekomen dat Enquist in Egypte zat wist hij niet, maar hij had van Lisa Abramowicz begrepen dat het een invloedrijk gezelschap was. De informatie zou dus wel kloppen.

Om meer over de achtergrond van Mark Enquist te weten te komen, had hij zijn naam gegoogeld. Dat had een flinke serie zoekresultaten opgeleverd, waarvan de meeste een link met Egypte hadden. Na wat speurwerk was hij erachter gekomen dat Enquist veel onderzoek had gedaan bij de piramides, dus hij had besloten dat het plateau van Gizeh zijn eerste doel zou zijn. Op de kaart zag hij dat de piramides even buiten Cairo lagen. De snelste manier om daar te komen was per taxi. Gallagher dronk zijn theeglas leeg, liet geld achter op tafel en liep het plein op. De eerste taxi die voorbij reed stopte meteen toen hij zijn hand opstak.

'Naar de piramides van Gizeh,' zei hij terwijl hij instapte.

Terwijl de taxi zich een weg baande door het drukke verkeer, zakte hij onderuit op de achterbank van de taxi.

Gallagher werd getroffen door de grandeur van de piramides. Natuurlijk was hun aanblik geen verrassing. Zoals iedereen, wist ook hij precies hoe de oude wereldwonderen eruit zagen. Toch waren ze in werkelijkheid vele malen indrukwekkender dan hij zich had voorgesteld. In het ochtendlicht staken ze groots af tegen de blauwe hemel.

De taxi stopte op loopafstand van de piramides. Hij stapte uit en betaalde de chauffeur de afgesproken prijs. Breed lachend nam die het geld in ontvangst en wenste hem een prettige dag. Gallagher concludeerde dat hij te veel had betaald. Terwijl de taxi omkeerde en luid toeterend terugstoof naar Cairo, draaide hij zich om en keek naar de piramides.

Hij was niet de enige, zag hij. Vele busladingen toeristen werden uitgestort over het terrein en overal liepen groepjes mensen achter gidsen aan. Opdringerige verkopers probeerden hun waar te slijten aan de vakantiegangers en kamelendrijvers deden hun best om de mensen te verleiden tot een ritje. Gallagher keek rond. Als Enquist hier was, hoe moest hij hem dan in hemelsnaam vinden in deze mierenhoop? Op goed geluk slenterde hij in de richting van de Grote Piramide totdat hij er vlak voor stond. Er liepen mensen omhoog om naar binnen te kunnen. Gallagher had tijdens zijn vlucht naar Cairo gelezen dat er maar een beperkt aantal mensen per dag werd toegelaten, dus hij ging ervan uit dat hij niet zomaar even naar boven kon lopen om de piramide aan de binnenkant te bezichtigen. Daarom besloot hij eerst het terrein te gaan verkennen. Hij liep naar rechts en begon tegen de klok in om de piramide heen te lopen. Wandelend door het stoffige zand probeerde hij te bedenken hoe hij achter de verblijfplaats van Enquist zou kunnen komen. Misschien waren er wel archeologen aan het werk op het plateau van Gizeh bij wie hij terloops zou kunnen informeren. Of wellicht werd hij bij het informatiecentrum voor toeristen wat wijzer. Aan de westzijde had hij volledig zicht op de piramide van Chefren. Hij zag dat de top van deze piramide goed bewaard was gebleven. Veel beter dan bij de andere piramides. Rond de top was de trapsgewijze buitenkant bedekt met een gladde steenlaag. Die egale mantel was op de lagere gedeeltes verdwenen. Gallagher bedacht zich dat het hele bouwwerk ooit op die manier afgewerkt moest zijn geweest. Terwijl hij zich probeerde in te beelden hoe geweldig dat eruit moest hebben gezien, liep hij de hoek om naar de achterzijde.

Hoe groot was de kans dat Enquist zich hier ergens in de buurt bevond? De hoeveelheid boeken over piramides die hij op zijn werkkamer had zien staan, had hem doen besluiten om te beginnen met zoeken op het plateau van Gizeh. Maar er waren ontelbaar veel opgravingen in Egypte. Wat was de kans? Al peinzend kwam hij tot de conclusie dat het onbegonnen werk was om Enquist op te sporen zonder verdere aanknopingspunten over zijn verblijfplaats. Het leek hem het beste om Lisa Abramowicz te bellen. Misschien kon zij hem inmiddels wat meer vertellen. Vlakbij het complex had hij een groot hotel gezien. Hij besloot om erheen te lopen om even rustig te kunnen telefoneren. Misschien had Lisa vanuit het presidium nieuwe informatie ontvangen over de verblijfplaats van Enquist. Hij versnelde onbewust zijn pas.

Gallagher moest uitwijken omdat er pal naast de Grote Piramide een vrachtwagen stond geparkeerd. In een boogje liep hij er omheen. Achter de vrachtwagen stond een witte tent opgesteld. Onwillekeurig draaide hij zijn hoofd terwijl hij passeerde. Onder de tent stonden enkele mannen over een lange tafel gebogen. Ze keken geconcentreerd op vellen papier. De mannen zagen eruit als archeologen of andere onderzoekers en in een opwelling bleef Gallagher staan. Misschien kon hij eens informeren of ze Mark Enquist kenden. Hij zou kunnen pretenderen dat hij op zoek was naar de antropoloog. Terwijl hij zijn mond opende om te vragen of ze dr. Enquist kenden, was een van de mannen hem voor.

'Zoekt u iets, meneer?' vroeg een lange blonde man.

In een reactie keken de andere twee mannen op van hun tekening. Bij het zien van hun gezichten sloeg Gallaghers hart plotseling over van schrik en hij bleef als aan de grond genageld staan. Enkele ogenblikken was hij niet in staat zich te verroeren of een woord uit te brengen. Terwijl het zweet hem aan alle kanten uitbrak, stamelde hij een verontschuldiging en liep met bonkend hart verder. Zonder om te kijken wandelde hij weg van de tent. Pas toen hij uit het zicht was durfde hij te stoppen. Nog steeds natrillend van de adrenalinestoot ging hij op een steen zitten en slaakte een diepe zucht in een poging zijn hartslag weer onder controle te krijgen. De twee mannen die daar over een kaart gebogen stonden, waren Mark Enquist en die filmmaker! Dezelfde jongen die met Enquist in gesprek was geweest na zijn lezing in het British Museum en die hij later nog een keer had gezien bij de boerderij van de wetenschapper. Hoe was het in hemelsnaam mogelijk dat hij hen zo snel gevonden had? Natuurlijk was de kans groot geweest dat Enquist zich op het plateau van Gizeh zou bevinden, maar hij was ervan overtuigd dat hier ook de hand van God merkbaar was.

Toen hij een beetje was bijgekomen, bedacht hij dat hij zich feitelijk voor niets zo druk had gemaakt. Enquist noch de filmmaker hadden hem ooit gezien, al had het een paar keer weinig gescheeld. Ze konden hem dus ook niet herkend hebben. Het was zijn eigen verbijstering die de reactie teweeg had gebracht. Gallagher hoopte maar dat zijn vreemde gedrag niet verdacht was overgekomen op de drie mannen bij de tent. Hij had zijn best gedaan om zo normaal mogelijk verder te lopen.

Nu hij zichzelf enigszins gerustgesteld had, was hij weer in staat zijn gedachten op een rijtje te zetten. Hij kon nu verder met het volgende gedeelte van zijn taak. Deel een, het opsporen van Enquist, was onverwacht snel gelukt. Nu was het zaak om uit te vinden wat hij van plan was. Wat was er zo belangrijk of zo geheim dat de onderzoeker er halsoverkop voor naar Egypte was gevlogen?

In een boog liep hij terug naar de piramide. De tent stond halverwege de oostelijke zijde, ongeveer ter hoogte van de drie kleine Koninginnepiramides. Hij zocht een plekje op de onderste laag van een van de drie minipiramides en installeerde zich. Alsof hij een toerist was die vermoeid neerplofte, deed hij zijn rugzakje af en haalde er een kleine verrekijker uit. Hij zette zijn ellebogen op zijn knieën en keek door de lenzen naar de piramide van Cheops. Voor het passerende publiek leek het alsof hij de piramide bestudeerde, maar Gallagher stelde scherp op de tent en de drie mannen. Ze stonden nog steeds over de tafel gebogen. Enquist gleed met zijn vinger over het vel papier dat op tafel lag en gaf blijkbaar een toelichting aan de jongen, die begrijpend knikte. De derde man, degene die hem net had aangesproken, had hij niet eerder gezien. Voorlopig kon hij niet meer doen dan de mannen in de gaten houden.

Omdat Enquist maar bleef praten en er verder niet veel gebeurde, dwaalden zijn gedachten af naar Houston en Lakewood Church. Hij dacht terug aan de avond in de Ierse pub. Nadat het incident in de kiem was gesmoord had hij zich weer gemengd onder het publiek. Lisa bleef echter in zijn hoofd. Hij voelde nog steeds hoe ze haar lichaam tegen hem had aangedrukt en zelfs haar parfum rook hij nog. Aan het einde van de avond, toen iedereen aanstalten maakte om naar huis te gaan, besloot hij aan Lisa te vragen wat ze precies had bedoeld met haar opmerking dat er een groep mensen was die zijn hulp wel kon gebruiken. Terwijl ze buiten op een taxi stonden te wachten stelde hij zijn vraag, waarop Lisa hem had uitgenodigd om nog even verder te praten bij haar thuis. Ze hadden gewacht tot de anderen waren vertrokken, zodat niemand zag dat John en Lisa samen in een taxi stapten. Na een korte rit zette de chauffeur hen af in een groene wijk met vrijstaande huizen. Ze stapten uit de taxi en Lisa opende het hek van een wit houten huis. Ze liep de voortuin in. Gallagher volgde haar. Op de veranda zakten ze naast elkaar neer in de kussens van de bank. John legde zijn hoofd achterover op de rugleuning en keek schuin naar Lisa. Ze glimlachte even naar hem en keek toen voor zich uit. Even zwegen ze.

Na een poosje vroeg ze of John zich nu werkelijk kon vinden in het gedachtegoed van Lakewood Church. Hij antwoordde bevestigend. Wat volgde was een soort interview waarin Lisa zijn mening peilde over de wereldwijde ontkerkelijking, het opkomende atheïsme en het scheppingsverhaal versus de theorie van Darwin. Ook vroeg ze hem hoe ver hij wilde gaan in het actief verspreiden van Gods woord.

Gallagher, die het in grote lijnen met Lisa eens was, had geantwoord dat hij graag zijn bijdrage aan de Kerk wilde leveren.

Vervolgens ging Lisa een stapje verder. Ze had hem gevraagd of hij ook actief wilde participeren in het bestrijden van krachten die de leer van de Kerk in twijfel trokken. Gallagher begreep niet precies wat ze bedoelde, maar ze liet verder geen details los. Hij was echter zo onder de indruk van Lisa's persoonlijkheid en haar passie voor het geloof dat hij zijn hoofd naar haar toedraaide en langzaam knikte.

Lisa lachte opgetogen en boog haar hoofd naar dat van Gallagher. Ze legde een hand op zijn wang en met haar vuurrode lippen kuste ze hem. Gretig beantwoordde hij de zoen. Hij legde zijn handen op haar welgevormde heupen en trok haar naar zich toe, waardoor ze schrijlings op hem kwam te zitten. Lisa bewoog haar lange rok tot boven haar knieën zodat ze haar benen kon spreiden en nam zijn gezicht in haar handen. Gallagher legde zijn handen op haar bovenbenen en liet ze langzaam via haar heupen naar boven glijden. Toen zijn handen haar borsten begonnen te beroeren, bedacht ze zich en hield hem tegen. Vriendelijk maar resoluut had ze gezegd dat dit niet het goede moment was. Hij had begrijpend, maar toch een beetje teleurgesteld geknikt toen Lisa zei dat hun tijd nog wel kwam.

Door zijn verrekijker zag Gallagher dat Enquist zijn rugzak oppakte en wegliep bij de tent. De onbekende man ruimde de tafel op en liep daarna met de filmmaker achter hem aan. Gallagher bedacht zich dat hij nog geen vervoer had geregeld. Als de mannen nu in een auto zouden stappen, moest hij maar hopen dat hij snel een taxi kon aanhouden om de achtervolging in te zetten. Op een afstandje volgde hij de drie mannen. Hij zorgde steeds dat er mensen tussen hen in liepen en hield nauwlettend in de gaten dat hij uit het zicht bleef. Een tweede onverwachte ontmoeting met Enquist kon hij nu niet gebruiken.

De mannen liepen langs de piramide en verdwenen om de hoek. Snel verkleinde hij de afstand om hen niet uit het oog te verliezen. Toen Gallagher bij de noordelijke zijde aankwam, zag hij dat Enquist de trap naar de ingang van de piramide opliep. De twee anderen volgden op korte afstand. Gallagher zag dat ze enkele woorden wisselden met de bewakers en vervolgens gewoon door konden lopen. Daaruit concludeerde hij dat het onderzoek waar Enquist zich mee bezighield binnenin de Grote Piramide plaatsvond. Er zat voor hem niets anders op dan een plekje te zoeken met zicht op de ingang en te wachten tot ze weer naar buiten zouden komen.

18

'Dus dat is Pyramid Explorer,' zei Vincent.

Op een lage tafel onder het gat in de muur waar de zuidschacht begon, stond een klein rupsvoertuig. Of was het een robot? Het voertuig had twee rupsbanden aan de onderkant, zodat hij iets weg had van een tank, maar dan zonder kanon. Het rare van dit wagentje was dat hij ook twee rupsbanden aan de bovenkant had, alsof hij ook ondersteboven kon rijden. Aan de voorkant, Vincent nam aan dat hij naar de voorkant keek, zaten twee grote koplampen. Daartussen zat iets wat op een camera leek en aan de achterkant was, als een lange staart, een kabel bevestigd, waarschijnlijk voor de stroomvoorziening.

'Ik begrijp het,' knikte Vincent zonder dat iemand nog iets had gezegd. 'Dit voertuig past precies in die schacht.' Hij wees naar de zuidschacht, die zich op borsthoogte in de wand van de Koninginnekamer bevond.

'Precies,' zei Enquist trots. 'Peter en zijn team hebben hem gebouwd.'

'Maar gaan jullie dat wagentje echt die schacht inrijden? Komt ie dan niet klem te zitten?'

Peter Mueller, die even met zijn assistenten mee op de monitors had staan kijken, kwam erbij staan.

'Wat vind je ervan, Vincent? Cool hè?'

Hij knikte instemmend.

Mueller pakte het voertuig op en begon uitleg te geven. Zoals je van een techneut mocht verwachten, vuurde hij meteen allerlei technische details af.

'Pyramid Explorer is gemaakt van ultralicht maar ijzersterk geanodiseerd vliegtuigaluminium. Hij heeft een op afstand bedienbaar lasergeleid besturingssysteem en een fiberoptische camera aan boord die in alle richtingen kan filmen. De elektromotor wordt aangedreven door de kabel die hij achter zich aan sleept.'

Vincent knikte. Hij was onder de indruk.

'Waarom heeft hij ook rupsbanden aan de bovenkant?'

Mueller zette Pyramid Explorer terug. Hij pakte een zaklamp

155

van de tafel en scheen naar binnen in het donkere gat.

'Kijk maar eens in de schacht,' nodigde hij Vincent uit.

Vincent keek nieuwsgierig naar binnen. Hij zag dat de zuid-schacht horizontaal de piramide in verdween, maar verderop werd het donker in de tunnel en kon hij niets meer zien.

'De schacht loopt ongeveer twee meter horizontaal,' lichtte Mueller toe, 'daarna buigt hij af naar boven. We weten niet tot hoe ver hij de piramide inloopt en onder welke hellingshoek dat gebeurt. De dubbele rupsbanden van Pyramid Explorer zijn zodanig ont-worpen dat hij zich als het ware schrap kan zetten in de gang. De wielen aan de bovenkant kunnen uitgeschoven worden, zodat hij zowel boven als onder contact heeft met de wanden van de schacht. Op die manier heeft hij veel grip en glijdt hij niet naar beneden als het steil wordt.'

'Wow,' was het enige wat Vincent kon uitbrengen.

'Een geweldig apparaat, vind je niet?' Enquist tuurde ook in de schacht. 'Ik ben heel benieuwd wat hij daarbinnen zal aantreffen.'

Enquist keek weer naar Vincent, die op zijn knieën was gaan zitten om eens goed naar de robot te kunnen kijken.

'Peter en zijn collega's zijn meer dan een jaar met de ontwikke-ling van Pyramid Explorer bezig geweest. In die periode hebben we continu geprobeerd een vergunning van de Egyptische overheid te krijgen om de schachten te mogen onderzoeken, maar we vingen steeds bot. We hebben talloze verzoeken ingediend bij de *Supreme Council of Antiquities*, die in Egypte de concessies uitgeeft. Blijkbaar was er niemand geïnteresseerd. De schachten werden door egypto-logen altijd beschouwd als een verlaten deel van de piramide. Tot Peter een telefoontje kreeg van Tarek Abbara. Abbara is lid van de SCA en een autoriteit op het plateau van Gizeh. Als hij wat zegt wordt er geluisterd. Hij vertelde Peter dat hij ons op persoonlijke titel een mondelinge toezegging wilde geven om de schachten van de Koninginnekamer te onderzoeken.'

'Wat houdt zo'n mondelinge toezegging in?' vroeg Vincent. 'Is dat voldoende basis om te beginnen met de verkenning van de schachten?'

'Ik heb geen idee hoe betrouwbaar het is. Toen ik in Egypte ge-arriveerd was, heb ik meteen met Abbara gebeld. Ik ken hem vrij goed omdat ik veel met hem heb samengewerkt bij andere opgra-vingen. We zijn een paar maanden geleden bij hem op zijn kantoor hier op het plateau van Gizeh geweest om een presentatie te geven en hij was erg enthousiast over onze plannen voor exploratie van de schachten. We hebben ook een demonstratie met Pyramid Explorer gegeven. Hij vond het een geweldig idee. Hij heeft in ons telefoongesprek ook aan mij bevestigd dat we de schachten in mogen. Hij zou proberen om de SCA zover te krijgen dat ze een concessie verstrekken. Tot die tijd moeten we het doen met zijn toezegging. Het voordeel is dat zijn woord vele deuren opent, dus het ziet ernaar uit dat we Pyramid Explorer eindelijk die tunnel in kunnen rijden.'

Enquist liet een korte stilte vallen.

'Het nadeel is dat we geen enkele garantie hebben. Als Abbara van gedachten verandert, dan kunnen we weer inpakken. Dan worden we door de ghafirs zonder pardon uit de piramide gezet.'

Hij keek naar Mueller. 'Ik stel dus voor om het ijzer te smeden als het heet is en meteen te beginnen.'

'We zijn er klaar voor,' glimlachte de ingenieur zelfverzekerd. 'Pyramid Explorer is voorbereid op zijn taak.'

Hij keek naar Kurt Feldmann die bezig was de camera op het voertuig af te stellen terwijl Ralph Lahaye de beelden op de computer volgde.

'Hoe lang nog jongens?'

Ralph keek op van zijn laptop. 'We hebben haarscherp beeld. Mechanisch is ook alles in orde. We hebben de hele ochtend getest. Alles gaat perfect, dus wat mij betreft kunnen we beginnen.'

Vincents hart ging sneller kloppen. Zou Enquist geschiedenis gaan schrijven? Zou de piramide van Cheops, of wie hem dan ook gebouwd had, een nieuw geheim prijsgeven? Of zou de zuidschacht gewoon een doodlopende gang zijn?

'Hebben jullie er bezwaar tegen als ik wat opnames maak van deze ruimte?' vroeg Vincent. Hij had een kleine professionele camera meegebracht. Hoewel hij geen ervaren cameraman was, wist hij hoe het apparaat werkte en kende hij ook de basistechnieken van het filmen. Dat had hij in de praktijk geleerd tijdens de vele filmsessies met cameraploegen.

'Ga je gang,' zei Enquist, 'maar bedenk dat we nog geen officiële vergunning hebben, dus ook niet om te filmen. Als Abbara van gedachten verandert, heb je kans dat je al het materiaal moet inleveren.'

Vincent knikte. Hij pakte zijn camera en begon wat te filmen.

De Koninginnekamer, Pyramid Explorer, Kurt en Ralph achter de computer, het gat in de muur van twintig bij twintig centimeter, Peter Mueller die de robot oppakte en hem voorzichtig in de monding van de schacht plaatste. Vincent stopte met filmen. Dit wilde hij niet door de lens van een camera zien. Het kleine wagentje stond klaar voor zijn missie als een formule 1 wagen die wacht tot het licht op groen springt.

Mueller ging achter de computer zitten. Op het scherm zag hij via de camera op Pyramid Explorer het horizontale gedeelte van de zuidschacht. De felle lampen wierpen hun schijnsel de gang in, die daardoor mysterieus verlicht werd. Twee meter verderop hulde de schacht zich in duisternis. Daar begon het grote onbekende. Nooit eerder was er iemand zo diep doorgedrongen in de piramide.

Mueller keek naar Enquist. 'Zullen we dan maar?'

Enquist knikte. Kurt hield bij de zuidschacht de robot in de gaten. De andere drie mannen stonden in een halve cirkel achter Mueller en keken mee op het kleurenscherm. Mueller bracht zijn hand naar een kleine joystick en bewoog hem naar voren. Langzaam begon Pyramid Explorer te rijden. Behendig hield Mueller hem midden in de gang zonder de zijwanden te raken. Hoewel de schacht zelf kaarsrecht was, waren de kalkstenen bodem en de wanden hobbelig en ongelijkmatig, maar dankzij de rupsbanden reed de robot relatief gemakkelijk over de vele kuiltjes en oneffenheden. Zonder problemen bereikte hij het einde van het horizontale gedeelte van de gang.

Kurt, die de eerste meters van Pyramid Explorer had gevolgd door rechtstreeks in de schacht te kijken, liep bij het gat in de muur weg en ging achter een laptop zitten.

'Dat ging vlot,' zei hij tevreden. 'Hij is nu bijna uit zicht, dus vanaf nu hebben we alleen de videobeelden.'

Mueller had de robot stilgezet en richtte de op afstand bedienbare camera omhoog. Op de videobeelden was te zien dat de schacht vanaf dit punt schuin naar boven liep. De lampen reikten een paar meter de tunnel in en voor het eerst konden ze in het diagonale gedeelte van de gang kijken. De wanden zagen er hetzelfde uit als in het horizontale gedeelte, vol ondiepe groeven en gaten. Aan het einde van het bereik van de schijnwerpers werd het pikdonker.

Kurt las de metingen van de vele sensoren die Pyramid Explorer aan boord had af van zijn computer. 'De hellingshoek is hier ongeveer veertig graden. Breedte en hoogte zijn ruim twintig centimeter.'

'Oké, dan gaan we verder.' Mueller liet de robot langzaam aan de beklimming beginnen. Terwijl Pyramid Explorer gestaag vorderde, wendde Vincent zijn hoofd naar Enquist.

'Wat denkt u eigenlijk aan te treffen aan het einde van deze schacht?'

Zonder zijn blik af te wenden van de videobeelden gaf Enquist antwoord. 'Eerlijk gezegd heb ik geen enkel idee. Veel onderzoekers hebben gespeculeerd over geheime kamers. Niet alleen in deze piramide, maar ook op de rest van het plateau van Gizeh. Er zouden bijvoorbeeld verborgen kamers en tunnels in de rotsbodem onder de Sfinx bestaan, waar kennis van oude samenlevingen bewaard zou worden. Bodemonderzoek met behulp van radar en andere scanapparatuur heeft wel bepaalde aanwijzingen opgeleverd die duiden op de aanwezigheid van holle ruimtes, maar de SCA heeft tot nu toe geen toestemming gegeven om dit via boringen te verifiëren. Wat ik hoop aan te treffen is een aanwijzing die mijn stelling bevestigt dat de piramide ouder is dan tot nu toe wordt aangenomen en dat het niet de graftombe van Cheops is. Nogmaals, een tombe zonder lichaam, zonder beschilderingen, dat klopt gewoon niet. Volgens mij heeft de piramide een geheel andere functie. Ik denk dat de oude Egyptenaren de piramides van Gizeh hebben aangetroffen. Ze hebben ze overgenomen van een oudere samenleving, van een volk dat er niet meer was.'

'Maar wat was dan de functie van de piramide?' vroeg Vincent.

Enquist liet een stilte vallen en keek naar de beelden van Pyramid Explorer, die langzaam omhoog kroop in de schacht. In de verte was het nog steeds donker, het einde van de tunnel was nog niet in zicht.

'Ik weet het niet,' zei hij tenslotte. 'Misschien is het een buitengewoon ingenieuze manier om kennis op te slaan, zodat het bewaard blijft en doorgegeven kan worden.'

Ze concentreerden zich weer op het scherm omdat er plotseling een blok steen uit de linkerwand stak.

'Die steen steekt vier centimeter uit de wand,' zei Kurt terwijl hij zijn hoofd vlakbij het beeldscherm bracht. 'Dat lijkt niet veel, maar het betekent dat Explorer maar vijf millimeter over heeft om er langs te komen. Het zou net kunnen, maar we moeten vreselijk goed opletten dat hij niet klem komt te zitten.'

'Er is ook een rode streep op de muur geschilderd, zien jullie dat?' merkte Enquist op.

Hoewel het in de verste verte niet leek op een inscriptie of een afbeelding, waren de vijf in de Koninginnekamer er even stil van. Iedereen beschouwde het als een soort teken van leven van de geheimzinnige piramidebouwers.

'Ik ga proberen om er langs te komen,' verbrak Mueller de stilte.

Hij stuurde Pyramid Explorer met de joystick zo dicht mogelijk naar de rechterwand van de gang toe. Uiterst geconcentreerd manoeuvreerde hij de robot millimeter voor millimeter langs de uitstekende steen, waarna hij zijn weg naar boven kon vervolgen.

De beelden die Pyramid Explorer uitzond begonnen een beetje monotoon te worden. Nog steeds dezelfde nauwe gang waar geen einde aan leek te komen, dus Enquist had even tijd voor wat anders. Hij raakte in gesprek met Vincent over hun plannen voor de documentaire. Vincent legde hem van alles uit over filmtechnieken, over het selecteren van bruikbare stukjes uit het vele ruwe beeldmateriaal en over de opbouw van een verhaal. Enquist luisterde aandachtig en had ook zijn eigen ideeën over wat er volgens hem in de documentaire opgenomen moest worden.

'Daar is de volgende hindernis!' onderbrak Mueller hen.

Enquist maakte zijn zin niet af en draaide zich meteen om. Ook Vincent richtte zijn aandacht weer op de videobeelden.

Een stukje verderop in de schacht zagen ze een soort drempel. Het volgende steenblok lag hoger dan het blok waar het voertuig zich momenteel op bevond. Op het eerste gezicht stak het blok slechts enkele centimeters uit, maar voor Pyramid Explorer was dat een behoorlijke horde. Het was een soortgelijk obstakel als de uitstekende steen uit de zijwand die het voertuig eerder gepasseerd was, maar deze kwam als een verticaal opstapje omhoog uit de vloer. Het was een onverwachte tegenvaller. De wanden van de tunnel waren tot nu toe kaarsrecht en de gang liep onder een constante hellingshoek naar boven. Het was volslagen onlogisch en inconsequent dat er nu ineens een drempel lag. Hadden de oude bouwmeesters, die er een welhaast maniakaal genoegen in leken te scheppen om een monument tot stand te brengen waarbij alles exact klopte, hier een steekje laten vallen?

'Kurt, doe eens wat metingen,' commandeerde Mueller. 'Hoe ver zijn we en hoe hoog is die drempel?'

Vincent hoorde Kurt met zijn muis klikken en op de monitor zag hij een rode stip verschijnen die grillig door de schacht danste. Dat moest de laserstraal van Pyramid Explorer zijn. Kurt bewoog de laser met een joystick over de drempel en keek geconcentreerd op zijn scherm. Vervolgens begon hij driftig op zijn toetsenbord te tikken.

'We bevinden ons op dit moment drieënvijftig meter diep in de schacht,' zei hij tenslotte, 'en die drempel is zes centimeter hoog.'

'Zes centimeter?' Mueller schudde zorgelijk zijn hoofd en liet zich achterover in zijn stoel vallen.

'Is zes centimeter een probleem?' vroeg Vincent.

Mueller keek bedenkelijk terwijl hij zijn handen achter zijn hoofd vouwde. 'Misschien. Het lijkt op het eerste gezicht maar een klein drempeltje waar je zo overheen rijdt, maar als je je bedenkt dat Explorer slechts twaalf centimeter hoog is, dan wordt het opeens een flinke hindernis. We moeten hem dus over een soort muur zien te manoeuvreren die half zo hoog is als het wagentje zelf.'

Hij onderwierp de drempel aan een nadere inspectie. 'We hebben wel getest op een onregelmatige ondergrond want we gingen er niet vanuit dat de bodem van de schacht volledig egaal zou zijn, maar dit soort hindernissen hadden we niet verwacht.'

Mueller stond op. 'Ik moet even met Kurt overleggen. Technisch moet Explorer het kunnen, maar we moeten een strategie bedenken hoe we die muur het beste te lijf kunnen gaan.'

Hij ging naast Kurt achter de computer zitten. Ralph voegde zich bij hen en er ontstond een levendige discussie die uitdraaide op een aaneenrijging van terminologie. Enquist liet de technici hun gang gaan en bemoeide zich er niet mee.

'Ik heb het volste vertrouwen in de heren,' zei hij tegen Vincent terwijl hij op de stoel van Ralph Lahaye ging zitten.

Enquist begon de videobeelden nauwgezet te bestuderen. Het was duidelijk niet de eerste keer dat hij de apparatuur bediende, want hij liet de camera van Pyramid Explorer moeiteloos op en neer bewegen en hij zoomde in op de schacht. Na het opstapje liep de schacht gewoon verder en langzaam kwam de duisternis aan het einde van de schacht dichterbij. Toen het scherm volledige zwart was geworden zoomde Enquist weer uit. Ze konden eenvoudigweg niet verder kijken dan het bereik van de verlichting van Explorer. De wanden van de schacht trokken langzaam aan de camera voorbij. Het viel Vincent op dat Enquist zeer gespannen achter de computer zat.

Hij zei niets meer en werd volledig in beslag genomen door de beelden. Af en toe zette hij de camera even stil, bewoog zijn hoofd tot op enkele centimeters van het beeldscherm en bestudeerde de schacht. Toen het beeld weer scherpgesteld was op de drempel vlak voor Pyramid Explorer, sloeg Enquist zijn armen over elkaar en keek met een schuin hoofd naar de monitor.

'Dat is merkwaardig,' zei hij. 'Zie jij dat ook Vincent?'

Vincent had meegekeken over de schouder van Enquist. Hij had gezien hoe de gang na de drempel verder naar boven liep, maar omdat er zo op het oog weinig veranderde, had hij met een schuin oog naar Mueller en zijn assistenten gekeken die het eens leken te worden over de manier waarop ze Explorer over de drempel heen wilden loodsen.

'Nee, wat bedoelt u?'

'Kijk eens naar de wand van de schacht.'

Vincent keek naar de monitor. Hoewel de stenen wand kaarsrecht was, was het oppervlak ruw en hobbelig als een maanlandschap.

Enquist gaf zelf het antwoord. 'Die oneffenheden zijn ontstaan omdat de blokken zijn uitgehouwen met behulp van beitels en handzagen. De Egyptenaren waren uitstekende steenhouwers die zeer goed in staat waren om mooie gladgepolijste muren te maken, zoals je op veel plekken in Egypte zelf kunt zien. Maar als je een paar miljoen enorme stenen moet uithakken, dan heeft het natuurlijk geen prioriteit om die allemaal netjes af te werken. Dan zou het bouwen van de piramide nog veel langer geduurd hebben.'

Terwijl Vincent aandachtig meekeek, zoomde Enquist de camera in op de schacht. Langzaam maar zeker ging het ongelijkmatige oppervlak van de gang over in een strakke, egale wand, als een landweggetje dat overging in een autosnelweg.

'Zie je het nu?' vroeg Enquist.

'De schacht wordt opeens mooi vlak,' concludeerde ook Vincent. 'Dat is vakmanschap van een veel hoger niveau dan in het eerste gedeelte van de gang.'

'Juist. En als je goed kijkt,' ging Enquist verder, 'zie je dat niet alleen de kwaliteit van het steenhouwwerk verandert. Er is ook een ander soort kalksteen gebruikt. Lichter van kleur. Veel duurzamer. Dat is het materiaal dat ook is gebruikt om de oorspronkelijke gladde mantel aan de buitenkant van de piramide te bouwen.'

Vincent keek Enquist verwachtingsvol aan. 'En wat houdt dat in, denkt u?'

'Tja,' zei Enquist peinzend, 'je zou haast zeggen dat de bouwers met dat hogere kwaliteitsniveau hebben willen aangeven dat we op de drempel van iets belangrijks staan.'

Mueller draaide zich om. 'We kunnen weer!'

'Oké, laten we maar snel verdergaan,' zei Enquist terwijl hij op zijn telefoon keek. Hij hield er nog steeds rekening mee dat hij een telefoontje zou kunnen krijgen waarin de toestemming weer werd ingetrokken. Geen bereik. Als Abbara hem op dit moment zou willen bellen, werd Enquist nog even gered door de dikke muren van de piramide. Toch wilde hij graag zo snel mogelijk een succesje boeken, zodat hij het vertrouwen van Abbara niet zou beschamen. Bovendien zou een opzienbarende ontdekking hun vergunning definitief veilig stellen.

Enquist stond op van zijn stoel om plaats te maken voor Ralph. Mueller nam ook weer plaats achter zijn computer. Hij liet Pyramid Explorer voorzichtig oprijden tot aan de drempel. Vlak voor het obstakel vergrendelde hij de onderste rij wielen. Hij paste enkele instellingen aan op zijn computer zodat hij met de joystick de bovenste rupsbanden kon bedienen. Rustig bewoog hij de kleine stuurknuppel tot het aandrijfsysteem de goede positie op het plafond had bereikt. Vervolgens fixeerde hij de wielen op de bovenkant van de schacht.

'Daar gaat ie dan,' zei hij laconiek. Hij bewoog de joystick van zich af en Pyramid Explorer zette zich in beweging. Omdat Explorer zich schuin tegen de drempel op bewoog, zag iedereen op de monitor dat de camera ineens op het plafond van de schacht gericht werd. Langzaam bewoog de camera verder over het plafond totdat het beeld plotseling begon te trillen. De opnames werden kortstondig gestoord en daarna zond de camera weer beelden uit van de schacht die ze even daarvoor ook al gezien hadden.

'Hij is teruggevallen,' zei Kurt teleurgesteld.

Pyramid Explorer stond inderdaad weer terug in zijn uitgangspositie voor de drempel.

Ook de tweede poging mislukte. Opnieuw was er discussie en werden de diverse mogelijkheden doorgesproken. De derde poging had succes. De videobeelden gleden weer over het plafond, maar deze keer ging de camera vloeiend over naar het vervolg van de gang.

'Hij staat op de drempel!' juichte Kurt.

Mueller lachte breed. 'Dat valt me nog mee,' zei hij tevreden. 'Ik had niet gedacht dat de derde poging al raak zou zijn.'

Hij concentreerde zich weer op het scherm en liet Explorer verder rijden. Enquist en Vincent stonden achter hem en keken gespannen mee over zijn schouder. Enkele meters verderop, aan het einde van het bereik van de schijnwerper, was het aardedonker in de schacht. Omdat Enquist net had verteld dat de kwaliteit van het steenhouwwerk aanzienlijk beter werd na de drempel, richtte Ralph de camera op de rechtermuur. De wand was in dit gedeelte van de schacht uitzonderlijk goed bewerkt en spiegelglad geschuurd. Terwijl Explorer langzaam verder reed, bestudeerde Enquist in het licht van de koplampen de zijmuur.

'Ralph, kun je de camera weer recht vooruit richten?' vroeg Mueller. 'Anders raak ik zometeen de zijwand.'

Langzaam draaide de camera weer naar links totdat het einde van de schacht zich weer midden in beeld bevond.

Er ging een schok door de aanwezigen in de Koninginnekamer. Ze waren zo intensief op de muur geconcentreerd, dat hun aandacht voor de rest van de gang verslapt was. Het einde van de schacht was opeens niet meer in duisternis gehuld. De geheimzinnige donkere horizon was verdwenen.

Vincents ogen werden groot van verbazing.

Enquist adem stokte in zijn keel. 'Dat ... dat ... lijkt wel,' kon hij met moeite over zijn lippen krijgen.

Mueller knikte verbouwereerd. 'Ongelooflijk.'

Een paar meter verderop, nog niet helemaal scherp in het schaarse licht, maar duidelijk zichtbaar voor de verblufte toeschouwers, doemde de grootste doorbraak in het onderzoek aan de Grote Piramide sinds honderd jaar op.

19

Michelle pakte de koperen klink vast en opende de hoge deur van het barokke gebouw waar het laboratorium van Moreau was gevestigd. Ze was hier nu al enkele keren geweest en liep rustig maar vastberaden door de grote hal naar de lift. Achter de receptie zat dezelfde dame als de vorige keer. Ze zei haar in het voorbijgaan vriendelijk goedendag. De receptioniste groette terug, maar haar gezichtsuitdrukking verried geen enkele blijk van herkenning. Gerustgesteld duwde Michelle op het knopje van de lift. Het was namelijk precies haar bedoeling om niet herkend te worden. Ze had zich niet vermomd, maar ze had zich wel bewust wat minder herkenbaar gemaakt. Haar weelderige haar, dat normaalgesproken rond haar gezicht danste, had ze strak naar achteren gebonden. Ze had een bril opgezet en geen make-up opgedaan. De stijlvolle kleding die ze vorige keer had gedragen, was vervangen door een sweatshirt met capuchon en een spijkerbroek. De hakken hadden plaatsgemaakt voor gympen. In het weekend liep ze er wel vaker zo bij en dan gebeurde het regelmatig dat mensen haar niet direct herkenden. Daar wilde ze nu gebruik van maken. Het was haar eerder opgevallen dat er in het lab veel mensen rondliepen die zich casual kleedden, dus hopelijk zou ze niet opvallen.

Nadat Richard Petit zijn verhaal over intelligent design had afgerond, waren ze tijdens het eten overgegaan op wat lichtere tafelconversatie. Michelle hoopte dat ze geen al te afwezige indruk had achtergelaten, want in haar hoofd had ze alle informatie over de verdwijning van Moreau zitten analyseren. Gelukkig was Petit een enthousiaste prater geweest, zodat regelmatig knikken veelal had volstaan. Ze had zich gerealiseerd dat één belangrijk feit tot nu toe onderbelicht was gebleven. Nadat rechercheur Dupont hen aan de oever van de Seine uit de handen van Walter Beaney had gered, hadden ze bij hoofdinspecteur Martin een verklaring afgelegd over hun ontdekking op het bewakingsfilmpje. Alle aandacht was vervolgens uitgegaan naar Walter Beaney en, in iets minder mate, naar de teruggevonden cellen. Nadat Olivier, zonder in details te treden, had uitgelegd wat er in de cassette zat die Beaney had laten vallen, mocht hij de cellen weer meenemen. De politie was nu met man en macht op zoek naar Beaney, omdat het vrijwel vaststond dat hij meer zou kunnen vertellen over de verblijfplaats van Nicolas Moreau. Wat iedereen echter over het hoofd leek te zien, was hun ontdekking dat Beaney de toegangspas van Moreau naar buiten had gesmokkeld. Ze hadden dit wel tegen Arthur Martin verteld en Michelle had er haar vermoeden aan toegevoegd dat Moreau zich nog in het gebouw zou kunnen bevinden, maar daar was Martin verder niet op ingegaan.

Michelle had hier zo haar eigen gedachten over en wilde nog eens op eigen houtje rondkijken in het lab. Ze had nu een toegangspas, dus ze kon zonder problemen naar binnen lopen. Krakend kwam de oude lift tot stilstand. Ze opende de deur en twijfelde even naar welke verdieping ze zou gaan. Ze besloot op min één te duwen, omdat haar naspeuringen daar vorige keer onderbroken waren. Licht gespannen ging ze tegen de achterwand van de lift staan en keek naar de verlichte cijfers boven de deur. Vlak voordat de deur dichtviel, werd hij opengetrokken en kwam er nog snel een vrouw binnen. Michelle herkende haar meteen. Het was de laborante aan wie Patrick Laurent had gevraagd waar Olivier was toen ze voor de eerste keer het lab hadden bezocht. Sophie heette ze. Michelle glimlachte zwijgend. Sophie duwde op de knop voor de tweede verdieping en kwam naast haar staan. Er kwam geen reactie, wat ze opvatte als een goed teken. De lift kwam in beweging op weg naar de kelder. Blijkbaar had Sophie verwacht dat ze eerst naar boven zouden gaan, want ze wierp een verbaasde blik op het rijtje cijfers boven de deur. Toen Michelle op min één uitstapte knikte ze naar Sophie en opende de deur. Haar groet werd niet beantwoord, dus ze ging ervan uit dat de laborante haar niet herkend had. Met iets meer zelfvertrouwen liep ze naar het detectiepoortje. Ze had de toegangspas nog niet geprobeerd op deze verdieping, maar hij bracht haar probleemloos naar binnen. Even later stond ze in dezelfde gang als waar ze Patrick Laurent was tegengekomen. Alsof ze al jaren op de afdeling werkte, nam ze geroutineerd een blaadje van de printer en begon langzaam door de gang te lopen. Terwijl ze aandachtig het papier bestudeerde gaf ze haar ogen goed de kost. Er kwamen twee mannen in witte jassen haar kant op. Zonder op te kijken van haar papier liep Michelle in het zelfde trage tempo door. In tegenstelling tot de vorige keer, toen ze zo ongeveer door hun ogen werd uitgekleed, passeerden deze wetenschappers zonder noemenswaardige aandacht. Haar outfit deed blijkbaar zijn werk. Gerustgesteld en iets minder gespannen liep ze verder. Bijna alle deuren in de gang stonden open. Ze zag dat in de meeste ruimtes onderzoekers aan het werk waren, maar er waren ook kantoortjes en vergaderruimtes. Waar zou dat slaaphok zich kunnen bevinden? Sommige deuren waren gesloten, maar ze durfde niet aan de klink te voelen. Stel je voor dat ze zomaar bij een vergadering zou binnenlopen. Olivier had gezegd dat er op deze verdieping ook magazijnen en computerruimtes waren. Zouden die zich dan achter de gesloten deuren bevinden? In de hoek van een magazijn zou je gemakkelijk een bed kunnen neerzetten. Ze keek nog eens goed rond. Alle ruimtes waar mensen aan het werk waren, hadden een wand waarvan de bovenste helft van glas was. Het glas was beplakt met horizontale banen van half doorzichtige stickers. Waarschijnlijk was dat gedaan om de mensen geen opgesloten gevoel te geven, maar toch een soort privacy te creëren. Er waren echter ook deuren zonder ramen. Daarachter zouden zich wel eens de kamers kunnen bevinden waar ze graag een kijkje wilde nemen. Ze stopte bij zo'n deur en keek naar het plaatje dat erop zat. Er stond slechts een nummer op. Voorzichtig voelde ze aan de klink. Die gaf mee. Langzaam opende ze de deur en keek om de hoek. In een schaars verlichte ruimte zag ze een rij computers en een aantal grote zoemende kasten. Dat waren machines voor dataopslag, wist ze. Achter de computers stonden enkele rijen stellingkasten volgepakt met computeronderdelen, toners, printerpapier en kartonnen dozen. Michelle spitste haar oren, maar buiten de brommende computers was er niets te horen. Snel glipte ze naar binnen en sloot de deur achter zich. Zo te zien was er niemand in het vertrek aanwezig. Ze liep tussen de schappen door naar achteren. Daar stond een lange tafel met enkele defecte computers erop. Ze waren opengeschroefd en de onderdelen lagen verspreid over de tafel. Het leek wel een hobbyruimte. Tegen de achterwand stond een lage bank. Ze keek onderzoekend rond. Zou dit de plek kunnen zijn waar Moreau de nacht wel eens doorbracht? Die bank leek haar niet erg comfortabel. Aan de andere kant, als je tot diep in de nacht had gewerkt en je wilde even een paar uur slaap meepakken, dan was je niet meer zo kieskeurig. Ze liep een rondje om de tafel en zocht of ze iets kon vinden dat met Moreau in verband gebracht kon worden. Ze bukte zich en keek even onder de bank. Teleurgesteld kwam ze overeind en concludeerde dat ze hier niet veel wijzer zou worden. Peinzend zochten haar ogen nog eens langs de stellingkasten en de tafel, maar ze vond geen enkele aanwijzing. Misschien sliep Moreau wel gewoon op zijn kantoorstoel, met zijn hoofd op het bureau.

'Zoek je iets?' hoorde ze opeens een stem achter zich.

Haar maag trok zich samen. Hevig geschrokken draaide ze zich om, terwijl haar hart als een bezeten tekeer ging. Achter haar stond een jongen met blond stekelhaar en een beker koffie in zijn hand, die onhoorbaar binnen was gekomen. Ze schraapte haar keel en hoopte dat haar stem niet te zeer zou trillen.

'Het papier van de printer op de tweede verdieping is op en ik heb begrepen dat ik dat hier zou kunnen vinden,' wist ze uit te brengen. Iets beters kon ze zo snel niet bedenken.

'Oh, dan is het snel gegaan,' zei hij verbaasd. 'Ik heb het pas nog aangevuld. Heb je in de kast naast de printer gekeken? Daar ligt altijd een voorraadje papier.'

Michelle probeerde verbaasd te kijken.

'Oh? Eh, nee, daar heb ik niet gekeken. Dat wist ik niet.'

'Daar ligt nieuw papier. Ik loop straks voor de zekerheid nog wel even langs om het te checken.' De jongen zette zijn koffie op tafel en ging achter een defecte computer zitten. Hij pakte een schroevendraaier en keek schuin naar Michelle. 'Ben je nieuw hier?'

Ze knikte. Ze was nog steeds niet helemaal bekomen van de schrik.

'Ja. Nou ja, dat wil zeggen, ik ben hier tijdelijk. Ik werk bij Olivier Leblanc.'

Dat was wel een beetje bezijden de waarheid, maar helemaal gelogen was het nou ook weer niet, vond ze. De jongen leek totaal niet achterdochtig. Eerder naïef.

'Oh, bij Olivier. Leuk. Nou, succes dan.' Hij draaide zich om en boog zich over de computer.

Opgelucht liep Michelle langs de stellingkasten en de servers terug naar de deur. Op de gang liep ze weer in de richting waar ze vandaan was gekomen. Ze wist nog van de vorige keer dat deze gang uitkwam op een grote ruimte waar veel mensen aan het werk waren. Daar kon ze niet onopvallend rondlopen, dus dat had geen zin. Bij binnenkomst had ze echter gezien dat de gang ook de andere kant opliep. Daar wilde ze ook nog even gaan kijken. Toen ze langs de ingang liep, zwaaide de deur open en kwam er een lange man binnen. Ze keek hem onbewust aan en voor de tweede keer binnen enkele minuten verstijfde ze van angst. De man gunde haar geen blik waardig en liep snel door. Michelle hapte naar adem en moest moeite doen om niet terug te deinzen. Ze hield zich ternauwernood staande tegen de muur en keek voorzichtig om. Blijkbaar had de man haar niet herkend. Doelgericht liep hij de gang in en opende de deur van de proefdierenruimte. Hij wist hier onmiskenbaar de weg en liep zonder op of om te kijken naar binnen. Hoewel hij er anders uitzag als de vorige keer, had ze hem onmiddellijk herkend. Deze keer droeg hij een grijs pak met wit overhemd en een stropdas. Zijn gezicht was gladgeschoren en zijn rossige haar blonk van de gel. Hij zag eruit als een zakenman, maar ze wist wel beter. Dit was een vermomming. Het waren zijn lichtblauwe ogen in combinatie met de bleke huid die haar de stuipen op het lijf hadden gejaagd. De vorige keer was zijn hoofd vlakbij dat van haar geweest en had ze, zoals nu, ook naar adem gehapt, maar dan omdat hij haar keel had dichtgeknepen. De man die zojuist de proefdierenruimte binnen was gegaan, was Walter Beaney!

Allerlei vragen flitsten door haar hoofd. Wat deed Beaney hier? Wat een lef om zomaar terug te keren, nadat hij eerst de cellen had gestolen en vervolgens haar en Olivier had bedreigd. Of was het brutaliteit? Niemand rekende erop dat Walter Beaney na zijn ontsnapping doodleuk terug zou komen, dus zijn toegangspas was waarschijnlijk nog niet eens geblokkeerd. Maar wat was hij van plan? Wat had hij te zoeken in de proefdierenruimte? Zou Olivier de cellen daar opnieuw hebben verstopt? Zo dom zou hij toch niet zijn en bovendien, als de cellen daar inderdaad waren, hoe zou Beaney het dan kunnen weten?

Ze aarzelde. Eigenlijk zou ze nu de politie moeten bellen, maar de kans was groot dat Beaney allang weer gevlogen was wanneer de politie zou arriveren. Ze haalde diep adem, raapte al haar moed bij elkaar en liep achter Beaney aan. Ze opende zachtjes de deur waarachter hij verdwenen was en kwam in het voorportaal terecht. Terwijl ze haar adem inhield, luisterde ze met haar oor tegen de tweede deur of ze iets hoorde. Slechts het gepiep van de muizen drong vaag door de zware deur heen. Zou ze haar hoofd om de hoek durven te steken? In het ergste geval, als ze oog in oog zou komen te staan met Walter Beaney, kon ze altijd de gang oprennen en om hulp roepen. Desnoods zou ze de hele verdieping bij elkaar gillen. Nog steeds hoorde ze alleen het gepiep en geritsel van de proefdieren. Heel voorzichtig duwde ze tegen de deur, die geruisloos openging. Toen de kier groot genoeg was om haar hoofd door te laten, keek ze behoedzaam naar binnen. Elke spier in haar lijf was gespannen, klaar om weg te rennen als wat ze zag haar niet zou bevallen. De proefdierenruimte bood dezelfde aanblik als de vorige keer. Lange rijen kooien met rondscharrelende knaagdieren. Beaney zag ze evenwel niet en ze ontspande zich enigszins. Dan moest hij zich in het achterste gedeelte bevinden. Daar had Olivier aanvankelijk de cellen verstopt, maar blijkbaar was zijn geheim niet veilig geweest, want Beaney had ze eenvoudig weten te ontvreemden. Ze duwde de deur zachtjes verder open en sloop in gebogen houding naar binnen. Onder dekking van de kooien liep ze gebukt verder. De rubberzolen van haar gymschoenen maakten een piepend geluid op de linoleum vloer, dus ze moest haar voeten heel voorzichtig neerzetten. Stapje voor stapje liep ze zo langs de muizen tot ze bijna achter in het vertrek was, waar de ruimte een haakse bocht naar rechts maakte. Daar bevond zich het gedeelte waar Olivier de eerste keer de cellen had verstopt. Ze durfde niet om de hoek te kijken, want dan zou ze zich bloot moeten geven. Er kwam geen geluid uit de richting van Beaney. Besluiteloos zakte ze door haar knieën. De snuffelende muizen duwden nieuwsgierig hun neus tegen het gaas en keken wie de vreemde bezoeker was. Ze dacht koortsachtig na. Eigenlijk had ze geen plan. Ze was impulsief achter Beaney aangelopen en hier zat ze nu. In het hol van de leeuw. Misschien zou ze voorzichtig om de hoek kunnen gluren.

Op dat moment viel er iets op de grond. Michelle schrok van het geluid. Het klonk alsof er een houten plank of zoiets op de vloer was gevallen. De klap werd gevolgd door een gedempte vloek. Ze dook in elkaar en kroop snel onder de kooien. Gehurkt wachtte ze op wat er zou komen. Er gebeurde echter niets. Het bleef doodstil in de aangrenzende ruimte. Na een paar minuten in een ongemakkelijke houding te hebben gezeten kreeg ze, precies zoals bij haar vorige bezoek aan de proefdierenruimte, kramp in haar kuiten. Noodgedwongen kwam ze half overeind en wreef over haar pijnlijke onderbeen, terwijl ze ondertussen door de getraliede kooien heen nauwlettend het andere vertrek in de gaten hield. Het bleef verdacht stil en na enkele ogenblikken won haar nieuwsgierigheid het van haar angst. Geluidloos begon ze in de richting van Beaney te lopen. Bij de hoek aangekomen legde ze haar handen op de muur en bewoog uiterst langzaam haar hoofd naar de rand. Voorbereid om onmiddellijk weg te kunnen rennen, keek ze om het hoekje. Ze zag een lange, smalle, werkruimte waar geen daglicht binnen kon komen omdat ze zich onder de grond bevonden. Langs de ene wand was een uitgestrekte werktafel, waar lage krukjes bij stonden. Tegen de andere wand stonden hoge tafels opgesteld met kasten eronder, waar staand aan gewerkt kon worden. Overal stond het gebruikelijke wetenschappelijke instrumentarium opgesteld. Het enige verschil met de andere kamers die ze gezien had, was dat hier alle overige ruimte werd ingenomen door grote hoeveelheden reageerbuizen, glazen bakjes, potjes, erlenmeyers en schaaltjes. Petrischaaltjes wist ze intussen, nadat ze gezien had dat de cellen van Moreau hierin bewaard werden. Alle kasten en schappen waren bezaaid met dit soort potjes, beplakt met onleesbare etiketten, waarin waarschijnlijk kweken zaten die afgenomen waren van de ratten en muizen. Michelle begreep opeens waarom Olivier de cellen van Moreau juist hier verstopt had. Je moest nauw bij het onderzoek betrokken zijn, wilde je hier je weg in kunnen vinden, vermoedde ze.

Wat haar echter bevreemdde, was dat Beaney nergens te bekennen was. Ongelovig keek ze rond en deed onzeker een stap naar voren. Ze herinnerde zich hoe Beaney plotseling uit de nis aan de oever van de Seine tevoorschijn was gesprongen. Instinctief verwachtte ze dat hij elk moment uit het niets kon opduiken, maar het bleef stil. De ruimte was zeer overzichtelijk. Er was geen enkel verborgen plekje en er was ook geen deur waardoor hij verdwenen kon zijn. Dit was bizar! Hij leek wel in rook opgegaan. Nog steeds niet op haar gemak liep ze langzaam langs de werktafels tot ze bij de muur aan de andere kant kwam. Onderzoekend liet ze haar blik langs de wanden glijden. De vraag was niet *of* er een uitgang was, maar *waar* hij was. Ze had Beaney met eigen ogen naar binnen zien gaan en ze wist honderd procent zeker dat hij niet was vertrokken. Haar oog viel op de houten lambrisering tegen de achterwand. De onderste helft van de oude keldermuur was afgetimmerd met eenvoudige houten schotten. Eén van die schotten stond niet helemaal in het gelid, waardoor er een smalle, verticale spleet zichtbaar was. Het leek wel alsof dat gedeelte los stond. Gespannen liep ze naar de muur en wurmde haar vingers tussen de lambrisering. Het schot zat inderdaad los, want zodra ze haar hand erachter had gewrongen, gaf het mee. Met beide handen pakte ze het houten schot vast en schoof het voorzichtig opzij. Zoals ze al verwacht had, zat er geen

171

muur achter dit gedeelte van de lambrisering. In plaats daarvan keek ze in een zwart gat. Benieuwd naar wat er zich in die donkere ruimte bevond, stak ze haar hoofd naar binnen. In het zwakke schijnsel van de laboratoriumverlichting zag ze een brokkelige, stenen trap naar beneden lopen. Ze kon niet zien waar hij naartoe leidde, want zo ver reikten de lampen niet. Na ongeveer tien treden werd de trap in volledige duisternis gehuld. Opeens drong tot haar door wat Beaney daarnet had laten vallen. Dat was dit schot geweest. Hij moest de houten plaat vanaf de binnenkant teruggeplaatst hebben en was vervolgens de trap afgedaald. Gegrepen door de spanning boog ze zich voorover en stapte in het gat. Terwijl ze zich angstvallig in evenwicht hield tegen de muur, liep ze zachtjes naar beneden. De stenen voelden koel en vochtig aan en er groeide mos op de treden. Het werd steeds donkerder en toen ze onderaan de trap was gekomen, zag ze letterlijk geen hand meer voor ogen. Het leek erop dat ze terecht was gekomen in de oude catacomben onder het achttiende-eeuwse pand. Of misschien was het gewoon de fundering. Ze kon het onmogelijk zien, want er drong geen enkele lichtstraal meer door in deze onderaardse gewelven. Ze kneep haar ogen even stijf dicht in de hoop dat ze dan iets meer zou zien op het moment dat ze weer zou kijken. Het leek iets te schelen. Toen ze haar ogen weer opende, kon ze vaag de contouren van een lage gang onderscheiden. De vloer voelde ruw en oneffen aan. Dit waren onmiskenbaar de fundamenten van het gebouw boven haar. Voetje voor voetje, bang om te struikelen op de hobbelige vloer, schuifelde ze voorwaarts. Al snel besefte ze dat dit geen enkele zin had. Het was gewoon te donker. Ze hield halt en besloot om terug naar boven te gaan. Misschien was het toch beter om eerst iemand te waarschuwen alvorens deze obscure spelonken verder te onderzoeken. Precies op het moment dat ze zich om wilde draaien zag ze in de verte een lichtje dansen. Snel drukte ze zich met haar rug tegen de koude muur. Er ging een rilling door haar heen. Ingespannen probeerde ze te onderscheiden wat het flikkerende lampje was. Het bewoog grillig over de muren en sprong van boven naar beneden. Het was een zaklamp, realiseerde ze zich. En hij bewoog haar kant op. Dat kon alleen maar Walter Beaney zijn die terugkeerde van zijn geheimzinnige missie. Michelle bedacht zich geen moment en liep snel terug naar de trap. Het lichtje was vrij ver weg. Waarschijnlijk was ze nog buiten het bereik van de zaklamp en zou ze onopgemerkt blijven. Met grote sprongen rende ze omhoog en schoof het houten schot terug voor het gat. Hopelijk zou Beaney niet merken dat het van zijn plaats was geweest. Haastig liep ze langs de muizenkooien terug naar de gang. Daar nam ze de deur naar het trappenhuis en rende zo snel als ze kon naar het laboratorium op de tweede verdieping.

Hijgend kwam ze aan bij de kamer van Olivier. Zijn deur was dicht, want hij was met iemand in overleg. Ze keek door het raam naar binnen. Verbaasd zag ze dat de man met wie Olivier in gesprek zat, niemand minder was dan Richard Petit, de intelligent design-aanhanger. Wat deed die nou hier? Gejaagd dacht ze na. Beaney was op dit moment waarschijnlijk op weg naar buiten, maar ze durfde de confrontatie met hem niet alleen aan. Eigenlijk had ze Olivier willen vragen om samen met haar Beaney te onderscheppen. Eventueel met hulp van anderen. Maar nu ze hem daar samen met Petit zag zitten, begon ze te twijfelen. Wat was de rol van Petit? En wat zei dit over Olivier? Wie kon ze nu echt vertrouwen? Het leek haar op dit moment het verstandigst om gewoon de politie te bellen. Haastig pakte ze haar telefoon en belde Arthur Martin.

'*Allo?*' hoorde ze zijn stem.

'Monsieur Martin? Met Michelle Rousseau. Ik ben op dit moment in het lab van Nicolas Moreau. Walter Beaney is hier!'

'Walter Beaney?' klonk het verbaasd.

'Ja. Blijkbaar werkt zijn badge nog. Ik heb gezien dat hij in een verborgen ruimte onder het gebouw is geweest en hij is nu waarschijnlijk op weg naar buiten. Wat moet ik doen?' Zenuwachtig keek ze nog eens door het raam van de kamer waar Olivier nog druk in gesprek was met Petit.

'Niets,' zei Martin resoluut. 'Dit kan gevaarlijk zijn. Dat heb je aan den lijve ondervonden. We hebben inmiddels op de videobeelden gezien dat Moreau het pand waarschijnlijk toch niet verlaten heeft. Beaney lijkt er wat mee te maken te hebben. Blijf waar je bent. We komen er onmiddellijk aan.'

'Oké.' Michelle verbrak gelaten de verbinding en zag dat Olivier haar inmiddels herkend had. Verwonderd lachend om haar ongewone uiterlijk wenkte hij haar naar binnen. Met een verontschuldigende blik opende ze aarzelend de deur.

20

De vijf mensen in de Koninginnekamer keken nog steeds ongelovig naar het computerscherm. Pyramid Explorer was er net in geslaagd om zich over de drempel heen te werken en stuitte nu op een nieuwe barrière. Deze keer leek de hindernis onneembaar.

'Dat lijkt wel een deur,' zei Enquist perplex. 'We kunnen niet verder, de schacht is afgesloten.'

'Er zitten twee handvatten op,' zag Mueller. 'Hij moet open kunnen.'

Enquist keek koortsachtig naar de videobeelden. 'Die deur verbergt iets. Er moet wat achter zitten. We zijn iets op het spoor.'

'We staan op negenenvijftig meter,' rapporteerde Kurt.

Mueller leek licht teleurgesteld. 'We gaan die deur nooit open krijgen, moet je zien hoe stevig hij is.'

Pyramid Explorer stond voor een glad gepolijste witte steen die de schacht volledig blokkeerde. De afsluitsteen was precies op maat gemaakt. Hij sloot nauwkeurig aan op de wanden van de schacht. Midden op de steen bevonden zich twee donkergekleurde verticale handvatten. Het leek wel alsof het linkerhandvat was afgebroken, want hij was een stuk korter dan de andere.

'Ik denk dat je gelijk hebt, Peter,' zei Enquist, 'hier komen we niet door. Het is trouwens geen deur, zie je dat?'

'Geen deur?' vroeg Vincent, die tot nu toe sprakeloos had meegekeken.

'Nee, zoom eens in op de rechterbenedenhoek.'

Terwijl iedereen nog steeds verbaasd naar de steen staarde, had de scherpe blik van Enquist wat opgemerkt. De camera zoomde in en iedereen zag dat er een klein stukje van de hoek was afgebroken, waardoor er een groef in de zijwand zichtbaar was.

'De steen is een paar millimeter breder dan de schacht,' stelde Enquist vast. 'Hierdoor wordt hij op zijn plaats gehouden. Waarschijnlijk hebben ze de steen tijdens de bouw van bovenaf in de schacht laten zakken.'

Terwijl de camera weer uitzoomde wees Enquist op de bovenkant van de steen die in het plafond verdween. Het was onmogelijk om vast te stellen hoe ver de steen in de bovenkant van de schacht doordrong.

'Die handvatten zijn van brons of koper gemaakt,' ging Enquist verder. 'Kijk maar naar de groene corrosie. Eigenlijk betwijfel ik of die dunne staafjes wel handvatten zijn. Volgens mij zijn het metalen pennen die vanaf de andere kant door de gaten geduwd zijn en vervolgens met een hamer zijn platgeslagen. Dit zou betekenen dat we naar de achterkant van de steen kijken. De echte bijzonderheid zou zich dan aan de voorzijde bevinden.'

Het geoefende oog van Enquist ontdekte ook twee witte stippen op de deur. 'Dat lijken wel gipsafdrukken. Misschien zijn het zegels,' zei hij nadenkend.

'Met die vergunning zal het nu wel goed komen,' zei Vincent. 'Dit moet voldoende bewijs zijn.'

'Je hebt gelijk,' zei Enquist. 'We moeten deze ontdekking onmiddellijk aan Tarek Abbara melden. Die zal wel opkijken.'

'Zal ik Explorer terug naar beneden laten rijden?' vroeg Mueller.

'Ja, doe dat maar,' antwoordde Enquist. 'Zetten jullie de film op een usb-stick? Dan gaan we daarmee naar Abbara.'

Kurt knikte en begon de beelden van de ontdekkingsreis van Pyramid Explorer te kopiëren. Peter Mueller begon Explorer achteruit naar beneden te laten rijden. Het rupsvoertuig had nog maar een klein stukje afgelegd toen hij Enquist, die was weggelopen bij het beeldscherm en bij de horizontale gang notities stond te maken, er weer bij riep.

'Mark, kom eens kijken, hier ligt het afgebroken stuk van het handvat.'

Enquist liep snel naar de monitor en keek mee over de schouder van Mueller. Op de vloer, tegen de zijwand van de schacht lag inderdaad het ontbrekende stuk metaal.

Enquist knikte. 'Blijkbaar was de afsluitsteen intact toen hij geplaatst werd. Dat stuk moet later afgebroken zijn en is een eindje naar beneden gevallen.'

Iedereen werd abrupt afgeleid toen er plotseling rumoer klonk uit de gang. Enquist liep onmiddellijk naar de hoek van de kamer en bukte zich, zodat hij in de lage gang kon kijken.

'Daar komen mensen aan,' zei hij verbaasd.

'Verwacht u iemand?' vroeg Vincent.

'Nee, niet direct. Zo te zien zijn het er een stuk of drie,' zei Enquist terwijl hij in de schemerige gang tuurde. Hij ging weer rechtop staan en wachtte met zijn armen over elkaar geslagen tot de onverwachte gasten in de Koninginnekamer zouden arriveren. Even later kroop er een dikke geüniformeerde Egyptenaar met een grote snor uit de gang. Hij werd gevolgd door twee collega's. De besnorde man stond puffend op, zette zijn pet recht en klopte het stof van zijn tenue. Met een rood, bezweet hoofd van de inspanning salueerde hij.

'Dr. Enquist, neem ik aan?'

Enquist knikte. Hij moest onwillekeurig denken aan de beroemde woorden van journalist Henry Morton Stanley toen hij ontdekkings-reiziger David Livingstone ontmoette in donker Afrika. Enquist was na de ontdekking van de deur nog een beetje in een roes en voelde zich ook een soort avonturier die een grote vondst had gedaan.

'Ik ben kapitein Mido,' zei hij kortaf in gebrekkig Engels. 'Ik heb de leiding over de bewakingsdienst op het plateau van Gizeh. Ik heb orders om u mee te delen dat uw vergunning voor onderzoek aan de piramide van Cheops is ingetrokken. U moet onmiddellijk de piramide verlaten. U mag uw apparatuur meenemen, maar niet voordat we gecontroleerd hebben wat u gefilmd hebt. Ik moet al uw beeldmateriaal in beslag nemen.'

Hoewel Enquist rekening had gehouden met deze mogelijkheid, werd hij toch onaangenaam verrast door dit nieuws.

'En van wie komen uw orders, kapitein Mido?' wilde hij weten.

'Van de Supreme Council of Antiquities. Zometeen arriveert er een computerexpert die uw apparatuur zal controleren. Ik moet u verzoeken mij direct naar buiten te volgen.'

'Ik heb verheugend nieuws, kapitein Mido. We hebben zojuist een fantastische ontdekking gedaan in de zuidelijke schacht,' pro-beerde Enquist. 'Als de SCA dit hoort, zal de vergunning direct af-gegeven worden.'

'Dr. Enquist, ik heb mijn orders, wilt u me alstublieft naar buiten volgen?' zei Mido onverbiddelijk terwijl hij veelbetekenend zijn hand op zijn bruinlederen pistoolholster liet rusten.

Peter Mueller was intussen onverstoorbaar doorgegaan met het naar beneden loodsen van Pyramid Explorer. Het voertuig bevond zich op zijn weg terug nu ongeveer halverwege de schacht. Hij wis-selde een blik van verstandhouding met Kurt. Vincent zag dat Kurt klaar was met het kopiëren van de film. In plaats van de usb-stick uit de computer te nemen, leunde hij achterover in zijn stoel en keek vragend naar Mueller.

Enquist overzag de situatie. Hij besefte dat ze de computers, Pyramid Explorer en alle andere apparatuur voorlopig achter zouden moeten laten in de Koninginnekamer. Kapitein Mido had duidelijke orders. Blijkbaar had Tarek Abbara de SCA niet kunnen overtuigen van het belang van het onderzoek aan de schachten en hadden de wijze heren van de SCA besloten om de mondelinge toezegging van Abbara nietig te verklaren. Enquist was benieuwd welke overwegingen tot deze beslissing hadden geleid. Zodra hij de piramide uit was en weer bereik op zijn mobiele telefoon had, zou hij meteen Abbara bellen voor tekst en uitleg.

Maar zijn eerste prioriteit was nu om de usb-stick ongezien naar buiten te smokkelen. De filmbestanden op de PC zouden ongetwijfeld in beslag worden genomen door kapitein Mido. Abbara zou het materiaal uiteindelijk toch wel te zien krijgen, maar Enquist wilde graag zo snel mogelijk met zijn eigen kopie naar hem toe om het opzienbarende nieuws te melden. Hij ging ervan uit dat er na het zien van de opnames uit de zuidschacht een vergunning afgegeven zou worden voor nader onderzoek aan de geheime deur. En omdat Pyramid Explorer de enige robot ter wereld was die hiertoe in staat was, waren hijzelf en het team van Peter Mueller de aangewezen personen om de verdere exploratie van de schacht op zich te nemen.

Enquist richtte zich tot Mido. 'Kapitein, ik begrijp dat u uw orders heeft. Daarom zal ik met u mee naar buiten gaan. Er is echter een probleem. Op dit moment bevindt zich diep in de zuidelijke schacht een op afstand bestuurbare robot. We kunnen dit voertuig niet zomaar achterlaten. Als u even meekijkt op deze monitor ziet u wat ik bedoel.'

Hij wees naar Mueller. 'Dit is Peter Mueller. Hij is verantwoordelijk voor de robot, dus hij zal met zijn team moeten achterblijven om het voertuig veilig naar beneden te loodsen.'

Terwijl Mido en zijn twee ondergeschikten over de schouder van Mueller mee naar het scherm keken, gebaarde Enquist achter hun rug naar Vincent dat hij naar Kurt moest lopen. Vincent begreep de hint en wandelde achteloos naar de hoek waar Kurt zat. Enquist positioneerde zich bewust tussen hen en de Egyptenaren in en begon druk gebarend uit te leggen wat er op de monitor gebeurde.

Terwijl de bewakers werden afgeleid, pakte Kurt de usb-stick uit zijn computer en gaf hem in een soepele beweging aan Vincent. Deze stak hem in zijn broekzak en liep bedaard naar het groepje bij de computer van Mueller. Vincent zocht oogcontact met Enquist en knikte hem nauwelijks merkbaar toe. Enquist glimlachte tevreden en rondde zijn verhaal direct af.

'Dus, kapitein, lijkt het me een redelijk verzoek dat Peter Mueller en zijn team hier achterblijven, terwijl ik met u mee naar buiten ga.'

Mido keek besluiteloos de Koninginnekamer rond. 'En wie is hij?' vroeg hij naar Vincent wijzend.

'Dat is Vincent Albright,' antwoordde Enquist. 'Die hoort bij mij. Hij gaat mee naar buiten.'

Op dat moment kropen er weer twee mensen uit de horizontale gang naar binnen. Een van hen was aan zijn uniform te zien ook een bewaker. De ander was gekleed in een grijze pantalon en een overhemd. De mannen krabbelden overeind en de bewaker bracht in het Arabisch rapport uit aan zijn superieur. Mido knikte en wendde zich tot Enquist.

'Dit is de computerspecialist over wie ik gesproken heb. Hij zal uw computers inspecteren. Meneer Mueller en die twee andere heren,' hij wees naar Ralph en Kurt, 'mogen blijven tot uw robot beneden is. Ik laat twee bewakers bij hen achter. De rest gaat mee naar buiten.'

Hij wees naar het gat in de muur om aan te geven dat hij meteen wilde vertrekken. Een van de drie aanwezige bewakers ging hen voor en verdween in de gang.

Enquist keek naar Mueller. 'Red jij het hier?'

'Maak je geen zorgen,' antwoordde hij met een knipoog. 'Ik ga hier niet weg zonder Explorer.'

Niet helemaal gerustgesteld door de opgewekte woorden van Mueller bukte Enquist zich en verliet de Koninginnekamer. Vincent kroop na hem de lage gang in en kapitein Mido sloot de rij. Omdat Mido in de krappe gang gehinderd werd door zijn buik, ging hij niet zo snel als de rest. Al snel had hij een flinke achterstand opgelopen waardoor hij zich buiten gehoorsafstand van de anderen bevond. Terwijl Vincent aan het einde van de horizontale gang overeind kwam in de grote galerij, keek hij over zijn schouder. Hij zag dat Mido pas halverwege was.

'Dr. Enquist,' zei hij zachtjes. 'Die computerman heeft natuurlijk meteen door dat er gegevens op een usb-stick zijn gezet. Als we zometeen buiten zijn, moeten we snel maken dat we wegkomen, anders lopen we het risico dat Mido gewaarschuwd wordt. Dan moeten we de film alsnog afgeven.'

'Daar heb je gelijk in,' knikte Enquist. 'Mido heeft geen enkele reden om ons vast te houden, dus we gaan er onmiddellijk vandoor als we bij de uitgang zijn.'

Enquist bukte zich om te kijken hoever Mido was. Die had nog tien meter voor de boeg.

'Daar gaan we niet op wachten,' besloot hij en draaide zich om. 'Kom Vincent, we gaan alvast.'

De twee mannen verlieten de grote galerij en liepen de volgende gang in, de bewaker beduusd achterlatend. Die bukte zich en riep iets in het Arabisch naar zijn kapitein. Hijgend gaf Mido een bevel, waarop de bewaker snel achter hen aan rende.

Nadat ze even naar beneden hadden gelopen, kwamen ze weer uit bij de splitsing waar de gang verder afdaalde naar de onderaardse kamer, die zich diep in de rotsbodem onder de piramide bevond. Ze liepen de andere kant op, omhoog richting de uitgang.

Enquist draaide zich om. 'Als we zo buiten komen, lopen we meteen verder naar beneden. Mido hoeft ons alleen maar naar de uitgang te begeleiden, dus die komt ons waarschijnlijk niet achterna.'

'Oké,' zei Vincent, die de usb-stick voelde branden in zijn broekzak.

Toen ze even later de bewaking bij de toegangspoort passeerden, was de zon net onder. Het begon al te schemeren en de laatste toeristen waren op weg naar hun bussen. Enquist zei tegen de bewaker die hen begeleid had, dat ze naar hun hotel gingen. Als Mido nog wat wilde weten moest hij maar langs komen. De bewaker knikte. Enquist daalde de trap af, op de voet gevolgd door Vincent. Onderaan de piramide stapten ze het woestijnzand in en, nagestaard door de bewakers, wandelden ze rustig rechtdoor richting het hotel van Enquist. Op een steen zat een eenzame man zwijgend door een verrekijker naar de piramides te kijken.

'Heb je de stick nog, Vincent?'

Hij diepte de gegevensdrager op uit zijn broekzak en toonde hem aan Enquist.

'Mooi. Ik kan het eigenlijk nog steeds niet geloven. Op deze stick staat het bewijs voor wat misschien wel de ontdekking van de eeuw is! Hiermee wandelen wij straks bij Tarek Abbara naar binnen en dan is die vergunning meteen geregeld.'

Druk pratend kwamen ze na tweehonderd meter op een verharde weg uit. Enquist liep niet naar het hotel, maar sloeg rechtsaf richting een dorpje aan de rand van het plateau van Gizeh.

'Dat is Nazlet el Samman,' wees Enquist. 'Laten we niet naar het hotel gaan, voor het geval Mido ons nog achterna komt. We zoeken even een restaurantje op om wat te eten. Dan kan ik daar rustig met Abbara bellen. Ik kan niet wachten om hem het nieuws te vertellen.'

'Goed idee,' zei Vincent. 'Ik rammel van de honger.'

Ze hadden stevig ontbeten, maar sinds vanochtend hadden ze beiden niets meer gegeten. Ze waren zo in beslag genomen door de gebeurtenissen in het hart van de Grote Piramide dat ze geen moment een gevoel van trek hadden gehad.

Vlak voordat ze het dorp inliepen zagen ze wat tumult bij de ingang van de piramide van Cheops. Hoewel ze zich op enkele honderden meters afstand bevonden, ontwaarden ze duidelijk de corpulente gestalte van kapitein Mido die druk bevelen stond te schreeuwen naar de overige bewakers. De mannen in uniform waaierden uit over het terrein. De meesten liepen in de richting waarin Enquist en Vincent waren verdwenen. Twee van hen begonnen aan een rondje om de piramide.

'Dat lijkt me duidelijk,' concludeerde Enquist. 'Onze computervriend heeft zijn werk gedaan. Ik denk dat we ons nu het beste even schuil kunnen houden tot we Abbara hebben gesproken. Red je het nog even zonder eten, Vincent?'

'Er zit niets anders op, vrees ik. Wat is uw plan?'

'Ik hoop dat ik vanavond een afspraak met Abbara kan maken. Bovendien wil ik wel eens weten waarom de vergunning zo plotseling is ingetrokken. Hij zal vast in de stad zitten. Als hij hier op het terrein was geweest, hadden we hem vandaag wel in de Koninginnekamer gezien. Ik neem aan dat hij ook zeer benieuwd is naar de ontdekkingen van Explorer. Ik heb een huurauto bij het hotel staan. Daarmee kunnen we naar Cairo rijden.'

Ze bevonden zich inmiddels in de straten van Nazlet el Samman, waar groepjes toeristen nog rondsnuffelden in de vele winkeltjes. Van kleurige handgeknoopte tapijten en houtsnijwerk tot ritjes op een kameel, luidkeels prezen de handelaren hun koopwaar aan. Vincent snoof de geur op van geroosterd vlees en was niet in staat zijn protesterende maag nog langer te negeren. Hij stopte bij een stalletje en bestelde snel twee broodjes kebab. Terwijl de verkoper met een lang mes het vlees van de spies begon te snijden, pakte Enquist zijn telefoon uit zijn zak en zocht het nummer van Tarek Abbara op in het geheugen. Hij bracht de telefoon naar zijn oor.

'Voicemail, zijn telefoon staat uit,' zei hij na enkele ogenblikken teleurgesteld.

'Spreekt u geen boodschap in?'

'Ik probeer het zo nog wel een keer,' zei Enquist terwijl hij het broodje aannam. 'Ik merk nu pas dat ik de hele dag niets gegeten heb.'

Vincent keek achterom over zijn schouder. Helemaal aan het begin van de straat verschenen twee gewapende bewakers. Met de karabijn over hun schouder liepen ze haastig tussen de toeristen door alsof ze iemand zochten. Terwijl Vincent zijn eigen broodje aannam, stootte hij Enquist aan en knikte in de richting van de twee naderende ghafirs. Enquist trok Vincent onmiddellijk mee. Rustig liepen ze zo onopvallend mogelijk verder en sloegen linksaf om uit het zicht van de bewakers te raken. Vincent opende zijn mond om te vragen wat Enquist van plan was toen er een man luid schreeuwend achter hen aan kwam rennen. Het was de kebabverkoper.

'Betalen, betalen, jullie moeten nog betalen!' riep hij verontwaardigd terwijl hij Vincent aan zijn mouw trok.

Ontsteld keek Vincent hem aan. In de consternatie om weg te komen waren ze helemaal vergeten om geld achter te laten. Voorbijgangers keken nieuwsgierig om en er dreigde een opstootje te ontstaan rondom de luidkeels protesterende kebabverkoper. Vincent haastte zich om excuses te maken en duwde de man een bankbiljet in de hand, waarmee hij zijn schuld ruimschoots infoste. Tevreden gesteld draaide de verkoper zich om en wandelde terug naar zijn kraam. De bewakers waren echter gealarmeerd door het tumult en snelden op de plaats van de commotie af. Vincent en Enquist liepen vlug een nieuwe zijstraat in. Ze zorgden ervoor om niet te gaan rennen, zodat ze hopelijk niet al te zeer zouden opvallen, en gingen een drukke winkel binnen. De zaak stond vol met rekken aardewerk. Kalm liepen ze door het doolhof van potten en vazen en gedroegen zich als potentiële kopers. Enquist tuurde tussen twee met hiërogliefen beschilderde kruiken door naar buiten en zag de bewakers aan het begin van de straat verschijnen. Ze spraken voorbijgangers aan en vroegen kennelijk of iemand had gezien waar ze naartoe waren gegaan. Iedereen haalde zijn schouders op. Blijkbaar had hun strategie van rustig wegwandelen gewerkt.

Of toch niet? Een bebaarde man met tulband en traditionele kaftan die op de hoek van de straat voor zijn winkeltje met goud en sieraden zat, stond op en liep op de ghafirs af. Hij sprak hen aan en wees naar de straat waarin Enquist en Vincent verdwenen waren. Op een vraag van een van de bewakers schudde hij zijn hoofd. Enquist concludeerde hieruit dat de man niet had gezien dat ze de aardewerkwinkel waren binnengelopen. Zijn vermoeden werd bewaarheid toen de bewakers langzaam de straat inkwamen. Ze liepen ieder aan een kant van de weg en tuurden in elke winkel naar binnen om te zien of de voortvluchtigen zich daar ophielden.

Enquist draaide zich om naar Vincent. 'Zometeen komen ze hier, we moeten wat verzinnen.'

Vincent keek rond en liep op een verkoper af. 'Mag ik wat vragen?'

De man glimlachte vriendelijk. 'Natuurlijk, meneer. Waar komt u vandaan?'

'Engeland.' Hij wees op de dichtstbijzijnde vaas in het rek naast hem. Het was een grote, blinkend zwart geglazuurde urn, waarop traditionele figuurtjes in de bekende Egyptische lichaamshouding waren geschilderd. Geen perspectief, altijd twee schouders zichtbaar en beide armen opgeheven.

'Ik ben op zoek naar zo'n soort vaas, maar ik wil er graag honderd,' blufte hij.

'Honderd?' vroeg de verkoper verbaasd en ongelovig tegelijk.

'Ja, ik heb een groothandel in Londen en ik wil ze importeren,' verduidelijkte Vincent.

De verkoper krabde nadenkend op zijn hoofd. 'Honderd van die vazen hebben we niet op voorraad. Ik denk dat u dan beter even met mijn baas kunt praten. Hij zit in zijn kantoortje achter de winkel. Wilt u even met me meelopen?'

'Graag,' zei Vincent en hij knipoogde naar Enquist.

Ze volgden de verkoper en verlieten de winkel door een felgekleurd kralengordijn aan de achterzijde. Daar bevond zich een klein kantoortje waar een man achter een computer zat. De verkoper sprak een paar zinnen in het Arabisch tegen hem, waarna hij opstond en naar hen toekwam. Hij was een klein, mager mannetje met een dunne snor en een enorme bril met een dik zwart montuur op zijn smalle gezicht.

'Welkom in mijn zaak,' zei hij hartelijk. 'Ga zitten, willen jullie thee?'

Zonder het antwoord af te wachten riep hij nog enkele woorden tegen de verkoper. Vervolgens begon hij zijn bureau te ontdoen van stapels papier en etensresten. Vincent en Enquist namen plaats op twee houten stoelen die voor het bureau stonden. De verkoper kwam opnieuw binnen met een dienblad waarop drie glazen thee stonden. Hij zette de glazen op het bureau en trok zich weer terug.

'Zo heren, ik begrijp dat u belangstelling heeft voor mijn vazen,' begon hij het gesprek. Vincent knikte bevestigend. Wat volgde was een uitgebreide verhandeling over kwaliteit, materiaal en de ver- schillende soorten vazen die hij kon leveren. Vincent nam een slokje van de thee, die mierzoet bleek te zijn, en luisterde met een half oor. Hij wilde proberen om de man een tijdje aan de praat te houden totdat de bewakers voorbij waren gelopen. Mochten ze de winkel binnenkomen, dan zaten ze veilig aan het zicht onttrokken op het kantoor van de eindeloos doorratelende aardewerkhandelaar die een lucratieve deal in gedachten had.

Er werd op de deur geklopt. De verkoper stak zijn hoofd om de hoek en vroeg wat aan zijn baas terwijl hij naar de twee vreemde mannen knikte. Deze keek geïrriteerd op en blafte iets terug. Hij keek naar Vincent, die hij beschouwde als de leider van de twee zaken- lieden.

'Er staan enkele heren in de zaak die op zoek zijn naar twee voortvluchtige archeologen.'

21

Michelle schudde haar samengebonden haar los, zette haar bril af en opende de deur van Oliviers kantoor. Nerveus stapte ze naar binnen. Hoofdinspecteur Martin zou intussen wel op weg zijn. Totdat hij gearriveerd was, had ze de tijd om uit te vinden hoe de verhoudingen lagen tussen Olivier en Richard Petit.

'Michelle!' riep Olivier verrast. 'Wat zie je er,' hij zweeg een ogenblik en keek haar onderzoekend aan, '*anders* uit!' haastte hij zich te zeggen toen Michelle hem een venijnige blik toewierp.

Petit draaide zijn hoofd naar de deuropening. 'Mevrouw Rousseau! Wat een verrassing.'

'Dat is dan wederzijds,' glimlachte Michelle. 'Ik dacht dat u het onderzoek van Nicolas Moreau niet bepaald een warm hart toedroeg.'

'Nou, dat moet je ruim zien,' lachte hij. 'Ik heb veel respect voor Nicolas' werk. We verschillen alleen nadrukkelijk van mening over de manier waarop het leven is ontstaan.'

Olivier zag in dat hij zijn beide gasten enige toelichting verschuldigd was. 'Ik begrijp dat ik jullie niet aan elkaar hoef voor te stellen.' Hij wendde zijn hoofd naar Petit. 'Michelle maakt in opdracht van Frédéric Dubois een reportage over celbiologie. In dat kader hebben we elkaar al enkele keren gesproken.'

'Dat is mij bekend,' knikte Petit. 'Mevrouw Rousseau heeft mij ook al weten te vinden. We hebben een interessant gesprek gevoerd.'

'Richard kwam onverwacht langs,' zei Olivier. 'Hij schijnt ergens opgevangen te hebben dat we hier mogelijk een grote doorbraak hebben bereikt en hij is zeer nieuwsgierig naar de details. Verwoord ik het zo goed, Richard?'

Petit tuitte weifelend zijn lippen. 'Ik denk dat ik maar open kaart moet spelen,' zei hij terwijl hij zich tot Michelle richtte. 'We hebben een zeer plezierige discussie gehad over celbiologie en intelligent design. Het getuigt van objectieve journalistiek dat je een alternatieve mening als die van mij uit eigen beweging wilde aanhoren. Daar heb ik bewondering voor. Maar onbewust heb je me in dat gesprek enkele aanwijzingen gegeven die me hebben doen besluiten om Nicolas met een persoonlijk bezoek te vereren.'

Michelle keek hem vragend aan.

Petit glimlachte fijntjes. 'Je had het over de mogelijkheid om in het laboratorium levende cellen te produceren en je zei dat je het lab van Nicolas Moreau had bezocht. Ik kreeg direct het vermoeden dat die dekselse Nicolas iets op het spoor was. Helaas schijnt hij er niet te zijn, dus veel wijzer word ik hier niet. Olivier wil er namelijk ook niets over loslaten.'

'We zaten net middenin een discussie,' veranderde Olivier snel van onderwerp. 'Richard bestookte me met argumenten voor zijn intelligent designtheorie.'

Michelle moest op haar tong bijten om niet over Walter Beaney en haar ontdekking van de ondergrondse kelder te beginnen. De spanning was nog steeds niet uit haar lichaam verdwenen. Martin had duidelijk gezegd dat ze niets mocht doen. Zou Beaney wederom door hun vingers glippen? Misschien zou ze samen met Olivier een poging kunnen wagen om Beaney te stoppen, want het leek erop dat haar aanvankelijke scepsis over de ontmoeting tussen Olivier en Richard Petit ongegrond was. Petit was onaangekondigd binnen komen vallen in de hoop Nicolas Moreau te spreken te krijgen en was bij Olivier terechtgekomen. En blijkbaar was ze zelf de aanleiding voor dit bezoekje geweest, omdat ze onbewust haar mond voorbij had gepraat. Ze besloot het dringende advies van Martin op te volgen en niet achter Beaney aan te gaan. Onrustig liet ze zich in een stoel zakken en putte moed uit de gedachte dat de recherche elk moment kon arriveren.

De discussie tussen Olivier en Petit was intussen grotendeels langs haar heen gegaan. Hoewel ze door alle gebeurtenissen in de kelder niet echt in de stemming was voor een nieuwe redetwist over intelligent design versus Darwin, spitste ze haar oren omdat het gesprek tussen de twee rivaliserende wetenschappers een onverwachte wending nam.

'Ik ken het ID-standpunt, Richard, en ik volg je discussies met Nicolas op de voet,' hoorde ze Olivier zeggen. 'Maar heb je er wel eens over nagedacht wie er nu daadwerkelijk verantwoordelijk zou kunnen zijn voor het ontwerp dat jullie zien in de schepping?'

'Die vraag wordt me wel vaker gesteld,' antwoordde Petit, 'maar als ik daar dieper op inga, begeven we ons al snel op niet-wetenschappelijk terrein.'

'Je bedoelt dat we dan in discussies terechtkomen over God of marsmannetjes?'

'Eh, zoiets ja. Ik heb daar persoonlijk wel ideeën over, maar je weet dat intelligent design zich puur beperkt tot de constatering dat er een ontwerp schuilgaat achter het leven hier op aarde. ID gaat nadrukkelijk niet in op de vraag wie hiervoor verantwoordelijk is.'

'God is inderdaad niet wetenschappelijk,' beaamde Olivier. 'En als er al marsmannetjes of, met andere woorden, een buitenaardse beschaving bestaat, dan zijn de afstanden in het heelal zo onmetelijk groot dat we elkaar nooit zullen kunnen bereiken.'

Michelle was Walter Beaney even vergeten.

'U zei net dat u persoonlijk wel ideeën hebt over die ontwerper,' zei ze tegen Petit. 'Wilt u daar niet iets over vertellen?'

Petit dacht even na. Er verschenen diepe rimpels op zijn glimmende voorhoofd. 'Hebben jullie wel eens van de vierde dimensie gehoord?' vroeg hij tenslotte.

Michelle keek hem nieuwsgierig aan.

Oliviers gezicht verried een blijk van herkenning. 'Ik heb er wel eens van gehoord, maar volgens mij is dat voer voor astronomen.'

'De vierde dimensie,' legde Petit uit, 'is zeer populair onder fysici omdat ze daarmee de oerknal kunnen verklaren. De theorie gaat ervan uit dat er naast lengte, breedte en hoogte nog een vierde dimensie bestaat die onze hersenen niet kunnen bevatten omdat wij al vele miljoenen jaren volledig gewend zijn om in een driedimensionale wereld te leven. Het gaat om zeer complexe, wiskundige materie. Om te kunnen begrijpen hoe die wereld er werkelijk uitziet, zal ik een oud voorbeeld van de theoloog Edwin Abbott gebruiken. In 1884 schreef hij het boek *Flatland*, waarin hij vertelt over een denkbeeldig volk dat slechts twee dimensies kent, de vlaklanders.'

Michelle, die weer een onderwerp voor haar reportage zag opdoemen, pakte een pen en een vel papier van Oliviers bureau.

'Goed,' stak Petit van wal, 'de vlaklanders in het verhaal bestaan slechts uit twee dimensies. Het zijn platte wezens die geen hoogte kennen. Omdat ze al sinds mensenheugenis in een tweedimensionale wereld leven, hebben hun hersenen zich volledig aangepast aan die platte wereld. Het is voor hen onmogelijk om driedimensionale voorwerpen zoals huizen, bomen of mensen te herkennen. Dat gaat hun bevattingsvermogen simpelweg te boven. Als een vlaklander een mens zou tegenkomen, zijn de voetzolen van deze persoon het enige wat de vlaklander zal kunnen zien. De onderkant van zijn schoenen is immers het enige waarmee de mens in de tweedimensionale wereld van de vlaklanders staat.'

'Ik ben benieuwd waar dit naartoe gaat,' grinnikte Olivier sarcastisch.

Michelle wierp hem een vernietigende blik toe.

'Net zoals onze wetenschappers, hebben de vlaklanders ooit ontdekt dat hun universum lang geleden moet zijn ontstaan door een oerknal die zo krachtig was, dat alle punten in hun tweedimensionale wereld na miljarden jaren nog steeds van elkaar af bewegen. Met andere woorden, ze ontdekten dat hun heelal uitdijt. Ze weten alleen niet precies in welke richting en dat kunnen ze ook niet weten, want hun wereld beweegt zich in de derde dimensie. De vlaklanders leven als het ware op het oppervlak van een ballon die langzaam opgeblazen wordt. Alle punten op het oppervlak van die ballon bewegen zich tijdens het opblazen van elkaar af en dat is voor hen onbegrijpelijk.'

Michelle blies in gedachten een ballon op en probeerde zich platte wezens voor te stellen die op de buitenkant woonden. Het moest inderdaad heel raar voor die vlaklanders zijn dat alle punten in hun platte wereld uit elkaar bewogen, zonder dat ze ooit op elkaar botsten. Dat was alleen te verklaren met behulp van een derde dimensie.

'Wij mensen zijn echter driedimensionale wezens, dus wij weten wèl precies hoe het zit met de wereld van de vlaklanders. Wij kunnen immers zien dat de ballon steeds groter wordt en dat hij uitdijt in *onze* wereld.'

Petit keek zijn toehoorders vragend aan. 'Is mijn verhaal een beetje te volgen?'

'Ik denk dat ik een vermoeden begin te krijgen wat u probeert uit te leggen,' zei Michelle bedachtzaam.

'Ik probeer een brug te slaan naar onze eigen situatie. Net zoals de vlaklanders weten onze wetenschappers ook niet precies in welke richting ons heelal uitdijt. Het antwoord op deze vraag is dat het heelal zich uitbreidt in de vierde dimensie. We kunnen dat alleen beredeneren met behulp van extreem moeilijke wiskunde.'

'Dus het is een dimensie die wij niet kunnen zien,' begreep Michelle.

'Precies. Vergelijk het maar met een insect dat geen enkel benul heeft van wat er in de wereld om hem heen gebeurt, omdat hij geen zintuigen heeft om het waar te nemen. Dat geldt ook voor de zintuigen van de mens. We hebben ogen en oren ontwikkeld omdat dat evolutionair gezien handige eigenschappen waren om te overleven op aarde, maar misschien bestaan er wel gewaarwordingen waarvoor we helemaal geen zintuigen ontwikkeld hebben.'

Olivier lachte smalend. 'De oerknal en de uitdijing van het heelal staan onomstotelijk vast. Daar zijn de wetenschappers het wel over eens. Maar die vierde dimensie, daar geloof ik niet in. Alles is toch gewoon te verklaren met onze eigen, vertrouwde dimensies lengte, hoogte en breedte?'

Petit schudde zijn hoofd. 'Dit is geen hersenspinsel van mezelf,' benadrukte hij. 'Ik ben bioloog, dus dit is niet mijn vakgebied. Vele wetenschappers van naam en faam geloven in een hogere dimensie en vinden een oerknal in de vierde dimensie een volstrekt realistisch scenario. Albert Einstein dacht zelfs dat alle materie in ons heelal veroorzaakt wordt door krommingen in andere dimensies.'

Michelle keek op van haar aantekeningen. Ze had Petit goed kunnen volgen, maar dit begreep ze niet.

'Krommingen in andere dimensies?'

Petit wreef over zijn kin en dacht even na. Blijkbaar had hij niet al zijn voorbeelden paraat.

'De vlaklanders!' zei hij tenslotte. 'Die kunnen ons ook hierbij helpen.'

Hij keek triomfantelijk naar de andere twee. Olivier leek bij het horen van de naam Einstein iets ontvankelijker te worden voor de argumenten van Petit.

'Vlaklanders hebben vele hobby's, maar bergsport kennen ze niet,' glimlachte Petit. 'Dat betekent natuurlijk niet dat er in hun wereld geen bergen en andere oneffenheden voorkomen. De vlaklanders kunnen het alleen niet zien, omdat een berg driedimensionaal is. Als een vlaklander dus een berg tegenkomt, zal hij niet beseffen dat hij zich omhoog beweegt. Hij zal echter wel een bepaalde weerstand ondervinden, omdat bergopwaarts lopen minder gemakkelijk gaat dan lopen op een vlakke ondergrond. Hierdoor zal hij denken dat er bepaalde krachten op hem inwerken. Wij leven in een driedimensionale wereld, dus wij weten meer dan de vlaklanders. Daarom kunnen wij zien dat de weerstand die de vlaklander ondervindt in feite een kromming in de derde dimensie is. Begrijp je dat?'

Michelle knikte terwijl ze driftig meeschreef.

'Deze analogie kun je doortrekken naar de vierde dimensie. Ook op ons werken krachten in zoals zwaartekracht, licht en materie, waarvan wetenschappers denken dat ze afkomstig zijn uit een hogere dimensie. Een bekend vraagstuk dat met behulp van de vierde dimensie opgelost kan worden is het raadsel van de donkere materie.'

'Dat klinkt als een nieuw boek van Harry Potter,' zei Olivier.

Michelle schoot Petit te hulp. 'Donkere materie bestaat echt,' zei ze. 'Astronomen zijn het erover eens dat ze slechts tien procent van de massa die in het heelal aanwezig moet zijn, kunnen verklaren. Van de overige negentig procent weten ze zeker dat het er moet zijn, omdat ze de effecten van de zwaartekracht ervan kunnen meten, maar ze kunnen die materie niet waarnemen, omdat het niet bestaat uit deeltjes zoals wij ze kennen. Daarom wordt het donkere materie genoemd. Het is vooralsnog een raadsel wat donkere materie precies is, maar het is zeker dat het er moet zijn.'

'Dank je, Michelle,' zei Petit met een lichte buiging van zijn hoofd. 'Omdat de zwaartekracht in staat is om zich door de vierdimensionale ruimte van het ene naar het andere driedimensionale heelal te bewegen, zou die verborgen, donkere materie zich wel eens in een parallel heelal kunnen bevinden. Ons heelal is in deze theorie dan onderdeel van een grotere, vierdimensionale ruimte die bestaat uit meerdere driedimensionale werelden. Dit model is erg populair onder astronomen en natuurkundigen, maar de reden dat ik het zo boeiend vind is dat deze theorie het ontbrekende stukje van de ID-puzzel zou kunnen opleveren. Als er namelijk een hogerdimensionaal heelal bestaat, waarom zou er dan geen hogerdimensionaal leven kunnen zijn?'

Petit keek triomfantelijk naar Michelle en Olivier.

'Intelligent leven in de vierde dimensie! Dat is *het* antwoord op alle openstaande wetenschappelijke en religieuze vragen. Dat leven bevindt zich niet ergens op een onbereikbaar verre planeet op miljarden lichtjaren hiervandaan. Nee, het is dichtbij en het bevindt zich overal om ons heen. En toch houdt het zich op buiten ons eigen driedimensionale blikveld. We kunnen het weliswaar niet waarnemen omdat ons brein begrensd is, maar er zijn allerlei meetbare krachten die sterke aanwijzingen in die richting opleveren. De hogere macht wetenschappelijk verklaard! Sommigen noemen het God. Is dat niet fantastisch?'

Petit liet zich voldaan achterover zakken in zijn stoel. Hij legde zijn handen op zijn omvangrijke buik en zweeg.

De verwachte reactie bleef echter uit, want plotseling vloog de deur open en stapte hoofdinspecteur Arthur Martin de kamer binnen. Hij werd in zijn kielzog gevolgd door rechercheur Marc Dupont. Geschrokken door de abrupte onderbreking, wendden de drie aanwezigen hun hoofd naar de binnenvallende politiemensen. Michelle was zo opgegaan in het betoog van Petit, dat de hele toestand rond Walter Beaney even van haar netvlies was verdwenen. De aanwezigheid van de beide rechercheurs bracht haar met een onplezierige schok terug in de werkelijkheid. Ze herinnerde zich weer haar ontdekking van de geheimzinnige trap en haar overhaaste vlucht voor de naderende zaklamp. Door het verhaal van Petit leek dat alweer een eeuwigheid geleden. Ze keek op haar horloge en zag dat het feitelijk nog maar twintig minuten geleden was dat ze uit de kelder was gekomen. Beaney zou intussen vast allang verdwenen zijn.

'Bonjour,' begroette Martin de aanwezigen. Zijn ogen keken onderzoekend de kamer rond en bleven rusten op Petit. Dat was een onbekende voor hem. Vragend keek hij van Olivier naar Michelle. Voor Olivier was de binnenkomst van de rechercheurs een complete verrassing en hij keek verwonderd naar de onverwachte gasten. Hij opende zijn mond om te informeren wat de aanleiding was voor hun onaangekondigde bezoek, maar Michelle nam snel het woord.

'Ik heb de heren gevraagd hiernaartoe te komen,' legde ze uit. Ze keek naar Richard Petit. 'Ik vrees dat u ons even moet excuseren, monsieur Petit. We hebben een zeer dringende kwestie te bespreken.'

Petit knikte berustend. Ze wenkte Olivier en samen met de rechercheurs verlieten ze de kamer. In het laboratorium bevonden zich verscheidene onderzoekers binnen gehoorsafstand van het viertal, dus Michelle keek rond op zoek naar een geschikte plek om haar verhaal te doen. Ze ging ervan uit dat degene die ze beneden had gezien, er allang vandoor was. Tenzij, bedacht ze zich ineens terwijl de weggeëbde spanning terugkwam, tenzij hij haar niet had opgemerkt in de aardedonkere gewelven. In dat geval bestond de kans dat hij nog in het gebouw aanwezig was. Ze was zo afgeleid door het bizarre verhaal van Petit, dat ze niet meer aan deze mogelijkheid had gedacht. Olivier zag haar zoekende blik.

190

'Zullen we even op de kamer van Nicolas gaan zitten?' stelde hij voor. 'Daar kunnen we even ongestoord praten.'

Michelle knikte en liep achter Olivier aan. Het idee dat Beaney nog in de buurt zou kunnen zijn, dreef de spanning op. Het kantoor van Moreau bevond zich direct naast dat van Olivier en was bijna identiek ingericht. Het enige in het oog springende verschil met de kamer van Olivier was dat Moreau een enorme kleurenafbeelding van een in elkaar gedraaide DNA-streng aan de muur had hangen. Ze nam niet de moeite om te gaan zitten, maar stak haastig van wal.

'Walter Beaney was in het gebouw.'

Olivier keek haar verbijsterd aan bij deze mededeling. 'Pardon?'

'Ik heb hem gezien. Hij had zich verkleed als een soort zakenman. Ik ben hem gevolgd naar de kelderverdieping. In de proefdierenruimte is een luik dat naar de fundamenten onder het gebouw leidt.'

Over haar woorden struikelend vertelde ze het hele verhaal tegen Olivier en de rechercheurs.

'Dus Beaney had zich vermomd,' zei Martin toen Michelle was uitgesproken. 'Maar u ziet er anders ook niet hetzelfde uit vergeleken met de laatste keer dat ik u zag, mademoiselle Rousseau. Mag ik vragen waarom?'

Michelle legde uit dat ze incognito een kijkje had willen nemen in de kelder van de universiteit en dat ze daar stomtoevallig Beaney tegen het lijf was gelopen.

Martin knikte, maar hield zijn gedachten voor zich. 'Kunt u ons de weg naar dat luik wijzen?'

'Natuurlijk.' Michelle kon niet wachten om eindelijk in actie te komen. Nu ze niet meer in haar eentje was, verdween haar angst als sneeuw voor de zon. De gedachte dat ze Beaney alsnog in de kraag zouden kunnen grijpen gaf haar vleugels. Ze stond snel op en ging de drie mannen voor naar het trappenhuis. Terwijl ze naar beneden liepen, zag ze dat Dupont zijn chef wees op de dichtgemetselde deuren. De rechercheurs waren gewend om alles wat vreemd of ongebruikelijk was te registreren. Zonder de voortdurende angst om ontmaskerd te worden, liep ze deze keer zelfverzekerd de gang van het kelderlaboratorium in. De drie mannen volgden haar op de voet. Toen ze de dubbele deuren van de proefdierenruimte opende, hoorde ze het gepiep van de ritselende muizen al. Een ogenblik later stonden ze tussen de strogedekte kooien. Ze zag meteen dat er iets veranderd was. In de werkruimte om de hoek waar ze de glazen schaaltjes met kweken had zien staan, brandde, in tegenstelling tot daarnet, fel licht. Er kwam ook een geluid vandaan dat ze niet precies kon thuisbrengen. Het leek erop dat er iemand aanwezig was.

'Het luik is daar om de hoek,' wees ze op gedempte toon, 'maar er is daar iemand.'

'Wacht hier,' zei Martin en samen met Dupont liep hij op het geluid af.

De rechercheurs liepen geruisloos in de richting van de werkruimte. Bij het punt waar het gedeelte met de muizenkooien overging in een laboratorium, hielden ze halt. Ze keken elkaar aan en overlegden even op fluistertoon. Dupont stak zijn rechterhand in zijn jack en bewoog zich langzaam naar de hoek. Michelle had er niet zo bij stilgestaan, maar dit soort mannen was natuurlijk gewapend. Klaar om zijn pistool te trekken, keek Dupont voorzichtig om de hoek.

Michelle keek gespannen naar Olivier. Ze kreeg het gevoel dat Beaney ineens de hoek om zou komen stormen, Martin en Dupont omver kegelend zoals hij onderaan de Seine met Pascal had gedaan. Ze greep Oliviers arm vast en keek met ingehouden adem wat er gebeurde.

Dupont zette langzaam een stap vooruit. Met zijn hand nog steeds in zijn jack, gaf hij zich bloot. Martin ging schuin achter hem staan en maakte zich bekend.

'Ik ben hoofdinspecteur Martin. Mag ik vragen ...'

Hij maakte zijn zin niet af. Terwijl hij zich enigszins leek te ontspannen tilde hij licht verbaasd zijn wenkbrauwen op. Ook Duponts lichaamshouding werd minder alert. Hij haalde zijn hand tevoorschijn, maar het pistool bleef achter in zijn jack. Martin wendde zijn hoofd naar Olivier en wenkte hem erbij. 'Misschien moet je even komen kijken.'

Olivier begreep direct wat er aan de hand was. Grinnikend liep hij naar de rechercheurs toe. Michelle volgde nieuwsgierig, maar ze was nog steeds niet helemaal gerustgesteld. Toen ze om de hoek keek, zag ze twee jonge onderzoekers in witte jassen voor een tafel vol met reageerbuizen staan. Ze droegen latex handschoenen en beiden hadden nog de pipet vast waarmee ze blijkbaar vloeistoffen aan het verdelen waren geweest. Door hun beschermende bril keken

ze overdonderd naar de politiemensen die onverwacht hun terri-
torium waren binnengedrongen. Blijkbaar waren de laboranten
binnengekomen nadat Michelle de ruimte verlaten had.

'Loos alarm, monsieur Martin,' stelde Olivier vast. 'Dit zijn collega's van mij.'

'Dat vermoeden had ik al,' knikte Martin. 'Het lijkt mij het beste
als ze ons even zouden willen excuseren.'

Olivier richtte zich tot de verbaasde onderzoekers. 'Deze heren
zijn van de recherche. Ze willen even op de afdeling rondkijken,'
legde hij uit.

De twee mannen knikten en legden hun pipet neer. Nadat ze
hun beschermende bril hadden afgezet verlieten ze het lab.

'De hele afdeling is op de hoogte gebracht van de verdwijning
van Nicolas,' zei Olivier tegen Michelle. 'Zoiets houd je toch niet
geheim. Zeker niet omdat een gedeelte van het personeel ondervraagd is. Ze zijn echter aan strikte geheimhouding gebonden.'

Michelle keek naar het luik. Ze kon niet zien of het in de tussentijd open was geweest. Het sloot naadloos aan op de rest van de
panelen en alles zag er nog precies uit zoals ze het achtergelaten
had. Als Walter Beaney de kelder had verlaten terwijl zij boven was,
dan had hij in elk geval geen sporen achtergelaten.

'Waar is die ingang dan?' vroeg Martin.

'Daar,' wees Michelle en ze liep naar de achterwand. Ze knielde
en probeerde haar vingers tussen de onderkant van het houten
paneel en de vloer te wurmen. Het luik zat muurvast op zijn plaats
en gaf niet mee. Ze liet haar handen over de verticale naden glijden,
maar nergens zat een opening waar ze haar vingers achter kon krijgen. Vertwijfeld stond ze op en zocht naar een manier om het luik
te openen.

'Weet je het zeker?' vroeg Dupont, die naast haar was komen
staan en het schot aan een inspectie onderwierp.

'Absoluut,' knikte Michelle. 'Ik heb het luik ontdekt omdat het
niet goed op zijn plaats zat. Nu zit het wel goed dicht, dus ik denk
dat we gereedschap nodig hebben.'

Ze keek zoekend om zich heen, maar zag niets liggen dat haar
kon helpen. Olivier liep naar een bureau en rommelde even in een
la.

'Dit is precies wat we nodig hebben,' zei hij terwijl hij een schroevendraaier in de lucht hield. Hij liep naar het schot en wrikte de

schroevendraaier er voorzichtig onderdoor totdat hij hem als hefboom kon gebruiken. Het schot kwam een klein beetje omhoog. Dupont knielde naast hem neer en probeerde zijn vingers eronder te krijgen. Met zijn tweeën lukte het om het luik van zijn plaats te krijgen. Even later keken de verbaasde aanwezigen in een gapend gat, waar een steile, stenen trap de diepte in leidde.

'Dit is waar ik jullie over verteld heb,' zei Michelle. 'Hier ben ik naar beneden gegaan. Het is daar pikdonker. Je ziet er letterlijk geen hand voor ogen.'

Martin stak zijn hoofd in het gat en keek de diepte in. 'Ik kan het einde van de trap niet eens zien,' constateerde hij. 'Als we daar beneden een kijkje willen nemen, hebben we lampen nodig.'

Olivier draaide zich om en liep peinzend langs de kastjes tegen de muur. Hij opende enkele deuren en keek op de schappen, maar hij leek niet te kunnen vinden wat hij zocht. Hij liep naar de andere wand en opende een lade waar hij in begon te rommelen.

'Hebbes!' zei hij terwijl hij twee hoofdlampen in de lucht hield.

'Uitstekend,' zei Martin.

'Wat doet dit soort lampen nu in een laboratorium?' vroeg Michelle.

'Oh, dit zijn gewone hoofdlampen die gedragen worden door kampeerders en zo,' antwoordde Olivier. 'Af en toe worden ze gebruikt door collega's wanneer ze optimale verlichting willen hebben tijdens precisieklusjes. Het licht hier in de kelder is namelijk niet ideaal. Ik hoop trouwens dat ze het doen.'

Olivier probeerde de lampen uit en ze bleken beide te werken. Martin nam de lampen van hem over en gaf er eentje aan Dupont.

'Het lijkt me het beste dat wij naar beneden gaan,' besliste Martin. 'Iemand moet hier boven aan de trap de wacht houden voor het geval er mensen binnenkomen. Wilt u dat doen, monsieur Leblanc? Ik neem aan dat u de meeste mensen die hier werken kent. Dat maakt het wat gemakkelijker om ze op een afstandje te houden.'

Olivier knikte. Martin had gelijk, maar toch was hij een beetje teleurgesteld dat hij niet mee naar de catacomben mocht.

'En ik?' vroeg Michelle. 'Ik wil graag mee naar beneden.' Ze wilde zich de kans om mee uit te zoeken wat er zich daar beneden afspeelde niet zomaar laten ontnemen.

Martin keek haar onderzoekend aan. 'Waarom wilt u dat zo

graag, mademoiselle Rousseau? Ik dacht eigenlijk dat u bezig was om een wetenschappelijke reportage te maken. Dit lijkt me meer een zaak voor de politie.'

Ja, waarom wilde ze dit eigenlijk? Daar had ze nog niet echt over nagedacht. Waarschijnlijk was het de combinatie van spanning en nieuwsgierigheid die maakte dat ze per se samen met de rechercheurs het geheim van de donkere gewelven wilde ontsluieren. Het zat niet in haar aard om passief af te wachten wat ze beneden zouden ontdekken. Ze wilde erbij zijn. Dat had ze altijd al gehad. En omdat Walter Beaney op dit moment de enige link met Nicolas Moreau was èn omdat ze zijn wurggreep nog voelde elke keer dat ze aan hem dacht, wilde ze helpen om hem te vinden.

'Ik ben beneden geweest,' zei ze pragmatisch. 'Ik heb daar iemand zien lopen. Ik kan jullie wijzen waar dat was.'

Martin twijfelde en keek naar Dupont. Die knikte dat hij geen bezwaar had om vergezeld te worden door een getuige.

'Oké dan, maar blijf achter ons.'

Martin zette de hoofdlamp op en liet Dupont voorgaan. De rechercheur stapte soepel door het luik en verdween uit het zicht. Martin volgde hem op de voet. Michelle ging snel achter de mannen aan. Ze zette haar voet op de bovenste trede van de verweerde trap en begon voor de tweede keer die dag af te dalen in de donkere diepte van de ondergrondse ruimte. Door het schijnsel van de twee lampen voor zich kon ze de trap nu goed onderscheiden, dus ze liep een stuk minder onzeker naar beneden dan de vorige keer. Onderaan de trap bleven de rechercheurs wachten tot Michelle zich bij hen had gevoegd. Nieuwsgierig, maar op hun hoede, keken ze om zich heen. Michelle zag nu dat ze zich in de oude fundamenten onder de Franse hoofdstad bevonden. Ze stonden in een lange corridor met links en rechts stenen funderingen, waar het gebouw boven hen op rustte. Een stukje verderop was een kruising met een andere, boogvormige gang. Het einde van de gang waarin ze zich bevonden was niet zichtbaar, dus ze vermoedde dat de funderingen van het hele huizenblok, of misschien wel van de hele straat, met elkaar in verbinding stonden door middel van een wijdvertakt netwerk van tunnels. Het was koel onder de grond en er drong geen enkel geluid van buitenaf door in het gangenstelsel.

'Waar bevond zich de persoon die u zag?' verbrak Dupont de stilte.

Michelle probeerde de afstand in te schatten. 'Nou, ik heb natuurlijk alleen maar een lichtje gezien, maar ik denk dat het een meter of dertig verderop was,' wees ze. 'Het bewoog zich deze kant uit.'

'Laten we wat verder de gang in gaan,' zei Martin en hij begon behoedzaam in de richting van de kruising te lopen. 'U kunt het beste tussen ons in blijven, mademoiselle Rousseau.'

Michelle volgde zijn advies op en Dupont sloot de rij. Bij de kruising met de andere gang scheen Martin met zijn lamp naar links en naar rechts, maar hij zag alleen maar twee donkere tunnels zonder einde. Voorzichtig liep hij verder. Na ongeveer dertig meter stopte hij en draaide zich om.

'Dus dit was de plek waar u dat licht hebt gezien,' zei hij terwijl hij met de lamp om zich heen scheen.

'Ja, hier moet het ongeveer geweest zijn. Hij kwam uit die richting.' Michelle wees verder de gang in.

Martin scheen in de richting die Michelle aanwees. De grote, grijze stenen van de oude gemetselde fundering liepen onveranderd verder en ze zagen niets bijzonders. Het einde van de gang leek nog niet in zicht. Martin trok een bedenkelijk gezicht. Hij scheen met zijn lamp over de vloer, alsof hij naar voetafdrukken zocht, maar op de stenen ondergrond bleven geen sporen achter. Het was doodstil en de spinnenwebben tegen het lage plafond leken erop te wijzen dat hier al jarenlang niemand was geweest. Michelle was echter overtuigd van haar zaak.

'Ik wil weten wat hij hier te zoeken had,' zei ze vastberaden. 'We moeten verder lopen.' Ze maakte aanstalten om de aarzelende hoofdinspecteur te passeren.

Martin hield haar tegen. 'Achter ons blijven, had ik gezegd.' Hij richtte zijn lamp weer vooruit en langzaam vervolgden ze hun weg. Nadat ze een tweede kruising met een andere, lage gang gepasseerd waren, stuitten ze enkele minuten later op een blinde muur. De gang hield hier op.

'Tijd om terug te gaan,' zei Martin laconiek. 'We worden hier niets wijzer. Ik stuur er wel een forensisch team op af.'

In omgekeerde volgorde, ditmaal met Dupont voorop, liepen ze weer terug. Michelle dacht koortsachtig na. Ze wist zeker dat Beaney hier net was geweest. Wat had hij in deze duistere spelonken uitgevoerd? Er moest hier ergens een aanknopingspunt te vinden zijn.

Ze keek zoekend naar een aanwijzing om zich heen en botste daarbij haast tegen Dupont op, die gestopt was bij de kruisende gang. Hij hurkte en scheen met zijn lamp de gewelfde zijtunnel in. Michelle boog zich voorover en keek mee over zijn schouder. Wat ze zagen leek nog het meest op een oud riool, met lage opstaande randen aan de zijkant. Verderop hulde de gang zich in duisternis. Dupont schudde zijn hoofd en keek vanuit zijn gehurkte positie op naar de anderen.

'Ik zie niets. Het is gewoon te donker. Die hoofdlampen geven niet genoeg licht. Ik denk dat we het beste een forensisch team kunnen inschakelen om deze kelders eens aan een grondige inspectie te onderwerpen. We moeten erachter zien te komen wat Walter Beaney hier te zoeken had, want dit is het enige aanknopingspunt dat we op dit moment hebben.'

Martin knikte en keek op zijn telefoon. 'Dat ben ik met je eens. Ik heb hier geen bereik. Laten we naar boven gaan, dan zal ik hulp inschakelen.'

Dupont kwam overeind en begon terug te lopen in de richting van de trap naar het laboratorium. Martin volgde hem, turend op het verlichte display van zijn telefoon. Michelle liep peinzend achter hen aan. Het zat haar niet lekker. Ze keek nog eens over haar schouder. Omdat de mannen met hun lampen nu voorop liepen, was de gang achter haar weer zo donker als de nacht. Haar aandacht werd getrokken door iets vreemds. Geschrokken hield ze haar pas in. Zag ze dat goed of was het verbeelding? Ze kneep haar ogen even dicht en keek opnieuw. Een stukje verderop zag ze op de grond een flinterdun wit streepje van ongeveer vijftig centimeter lang. Het leek wel alsof er door een smal spleetje in de grond licht ontsnapte. Je moest heel goed kijken om het te kunnen zien, zo zwak was het.

'Monsieur Martin,' riep ze halfluid, 'kom eens kijken.'

Martin en Dupont, die intussen verder waren gelopen, keerden terug en richtten nieuwsgierig hun lampen op de plek die Michelle aanwees.

'Wat is er?' vroeg Martin, die niet zag wat ze bedoelde.

'Doe die lampen eens uit,' beval Michelle, die het lichtstraaltje nu zelf ook niet meer zag.

Met een vragend gezicht schakelden de beide rechercheurs hun lampen uit. Het smalle streepje werd meteen weer zichtbaar.

'Daar,' wees ze.

De rechercheurs keken naar de smalle strook licht die uit de bodem leek te komen.

'Het lijkt wel of er daar beneden een ruimte is,' zei Dupont terwijl hij naar de bewuste plek toeliep. Hij knipte zijn lamp weer aan en scheen over de grond. De andere twee kwamen naast hem staan en keken gespannen mee.

'Daar zit een luik,' wees Martin.

Dupont zakte weer door zijn knieën en keek waar het licht vandaan kwam. Hij boog zijn hoofd en wreef onderzoekend met zijn hand over de grond.

'Je hebt gelijk,' constateerde hij. 'Er is hier een soort deksel.'

Met zijn drieën keken ze enkele ogenblikken besluiteloos naar het luik. Het viel nauwelijks op in de duistere omgeving. Bovendien was er een uitsparing in de vloer gemaakt waar het vierkante luik precies inpaste, waardoor het vrijwel onzichtbaar werd. Slechts dankzij de kleine hoeveelheid licht die door het smalle kiertje ontsnapte, had Michelle het luik kunnen ontdekken.

'Kunnen we het open krijgen?' vroeg Martin.

'Vast wel,' antwoordde Dupont, 'het ziet er niet zwaar uit.'

Hij kromde zijn vingers om de rand en tilde het deksel een stukje op. Het licht van binnenuit werd sterker. Voorzichtig tilde hij het deksel van zijn plaats en legde het geruisloos naast het ontstane gat in de grond. Ze zagen een put van ongeveer twee meter diep, die beneden leek uit te monden in een grotere ruimte. De wanden bestonden uit dezelfde grof gemetselde stenen als de muren van de gang waar ze zich in bevonden. Uit de obscure ondergrondse ruimte kwam een zwak schijnsel, dat het strookje licht moest hebben veroorzaakt. Tegen de wand stond een wankele houten ladder. Dupont stak behoedzaam zijn hoofd in het gat, maar hij kon niet in de ruimte kijken waar het licht vandaan kwam. Michelle probeerde een gevoel van afgrijzen te onderdrukken. Ze begon langzaam een vermoeden te krijgen wat hier aan de hand was. De rechercheurs overlegden onhoorbaar. De hand van Dupont verdween weer in zijn jack en kwam deze keer tevoorschijn met een pistool. Ook Martin pakte zijn dienstwapen en laadde het door. In de ondergrondse stilte klonk de metalen klik als een kanonslag in Michelles oren. Dupont ging zitten en zwaaide zijn benen over de rand. Met één hand aan de ladder en in de andere zijn pistool, daalde hij stapje voor stapje af tot hij halverwege was. Hij keek omhoog en knikte naar Martin. Deze richtte zijn pistool naar beneden en verhief zijn stem.

'Politie!' riep hij luidkeels. 'Is daar iemand?'

Uit de duistere put hoorden ze het geluid van iemand die gedempt zijn keel schraapte. Dupont koos de aanval door van de ladder naar beneden te springen. Op de grond veerde hij onmiddellijk door zijn knieën en richtte met gestrekte armen het pistool. Stijf van de spanning tuurde hij over de loop de schaars verlichte ruimte in. Elke actie met een onbekende tegenstander was een extreem stressvol moment. Zodra hij stabiel zat maakte zijn linkerhand zich los van de kolf en zonder zijn blik af te wenden wenkte hij Martin naar beneden. Voorzichtig daalde de hoofdinspecteur af en voegde zich bij Dupont. Michelle keek van bovenaf toe. Aan de reactie van de rechercheurs te zien leek er geen acuut gevaar te dreigen. Martin borg zijn pistool zelfs op en fronste bevreemd zijn wenkbrauwen. Ze kon haar nieuwsgierigheid niet langer bedwingen en daalde snel af langs de ladder. Zodra haar voeten de grond raakten, draaide ze zich om en werd getroffen door een welhaast middeleeuws tafereel. Met open mond keek ze rond. De put bleek een ruimte van zo'n twee bij twee meter te zijn. De stenen blonken van het vocht en in alle voegen groeide mos. Tegen de verste muur lag een beslapen matras op de hobbelige vloer. Het geïmproviseerde bed was omgeven door boeken, schrijfmateriaal, etensresten en een fles water. In de hoek stond een elektrische lamp, die het licht uitstraalde dat ze had zien doordringen in de gang boven hun hoofd. Het deed Michelle denken aan een kerker uit de tijd van de Franse revolutie. Maar het meest deerniswekkend was de man die naast het bed stond en hen onthutst aankeek. Hij had donkere wallen onder zijn ogen, maar zijn blik was helder. Ontdaan nam ze de man op. Haar ogen bleven rusten bij zijn voeten. Geschokt zag ze dat zijn ene enkel via een ijzeren ketting was vastgeketend aan een roestige ring die stevig in de muur was vastgemetseld.

Martin was zijn eerste verbazing te boven en stelde de onvermijdelijke vraag. 'Wie bent u?'

Het antwoord verraste hen niet.

'Ik ben Nicolas Moreau.'

22

De aardewerkhandelaar zakte achteruit in zijn stoel en keek Vincent aan. 'Ik neem aan dat jullie geen archeologen zijn,' zei hij geamuseerd.

Vincent schudde zijn hoofd. 'Nee, wij zijn zeker geen archeologen,' sprak hij de waarheid. Hij hoopte dat de lichte trilling in zijn stem niet hoorbaar was. Een beetje zenuwachtig, maar uiterlijk onbewogen keek hij Enquist aan.

'Wat moeten die vazen kosten?' bemoeide Enquist zich voor het eerst met het gesprek.

De winkeleigenaar was blij dat hij ter zake kon komen en maakte een wegwerpgebaar naar de verkoper die nog steeds bij de deur op antwoord stond te wachten. Deze maakte zich snel uit de voeten.

'Hebt u misschien een prijslijst?' vroeg Vincent. Hij had weinig ervaring met de Egyptische manier van zakendoen.

'Nou,' zei de handelaar voorzichtig, 'de prijs is onder andere afhankelijk van de kwaliteit en de hoeveelheid die u wilt hebben.'

Vincent begon er schik in te krijgen en wees enkele exemplaren aan in de catalogus die opengeslagen op het bureau lag.

'Dat zijn hele mooie die u daar uitkiest,' zei de handelaar. 'Die verkoop ik voor negentig pond.'

'Negentig pond?' vroeg Vincent gespeeld ongelovig. Hij zat helemaal in zijn rol. 'Dat is veel te duur.'

'Egyptische ponden,' verduidelijkte de man. Hij pakte een rekenmachine om de juiste wisselkoers te bepalen.

Vincent ging mee in het onderhandelingsproces en wist hem uiteindelijk zover te krijgen dat hij enkele prijzen op papier zette. Toen ze hun thee op hadden, kwamen ze overeind en schudden elkaar de hand. Vincent stak het visitekaartje van de handelaar in zijn zak en zei dat ze nog op enkele andere plaatsen wilden kijken. Ze verlieten de winkel en liepen terug in de richting waaruit ze gekomen waren. De bewakers waren verdwenen.

'Dat ging goed,' zei Enquist met een grijns. 'Je kreeg zomaar dertig procent van de prijs af.'

Vincent lachte. 'Als we geen toestemming krijgen om verder

onderzoek aan de schacht te doen, kan ik altijd nog een nieuw leven als zakenman beginnen.'

'Ik neem aan dat die bewakers ons herkend hebben,' zei Enquist. 'Waarschijnlijk hebben ze hun vrienden opgetrommeld en kammen ze het hele dorp uit.'

Ze liepen opnieuw langs de kebabverkoper, die hen niet opmerkte omdat hij met zijn rug naar de straat gekeerd vlees stond te snijden, en schoten een smal zijstraatje in dat weer uitkwam op het plateau van Gizeh. Vlakbij de Sfinx kwamen ze het terrein op.

'Hier zullen ze ons voorlopig niet zoeken,' dacht Vincent. 'Ze zullen niet verwachten dat we terugkeren naar de plek des onheils.'

'Je kijkt te veel films,' bromde Enquist terwijl hij opnieuw Abbara probeerde te bellen. 'Er lopen hier ook bewakers rond.'

Deze keer ging de telefoon over, maar Abbara nam niet op. Enquist besloot nu wel een bericht in te spreken.

'Dag Tarek, dit is Mark Enquist. Zoals je weet hebben we vandaag Pyramid Explorer omhoog gereden in de zuidelijke schacht. We hebben een fantastische ontdekking gedaan, maar we hebben de piramide moeten verlaten omdat onze vergunning om onduidelijke redenen is ingetrokken. Ik heb videobeelden die ik je zo snel mogelijk wil laten zien. Zou je me alsjeblieft kunnen terugbellen?' Hij liet achterwege dat hij op dit moment achtervolgd werd door de mannen van kapitein Mido.

Ze gingen tegen een eeuwenoude muur op de grond zitten, vanwaar ze een goed uitzicht op de Sfinx hadden. Links van hen bevond zich de inmiddels verlichte piramide van Chefren. Vincent had de Sfinx eerder op de dag al van een afstandje gezien, maar zag hem nu voor het eerst van dichtbij.

Enquist zag dat hij getroffen werd door de aanblik van het enorme beeld. 'De Grote Sfinx,' zei hij langzaam. 'Lichaam van een leeuw, hoofd van een man. Uitgehouwen in de kalkstenen ondergrond. Lange tijd was hij grotendeels begraven onder het woestijnzand en stak alleen zijn hoofd er bovenuit. Vele machthebbers hebben hem uitgegraven, maar telkens weer werd hij op den duur door de wind bedekt met fijn zand. Nu is hij aangetast en versleten door langdurige blootstelling aan de elementen.'

'Is de Sfinx net zo oud als de piramides?' vroeg Vincent.

Enquist zuchtte. 'Daar raak je een heikel punt waar ik geen eenduidig antwoord op kan geven. De gangbare opvatting onder wetenschappers is dat de Sfinx ongeveer even oud is als de piramides, dus zo'n 4.500 jaar.' Hij knikte naar de Sfinx. 'Zie je die erosie?'

Vincent zag dat over het hele lichaam van de liggende leeuw diepe groeven waren uitgeslepen. Zowel in de breedte, van links naar rechts, als van boven naar beneden vertoonde de Sfinx duidelijk zichtbare sporen van slijtage.

'Traditionele egyptologen denken dat die verwering is ontstaan doordat de Sfinx jarenlang is geteisterd door wind en zand,' verklaarde Enquist. 'Gedeeltelijk ben ik dat met hen eens. Sommige inkepingen zijn veroorzaakt doordat de wind eeuwenlang zand heeft aangevoerd waardoor uiteindelijk diepe sporen zijn uitgeschuurd in het zachte kalksteen. Maar met name die *verticale* groeven,' Enquist wees er ter verduidelijking enkele aan, 'hebben een andere oorsprong. Egyptologen hebben altijd aangenomen dat die slijtage is veroorzaakt door wind, maar eigenlijk zijn egyptologen helemaal niet gekwalificeerd om erosie aan kalksteen te beoordelen. Daar heb je een geoloog voor nodig.'

Vincent knikte.

'Jaren geleden heeft de schrijver John Anthony West een team wetenschappers, onder wie geologen, bijeen gebracht voor intensief onderzoek aan de Sfinx. Ze kwamen tot de conclusie dat de erosie niet veroorzaakt kan zijn door wind. Zij zeiden dat de verwering van de Sfinx onmiskenbaar een voorbeeld is van wat er met kalksteen gebeurt als het lange tijd wordt blootgesteld aan neerslag.'

'Aan neerslag?'

'Ja. Volgens hen is de erosie overduidelijk veroorzaakt door langdurige regenval.'

'Goh.'

'Inderdaad,' zei Enquist. 'Het regent hier gemiddeld zes dagen per jaar. En dan valt het ook nog eens niet met bakken uit de lucht. Volgens traditionele egyptologen is de Sfinx gebouwd rond 2.500 voor Christus. Maar er is hier in de laatste 4.500 jaar niet voldoende neerslag gevallen om die erosie veroorzaakt te kunnen hebben.'

Vincent keek hem vragend aan. 'Dus we moeten verder terug in de tijd?'

'De laatste periode waarin er in Egypte genoeg regen viel om de erosie te kunnen veroorzaken begon in ongeveer 10.000 voor Christus, vlak na de laatste ijstijd.'

'Dus dat houdt in ...' begon Vincent nadenkend.

Enquist maakte de zin af. '... dat de Sfinx veel ouder is dan we denken. Het is lastig om vast te stellen wanneer hij precies is gebouwd, maar het is zeer aannemelijk dat het is gebeurd in een tijd dat er volgens egyptologen alleen maar primitieve jagers en verzamelaars rondrenden op het plateau van Gizeh. Ze beschikten slechts over eenvoudige werktuigen, dan moet je denken aan houten gereedschappen en geslepen stenen, en hadden niet de middelen of de technologie om zo'n kolossaal beeld als de Sfinx uit te hakken.'

'Dus de conclusie ligt voor de hand.'

'Ja, ik ben van mening dat we hier kijken naar een spoor dat onze oude beschaving zeer lang geleden heeft achtergelaten. De gevestigde orde wil hier alleen niets van weten. Traditionele egyptologen wijzen elke alternatieve datering van de Sfinx resoluut van de hand. Robert Schoch, dat is een van de geologen die onderzoek naar watererosie aan de Sfinx hebben gedaan, zei over die afwijzende houding: *Ik ben geoloog, dus dat is niet mijn probleem. Als mijn bevindingen niet in overeenstemming zijn met hun theorie over de opkomst van beschavingen, dan wordt het wellicht tijd dat ze hun theorie herzien.*'

'Robert Schoch? Die heeft ook een documentaire over de Sfinx gemaakt,' herinnerde Vincent zich. '*The mystery of the Sphinx*. Daar heeft hij nog een Emmy Award mee gewonnen.'

Enquist grinnikte. 'Ja, daar hoef ik jou natuurlijk niets over te vertellen. Documentaires zijn je vakgebied.'

'Daar moeten we het ook nog even over hebben,' bedacht Vincent zich.

'Maak je geen zorgen, Vincent. Er is in de afgelopen uren een goed idee bij me opgeborreld, maar onze hoogste prioriteit is nu om contact te zoeken met Abbara. We zullen later ...'

Vincent onderbrak Enquist door een arm op zijn schouder te leggen. Hij wees in de verte. Uit de richting van Nazlet el Samman kwamen twee bekende bewakers hun richting op geslenterd. Blijkbaar hadden ze het zoeken gestaakt, want ze hadden geen haast en waren druk met elkaar in gesprek. De mannen liepen recht op de Sfinx af. Als Enquist en Vincent op hun plek bleven zitten, zouden ze zeker ontdekt worden. Besluiteloos stonden ze op en keken zoekend om zich heen. De enige manier om ongezien weg te komen was om naar de piramide van Chefren te rennen. Op die manier werden ze door de Valleitempel en de Tempel van de Sfinx aan het oog van de bewakers onttrokken. Omdat er geen andere uitweg was en omdat ze niet van plan waren de usb-stick uit handen te geven, sprintten ze onder dekking van de tempels naar de tweede piramide van Gizeh. Hoewel het terrein inmiddels in volledige duisternis gehuld was, waren de piramides zodanig verlicht dat de twee donkere schimmen duidelijk zichtbaar afstaken tegen de heldere achtergrond van de piramide.

Hijgend bereikten ze de schaduw van de onderste steenlagen. Om uit het zicht van de twee bewakers te blijven, liepen ze door het losse zand snel verder naar de westkant van de piramide. Vincent had de tegenwoordigheid van geest om vlak voor de hoek halt te houden. Terwijl Enquist hem verbaasd aankeek, drukte hij zijn lichaam tegen de stenen en loerde voorzichtig om de hoek. Hij trok zijn hoofd meteen terug. Enquist keek hem vragend aan.

'Kijk zelf maar,' zei hij.

Enquist gluurde op dezelfde manier als hij Vincent had zien doen vanachter de stenen naar de westzijde. Ongeveer honderd meter verderop liepen twee nieuwe ghafirs die langzaam hun kant opkwamen.

'We zitten in de val,' concludeerde Vincent.

Enquist dacht na terwijl hij hun kansen afwoog. Van beide kanten naderden nu bewakers, dus die richtingen waren afgesloten. Ten zuiden van de twee mannen bevond zich de derde piramide van Gizeh, die van Mykerinos. Op zich zouden ze zich daarachter kunnen verschuilen, ware het niet dat ze dan het blikveld van de naderende bewakers zouden moeten kruisen.

'We hebben nog één optie, Vincent,' zei hij tenslotte, 'en de tijd dringt, dus we moeten opschieten.'

Vincent, die even geen uitweg meer zag, keek hem vragend aan. 'Hebt u soms een helikopter geregeld?' vroeg hij vertwijfeld.

'Nee, beter nog,' zei Enquist, 'maar we gaan wel dezelfde richting op.'

Hij kwam overeind en begon tegen de piramide op te klimmen.

'Dat meent u niet.'

'We hebben geen keuze.'

Enquist bevond zich ondertussen al drie meter boven hem, dus Vincent hees zich ook omhoog. Snel klauterde hij tegen de onge- lijke treden op. Af en toe had hij moeite zijn evenwicht te bewaren op de brokkelige stenen en hij begreep nu het bordje *no climbing* van vanochtend. Toen hij op de tiende laag stond en terug naar beneden keek greep hij zich onwillekeurig beter vast. Vanaf deze hoogte kon je maar beter niet naar beneden vallen. Enquist stond een paar meter boven hem uit te blazen en wachtte tot Vincent zich bij hem gevoegd had. Op dat moment hoorden ze de stemmen van de bewakers dichterbij komen.

'Plat op je buik, Vincent,' fluisterde Enquist gejaagd, 'en hopen dat ze niet omhoog kijken.'

Vincent klom vlug naar hem toe, want de laag waarop Enquist zich bevond was breder dan de richel waar hij nu op stond. Snel strekte hij zich uit op de vijftig centimeter brede rand en legde zijn hoofd plat op de stenen. Ze waren niet hoog genoeg geklommen om onzichtbaar te zijn vanaf de grond. Als je omhoog keek zag je hun donkere silhouetten duidelijk afsteken tegen de kaarsrechte horizontale lijnen van de piramide.

Nog geen minuut later kwamen twee ghafirs de hoek om lopen. Ze waren op hun hoede en keken waakzaam om zich heen. Ze hadden duidelijk instructies gekregen om uit te kijken naar de twee mannen. Toen de Egyptenaren vlakbij de twee weggedoken mannen aangekomen waren, begon de portofoon die een van hen op de borst droeg opeens te kraken. Ze hielden halt en de bewaker met de portofoon meldde zich. Er ontstond een gesprek in het Arabisch waar Vincent geen touw aan vast kon knopen. Het enige wat hij kon doen was zich muisstil houden en hopen dat ze snel verder zouden lopen. De andere bewaker zette zijn karabijn rechtop in het zand tegen de piramide en plofte neer op de onderste stenen. Hij nam een pakje sigaretten uit zijn borstzak en stak er een op. Terwijl hij achterover leunde en inhaleerde, was zijn collega nog steeds druk in overleg via de portofoon. Het apparaat kraakte nu zo hard dat de bewaker moeite had om te verstaan wat er gezegd werd. Dit had tot gevolg dat hij zelf ook steeds harder ging praten totdat hij tenslotte bijna in het mondstuk stond te schreeuwen. Hij wenkte de rokende bewaker en samen liepen ze verder om een plek te zoeken waar de ontvangst beter was.

Toen ze nog geen twintig meter hadden gelopen, het opgewonden stemgeluid van de bewaker en de krakende portofoon waren nog duidelijk hoorbaar, ging er plotseling achter Vincent een mobiele telefoon af. De telefoon van Enquist! De schrik sloeg hem om het hart. Hoe kon Enquist zo dom zijn geweest om zijn telefoon niet uit te zetten. De schelle ringtone ging door merg en been en voor zijn gevoel droeg het geluid kilometers ver over de donkere zandvlakte. Dat moest Abbara zijn! Hevig geschrokken tilde hij zijn hoofd een paar centimeter op en keek in de richting van de bewakers. Die waren inmiddels gestopt.

23

'Dr. Moreau?' vroeg Martin terwijl hij de vastgeketende man verbouwereerd aanstaarde. Ook hij werd gegrepen door de erbarmelijke omstandigheden waaronder de wetenschapper hier werd vastgehouden.

Moreau leek fysiek redelijk in orde. Hij rechtte zijn rug en sprak met vaste stem. 'Gaat u me nog helpen?'

Martin herpakte zich snel. 'Ik ben hoofdinspecteur Arthur Martin, van de recherche. Hoe voelt u zich?'

'Ik heb me wel eens beter gevoeld,' antwoordde Moreau. 'Maar ik had eindelijk tijd om die stapel boeken eens door te nemen.' Hij wees naar de wetenschappelijke uitgaven die verspreid rondom het bed lagen. 'Waar is hij? Hebben jullie hem te pakken?'

Ondanks zijn vermoeide uiterlijk vond Michelle hem een charmante man. Hij moest tegen de pensioengerechtigde leeftijd aanzitten, maar hij had nog overwegend donker haar. Zijn stem klonk vriendelijk, maar kordaat.

'Ik neem aan dat u degene bedoelt die u hier vasthield,' zei Martin. 'Kent u hem?'

'En of ik hem ken. Hij is nog wel een collega. Walter Beaney heet hij.'

Dupont had ondertussen de boeien van Moreau geïnspecteerd. De stevige metalen enkelband liep via een zware, geplastificeerde schakelketting naar een ring in de muur. De lengte van ongeveer twee meter gaf Moreau voldoende actieradius om vrij door de ruimte te kunnen bewegen.

'Die ketting is het zwakke punt,' zei Dupont. 'Ik ga naar boven om iets te zoeken waarmee we hem kunnen openbreken.'

Martin knikte. 'En bel ook meteen even onze forensische collega's,' riep hij hem na terwijl Dupont via de ladder weer omhoog klom. Daarna wendde hij zich weer tot Moreau en wees naar het matras.

'Wilt u niet gaan zitten?'

Moreau schudde zijn hoofd. 'Ik zit al de hele dag. Laat mij maar staan.'

Martin knikte. Hij zag nu dat Moreau in goede fysieke en mentale conditie verkeerde. Het leek erop dat de gevangenschap geen nadelige effecten op hem had gehad.

'Wanneer was Beaney hier voor het laatst?'

'Hij was hier net. Nog geen half uur geleden. Zijn jullie hem dan niet tegengekomen?'

Martin schudde zijn hoofd. 'Hij was voortvluchtig, maar deze dame hier heeft hem zojuist gesignaleerd. Hij is intussen weer ontsnapt, maar hij heeft ons in ieder geval naar u toegeleid.'

Martin besefte dat Moreau geen enkele notie had van wat er sinds zijn ontvoering allemaal was gebeurd, dus hij schetste in het kort de ontwikkelingen.

'Dus Walter heeft de cellen gestolen, maar jullie hebben ze alweer terug?' vroeg Moreau verbaasd.

Martin knikte. 'Weet u waarom Beaney u hier gevangen hield?'

'Hij wilde de cellen hebben, al weet ik niet precies waarom. Misschien werkt hij in het geheim voor een concurrerende universiteit of een medisch bedrijf. En volgens mij is hij gelovig, dus het zou ook kunnen dat hij ethische bezwaren heeft.'

'Wat zijn dat dan precies voor cellen?' Martin had er al iets over gehoord van Olivier, maar hij wist er nog niet het fijne van.

'We proberen leven te creëren in het laboratorium, monsieur Martin. We willen bewijzen dat God niet het alleenrecht op het scheppen van leven heeft. Wij willen laten zien dat het leven zich op darwinistische wijze via een doelloos toevalsproces heeft ontwikkeld en dat het allereerste leven als gevolg van een natuurwet is ontstaan door samenwerking van levenloze deeltjes.'

Martin knipperde even met zijn ogen. Hij wist niet zeker of hij dit kon volgen. Maar dat was niet relevant. Voor hem was op dit moment het belangrijkste dat Moreau een belangrijke wetenschappelijke ontdekking had gedaan en dat Beaney het bewijsmateriaal had ontvreemd. En, wat veel ernstiger was, hij had Moreau van zijn vrijheid beroofd. Dat was een zeer zwaar vergrijp.

'Waarom denkt u dat hij gelovig was?'

'Gisteren vroeg ik hem of hij niet wat vaker eten kon komen brengen. Toen antwoordde hij dat hij de wonderbaarlijke spijziging van Jezus Christus niet kon herhalen.'

Martin, die blijkbaar niet erg Bijbelvast was, keek hem glazig aan.

'Ik legde hem uit dat het wonder van de vijf broden en twee vissen een metafoor is. Jezus was echt niet in staat om met vijf broden en twee vissen een menigte van duizenden mensen te voeden. Toen zijn toehoorders hongerig werden heeft hij gewoon al het aanwezige eten laten verzamelen en herverdelen, waardoor iedereen tenminste iets had. Heel slim van Jezus, zei ik tegen Walter, maar zeker geen wonder. Hij reageerde verontwaardigd en is meteen vertrokken.'

'Hebt u Walter Beaney verteld waar u de cellen bewaarde?'

'Nee,' schudde Moreau, 'maar ik kon het ook niet vertellen, want ik wist het niet.'

Martin trok een verbaasd gezicht. 'Wist u dat niet?'

'Nee.'

Michelle glimlachte heimelijk. Zij wist dat Olivier niet tegen de politie had verteld dat Moreau de cellen bij hem in bewaring had gegeven.

Martin fronste zijn wenkbrauwen. 'Ik hoop dat u het me niet kwalijk neemt, maar ik vind het moeilijk te geloven dat u niet wist waar het resultaat van uw eigen onderzoek was.'

Moreau besefte dat hij de hoofdinspecteur een verklaring schuldig was. 'Het hing al een tijdje in de lucht dat we tegen een doorbraak aanzaten,' begon hij. 'We deden ons uiterste best om de voortgang van ons project geheim te houden, maar je kunt nooit helemaal voorkomen dat er geruchten ontstaan. Een ogenschijnlijk onschuldige opmerking van een onderzoeksassistent kan al genoeg zijn.'

Moreau aarzelde even en woog zijn woorden af. 'Hoe het ook zij, ik werd de laatste tijd regelmatig gebeld door allerlei instellingen en bedrijven die zeer geïnteresseerd waren in de resultaten van ons onderzoek. De praktische toepassingen zijn namelijk oneindig en kunnen zeer lucratief zijn. Ze boden me geld, banen, onderzoeksfaciliteiten, je kunt het zo gek niet bedenken of het zat erbij. Sommige personen die ik sprak waren bijzonder agressief in hun pogingen me los te weken en bleven erg aandringen. Ik heb nooit overwogen om op hun voorstellen in te gaan, maar het leek mij een goed idee om de cellen te verbergen tijdens de hectische dagen die ongetwijfeld zouden volgen na de bekendmaking van het resultaat van ons werk. Daarom heb ik Olivier Leblanc, mijn plaatsvervanger, gevraagd om de cellen op een veilige plaats te bewaren. Ik wilde bewust niet weten waar hij ze zou verbergen, zodat ik niet gedwongen kon worden om ze af te staan.'

Martin knikte. Dat klonk aannemelijk. 'Dat het gevaar achteraf uit een heel andere hoek kwam, had u waarschijnlijk niet kunnen vermoeden.'

'Nee. Maar blijkbaar heeft mijn strategie niet gewerkt, want u vertelt me net dat de cellen desondanks toch zijn gestolen.'

'En weer teruggevonden,' vulde Martin aan.

'Walter werkte hier in het lab, dus hij zal er op een of andere manier wel lucht van gekregen hebben,' concludeerde Moreau.

Omdat ze toch moesten wachten tot Moreau bevrijd was, zag Martin zijn kans schoon om alvast met het verhoor te beginnen. Rekening houdend met de toestand waarin de wetenschapper verkeerde, ging hij door met het stellen van vragen. De inspecteur wilde weten hoe hij behandeld was en of er nog aanwijzingen waren die hem op het spoor van Beaney zouden kunnen brengen. Moreau beantwoordde geduldig alle vragen, tot ze gestommel hoorden boven aan de ladder en ze de benen van Dupont zagen verschijnen. Vlug daalde hij af en zwaaide met een ijzerzaag.

'Hiermee zou het moeten lukken,' zei hij en zette het zaagblad op een schakel vlakbij de enkel van Moreau. Driftig ging hij het metaal te lijf. Ondertussen verscheen er een tweede paar benen uit het gat in het plafond, gevolgd door het hoofd van Olivier.

'Nicolas,' stamelde hij bij het zien van de spartaanse omstandigheden waaronder Moreau in de kelder had moeten verblijven. 'Ik was een beetje voorbereid op wat ik hier zou aantreffen, maar dit is ongelooflijk. Is Walter hier in zijn eentje verantwoordelijk voor?'

Vol afgrijzen dwaalden zijn ogen door de schemerige, vochtige ruimte.

Moreau haalde zijn schouders op. 'Dat vroeg monsieur Martin net ook al. Volgens mij wel. Ik heb hier niemand anders gezien.'

'Ongelooflijk,' was het enige wat Olivier kon uitbrengen.

'Waarom heb je je post verlaten?' informeerde Martin op barse toon.

'Monsieur Bernard, de portier, heeft het overgenomen,' antwoordde Olivier. 'Ik kan u verzekeren dat hij niemand zal doorlaten.'

'Behalve dan het forensisch team. Ze zijn onderweg,' zei Dupont met een rood hoofd van de inspanning. Hij had de schakel nu half doorgezaagd.

'Waar zijn de cellen, Olivier?' vroeg Moreau. 'Zijn ze veilig?'

Olivier knikte geruststellend. 'Maak je geen zorgen.'

Martin keek ongeduldig naar Dupont. 'Heb je die ketting nu

bijna open?'

Dupont stond zuchtend op en schudde zijn arm los. 'Ik heb ook al met links gezaagd, maar ik krijg er lamme armen van.'

'Laat mij maar even,' zei Olivier en hij nam de zaag van Dupont over. Fanatiek begon hij aan het laatste stukje.

Moreau keek naar Michelle. 'Dus jij hebt ontdekt dat Beaney me hier gevangen hield?'

Ze knikte. 'Ik liep hem toevallig tegen het lijf in de gang. En toen hij opeens op onverklaarbare wijze uit de proefdierenruimte verdwenen was, ben ik gaan zoeken. Daarbij stuitte ik op de trap naar deze kelder.'

Michelle bedacht zich dat ze zich nog niet had voorgesteld aan Moreau. 'Sorry, ik ben Michelle Rousseau,' zei ze terwijl ze haar hand uitstak. 'Ik werk voor France 2.'

'Voor de televisie? In welke hoedanigheid ben je hier dan? Is mijn verdwijning soms groot nieuws?'

'Nee, integendeel. Uw verdwijning is slechts in beperkte kring bekend gemaakt. Ik werk in opdracht van Frédéric Dubois, maar dat leg ik later nog wel uit.'

Olivier was gestopt met zagen. 'Ik ben erdoor!'

Dupont knielde naast hem neer en samen verbogen ze de schakel totdat de opening groot genoeg was om hem los te maken van de enkelband. Olivier gooide de ketting, die met één uiteinde aan de muur vast bleef zitten, in de hoek en keek hoofdschuddend naar de voet van Moreau.

'Die enkelband moet helaas nog even blijven zitten, vrees ik. Die krijgen we nu niet los.'

'Maakt niet uit,' zei Moreau. Hij was allang blij dat hij eindelijk verlost was van de keten. 'Laten we naar boven gaan.'

Moreau leek absoluut niet te hebben geleden onder zijn onvrijwillige verblijf in de benauwde kerker. Hij raapte de boeken bij elkaar en nam een gedeelte onder zijn arm.

'Kunnen jullie de rest meenemen?' vroeg hij wijzend naar de stapel op de grond. 'Ik ben er nogal aan gehecht.'

Met het stapeltje boeken in de hand begon hij, enigszins gehinderd door de enkelband, de ladder op te klimmen. Olivier en Michelle namen ieder een gedeelte van de overige boeken en volgden hem. Ook de rechercheurs verlieten, na enkele laatste onderzoekende blikken, de bedompte ruimte. Toen iedereen door het gat

211

was gekropen, legde Dupont het deksel terug. Daarna liepen ze, bij-gelicht door de hoofdlampen, snel terug door de ondergrondse gang in de richting van de stenen trap die naar het laboratorium leidde. Michelle was als eerste boven en zag nog net dat Bernard onder zachte dwang werd weggeleid door een geüniformeerde agent. Hij was in het gezelschap van enkele personen in burger. Dat moesten de mensen van de forensische recherche zijn. Ze waren bezig om het lab af te zetten met rood-wit lint en rommelden in hun koffers met instrumenten.

'Jullie moeten beneden zijn, jongens,' zei Dupont. 'Ik zal jullie wijzen waar het is.'

Martin richtte zich tot Moreau, die na zijn verblijf in de duistere ruimte nog even stond te wennen aan het licht.

'Dr. Moreau, ik kan me voorstellen dat u een adempauze wilt nemen om bij te komen. U hebt me zojuist al de nodige informatie verschaft, dus ik zal u voorlopig even met rust laten. Ik wil u wel vragen om bereikbaar te blijven voor vragen. Ik zal ervoor zorgen dat er zo snel mogelijk een hulpverlener van ons traumateam komt. Is er iemand die u thuis kan opvangen?'

'Traumateam?' zei Moreau. 'Ik heb helemaal geen trauma, dus dat lijkt me niet nodig. En ik ga ook niet naar huis, want er is werk te doen. Ik heb lang genoeg stilgezeten.' Hij draaide zich om en maakte aanstalten om naar zijn laboratorium te gaan.

Verwonderd om de eigenzinnige reactie van de wetenschapper keek Martin hem na. 'Weet u zeker dat u geen hulp nodig heeft?' riep hij hem na.

Moreau schudde zijn hoofd en maakte een afwerend gebaar met zijn arm. 'U weet me te vinden als u nog vragen heeft. Ik ben in mijn lab.'

Olivier wierp een verontschuldigende blik naar de inspecteur en haalde hulpeloos zijn schouders op. Martin in verwarring achterla-tend haastte hij zich achter Moreau aan.

Michelle glimlachte vriendelijk en liep met Olivier mee. De we-tenschappers verkozen klaarblijkelijk hun cellenonderzoek boven de speurtocht naar de opnieuw ontsnapte Walter Beaney. Eigenlijk verbaasde haar dat niets. Moreau was bevrijd, de cellen waren veilig, niets stond publicatie van hun resultaat nog in de weg. Tegelijker-tijd realiseerde ze zich spijtig dat de aanleiding voor het maken van een reportage met het opduiken van Moreau weggevallen was. Ze wilde nog steeds dolgraag de reportage maken, maar het was nu waarschijnlijker dat Moreau de primeur via de gebruikelijke kanalen zou brengen: een drukbezochte persconferentie en een artikel in een gezaghebbend tijdschrift. Vervolgens zou het onderwerp op de agenda staan van een aantal wetenschappelijke conferenties op verschillende continenten en zou het leiden tot een serie voorpaginaberichten en achtergrondartikelen. Het resultaat van het onderzoek was zo revolutionair dat het grote publiek ongetwijfeld geïnteresseerd zou zijn. Sterker nog, ze zouden er van smullen! Daarom had ze goede hoop dat ze het met de juiste argumenten zou kunnen klaarspelen om haar reportage toch te verwezenlijken.

Moreau liep met grote stappen de trap op. Olivier keek veelbetekenend om naar Michelle. Op de tweede verdieping aangekomen beende hij rechtstreeks naar zijn werkkamer, de verbijsterde blikken van zijn collega's negerend. Olivier, die vlak achter hem liep, hief bezwerend zijn handen omhoog naar de vragende onderzoekers.

Later, articuleerden zijn lippen zonder geluid te maken.

Moreau was aangekomen bij zijn kamer en wilde naar binnen lopen. Op het moment dat hij zijn hand op de klink van de deur legde, viel zijn blik op de man die in de kamer van Olivier zat.

'Richard Petit!' riep hij uit. Hij beende naar de kamer van Olivier en opende met een driftige zwaai de deur.

Olivier sloeg met zijn vlakke hand tegen zijn voorhoofd. '*Merde*, helemaal vergeten,' vloekte hij binnensmonds. 'Op die confrontatie zaten we nu niet te wachten.'

Hij haastte zich achter Moreau aan. Ook Michelle had er in alle consternatie niet meer aan gedacht dat Petit er ook nog was. Automatisch kwam de discussie over vlaklanders en de vierde dimensie weer bovendrijven.

Petit keek verrast op uit zijn blad. 'Oh, hallo Nicolas. Ik had eigenlijk begrepen dat je er niet was.'

'Nee, ik was er ook niet,' zei Moreau waarheidsgetrouw. 'Wat kom jij hier in hemelsnaam doen?'

'Ik was toevallig in de buurt,' verklaarde Petit terwijl hij verbaasd naar de metalen band om Moreau's enkel keek. 'De geruchten gaan dat je iets op het spoor bent. Er wordt gezegd dat je iets ontdekt hebt dus ik dacht, ik loop even langs bij mijn goede vriend Nicolas Moreau om uit de eerste hand te horen wat het waarheidsgehalte van die geruchten is. Volgens je collega Leblanc was je er helaas niet, maar ik kwam in een zeer interessante discussie terecht waar ook mevrouw Rousseau bij aanwezig was.'

'Over die zogenaamde ontdekking doe ik geen mededelingen,' zei Moreau en hij ging op de bureaustoel van Olivier zitten. Nieuwsgierig keek hij Petit aan. 'Wat was dat voor een discussie die jullie hadden? Toch niet over die almachtige schepper van je?'

Petit schudde meewarig zijn hoofd. 'Je kent mijn standpunt, Nicolas,' zei hij licht ontstemd, 'dus je weet ook dat ik het niet per se heb over een *goddelijke* schepper.'

'Ik scheer die theorieën van jou over een kam met het geloof,' schamperde Moreau.

'Eigenlijk is het evolutionisme ook een geloof,' wierp Petit tegen.

'Wat bedoel je daar nu weer mee?'

'Wij wetenschappers bestuderen de natuur. We proberen natuurverschijnselen die we observeren te vangen in wetten en modellen. Als we iets nieuws ontdekken wordt er bewijsvoering verwacht. Daarvoor geldt dat we de resultaten van het onderzoek moeten kunnen waarnemen en dat we onze wetenschappelijke experimenten moeten kunnen herhalen. De schepping, het ontstaan van leven, heeft niemand ooit waargenomen en kan ook niet herhaald worden. We kunnen het dus niet bewijzen. Daarom spreken we van een geloof. Maar voor de evolutietheorie geldt hetzelfde! De geleidelijke ontwikkeling van soorten is nooit waargenomen en we kunnen het ook niet herhalen. Bovendien is er nooit overtuigend bewijs geleverd dat er evolutie heeft plaatsgevonden. Sterker nog, als de wetten der genetica in Darwins tijd bekend waren geweest, was de evolutietheorie er zelfs nooit gekomen. Darwin zag afwijkende snavels, vleugels en kleuren bij zijn vinken, maar dat soort uiterlijke kenmerken is niet meer dan een herverdeling van de genen. Dat is slechts micro-evolutie. De evolutietheorie zegt dat er volledig nieuwe soorten gevormd worden en dus ook nieuw erfelijk materiaal. En dat is nooit overtuigend bewezen. Met andere woorden de evolutietheorie is ook een geloof.'

'Onzin,' riep Moreau. 'Darwin had het bij het rechte eind. De allereerste levensvorm is ontstaan uit levenloos materiaal. Wij bestaan nog steeds uit levenloze deeltjes die gedurende pak hem beet vijfentachtig jaar intensief samenwerken. Na ons overlijden vallen we weer uiteen in dezelfde deeltjes, die vervolgens wat anders gaan doen. Misschien worden sommige van mijn moleculen wel een onderdeel van jouw lichaam, Richard. Dan werken we uiteindelijk toch nog samen!'

Lachend om zijn eigen grap liet hij zich achterover zakken.

'Ik ben het met je eens over die deeltjes, Nicolas,' zei Petit onverstoorbaar. Blijkbaar was hij wel gewend aan dit soort opmerkingen van Moreau. Bovendien moest Petit overal waar hij kwam zijn alternatieve theorie verdedigen, dus dat deed hij geroutineerd.

'Maar een intelligente schepper kan die bestaande deeltjes ook gebruikt hebben om er iets mee te bouwen,' ging hij verder.

'Aha, een soort goddelijke blokkendoos,' zei Moreau terwijl hij serieus probeerde te kijken. Zijn ogen twinkelden echter van plezier.

'Ja, in feite wel,' knikte Petit. 'Eigenlijk sla je de spijker op zijn kop. Na de oerknal waren alle ingrediënten voor het ontstaan van leven in ons heelal aanwezig. Sinds die tijd is er geen enkel atoom bijgekomen of verdwenen. Er is alleen een intelligente macht voor nodig geweest om die deeltjes zodanig te laten samenwerken dat het leven daadwerkelijk kon ontstaan. Een soort aanjager of stimulator. De kans dat dit spontaan is gebeurd, is namelijk astronomisch klein, dus nihil. Hiervoor zitten zelfs de meest primitieve levende wezens te knap en te complex in elkaar.'

Al voordat Petit was uitgesproken, begon Moreau hevig zijn hoofd te schudden.

'Dat zie je he-le-maal verkeerd, Richard,' wierp hij tegen. 'Levende wezens zijn razend complex, dat klopt, maar je vergeet dat er vele miljoenen soorten zijn die het niet hebben gered. Die zijn van het toneel verdwenen. Wij zijn slechts voorbijgangers, Richard. We zien enkel een momentopname. Ik zal je een voorbeeld geven. Speel je bridge?'

Petit schudde bedenkelijk zijn hoofd.

'Ik wel. Het is een combinatie van strategie, geheugen en logisch denken. Prachtig spel. Stel nu dat jij op honderd tafels tegelijk bridge gaat spelen. Bij de eerste tafel gooi je een willekeurige kaart op tafel. Waarschijnlijk zullen de overige drie personen je verwonderd aankijken, want de kans is groot dat je een ongelooflijk domme opening doet. Die partij zul je gegarandeerd verliezen. Vervolgens ga je naar tafel twee, waar je opnieuw een willekeurige kaart opgooit. Grote kans dat je opnieuw verliest, maar als je alle honderd tafels hebt gehad, is het zeer waarschijnlijk dat je in een stuk of tien gevallen de juiste openingskaart hebt gespeeld. Je hebt maar dertien kaarten in je hand, dus het aantal mogelijkheden is beperkt.

Op alle tafels waar je verliest, mag je opnieuw beginnen. Voor je tweede kaart geldt hetzelfde. Als hij goed is ga je door, anders begin je opnieuw. Op die manier creëer je een enorm aantal mogelijkheden. Als je maar lang genoeg volhoudt, zul je ergens op een tafel misschien wel tien keer achter elkaar een goede kaart opgooien. Als op dat moment Olivier de zaal komt binnenwandelen, zal hij denken dat je een goede bridger bent, want hij heeft natuurlijk niet gezien dat je al duizenden partijen hebt verloren en dat je eigenlijk zomaar wat doet.'

'Waar *heb* je het over, Nicolas?'

'De manier waarop jij bridge speelt, is de manier waarop evolutie werkt,' zei Moreau fijntjes. 'Het mag dan misschien lijken alsof er een intelligente schepper bezig is geweest, maar de werkelijkheid is dat de natuur ook zomaar wat doet. Wij zien een succesvol geëvolueerde mens, maar al die probeersels die het niet gered hebben zien we niet. Soms gaat het goed, meestal gaat het fout. *Dat* is evolutie. *Dat* is Darwin.'

24

Enquist wurmde zich op de smalle richel van de piramide op zijn zij en viste de rinkelende telefoon uit zijn broekzak. Snel duwde hij op het groene hoorntje omdat het geluid van het bellende toestel buiten zijn zak nog veel harder zou klinken.

'Mark Enquist,' zei hij op gedempte toon in het toestel.

Vincent keek ondertussen naar de twee bewakers. Ze hielden de portofoon tussen zich in bij hun oren en probeerden allebei te verstaan wat er gezegd werd. Ze hadden het volume op maximaal gezet en door het luide gekraak hadden ze de telefoon van Enquist gelukkig niet gehoord. Waarom nam Enquist nu in hemelsnaam de telefoon op? Hij had hem toch ook kunnen wegdrukken. Het risico op ontdekking was nog steeds levensgroot.

'Hallo Tarek,' hoorde hij Enquist zachtjes zeggen, 'goed dat je terugbelt. Je raad nooit waar ik me op dit moment bevind.' … 'Nee, niet *in* de piramide, ik zit erop.' … 'Dat is een lang verhaal, kunnen we elkaar ergens ontmoeten?'

Terwijl Enquist op gedempte toon met Abbara sprak, hield Vincent nerveus de bewakers in de gaten. Blijkbaar had de professor stalen zenuwen.

Nog steeds druk in de storende portofoon pratend, sloften de bewakers verder van hen vandaan. Toen ze tenslotte om de hoek verdwenen, durfde Vincent eindelijk zijn hoofd op te tillen.

'Oké Tarek,' hoorde hij Enquist zeggen, 'dan zien we je straks.'

Vincent keek achterom. 'Dat was behoorlijk riskant om die telefoon op te nemen.'

'Ja, dat weet ik,' knikte Enquist terwijl hij zijn telefoon opborg, 'maar het was belangrijk om even met Abbara te spreken. Hij is onze belangrijkste troef bij het terugkrijgen van de vergunning. Hij zei net dat hij niet zelfstandig bevoegd is om de vergunning opnieuw af te geven. Daarvoor moet eerst de voltallige SCA bijeenkomen. Maar hij is uiteraard wel zeer nieuwsgierig naar onze ontdekking. Ik heb afgesproken dat we nu meteen naar hem toekomen.'

'Nu meteen?' vroeg Vincent. 'Dan moeten we hier eerst weg zien te komen zonder gepakt te worden.'

'Inderdaad. Abbara zou proberen om kapitein Mido opdracht te geven zijn manschappen terug te roepen. Het probleem is dat Mido zijn orders rechtstreeks van de SCA heeft ontvangen, dus Abbara kan dit niet op eigen houtje regelen. Dat zal tijd kosten.'

'Hebt u gevraagd wat de beweegreden van de SCA is geweest om het onderzoek aan de schacht stop te zetten?' vroeg Vincent.

'Nee, maar hij komt straks ongetwijfeld met een verklaring.'

'En hebt u verteld wat we ontdekt hebben?'

'Nee. Ik wil hem eenvoudigweg de beelden op de usb-stick tonen. Die spreken voor zich. Dan bezorgen we hem hetzelfde verrassingseffect als wij hebben gehad toen aan het einde van de schacht opeens dat luik opdoemde.'

'Goed idee,' beaamde Vincent.

Voorzichtig begonnen ze af te dalen. Ze hadden al hun aandacht nodig om niet in het duister uit te glijden op de steile, brokkelige helling. Enquist sprong van de laatste steen in het zand en liep in de richting van de westzijde. Hij wenkte Vincent hem te volgen. Zonder te spreken liepen ze snel, maar op hun hoede, naar de hoek van de piramide. Daar aangekomen keek Enquist voorzichtig in het rond. Er was niemand te bekennen. Geen bewakers, geen verlate toeristen, geen verkopers. Ze liepen zwijgend verder tot de zandvlakte onderbroken werd door een asfaltweg. Vlug staken ze over. Enquist begon nu in een wijde boog noordwaarts te lopen. Vincent kreeg een vermoeden wat Enquist van plan was en hij verbrak de stilte.

'Lopen we terug naar het hotel?'

'Dat heb je goed gezien. Ik ga ervan uit dat Mido weet waar ik logeer, dus hij zal wel wat mannetjes op wacht hebben gezet. Als we vanuit deze richting naderen, kunnen we hopelijk ongezien op de parkeerplaats komen. Daar staat mijn huurauto.'

'En waar gaan we dan naartoe?'

'Abbara is in Cairo, in het Egyptisch Museum. Hij vroeg of we daar naartoe konden komen.'

Ze passeerden nu de piramide van Cheops. Tussen de twee mannen en de piramide bevond zich een terrein ter grootte van enkele voetbalvelden, dat bezaaid was met lage stenen bouwsels. Het leken wel bunkers. De talloze rechthoekige opgravingen waren keurig gerangschikt, als grafzerken op een kerkhof.

'Wat zijn dat?' vroeg Vincent terwijl hij naar de verzameling gebouwtjes wees.

Enquist draaide zijn hoofd om te zien wat Vincent bedoelde.

'Dat is de westelijke begraafplaats,' zei Enquist. 'Daar liggen de voornaamste leden van Cheops' hofhouding en andere hoogwaardigheidsbekleders. Aan de andere kant ligt de oostelijke begraafplaats. Daar vind je enorme stenen mastaba's, oude graftombes, voor alle zonen en dochters van de farao.'

'Indrukwekkend,' vond Vincent.

Ze liepen om de westelijke begraafplaats heen en zagen het hotel liggen. Toen ze vlakbij de ingang waren, besloten ze om niet naar binnen te gaan, maar voor de zekerheid buitenom naar het parkeerterrein te lopen. Bij de parkeerplaats aangekomen stapten ze in de gehuurde Toyota Corolla van Enquist en vertrokken in de richting van Cairo. Terwijl Enquist de weg opdraaide, zette Vincent de airco aan. Hoewel de zon al geruime tijd onder was, had hij het idee dat hij in een sauna zat. De auto had de hele dag in de brandende zon gestaan en het was nog steeds broeierig warm. Hij zette de koude luchtstroom vol open, maar tot zijn verbazing bleef er warme lucht uitkomen. Na enig zoeken en wat gedraai aan de knoppen kwam hij tot de conclusie dat de airco het niet deed. Zuchtend deed hij het raampje omlaag. Enquist deed hetzelfde. Het drukke verkeer van overdag was enigszins tot rust gekomen, dus ze konden redelijk goed doorrijden richting het centrum van Cairo.

'Weet je Vincent,' zei Enquist terwijl hij een omgevallen kar met sinaasappels ontweek. 'Toen we straks bij de Sfinx zaten, vertelde ik je toch dat ik een idee had?'

'Ik ben benieuwd.'

'Kijk,' legde hij uit, 'ik neem aan dat we uiteindelijk onze vergunning wel zullen krijgen, zodat we verder kunnen met ons onderzoek. Als Abbara en de SCA onze beelden hebben gezien, kunnen ze daar namelijk niet meer omheen. Iedereen zal willen weten wat er achter die deur zit. Een verborgen kamer? De nooit gevonden mummie van Cheops? Kennis? Als er een persbericht uitgaat over onze ontdekking, wil de hele wereld over onze schouder meekijken om te zien wat we aantreffen achter die steen.'

Enquist werd steeds enthousiaster.

'Wat mij geweldig lijkt is een live-uitzending van onze poging om achter die steen te kijken.'

'Een live-uitzending?' Vincent probeerde zich in te denken wat hij precies bedoelde.

'Ja, stel je voor, Pyramid Explorer rijdt in de schacht omhoog en de beelden die hij opneemt zijn via een rechtstreekse uitzending wereldwijd te zien. Op die manier zullen miljoenen mensen getuige zijn van wat we aantreffen aan de andere kant van de steen.'

Vincent dacht even na en kwam tot de conclusie dat zijn plan zo gek nog niet was. Waarschijnlijk was National Geographic wel te porren voor een spannend programma over de piramide van Cheops met als hoogtepunt een mogelijk sensationele ontdekking. Hij werd zelf ook enthousiast.

'Misschien kunnen we dan vlak daarvoor mijn documentaire met achtergronden over de piramide en de voorbereidingen op dit project uitzenden.'

'Goed idee,' knikte Enquist, 'daar had ik nog niet eens aan gedacht.'

'We gaan alleen voorbij aan een klein detail. Hoe gaat Explorer door de stenen deur in de schacht heenbreken? Dat lijkt me nog een hele opgave.'

Terwijl Enquist op het verkeer bleef letten knikte hij bedachtzaam.

'Dat is inderdaad een probleem dat we nog moeten kraken. We zullen Pyramid Explorer moeten ombouwen. Eerlijk gezegd heb ik op dit moment geen enkel idee hoe we dat voor elkaar kunnen krijgen. Dat is een mooie klus voor Peter Mueller. Ik ga ervan uit dat hij met een creatieve oplossing komt. We moeten maar eens met hem overleggen.'

Enquist moest stoppen voor een rood stoplicht en draaide zijn hoofd naar Vincent. Hij opende zijn mond om wat te zeggen toen opeens het achterportier van buitenaf geopend werd. Aan de bestuurderskant stapte iemand in de auto die midden op de achterbank ging zitten. Zowel Enquist als Vincent wilde omkijken, maar voordat ze hun hoofden konden bewegen begon de man al tegen hen te schreeuwen.

'Voor je kijken! Niet bewegen!'

Ze zagen een arm tussen hen in verschijnen die de achteruitkijkspiegel scheef zette, zodat Enquist niet meer achter zich kon kijken. Enquist voelde iets in zijn keel prikken. Vanuit zijn ooghoek zag hij tot zijn ontzetting dat er een mes op zijn keel stond. Verlamd van angst flitsten er allerlei gedachten door zijn hoofd. Had Mido hen gevonden? Was dit een van zijn mannen of was het een ordinaire roofoverval?

'De usb-stick,' zei de man kortaf terwijl hij het mes nog dieper in de huid van Enquist prikte. 'Ik wil de film van de piramide, nu meteen!'

'Hoe weet jij...' begon Vincent. Onwillekeurig draaide hij zijn hoofd naar de overvaller.

'Kijk voor je!' schreeuwde de man met overslaande stem. Hij haalde uit en raakte hem met zijn vuist vol op de zijkant van zijn hoofd. Vincent duizelde en voelde een doffe pijn opkomen. Hij sloeg er op dat moment geen acht op.

'Geef hier die stick!' gilde de man. Het leek wel of hij zelf ook in paniek was. Hij haalde het mes van de keel van Enquist en zette het in de hals van Vincent. Met zijn andere arm klemde hij de keel van Enquist dicht en trok hem ruw achterover in zijn stoel.

'Geef hem wat hij vraagt, Vincent,' bracht Enquist met verstikte stem uit.

Vincent voelde het scherpe staal tegen zijn huid en stak zijn hand in zijn broekzak. Langzaam haalde hij de usb-stick tevoorschijn en stak hem omhoog. De man griste de stick uit zijn hand en opende het achterportier.

'Blijf voor je kijken!' riep hij nog eens.

Het portier sloeg dicht en de twee mannen bleven ontdaan achter in de auto. Het hele voorval had minder dan een minuut geduurd. Ze keken elkaar verslagen aan.

'Wat was dat in hemelsnaam?' bracht Enquist uit. Hij voelde de afdruk van het mes nog op zijn keel.

Vincent wreef over zijn pijnlijke kaak. 'En ook niet onbelangrijk, *wie* was dat? Hoe kon hij weten van het bestaan van de usb-stick?'

Er werd getoeterd. Het stoplicht stond weer op groen. Blijkbaar had de auto achter hen niet in de gaten wat er gebeurd was. Die wilde gewoon doorrijden. Enquist gaf gas en parkeerde de auto even verderop langs de weg.

'Heb jij hem gezien?' vroeg Enquist.

'Vaag,' antwoordde Vincent terwijl hij zich voor de geest probeerde te halen hoe de overvaller eruit had gezien. 'Hij had een hoed op,' herinnerde hij zich. 'Zijn gezicht was half verborgen achter zo'n strooien hoed die veel toeristen bij de piramides ook dragen. Hij droeg ook een zonnebril dus ik heb weinig van hem kunnen zien.

221

Het was in ieder geval geen Egyptenaar. Hij had een Brits accent.'

Enquist pakte zijn telefoon en begon in het geheugen te zoeken. 'Wie gaat u bellen?' vroeg Vincent. 'De politie?'

'Nee, Abbara. Ik wil direct weten of hij hier iets mee te maken heeft.'

'Dat is inderdaad een van de weinigen die weten dat we een grote ontdekking hebben gedaan,' peinsde Vincent hardop. 'En Mido natuurlijk, hoewel die slechts orders opvolgde.'

'En vergeet die computerman niet,' voegde Enquist toe. 'Die heeft waarschijnlijk al onze PC's gescand en weet nu wat we gefilmd hebben.'

De telefoon werd opgenomen.

'Met Mark Enquist. We zijn overvallen,' viel hij met de deur in huis. 'We zijn op weg naar het Egyptisch Museum, maar er sprong net een gewapende man in onze auto en die is er met de usb-stick vandoor gegaan.' ... 'De usb-stick waar ons bewijsmateriaal op stond.' ... 'Zit Mido nog achter ons aan?'

Enquist sprak nog even verder met Abbara en hing toen op.

'Het goede nieuws is dat Mido is teruggefloten,' zei hij. 'Toen Tarek hoorde dat we iets belangrijks hadden ontdekt, heeft hij al zijn invloed bij de SCA aangewend om de achtervolging te laten staken. Maar daarmee hebben we onze vergunning nog niet terug, dus het is zaak om Abbara en de rest van de SCA te overtuigen van de noodzaak tot verder onderzoek aan de schacht.'

'Laten we maar gaan dan.'

Enquist startte de motor en ze reden verder het centrum van Cairo in.

'Wie zou er toch achter ons aanzitten?' vroeg Vincent zich af nadat hij alle gebeurtenissen van de afgelopen dag de revue had laten passeren.

Enquist knikte bedachtzaam. 'Het feit dat de overvaller een Engels accent had, zet me aan het denken. Zou het zo kunnen zijn dat degene die me in Engeland achtervolgde dezelfde persoon is als de man die er met onze usb-stick vandoor is?'

'Dan zou hij u naar Egypte zijn gevolgd,' zei Vincent met één opgetrokken wenkbrauw. 'Waarom denkt u dat?'

Ondanks de omstandigheden glimlachte Enquist. 'Vincent, ik heb met jou vandaag al meer meegemaakt dan met de meeste goede vrienden in een heel leven. Ik denk dat het tijd is dat je me Mark gaat noemen.'

'Oké, Mark,' knikte hij.

'De overvaller lijkt bijzonder goed op de hoogte te zijn. Dat was die figuur in Engeland ook. Hij probeerde in te breken in mijn appartement in Londen, dus hij weet waar ik woon. Hij brengt een bezoekje aan mijn werkkamer op de universiteit. Hij steelt een usb-stick met onderzoeksinformatie. En tenslotte breekt hij in op mijn boerderij, vlak nadat wij vertrokken waren.'

'En daar verliest hij zijn pink!' vulde Vincent aan. Hij keek opeens naar Enquist. 'Mark, is jou dat ook opgevallen?'

'Wat?' vroeg Enquist.

'Die overvaller droeg handschoenen!'

Enquist keek hem aan. 'Ja, nu je het zegt, dat heb ik ook gezien. Denk je dat hij handschoenen droeg om zijn gewonde hand te verbergen?'

'Wellicht', antwoordde Vincent. 'Het lijkt me dat je in deze hitte niet voor de lol handschoenen aantrekt.'

'Mmm,' bromde Enquist, 'het is een mogelijkheid. Laten we maar aangifte doen bij de politie.'

Vincent staarde voor zich uit. Hij ging alle mogelijkheden nog eens na, maar hij kwam net als Enquist tot de conclusie dat de overvaller en de inbreker in Engeland wel eens een en dezelfde persoon zouden kunnen zijn.

'Daar is het,' wees Enquist.

Vincent zag een rood stenen gebouw in neoklassieke stijl. De hoofdingang bevond zich onder een fraai bewerkte witte boog, die scherp contrasteerde met het rood van de rest van het gebouw. Verspreid over het voorplein en de tuin zag hij talloze beelden uit de Egyptische oudheid.

Enquist stopte recht voor de hoofdingang. Het museum was zo laat op de avond gesloten en het voorplein was verlaten. Toen ze uit de auto stapten, zwaaide boven aan de trappen een van de hoge houten toegangsdeuren open en kwam er een man haastig naar buiten gelopen. Hij was begin vijftig en had kort grijs haar en donkere, borstelige wenkbrauwen. Dat moest Abbara zijn. Hij droeg een casual jasje over zijn overhemd. Ondanks zijn vriendelijke gezicht had hij een aristocratische blik in zijn ogen, vond Vincent. Hij straalde gezag uit.

'Mark!' riep hij op bezorgde toon. Hij daalde snel de trappen af naar de auto om hen te begroeten.

'Dag Tarek,' zei Enquist.

'Kom mee naar binnen. Wat is er allemaal gebeurd? Je zei dat jullie overvallen waren. Jullie moeten enorm geschrokken zijn.'

'Ja, dat was geen prettige ervaring, maar we zijn over de eerste schrik heen. Ik zal je dadelijk alles vertellen. Kan ik de auto hier pal voor de ingang laten staan?'

'Ja, ja, geen probleem. Er komt vanavond toch niemand meer. Betekent dit dat we nu de opnames uit de schacht kwijt zijn?'

'Als het goed is hebben we de originele opnames nog. Die staan op een laptop die zich in de Koninginnekamer bevindt. Hopelijk doet Mido er geen rare dingen mee. Dit is trouwens Vincent Albright,' zei Enquist tegen Abbara. 'Vincent werkt voor National Geographic Channel. Hij was ook in de Koninginnekamer aanwezig vandaag.'

'Aha, dus je hebt de media al laten invliegen.' Hij schudde Vincent de hand en ging hen voor de trap op naar binnen.

Vincent keek vol bewondering rond. In drie richtingen liepen brede gangen met hoge zuilen en bogen. Boven zag hij de galerijen met balustrades van hoger gelegen verdiepingen. De ruimte stond vol met metershoge oud-Egyptische beelden en vitrines waarin kunstvoorwerpen tentoongesteld werden.

Abbara wenkte hen om hem te volgen. Zijn voetstappen op de stenen vloer galmden door de verlaten gangen. Vincent liep achter hem aan en bleef rondkijken naar de oeroude opgravingen die hij overal om zich heen zag.

'Hier worden toch ook de schatten van Toetanchamon bewaard?' vroeg Vincent.

Enquist knikte. 'In dit museum wordt een gedeelte van de grootste archeologische vondsten van Egypte tentoongesteld. Ook het allerberoemdste Egyptische kunstvoorwerp uit de historie is hier te vinden.'

'Het gouden dodenmasker van Toetanchamon,' raadde Vincent.

'Precies. Maar ook een belangrijk gedeelte van de overige 3.500 objecten die uit zijn graf tevoorschijn kwamen, zoals de gouden sarcofaag. En verder natuurlijk ook mummies, beelden en vele andere opgravingen uit de overige dynastieën. De meeste toeristen die het Egyptisch Museum bezoeken, komen alleen voor de tentoonstelling van Toetanchamon, maar eigenlijk is dat zonde, want er zijn ook enorm veel andere interessante dingen te zien. Het museum telt meer dan 120.000 historische voorwerpen.'

Abbara liet hen binnen in een klein kantoor. Ook deze ruimte ademde geschiedenis. Aan alle wanden hingen foto's van beroemde Egyptische bouwwerken. Op kasten en planken tegen de muren stonden kleine beeldjes en gebruiksvoorwerpen van hout en steen.

'Ga zitten heren,' zei Abbara en hij wees op een vergadertafel met vier stoelen. 'Kan ik wat te drinken inschenken?'

Hij opende een kleine koelkast en zette enkele blikjes frisdrank op tafel. Daarna ging hij in een van de stoelen zitten en achterover leunend keek hij de andere twee verwachtingsvol aan.

'Volgens mij hebben jullie het een en ander te vertellen. Wat is er gebeurd?'

Enquist pakte een blikje cola van de tafel en trok het open. Nadat hij een slok had genomen vertelde hij achtereenvolgens over de rit van Pyramid Explorer in de schacht, de ontdekking van het luik, de plotselinge verschijning van Mido waarna ze de piramide hadden moeten verlaten, hoe ze achtervolgd waren door de bewakers, hoe ze ontsnapt waren en tenslotte over de beroving.

Abbara luisterde aandachtig zonder hem te onderbreken. Toen Enquist vertelde over hun ontdekking in de schacht, trok hij beide wenkbrauwen op en floot zachtjes voor zich uit. Zijn gezicht betrok echter snel toen hij de details van de overval hoorde.

'Hebben jullie enig idee hoe die dief kon weten dat jullie een usb-stick in bezit hadden?' vroeg Abbara. 'Het luik in de schacht was net ontdekt. De overvaller moet voorkennis gehad hebben.'

'Inderdaad,' knikte Enquist. 'Er zijn maar enkele mensen op de hoogte van onze ontdekking. Weet je zeker dat Mido de achtervolging gestaakt heeft?'

Abbara haalde zijn schouders op. 'Nadat jij belde heb ik kort met de voorzitter van de SCA gesproken. Daarna heb ik persoonlijk Mido gebeld om te zeggen dat ze jullie niet langer hoefden te zoeken. Ik zal het meteen even verifiëren.'

Abbara liep naar zijn bureau en toetste een nummer in op het telefoontoestel. Terwijl hij in onverstaanbaar Arabisch in de hoorn begon te praten, keken de andere twee elkaar aan.

'Moeten we hem vertellen over de gebeurtenissen in Londen?' vroeg Vincent zachtjes.

'Ik denk dat we open kaart moeten spelen,' zei Enquist. 'Abbara heeft geen enkel belang bij het stelen van de filmbeelden. We waren nota bene op weg naar hem toe. Als de usb-stick niet gestolen was, zaten we hier nu met hem naar de beelden te kijken.'

Abbara hing de telefoon op. 'Mido heeft zijn mannen meteen teruggeroepen,' zei hij terwijl hij terug naar de tafel liep. 'Tien minuten nadat wij elkaar gesproken hadden, Mark, heb ik met Mido gebeld. Die heeft direct zijn orders gegeven, dus op het moment dat jullie het Gizeh complex verlieten, werden jullie niet meer achtervolgd. Dat wil zeggen, niet meer door Mido,' verbeterde hij zichzelf.

'Als het Mido niet was, moeten we het in een andere richting zoeken,' zei Enquist en hij vertelde over de inbraak in Engeland en alle gebeurtenissen die daar volgens hem verband mee hielden.

'En nu denken jullie dus dat die persoon jullie naar Cairo is gevolgd?' Abbara schudde bedachtzaam zijn hoofd. 'Wat een verhaal. Wie zou hier achter kunnen zitten?'

'Als we echt denken dat er een verband is, moeten we de politie in Londen bellen,' zei Vincent. 'Misschien hebben ze vorderingen gemaakt met hun onderzoek naar de inbraak.'

Enquist knikte.

Abbara vroeg nog even door over de details van de ontdekking in de schacht. Enquist probeerde zo goed mogelijk te beschrijven hoe het luik eruit zag, maar uiteindelijk stelde hij voor dat Abbara het beter met eigen ogen kon aanschouwen.

'Oké,' zei Abbara, 'laten we dan naar Gizeh gaan.'

Enquist keek hem verrast aan. 'Nu?'

'Ja, waarom niet? Mido vertelde me net dat alle apparatuur nog in de Koninginnekamer staat.'

Enquist keek naar Vincent.

'Tenzij jullie nog niet zijn bijgekomen van de overval en naar jullie hotel terugwillen. Dat zou ik wel begrijpen.'

'Nou, ik moet toch die kant op, want mijn hotel is daar. Wat vind jij Vincent?'

'Ik ga mee.'

'Fantastisch,' zei Abbara. 'Ik kan niet wachten om met eigen ogen te zien wat er aan het einde van de zuidschacht is.'

'*Als* het daadwerkelijk het einde van de schacht is,' voegde Enquist toe. 'Wie weet wat er nog achter het luik zit.'

Ze stonden op en liepen de kamer uit. Op weg naar buiten groette Abbara de bewaker en wenste hem een goede dienst. Ze liepen de trappen af naar de auto, die nog steeds recht voor de hoofd-ingang geparkeerd stond. Vincent besloot de beide wetenschappers voorin te laten zitten en nam bescheiden plaats op de achterbank. Terwijl Enquist wegreed, keek Vincent nog een keer achterom naar het statige museum. Wat een enorme schat aan historie moest daar opgeslagen liggen. Hij hoopte dat hij nog tijd kon vinden om er een middagje rond te kijken.

Enquist stuurde de Toyota door de donkere straten van Cairo terug richting Gizeh en bedacht zich dat hij zijn meest prangende vraag nog niet gesteld had.

'Tarek,' zei hij langzaam, 'wat je me nog niet verteld hebt ...'

Hij draaide zijn hoofd naar Abbara. Die knikte alsof hij wist wat Enquist wilde gaan vragen.

'Waarom is onze vergunning eigenlijk ingetrokken? We hebben een wereldontdekking gedaan. En zo ongeveer op het hoogtepunt, vlak na de ontdekking van de deur, kwam die Mido opeens vertellen dat we onmiddellijk de piramide dienden te verlaten. We moesten halsoverkop naar buiten. Al onze apparatuur staat er nog. Wat is er aan de hand?'

'Ik heb het niet kunnen voorkomen, Mark,' zei hij verontschul-digend. 'De aanleiding voor het intrekken van mijn mondelinge toezegging was de speech die je vorige week in het British Museum hebt gehouden.'

Enquist keek vragend opzij. Wat had dat met het onderzoek in de piramide te maken?

'Professor Said was in Londen tijdens de conferentie. Hij heeft je lezing bijgewoond.'

'Ahmed Said? De historicus van de universiteit van Cairo? Die ken ik wel,' zei Enquist. 'Hij zit ook in de Supreme Council of Anti-quities.'

Abbara knikte. 'Nadat ik je toestemming had gegeven om te star-ten met het onderzoek in de Koninginnekamer, moest ik het uiter-aard ook voorleggen aan de SCA. Toen professor Said tijdens onze vergadering van vanochtend hoorde dat jij betrokken was bij het onderzoek aan de schachten, heeft hij onmiddellijk geprotesteerd. Hij vertelde over je presentatie in het British Museum. Zijn conclusie luidde dat je erop uit bent om te bewijzen dat de piramides veel ouder zijn dan hun huidige datering of dat er een volk heeft bestaan dat ouder is dan de oudste samenlevingen waarvan het bestaan bewezen is.'

Abbara keek Enquist op zijn beurt vragend aan. 'Klopt dat, Mark?'

Enquist zuchtte diep. Dus dat was het. De SCA had lucht gekregen van zijn visie over oude beschavingen. En uiteraard gingen zijn standpunten in tegen de heersende opvattingen van de gevestigde orde. Elk onderzoek dat met een alternatieve datering van de piramides kwam, werd consequent naar het rijk der fabelen verwezen.

'Tja,' begon Enquist, 'dat kan ik moeilijk ontkennen. Er zijn nu eenmaal sterke aanwijzingen in die richting. Die kan ik niet negeren. Mag ik vragen wat mijn opvattingen over een oude samenleving te maken hebben met het stopzetten van ons onderzoek in de schacht?'

'Waarschijnlijk kun je het antwoord wel raden,' zei Abbara. 'De SCA wil niet dat er onderzoek aan de piramides wordt gedaan, waarvan de resultaten omstreden zullen zijn.'

Enquist opende ontstemd zijn mond om hierop te reageren, maar Abbara ging verder.

'Hoe dan ook, alles komt in een geheel ander daglicht te staan door jullie ontdekking van vandaag. Ik wil het eerst graag zelf zien, maar als er inderdaad een soort deur in de zuidschacht zit, dan is dat zo opzienbarend dat een vergunning niet geweigerd kan worden. In dat geval wil de hele wereld, inclusief de SCA, weten wat er achter die deur zit.'

Op de achterbank glimlachte Vincent bij de gedachte dat Enquist al een idee had om de hele wereld inderdaad getuige te laten zijn van wat er zich achter het luik bevond.

'Toen ik eerder deze avond met de voorzitter van de SCA belde om hem te vertellen dat jullie een belangrijke ontdekking in de piramide van Cheops hebben gedaan, heeft hij toegezegd dat de licentie opnieuw verstrekt zal worden zodra we vastgesteld hebben dat het verhaal inderdaad klopt. Dat is de reden dat ik graag zo snel mogelijk naar de piramide wil,' verklaarde Abbara. 'En vanzelfsprekend ben ik zelf ook zeer nieuwsgierig.'

Enquist was tevreden met het antwoord van Abbara. Het belangrijkste was dat ze hun vergunning terug zouden krijgen, zodat ze Pyramid Explorer opnieuw omhoog konden sturen. En wat de robot verder ook mocht ontdekken, het stond hem, Mark Enquist, gerespecteerd wetenschapper, vrij om daar zijn eigen conclusies aan te verbinden. Zelfs als dat tegen het zere been van de hele academische wereld zou zijn.

Inmiddels reden ze in de westelijke buitenwijken van Cairo.

'Zou Peter nog in de piramide zitten?' vroeg Vincent. 'Als we de film vanavond nog willen zien, hebben we waarschijnlijk zijn hulp nodig.'

'Is Peter een van jullie collega's?' vroeg Abbara. 'Mido zei dat er nog mensen in de Koninginnekamer waren.'

'Ja, Peter Mueller is degene die Pyramid Explorer heeft gebouwd,' verduidelijkte Enquist. 'Ik zal hem eens bellen.'

Hij pakte zijn telefoon uit zijn zak en belde Mueller. Die nam onmiddellijk op.

'Dag Peter, met Mark, waar zit je?' ... 'Bij het zwembad?' ... 'Bier?' ... 'Dan heb je het beter voor elkaar dan wij.'

Hij legde kort uit wat er gebeurd was. Met één hand sturend luisterde hij naar Mueller. Plotseling klaarde zijn gezicht op.

'Geweldig, Peter. Dan zie je ons zo verschijnen.'

Enquist verbrak de verbinding en deed de telefoon weer in zijn zak.

'Ze zitten aan het zwembad. Ze hadden al van Mido gehoord dat het beeldmateriaal niet in beslag genomen zou worden en dat alle apparatuur in de Koninginnekamer kon blijven staan. Om er zeker van te zijn dat Pyramid Explorer daar veilig staat, heeft Peter de horizontale gang met een eigen hangslot afgesloten.'

'En de film?' wilde Abbara weten.

'Ze hebben de laptop waar de film op staat mee naar buiten genomen. Die ligt op dit moment naast hen, dus we hoeven vanavond niet meer de piramide in. We kunnen de film meteen bekijken,' zei hij tevreden.

'Mooi, fantastisch,' zei Abbara. 'Ik begin langzamerhand heel erg nieuwsgierig te worden. Mark, misschien loop ik op de zaken vooruit, maar hebben jullie al een idee hoe we aan de andere kant van die deur kunnen kijken?'

Enquist schudde zijn hoofd. Hij legde uit dat ze Explorer zouden moeten ombouwen, zodat hij in staat zou zijn om het luik te openen. Op Abbara's vraag of dat werkelijk mogelijk was, haalde Enquist zijn schouders op. Hij vertrouwde erop dat Peter Mueller met een oplossing zou komen.

Ondertussen zag Vincent in de verte de piramides alweer aan de horizon verschijnen. Onderuitgezakt op de bank bedacht hij zich hoe het zou zijn als het plan van Enquist werkelijkheid zou worden. Stel dat ze het voor elkaar zouden kunnen krijgen om een poging van Explorer om verder in de schacht door te dringen te combineren met een live tv-uitzending. Wat een waanzinnige gedachte.

Enquist draaide de parkeerplaats van het hotel op. Hij parkeerde op de eerste vrije plek die hij zag en ze stapten uit de auto. Gehaast ging hij de andere twee voor en liep buiten het gebouw om, rechtstreeks naar het zwembad. Daar, aan de rand van het sfeervol verlichte buitenbad, zagen ze Peter, Ralph en Kurt zitten. Blijkbaar hadden ze net gegeten, want de lege borden stonden nog voor hen op tafel. Peter zag hen en stak met een grote glimlach een hand op. De drie mannen liepen langs het water naar hen toe en nadat Enquist Abbara had voorgesteld, gingen ze zitten.

Terwijl Enquist verslag deed van wat hen vanavond was overkomen, keek Vincent om zich heen. De meeste tafeltjes waren bezet met hotelgasten en onder een luifel zorgden enkele muzikanten met gitaren en zang voor achtergrondmuziek. De temperatuur was nu, laat op de avond, heerlijk. Niet meer zo verzengend als overdag. Vincent realiseerde zich bij het zien van de lege borden dat hij, ondanks het broodje kebab eerder die avond, nog steeds niet veel gegeten had die dag. De geur van de gerechten om hem heen zorgde ervoor dat zijn maag begon te rammelen. Hij wenkte een ober die meteen kwam aansnellen. Op de vraag van Vincent of ze nog wat konden eten, keek de onberispelijk geklede jongeman vanwege het late tijdstip twijfelend op zijn horloge. De keuken ging bijna dicht, maar als ze snel bestelden zou het nog wel gaan, dacht hij. Enquist was nog midden in zijn verhaal. De anderen hingen aan zijn lippen. Vincent besloot hem niet te onderbreken en bestelde twee borden spaghetti. Enquist zou ook wel wat lusten.

'Doe ook maar meteen zes bier,' zei hij tegen de ober, wijzend op het gezelschap aan tafel.

'Dr. Abbara drinkt geen alcohol, meneer. Ik zal thee voor hem meebrengen,' glimlachte de man vriendelijk.

'Ah, natuurlijk,' verontschuldigde Vincent zich. Abbara was een bekend gezicht op het plateau van Gizeh en de ober had hem herkend. Vincent was even vergeten dat hij in een islamitisch land was.

Enquist had intussen verslag gedaan aan de drie technici en pauzeerde even. Abbara maakte er handig gebruik van.

'Denken jullie dat we nu de film kunnen bekijken?'

Mueller knikte en pakte de laptop uit de tas die naast hem op de grond lag. Terwijl de ober de lege borden weghaalde, startte Enquist op aanwijzing van Mueller de film. Ze zagen weer dezelfde beelden als vanmiddag. De smalle gang die verlicht werd door de schijnwerper van Pyramid Explorer, de ruwe, hobbelige wanden en de zwarte duisternis aan het einde van de schacht. Toen Explorer bij het punt was gekomen waar de schacht schuin omhoog begon te lopen, ging Abbara op het puntje van zijn stoel zitten om maar niets te hoeven missen. Zover had niemand ooit in de schacht gekeken, verklaarde hij. Enquist gaf commentaar bij de beelden, maar omdat de gang al snel eentonig werd, spoelde hij de film door naar de vernauwing van de schacht en vervolgens naar de drempel. Hij legde uit hoe Explorer uiteindelijk de verhoging in de vloer had kunnen passeren. Ondertussen keek Abbara gebiologeerd naar de wanden van de schacht. Ook hem viel het op dat de kwaliteit van het steenhouwwerk opeens beter werd. Tenslotte kwam het witte luik met de twee donkere, metalen handvatten in beeld. Vol ontzag keek Abbara naar de steen die de schacht volledig blokkeerde.

'Ongelooflijk,' stamelde hij gefascineerd.

Enquist zette het beeld stil en wees op de details die hem eerder opgevallen waren. Het afgebroken handvat, de groeven in de zijwanden die erop wezen dat het luik omhoog geschoven moest kunnen worden en de ronde gipsafdrukken.

'Ongelooflijk,' herhaalde Abbara. 'Maar de vraag die onvermijdelijk bij me opkomt, is natuurlijk wat er achter die steen zit.' Hoopvol keek hij naar Enquist, alsof hij een kant en klare oplossing verwachtte.

'Die vraag houdt ons ook al de hele dag bezig.' Enquist keek naar Mueller. 'We zullen een manier moeten vinden om door die steen heen te breken, Peter.'

Mueller lachte en nam een slok van het Stella-bier, dat de ober net had neergezet.

'Deze vraag had ik al verwacht. We hadden wat tijd te doden vanaf het moment dat jullie de piramide verlieten. Ik wilde Pyramid Explorer en de rest van de apparatuur niet in de Koninginnekamer achterlaten zolang we nog het risico liepen dat het in beslag genomen zou worden, dus we zijn gebleven totdat Mido met het bericht kwam dat we ons beeldmateriaal niet af hoefden te staan. In de tussentijd hebben we met z'n drieën zitten brainstormen over de mogelijkheden.'

Mueller pauzeerde even omdat hij werd afgeleid door het verbaasde gezicht van Enquist toen er een bord spaghetti voor zijn neus werd gezet. Hij knikte naar de ober en gebaarde met zijn hand naar Mueller.

'Ga verder, Peter, je maakt me nieuwsgierig.'

Mueller streek met beide handen zijn blonde haar naar achteren en schoof zijn stoel wat dichter naar de tafel toe. Hij zoomde verder in op de sluitsteen en wees naar het scherm.

'Zien jullie hoe massief die steen is? Wat we ook veranderen aan Explorer, het zal onmogelijk zijn om het luik omhoog te schuiven. Het is veel te zwaar.'

Abbara schonk zichzelf een kop thee in. 'Wat is het alternatief?'

'Het alternatief,' Mueller wisselde een blik uit met zijn twee assistenten, 'is dat we proberen om een gat in de steen te boren.'

'Een gat in de steen boren?' Abbara keek verbaasd van Mueller naar Enquist.

'Ja,' ging Mueller onverstoorbaar verder, 'dat is verreweg de meest eenvoudige optie. Explorer is vrijwel ongevoelig voor stof, omdat we hier rekening mee hebben gehouden bij het ontwerp. De schacht is enorm stoffig, dus daar moest hij tegen bestand zijn. Dat betekent dat hij waarschijnlijk ook geen problemen zal hebben met het gruis dat vrijkomt als we een gat in de deur zouden boren. Daar kan hij tegen.'

Mueller praatte over Pyramid Explorer als een trotse vader over zijn kind.

Abbara keek hem nog steeds vragend aan. 'Je boort een gat. En dan?'

'Dan,' Mueller wees naar de plek op de steen waar hij een gat wilde boren, 'manoeuvreren we een miniatuurcamera door het gat, zo'n fiberoptische camera als in ziekenhuizen wordt gebruikt bij kijkoperaties, en dan kunnen we aan de andere kant van de steen kijken.'

Abbara stond versteld van de eenvoud van het idee. 'Is dat technisch mogelijk?'

'Ja, in principe wel,' knikte Mueller. 'Het is natuurlijk niet zo eenvoudig als ik het nu vertel. Het ligt allemaal wel wat gecompliceerder. We zullen een specialist nodig hebben op het gebied van op afstand bestuurbare boren en misschien ook iemand voor de camera.'

Iedereen was even stil.

'Dat klinkt goed, Peter,' zei Enquist terwijl hij zijn bord aan de kant schoof. 'Het geeft ons de mogelijkheid om met minimale schade aan de piramide de ruimte achter de steen inspecteren.'

'En als er nu een verborgen ruimte achter de sluitsteen zit, hoe komen we daar dan ooit bij?' wilde Vincent weten. 'De schacht meet twintig bij twintig centimeter. Daar kan niemand doorheen.'

'Nu loop je een beetje op de zaken vooruit,' zei Enquist. 'Maar als inderdaad blijkt dat er zich achter de steen een ruimte bevindt die wetenschappelijk zo interessant is dat hij nader onderzocht dient te worden, moeten we overwegen om die ruimte vanaf de andere kant te benaderen.'

Vincent keek op van zijn bord. 'Hoe bedoel je dat?'

'Het stenen luik zit negenenvijftig meter diep in de schacht,' legde Enquist uit. 'Dat betekent dat een eventuele ruimte achter dat luik vrij dicht tegen de buitenkant van de piramide aan moet zitten. Als de inhoud van zo'n geheime kamer zo opzienbarend is, dat we ons toegang tot die ruimte willen verschaffen, dan kunnen we beter een doorgang forceren vanaf de buitenkant van de piramide.'

Abbara keek bedenkelijk bij de laatste woorden van Enquist.

'Dat zou natuurlijk alleen gerechtvaardigd zijn als er daadwerkelijk bewezen wordt dat die ruimte bestaat,' haastte Enquist zich te zeggen.

'Heren,' zei Abbara, 'jullie hebben mij ervan overtuigd dat deze ontdekking van grote betekenis kan zijn. Het lijkt mij van belang dat we een poging doen om achter die deur te kijken.' Hij keek op zijn horloge. 'Ik moet jullie ideeën uiteraard eerst met de voorzitter van de SCA bespreken, maar het is nu te laat om Mohamed Mehra te bellen. Ik zal jullie plannen morgenochtend met hem bespreken, maar ik verwacht dat hij positief zal reageren. Kunnen we elkaar daarna weer hier ontmoeten om te overleggen hoe we dit project zullen aanpakken?'

Mueller en Enquist knikten instemmend. Abbara stond erom bekend dat hij hield van spijkers met koppen, wist Enquist, en dat bewees hij vanavond maar weer eens.

'Prima, Tarek, dan treffen we elkaar morgen weer.'

Abbara maakte al aanstalten om op te staan toen Enquist hem gebaarde nog even te blijven zitten.

'Wacht even, Tarek. Er is nog iets wat we moeten bespreken.'

De Egyptenaar zakte terug in zijn stoel en keek hem vragend aan.

'We zitten natuurlijk nog steeds met de gestolen usb-stick. Op dit moment hebben we geen enkel idee wie er achter de overval van vanavond zit.' Enquist keek de kring rond. 'We weten niet wat het motief is. Misschien zijn ze uit op informatie. Sommige collega's gunnen me in hun publicatiedrift het licht in de ogen niet. Of misschien zijn er organisaties die opgevangen hebben dat ik iets op het spoor ben en zijn ze uit op een primeur.' Hij keek veelbetekenend naar Abbara. 'Het zou zelfs zo kunnen zijn dat we gedwarsboomd worden omdat bepaalde instanties wellicht niet zo gecharmeerd zijn van mijn ideeën over de ouderdom van de piramides. Ik kan niet ontkennen, Tarek, dat mijn standpunten in bepaalde kringen niet goed vallen.'

Abbara knikte.

'Hoe dan ook, ik vind dat we zo snel mogelijk een persbericht moeten vrijgeven, om te voorkomen dat anderen met de primeur aan de haal gaan.'

'Dat ben ik met je eens,' zei Vincent. 'Die usb-stick kan overal opduiken. Het filmpje kan zo maar op internet gezet worden. Dat moeten we voor zijn.'

Dat laatste argument overtuigde Abbara. 'Oké. Dat zal ik ook voorleggen aan Mohamed Mehra. Bereid maar vast een persbericht voor met wat foto's van de schacht en de deur.'

Hij stond op en schudde iedereen de hand.

'Vergeet niet om aangifte te doen bij de politie,' zei hij tegen Enquist. 'Misschien heb je gelijk en is er inderdaad een verband met de inbraak in Engeland.'

Nadat Abbara vertrokken was, gingen ook de drie technici naar hun kamer. Enquist en Vincent bleven als enigen achter op het terras van het hotel. Enquist had een glas cognac besteld en zat onderuitgezakt in zijn stoel. Hij walste de drank in het glas en keek omhoog naar de sterrenhemel boven het plateau van Gizeh.

'Mooi hè.'

Vincent knikte. Het nachtelijk firmament was bezaaid met flonkerende sterren.

'Ik kan me niet herinneren dat ik in Londen ooit zo'n mooie hemel heb gezien, terwijl we daar toch naar dezelfde sterren kijken.'

'Zie je het sterrenbeeld Orion?' wees Enquist. 'Drie heldere sterren, dicht bij elkaar in het midden. Breed uitlopend als een zandloper aan de boven- en onderkant.'

Vincent tuurde naar boven. 'Ik ben niet zo bekend met sterren-beelden.'

'Ik ook niet,' zei Enquist. 'Maar er is een Belgische ingenieur, Robert Bauval, die een zeer interessante ontdekking heeft gedaan.'

Vincent keek vragend naar Enquist.

'Ik ben je nog een verklaring schuldig,' glimlachte hij.

'Een verklaring?' Vincent had niet het idee dat Enquist hem iets uit te leggen had.

'Op de boerderij in Engeland werd ons gesprek onderbroken door het telefoontje van Peter, weet je nog?'

Vincent haalde de werkkamer van Enquist weer voor de geest. Hij herinnerde zich de lange rijen met boeken en het fraaie uitzicht op het Engelse platteland.

'Weet je nog dat ik heb uitgelegd wat precessie was?'

In gedachten zag Vincent de wereldbol weer rondjes over de tafel draaien. 'Ja, je zei dat de aarde heel traag om haar as schom-melt, waardoor de sterrenhemel langzaam van positie lijkt te veran-deren.'

'Precies en ik zei ook dat die cyclus 26.000 jaar duurt, waardoor de jaarlijkse verandering van de sterren niet met het blote oog is waar te nemen.'

Hij pauzeerde even en stak zijn wijsvinger in de lucht. 'Maar met moderne technieken kunnen we dit verschijnsel nauwkeurig voorspellen. Kennis van astronomie zou een onmiskenbare aanwij-zing zijn voor de hypothese dat de onbekenden uit het verre verleden hoogontwikkeld waren in een tijd dat ze nog rond hoorden te lopen in berenvellen. Daarboven zien we hiervoor een aanwijzing.'

'Daarboven? Bij Orion?'

'Ja. Even terug naar de piramides. Cheops en Chefren liggen exact in elkaars verlengde. Als je de diagonaal van de piramide van Cheops doortrekt, zul je zien dat de piramide van Chefren precies op dezelfde lijn ligt. De derde piramide wijkt echter iets af van deze lijn. De ontdekking van Robert Bauval gaat over de drie sterren in het midden van Orion. Alnilam, Alnitak en Mintaka. Bauval ontdekte dat de positie van deze drie sterren ten opzichte van elkaar zeer nauwkeurig overeenkomt met de positie van de piramides. De derde ster staat een beetje scheef ten opzichte van de andere twee, precies zoals de piramide van Mykerinos. Hij dacht dat de piramides zijn gebouwd met het sterrenbeeld Orion als bouwtekening.'

'Oké,' zei Vincent. 'Maar wat heeft dat te maken met de oude beschaving? Op zich is het niet raar wanneer een volk dat dicht bij de natuur leeft en de sterren misschien wel als goden aanbidt, haar bouwwerken de posities van sterren laat aannemen.'

'Klopt,' zei Enquist. 'Dat is op zich inderdaad niet zo opzienbarend, maar nu komt het. Enkele duizenden jaren geleden zag de hemel er heel anders uit. Met behulp van computerprogramma's kunnen we terugrekenen waar de sterren bijvoorbeeld ten tijde van de bouw van de piramides stonden. Als je goed kijkt, kun je zien dat de positie van de piramides niet helemaal overeenkomt met de sterren van Orion. Het geheel lijkt gedraaid te zijn. Maar ooit is er een tijd geweest waarin de piramides van Gizeh een exacte, en ik bedoel een honderd procent volmaakte, kopie van het sterrenbeeld Orion vormden.'

'En wanneer was dat?'

'Bauval heeft berekend dat de piramides in ongeveer 10.500 voor Christus een perfecte weergave vormden van de drie centrale sterren van Orion.'

Enquist zakte achteruit in zijn stoel en nipte voldaan aan zijn cognac.

'Maar dat betekent,' concludeerde Vincent verbaasd, '10.500 voor Christus is ook ongeveer ...'

'Het bouwjaar van de Sfinx, gemeten op basis van watererosie,' maakte Enquist zijn zin af. 'Alweer een aanwijzing dat de beschaving veel ouder is dan we denken.'

Vincent lachte. 'De bewijzen stapelen zich op.'

'Inderdaad,' zei Enquist, 'want ik ben nog niet klaar. Heb je vanmiddag gezien welke kant de Sfinx opkijkt?'

Vincent dacht even na.

'In de richting van de stad. Naar het oosten dus.'

'Precies. De Sfinx kijkt *exact* naar het oosten, daar waar de zon opkomt. Maar slechts twee keer per jaar komt de zon *exact* in het oosten op. Dat is tijdens de equinoxen in de lente en in de herfst, op 21 maart en 21 september, wanneer dag en nacht even lang zijn. In de zomer komt de zon wat meer noordelijk van het absolute oosten op; in de winter meer zuidelijk.'

Vincent probeerde Enquist te volgen.

'Ik heb je verteld dat door precessie ook de sterrenbeelden waaronder de zon opkomt langzaam verschuiven. Tegenwoordig zien we, vlak voordat de zon opkomt, het sterrenbeeld vissen in het oosten. Daarvoor was het de ram en daar weer voor de stier.'

Hij keek Vincent aan. 'Nu mag jij raden naar welk sterrenbeeld de Sfinx keek op de ochtend van 21 maart in 10.500 voor Christus.'

Vincent dacht na. Wat bedoelde Enquist? Ook in 10.500 voor Christus begon de lente op 21 maart. Hoe moest hij nu weten welk sterrenbeeld er toen in het oosten te zien was? Hij wilde net zijn schouders ophalen toen hij een ingeving kreeg. Dit kon niet waar zijn. Ongelovig kwam hij overeind in zijn stoel. 'Toch niet ...'

Enquist knikte. 'Op de eerste lentemorgen van het jaar 10.500 voor Christus zag de Grote Sfinx tijdens het ochtendgloren recht voor zich, vlak boven de horizon, het sterrenbeeld leeuw. Robert Bauval ontdekte dat de Sfinx, half mens half leeuw, naar zichzelf keek! Dat noem ik symboliek met een hoofdletter S.'

25

Richard Petit zweeg even na de woorden van Moreau over uitgestorven soorten.

'Toch zal het je misschien verbazen dat intelligent design en de evolutietheorie op bepaalde punten verenigbaar zijn.'

'Hoezo dan?' wilde Moreau weten.

'Toen Darwin zijn evolutietheorie publiceerde, werden zijn standpunten enthousiast ontvangen in de wetenschappelijke wereld. Dat was niet in de laatste plaats te danken aan het feit dat hij met een verklaring kwam voor de ontwikkeling van het leven op aarde, waarin nu eens een keer geen plaats was ingeruimd voor God. Met het verschijnen van de evolutietheorie werd het scheppingsverhaal namelijk buitenspel gezet. God speelde geen enkele rol meer en dat was in die tijdgeest vernieuwend, maar ook controversieel. Wetenschappelijk gezien had Darwin echter nauwelijks goed onderbouwde argumenten voor zijn theorie. Zijn bewijsvoering was flinterdun.'

'Onzin,' zei Olivier als rechtgeaard darwinist. 'Zijn observaties van de vinken op de Galápagos-eilanden zijn wereldberoemd. Hij heeft overtuigend aangetoond dat vogels zich onder verschillende omstandigheden in verschillende richtingen ontwikkelen.'

Tot zijn verbazing keek Petit hem instemmend aan terwijl er een glimlachje rond zijn mondhoeken speelde.

'Dat ben ik met je eens, maar Darwins conclusies gaan te ver. De verschillen tussen zijn vinken zijn namelijk gering, want het blijven tenslotte vinken. Hij signaleerde evolutie binnen de soort. Maar volgens de evolutietheorie stammen *alle* levende wezens, hoe verschillend ook, af van dezelfde voorouders. Als dat werkelijk zo zou zijn, moeten er tussenvormen geweest zijn die onderling telkens kleine verschillen vertonen. Daar moeten dan fossielen van bestaan. Darwin dacht in zijn tijd dat er simpelweg nog niet genoeg fossielen waren gevonden om dat aan te kunnen tonen, maar tot op de dag van vandaag zijn er nergens ter wereld fossiele overgangsvormen aangetroffen om zijn theorie te bevestigen.'

Moreau haalde zijn schouders op. 'Ik weet niets van fossielen, dus ik kan je argumenten niet goed weerleggen, maar het principe dat Darwin ontdekte is ijzersterk. Tegen creationisten gebruik ik vaak de eigenschap homoseksualiteit als voorbeeld. Is homoseksualiteit onnatuurlijk? Veel gelovigen vinden van wel. Ik denk van niet. Het komt namelijk ook onder dieren voor. Is homoseksualiteit een afwijking? Er zijn weliswaar veel meer hetero's dan homo's, dus als je met afwijking bedoelt dat het verschilt van de meerderheid, dan klopt dat. Maar het feit dat er minder homo's zijn betekent niet dat het een afwijking is. Het is een gevolg. Het is een gevolg van het feit dat homo's zich nu eenmaal een stuk minder vaak voortplanten dan hetero's, waardoor de eigenschap homoseksualiteit minder vaak doorgegeven zal worden dan de eigenschap heteroseksualiteit. Wat dat betreft is homoseksualiteit gewoon een eigenschap zoals blond haar of bruine ogen.'

Geen speld tussen te krijgen, dacht Michelle. Of toch wel?

'Homoseksualiteit is onnatuurlijk in die zin dat mannen en vrouwen fysiek geschapen zijn om samen nakomelingen te krijgen en homo's niet,' wierp Petit tegen. 'Hoe verklaar je dat dan?'

Moreau schudde zijn hoofd. 'Je maakt een denkfout. Er is nooit een schepper geweest, dus er is ook nooit van tevoren over nagedacht dat mannen en vrouwen beter bij elkaar passen dan gelijke seksen. Het is een gevolg. Het is zo gegaan omdat een eigenschap die de kans op nakomelingen vergroot, zal blijven bestaan. De evolutieleer is wetenschappelijk gezien boven elke vorm van twijfel verheven is. Het is bijna een wetmatigheid.'

'En dat is nu precies het probleem,' klaagde Petit. 'De stellingen van Darwin zijn zo rotsvast verankerd in onze samenleving dat elke poging tot een kritische noot bij voorbaat weggehoond wordt. Darwinisten zeggen dat ze niets *hoeven* te verklaren, omdat evolutie nu eenmaal plaatsgevonden *moet* hebben. Al die verschillende soorten lopen immers op dit moment op aarde rond.'

Hij trok een gefrustreerd gezicht. 'Maar dat is natuurlijk onzin. Modern DNA-onderzoek wijst uit dat evolutie de soortgrens niet kan passeren. Bovendien is het nooit bewezen dat de allereenvoudigste vorm van leven, die feitelijk al zeer complex was, zomaar heeft kunnen ontstaan uit levenloos materiaal. Die deeltjes koolstof, zuurstof en waterstof moeten hulp hebben gehad toen ze opeens op een intelligente manier gingen samenwerken.'

'Dat zie je verkeerd, Richard,' zei Moreau met veel overtuiging in zijn stem. 'Dat zie je helemaal verkeerd en ik zal het bewijzen.

Die levenloze moleculen hebben zich via grotere moleculen, aminozuren en eiwitten geëvolueerd tot eenvoudige cellen. Zo is het gegaan en ik zal het je laten zien.'

Hij richtte zich tot zijn collega. 'Olivier, waar heb je de cellen verstopt?'

Olivier, die de discussie tot nu toe zwijgend had gevolgd, keek hem verbijsterd aan.

'Pardon?'

'De cellen, waar zijn ze? Je zei net in de kelder dat je ze op een veilige plaats had opgeborgen.'

'Ja, ik bewaar ze op een veilige plaats. Maar Nicolas, wat ben je in hemelsnaam van plan?' Olivier wist niet wat hij hoorde. Wat bezielde Moreau nu weer? Het hele project was jarenlang omgeven geweest met alle mogelijke veiligheidsmaatregelen om uitlekken van de resultaten te voorkomen en nu wilde hij zomaar een van zijn grootste critici deelgenoot maken van hun doorbraak.

'Ik denk dat we Richard maar eens een kijkje door de microscoop moeten laten nemen, zodat hij kan zien dat er geen vierdimensionale schepper voor nodig is om levenloze moleculen te laten samenwerken.'

'Is dat nu wel verstandig, Nicolas?' vroeg Olivier.

Nu Moreau èn de cellen weer terecht waren, zou de persconferentie waarop ze het nieuws naar buiten zouden brengen niet lang meer op zich laten wachten. Maar als ze Petit nu al een kijkje in de keuken zouden gunnen, zou het geheim niet lang meer bewaard blijven. Wilde Moreau echt nu al uit de doeken doen wat hij had ontdekt, alleen om zijn gelijk te halen in een persoonlijke discussie met Petit? Hij besloot nog een poging te wagen om zijn baas op andere gedachten te brengen. Moreau was weliswaar zeer eigengereid, maar naar zijn meest directe medewerker wilde hij meestal wel luisteren.

'De informatie is zeer confidentieel,' zei hij met een verontschuldigende blik in de richting van Petit. 'Ik denk dat het belangrijk is om dat zo te houden tot het moment dat we naar buiten treden met onze primeur. Als we nu al details gaan vrijgeven, hebben we straks geen primeur meer.'

'Dat zal wel meevallen,' wuifde Moreau de bezwaren weg. 'Richard heeft er geen enkel belang bij om onze ontdekking van de daken te schreeuwen, want het druist in tegen alles waar hij voor staat. Bovendien zou hij de tijd niet hebben, want ik wil zo snel mogelijk een persconferentie plannen om het nieuws wereldkundig te maken. Ik ga ook vandaag nog even met *Science* bellen. Mijn artikel zou nu inmiddels goedgekeurd moeten zijn, dus dan kan het geplaatst worden in de eerstvolgende editie.'

Olivier haalde zijn schouders op en knikte berustend. Hij begreep dat zijn baas niet op andere gedachten te brengen was. Moreau was tenslotte eindverantwoordelijk. Als hij het risico wilde lopen dat het nieuws voortijdig uitlekte, dan was dat zijn probleem.

'Oké, zoals je wilt. Ik zal de cellen halen.'

Olivier liep naar zijn bureau en opende de bovenste lade. Hij tilde een plastic bakje met pennen en paperclips omhoog en diepte een kleine sleutel op met een groen labeltje eraan. Met de sleutel liep hij naar een grijs metalen kastje dat achter zijn bureau aan de muur hing. Hij opende het deurtje en Michelle zag dat het een sleutelkastje was. Onder elkaar hingen twee rijen sleutels met kleurige labels. Zoekend bewoog Olivier zijn wijsvinger langs de sleutels en nam er een van het haakje.

'Ik ben zo terug,' zei hij terwijl hij het laboratorium inliep.

'Wat gaat hij doen?' vroeg Petit. Hij had de discussie tussen Moreau en zijn assistent met stijgende verbazing aangehoord, maar eigenlijk kon hij er geen touw aan vastknopen. Moreau had zojuist gezegd dat hij zou bewijzen dat biologische cellen uit levenloos materiaal waren geëvolueerd en dat daar geen schepper voor nodig was. Vragend keek hij de anderen aan.

Michelle vond dat Olivier gelijk had. Dit was niet het moment om het zorgvuldig bewaarde geheim te onthullen. Helaas was ze niet in de positie om hierover mee te beslissen, dus ze keek afwachtend naar Moreau.

'Olivier haalt even enkele petrischaaltjes met celkweken die ik aan je wil laten zien,' zei Moreau tegen Petit. 'Ik ben benieuwd of je daarna nog steeds gelooft in je schepper. Misschien ga je wel in een nieuwe schepper geloven. In Nicolas Moreau.'

Petit begreep er helemaal niets meer van en keek vragend in het rond.

'Kom,' nodigde Moreau hen uit, 'laten we even een microscoop opzoeken.'

Hij kwam overeind en liep in de richting van de deur.

'Darwin geloofde aanvankelijk ook in God,' zei Moreau terwijl

241

hij zich weer omdraaide naar Petit. 'Maar toen hij na een langdurige ziekte zijn tienjarige dochter verloor, geloofde hij dat God niet kon bestaan omdat die zoiets wreeds nooit zou laten gebeuren.' Hij schudde zijn hoofd. 'Eigenlijk begrijp ik niet waarom gelovigen altijd willen aantonen dat God bestaat. Ze geloven het toch al?'

Op het moment dat hij de deur wilde openen, stormde Olivier naar binnen en botste in zijn haast bijna tegen Moreau op. In het midden van de kamer bleef hij staan en keek met een verwilderde blik in zijn ogen de kring rond. Hij zag lijkwit en er kwam geen woord over zijn lippen.

'Wat is er Olivier?' vroeg Moreau geschrokken. 'Je ziet eruit alsof je een geest hebt gezien.'

'De cellen,' stamelde hij.

'Wat is er met de cellen?' vroeg Moreau.

'Ze zijn er niet meer. Ze zijn weg. Ik snap het niet.'

Olivier keek vertwijfeld naar Michelle.

'Ik had ze opgeborgen in een goed afgesloten kast. De sleutel hing in dat sleutelkastje en de sleutel daarvan bewaarde ik in mijn bureau. Niemand wist het, alleen ik.'

'In welke kast stonden ze dan?' vroeg Moreau perplex.

'Nou gewoon,' zei Olivier, 'in een van die afsluitbare muurkasten daar in de hoek.' Hij wees in de richting van het lab.

Michelle liep onmiddellijk de kamer uit om te zien wat er gebeurd was. In de aangewezen hoek bevonden zich drie solide metalen deuren naast elkaar. Dat moesten de kasten zijn die Olivier bedoelde. De middelste stond op een kier. Ze liep ernaartoe en trok de deur verder open. Achter de openstaande deur bevond zich een kleine ruimte van ongeveer een meter diep. De linker- en rechterwand van de inloopkast werden geheel in beslag genomen door schappen vol apparatuur en voorraaddozen, maar tegen de achterwand zag ze de inmiddels bekende glazen bakjes en schaaltjes staan waarvan de bodem bedekt werd door een dun laagje vocht. Tussen die kweken moest Olivier de cellen verborgen hebben, concludeerde ze. Ze inspecteerde de deur en het slot. Er waren geen braaksporen te zien. Olivier had de deur met de sleutel geopend, dus hij moest afgesloten zijn geweest. Het leek er sterk op dat degene die de cellen voor de tweede keer had ontvreemd, de weg had geweten in dit laboratorium. Sterker nog, hij had precies geweten waar hij moest zoeken.

26

Vincent liep voor de tweede achtereenvolgende ochtend het Mena House in. Deze keer wist hij de weg, dus hij wandelde rechtstreeks naar de ontbijtzaal. Nadat Enquist gisteravond zijn verhaal over het sterrenbeeld Orion en de Sfinx had voltooid, had hij een taxi naar zijn hotel genomen. Vol van alle indrukken die hij die dag had opgedaan, was hij als een blok in slaap gevallen.

Vanochtend had Enquist hem alweer vroeg gebeld. Hij had aangifte van de overval gedaan en er zou een inspecteur bij hem langskomen. Hij wilde dat Vincent ook aanwezig zou zijn.

Bij de ingang van de ontbijtzaal bleef hij staan en keek zoekend rond. Hoewel het ontbijtbuffet omstreeks deze tijd afliep, waren er nog veel tafeltjes bezet. Steeds meer hotelgasten stonden echter op om op weg te gaan naar de bezienswaardigheden van Cairo. Hij zag Enquist aan hetzelfde tafeltje als gisteren zitten. Bij hem zaten twee onbekende mannen. Dat zou de politie wel zijn. Vincent liep tussen de tafeltjes door en voegde zich bij het gezelschap.

'Goedemorgen Vincent,' zei Enquist en hij wendde zich tot de politiefunctionarissen. 'Heren, dit is Vincent Albright over wie ik u net verteld heb.'

De twee mannen stelden zich voor als de inspecteurs Hossam en Abdelwahab. Terwijl Vincent hen de hand schudde, schonk Enquist koffie in.

'We hebben zojuist alle details over de gewapende overval gehoord,' zei Hossam. 'Dr. Enquist heeft een zo volledig mogelijk beeld proberen te schetsen, maar er zijn enkele vragen die hij niet goed kon beantwoorden. Misschien kunt u zich bepaalde dingen beter herinneren.'

'Ik zal m'n best doen,' zei Vincent. 'Zoals wat?'

'Hebt u de overvaller kunnen zien? Kunt u iets zeggen over zijn uiterlijk?'

Vincent dacht even na. In gedachten zag hij de man weer op de achterbank zitten. 'Blank, Engels accent, zwarte handschoenen, strooien hoed op z'n hoofd, zonnebril, dus ik heb z'n gezicht niet goed gezien.'

243

'Maar u hebt wel gezien dat hij blank was?'

Vincent dacht opnieuw na en probeerde de vragen zo nauwkeurig mogelijk te beantwoorden. Hossam stelde nog vragen over het wapen, het accent van de overvaller, zijn kleding en wat hij precies had gezegd. Ondertussen rinkelde de telefoon van Enquist. Vincent ging gewoon door met het beantwoorden van vragen. Eigenlijk had hij het idee dat hij nauwelijks iets had gezien, maar Hossam wist door het stellen van gerichte vragen nog aardig wat informatie naar boven te krijgen. Uiteindelijk had hij voldoende gehoord en bedankte hij Vincent voor de medewerking. Op hetzelfde moment beëindigde Enquist zijn gesprek.

'Dat was een telefoontje uit Engeland. Je raadt nooit wie dat was.'

'Nou?'

'Ene rechercheur McDowell, uit Londen.'

'Adam McDowell?' Vincent herkende de naam meteen. 'Die ken ik wel. Wat wilde hij?'

'Omdat ik niet wist wie zich in Londen met het onderzoek naar de inbraak op de boerderij bezighoudt, heb ik vanochtend met de universiteit gebeld om te vragen of ze nog iets van de politie hadden gehoord. Dat was niet het geval, maar ze zouden gaan informeren. En nu werd ik teruggebeld door McDowell.'

Enquist legde kort aan Hossam en Abdelwahab uit wat er in Engeland gebeurd was. Hij vertelde ook van hun vermoeden dat er een connectie was tussen de inbraak in Engeland en de overval in Cairo.

'McDowell heeft alle ziekenhuizen in de regio benaderd met de vraag of er zich iemand had gemeld met een afgerukte pink. En hij had succes. In een klein streekziekenhuis ten oosten van Londen is een man behandeld die zijn pink had verloren tijdens een zeilincident. Het scheen erg druk te zijn bij de eerste hulppost, waardoor er geen gegevens over hem zijn vastgelegd. Desondanks was de arts die de patiënt behandeld heeft, in staat om een signalement op te geven. Ze vond het namelijk vreemd dat de man alleen was. Normaal laten mensen met een ernstige verwonding zich door iemand anders naar een ziekenhuis begeleiden. Deze man was zelf met de auto gekomen.'

'Knap werk,' vond Vincent. 'En dat zeilincident?'

'Volgens die arts was het niet onaannemelijk dat een vinger wordt afgerukt door een lijn die plotseling wordt strakgetrokken.

Dat soort ongelukken gebeurt wel vaker.'

'Toch toevallig.'

'Ja, dat vond McDowell ook. Zeker omdat het ziekenhuis op de route van de boerderij naar Londen ligt.'

'En dat past weer in het plaatje dat hij ook degene is die in Londen achter je aanzat,' vulde Vincent aan.

'Precies. Erg veel toevalligheden dus.'

'Heb je hem verteld wat er hier gebeurd is?'

'Ja, natuurlijk.'

Hossam, die driftig aantekeningen had zitten maken tijdens het verslag van Enquist, mengde zich weer in het gesprek.

'En wat was precies het signalement van die verdachte, dr. Enquist?'

Enquist keek naar zijn eigen notities.

'Lange, forse man. Kort, donker haar. Niet kleinzerig, want hij gaf geen kik in het ziekenhuis. Verder geen opvallende kenmerken. Behalve natuurlijk dat zijn linkerhand in het verband zit.'

Hossam noteerde de gegevens en maakte aanstalten om te vertrekken.

'Dank u voor de informatie, heren. Als er nog iets te binnen schiet dat van belang kan zijn, kunt u mij bellen.' Hij legde zijn kaartje op tafel en stond op. Abdelwahab, die geen woord had gezegd, volgde zijn voorbeeld.

Terwijl Vincent de twee agenten nakeek, wandelde Peter Mueller uitgeslapen en fris geschoren de ontbijtzaal binnen.

'Mag ik er even langs?' vroeg hij aan de man die aan het tafeltje naast hen een krant zat te lezen. Zonder op te kijken schoof deze zijn stoel wat naar voren en Peter wurmde zich achter Enquist langs.

'Wat een uitzicht, hè.' Terwijl hij aanschoof, knikte hij naar de piramides. 'Ik kan er geen genoeg van krijgen.'

'Waar is de rest?' vroeg Vincent.

'Kurt en Ralph? Die zijn in de Koninginnekamer. Ze zijn alvast begonnen met het demonteren van de apparatuur.'

'Demonteren?' Vincent keek met opgetrokken wenkbrauwen naar Enquist. Had hij iets gemist? Moesten ze nu toch de piramide verlaten?

Mueller zag de verbaasde blik van Vincent en legde het uit.

'De aanpassingen aan Explorer die ik gisteren voorstelde, kunnen we niet hier in Cairo doen. We moeten eerst een geschikte boor vinden. Vervolgens moet hij deskundig bevestigd worden en we zullen uitgebreid moeten testen. Ook moeten we goed oefenen met de besturing op afstand, zodat we in staat zijn om zonder fouten in één keer een gat te boren. Als de hele wereld meekijkt op tv, ga ik natuurlijk niet lopen prutsen met die boor,' knipoogde hij naar Vincent.

'Dit geldt trouwens niet alleen voor de boor, maar ook voor de camera. Omdat we in Engeland betere faciliteiten hebben om te bouwen en te testen, nemen we Explorer mee terug om de noodzakelijke aanpassingen te kunnen doen.'

'Maar je weet niet eens zeker of het allemaal wel door kan gaan,' wierp Vincent tegen. 'We hebben nog niets van Abbara gehoord.'

Enquist glimlachte onbezorgd. 'Abbara heeft gebeld om te zeggen dat hij onze afspraak niet ging redden. Hij moest vanochtend aanwezig zijn bij de opening van een aantal recent ontdekte koningsgraven.'

'Dus?' Vincent begon te vermoeden dat ze iets voor hem verborgen hielden, want Enquist was veel te vrolijk en Peter barstte in lachen uit om zijn vragende gezicht.

'Hij heeft wel een fax gestuurd,' zei Enquist en hij gooide nonchalant een vel papier op tafel.

Vincent pakte het op en begon te lezen. Egyptisch Ministerie van Cultuur, stond erboven. *Supreme Council of Antiquities*, zag hij ook staan. Verder veel officiële stempels en handtekeningen. Hij las dat er toestemming werd verleend aan dr. Mark A. Enquist om met behulp van een mobiele robot een gaatje te boren in de sluitsteen die was aangetroffen in het bovenste deel van de zuidschacht, verbonden met de Koninginnekamer in de piramide van Cheops. De brief was ondertekend door Tarek Abbara en Mohamed Mehra.

Vincent keek op van het papier. 'En dit wisten jullie de hele tijd al?'

Enquist knikte. 'We mogen gaan boren! Dit is de officiële vergunning van de SCA waar we op zaten te wachten. Ik had nog geen kans gehad om het je te vertellen met eerst die rechercheurs en toen het telefoontje uit Londen.'

'Belde er een rechercheur uit Londen?' vroeg Mueller. 'Wat moest die dan?'

Enquist vertelde hem in het kort wat er allemaal was gebeurd en eindigde met het telefoontje van McDowell die ontdekt had dat de inbreker zich vermoedelijk had laten behandelen in een ziekenhuis bij Londen.

Bij de laatste woorden van Enquist keek Mueller als door een wesp gestoken achterom. De beweging was zo abrupt dat hij bijna het witte tafelkleed meetrok. Zijn lege koffiekopje viel rinkelend van het schoteltje.

'Wat is er?' vroeg Enquist geschrokken. Ook Vincent keek met grote ogen naar de anders zo relaxte Peter.

Het tafeltje achter hen was leeg. De krantlezer was ongemerkt opgestaan en vertrokken.

'Die man die hier net zat had zijn hand in het verband!'

'Pardon?' zei Enquist.

'De man die net aan dit tafeltje zat, had zijn linkerhand in het verband. Ik weet het honderd procent zeker. Het viel me op toen ik hem vroeg of ik er langs mocht. Hij zat erg dicht tegen onze tafel aan.'

Ze keken elkaar ontsteld aan.

'Dit lijkt me één toevalligheid te veel,' zei Vincent.

'En het vreemde is,' zei Mueller in zijn geheugen gravend, 'dat ik hem eerder heb gezien. Ik weet alleen niet waar.'

'Toen ik hier vanochtend binnenkwam voor het ontbijt, zat er niemand aan die tafel,' kon Enquist zich herinneren. 'Als het inderdaad dezelfde man is, achtervolgt hij ons nog steeds. Wat een lef om de ochtend na de overval doodleuk naast ons te komen zitten.' Enquist schudde zijn hoofd. 'Wat wil hij toch van ons?'

'Daar komen we maar op één manier achter,' besloot Vincent. Hij stond op en rende naar de uitgang.

'Waar ga je naartoe?' riep Enquist hem na.

Vincent stopte in de deuropening en draaide zich om. 'Hij moet nog in de buurt zijn,' riep hij door de ontbijtzaal. 'Bel Hossam, die kan nog niet ver weg zijn! Zeg hem dat hij moet komen helpen.'

'Vincent, stop! Dit is te gevaarlijk! Kom terug.'

Hij luisterde niet. 'Dit is onze kans om hem te pakken. Bel Hossam!' En weg was hij.

De overige hotelgasten in de zaal keken verstoord op van het plotselinge lawaai in de anders zo rustige ruimte.

Mueller stond ook op. 'Dit kan hij niet alleen. Ik ga met hem mee. Bel Hossam, Mark. Leg hem uit wat er aan de hand is en vraag om assistentie.' Mueller rende achter Vincent aan en liet Enquist verbouwereerd achter.

'Wij zijn onderzoekers, Peter!' riep hij nog vlak voordat Mueller de zaal uitrende. En geen cowboys, dacht hij bij zichzelf toen hij zag dat zijn woorden geen enkel effect sorteerden. Hij keek om zich heen. Alle ogen in de zaal waren op hem gericht. Enquist glimlachte en haalde zijn schouders op. Hij viste het visitekaartje dat Hossam net had achtergelaten uit zijn zak en haalde zijn mobiele telefoon tevoorschijn.

Vincent rende in volle vaart naar buiten. Bij de uitgang bleef hij staan en keek gejaagd rond. Waar kon de overvaller naartoe zijn gegaan? Er stond een rijtje taxi's te wachten voor het hotel. Tegen de voorste stonden twee chauffeurs geleund. Hij rende op hen af.

'Hebben jullie net een man naar buiten zien komen?'

De taxichauffeurs keken hem vragend aan.

'Een man?' vroeg een van hen geamuseerd. 'Er zijn de afgelopen vijf minuten wel twintig mannen naar buiten gekomen.'

Vincent realiseerde zich dat hij de man niet bewust had zien zitten in de ontbijtzaal. Hij was puur afgegaan op de woorden van Mueller. Wel herinnerde hij zich wat Enquist gezegd had, nadat hij met McDowell had gesproken.

'Eh, lang, fors, donker haar.'

De chauffeurs keken elkaar aan en haalden hun schouders op.

'Bruine broek, blauw poloshirt, rood rugzakje,' hoorde Vincent een bekende stem achter zich hijgen.

Verrast keek hij om. Mueller was buiten adem van de sprint door de gangen van het hotel.

'En hij had zijn linkerhand in het verband,' zei hij na een diepe zucht.

Nu knikten de chauffeurs en wezen in de richting van de piramides.

'Die kant op. Vijf minuten geleden.'

'Bedankt. Kom op Peter, rennen!' Vincent zette het weer op een lopen.

Samen overbrugden ze de paar honderd meter over de asfaltweg naar de rand van de zandvlakte. Vincent was zichtbaar in betere conditie dan Mueller. Hoewel de Duitse ingenieur atletisch gebouwd was, had hij moeite om het tempo te volgen. Vincent was er als eerste en hield halt. Met dichtgeknepen ogen tegen de felle zon keek hij

248

over het plateau van Gizeh of hij iemand zag die aan het signalement voldeed. Het was druk bij de piramides. Vincent probeerde in de mensenmassa een lange man te vinden die gewond was aan zijn hand, maar voorlopig ontwaarde hij slechts toeristen, gidsen en verkopers.

Peter voegde zich hijgend bij hem.

'Ik weet weer waar ik hem eerder heb gezien.' Snakkend naar adem leunde hij voorover met zijn handen op zijn knieën.

'Waar dan?'

'Gisteren, bij de vrachtwagen, toen Mark jou onder het tentzeil uitleg gaf over het gangenstelsel in de piramide. Die man die ineens voor onze neus stond. Ik vroeg hem nog of hij wat zocht.'

Vincent knikte. Hij herinnerde het zich ook.

'Dat was hem.'

'Was dat de man die net naast ons zat?'

'Zeker weten.'

'Dus hij had ons gisterochtend al in het vizier! Dat zou betekenen dat hij de hele dag heeft zitten wachten tot wij weer uit de piramide kwamen.'

Mueller ging weer rechtop staan en kneep zijn ogen tot spleetjes. Hij liet zijn blik over het terrein dwalen.

'Daar!' riep hij plotseling.

Vincent keek in de richting waar hij naartoe wees. In de verte, aan de westzijde van de eerste piramide, zag hij een man lopen die een kleine, rode rugzak droeg. Hij was in zijn eentje en liep in een stevig tempo van hen vandaan in de richting van de piramide van Chefren. De afstand was te groot om te kunnen zien of het de man was die ze zochten. Omdat het de enige optie was die ze hadden, begonnen ze weer te rennen.

De afstand werd nu snel kleiner. Toen ze tot op honderd meter genaderd waren dacht Mueller hem te herkennen.

'Volgens mij is hij het,' riep hij naar Vincent, die tien meter voor hem liep. 'Stop maar, dan proberen we hem te volgen.'

Of het was toeval, of de vermoedelijke overvaller had Mueller horen roepen, want precies op dat moment draaide hij zich om en zag de twee mannen op hem af stormen. Vincent en Peter stopten onmiddellijk met rennen. Heel even stonden ze alle drie stil. Peter knikte naar Vincent dat het degene was die ze zochten. De man leek minstens zo gespannen als zij zelf. Beiden realiseerden ze zich dat hij gisteren gewapend met een mes achter in de auto was gesprongen. Dat weerhield hen ervan om verder te lopen, ook al waren ze met z'n tweeën.

De overvaller keek hen aan met een mengeling van verbijstering en woede. Hij leek heel even te twijfelen wat hij moest doen, maar toen hij over zijn eerste verbazing heen was, draaide hij zich om en maakte zich razendsnel uit de voeten.

Vincent en Peter keken elkaar aarzelend aan. Moesten ze weer achter hem aan gaan? Of konden ze beter wachten op Hossam? Vincent voelde in gedachten het mes weer op zijn keel staan en zijn verstand zei hem dat hij beter geen risico's kon nemen. Maar zijn gevoel zei wat anders. Met bonkend hart zette hij de achtervolging weer in.

'Vincent, kom terug! We vinden hem later wel.'

Vincent luisterde niet en sprintte achter de vluchtende overvaller aan. Deze keek door het geroep van Mueller achterom en zag dat hij nog steeds gevolgd werd. Al rennend keek hij om zich heen. Veel uitwijkmogelijkheden had hij niet op het open terrein.

Bij de zuidwesthoek van de piramide van Cheops stond een Egyptenaar met twee kamelen en een paard. De dieren waren losjes vastgebonden aan een houten balk. Het was een populaire attractie onder toeristen om per kameel of te paard een tochtje rond de piramides te maken. De kamelendrijver was blijkbaar net een prijs voor zijn paard overeengekomen met een jong echtpaar. Hij maakte het dier los en hield het vast aan de teugel. De vrouw deed giechelend een poging om haar voet in de stijgbeugel te krijgen.

De overvaller bleek een ervaren ruiter te zijn. Toen hij langs het paard rende, dook hij in volle vaart met zijn schouder in de buik van de eigenaar. De kamelendrijver bleef happend naar adem op de grond liggen, maar de overvaller krabbelde na zijn berekende actie meteen overeind. Hij greep de losse teugels beet en slingerde zich in het zadel. Het echtpaar in ontzetting achterlatend, gaf hij het paard de sporen en verdween in galop in de richting van de piramide van Chefren.

Vincent, die alles al rennend had gadegeslagen, stopte noodgedwongen bij de gevallen man en hielp hem overeind. Terwijl het slachtoffer begon te jammeren over zijn gestolen paard, keek Vincent de ruiter na. Deze had de volgende piramide al bereikt en was bijna uit het zicht verdwenen. Gefrustreerd schopte Vincent in het zand. Hij was er zo dichtbij geweest. Nu waren ze de onbekende overvaller waarschijnlijk weer kwijt.

Er claxonneerde een auto. Onwillekeurig draaide hij zijn hoofd. Achter het stuur van een onopvallende witte politiewagen herkende hij Hossam. Naast hem zat zijn collega Abdelwahab en door het geopende achterraam zwaaide Enquist hem toe.

'Hierheen, Vincent,' riep hij luidkeels.

Blij verrast door deze onverwachte hulp rende hij naar de auto, die aan was komen rijden over de asfaltweg langs de piramide van Cheops. Mueller, die toch achter Vincent was aangelopen en de inzittenden ook had herkend, liep eveneens in de richting van de politiewagen.

'Het was hem,' was het eerste wat Vincent uitbracht toen hij bij de auto was aangekomen. 'Hij is ervandoor gegaan op een paard. Hij moet nu ergens achter de piramide van Chefren zijn.'

'Stap in,' zei Hossam, 'misschien zijn we nog niet te laat.'

Vincent en Peter wurmden zich naast Enquist op de achterbank en de auto ging er met slippende banden vandoor. Er volgde een T-splitsing waar Hossam rechtsaf sloeg. Ze reden nu ten noorden van de piramide van Chefren. Na vierhonderd meter maakte de weg een haakse bocht naar links, waardoor ze volledig zicht kregen op de westzijde. Er was geen spoor van de vluchtende overvaller meer te bekennen. Hossam gaf vol gas en vervolgde zijn weg. Alle vijf de inzittenden speurden de omgeving af, maar de ruiter leek wel in rook opgegaan. Vlak voor de piramide van Mykerinos boog de weg af, de woestijn in. Hossam zette de auto aan de kant en iedereen stapte uit. Ze hadden nu vrij zicht op een groot gedeelte van het terrein. Iedereen keek zoekend om zich heen, maar tot aan de horizon was er geen ruiter te bekennen.

Het was hier een stuk rustiger dan bij de twee andere piramides. Verderop liepen enkele groepjes mensen door het zand. Ook zag Vincent enkele kamelen in een wijde boog om de piramides lopen. De mannen die de leidsels vasthielden sjokten traag door het zand. De toeristen schommelden van links naar rechts en maakten aan de lopende band foto's. Maar er was geen paard te zien.

'Hij moet in de richting van die gebouwen gevlucht zijn,' zei Vincent terwijl hij naar Nazlet el Samman wees. 'Hij kan nergens anders naartoe gegaan zijn.'

Hossam knikte en keek peinzend rond. Plotseling klaarde zijn gezicht op en hij posteerde zich pontificaal midden op de weg. Er naderde een oude Nissan pick-up truck die met een slakkengangetje op hen afreed. Toen de wagen vlakbij was, stak Hossam zijn hand op en gaf een stopteken. Ook al was hij niet in uniform, door zijn houding kon er voor de bestuurder geen twijfel over bestaan dat het een agent was die hem tot stoppen dwong. De chauffeur zette zijn auto aan de kant van de weg. Hossam liep om de wagen heen en toonde zijn badge aan de verbaasde man achter het stuur. Hij begon druk gebarend in het Arabisch met de bestuurder te praten en wees in de richting waarin de overvaller vermoedelijk verdwenen was. Vincent keek eens goed naar de zwarte wagen en zag dat er in vage rode letters 4x4 op de zijkant stond. Die pick-up mocht dan een oud barrel zijn, maar de kans op vastlopen in het mulle zand was gering.

Hossam wenkte de anderen in te stappen. De Nissan had twee banken. Hossam en Abdelwahab gingen voorin naast de ongeschoren, grijzende chauffeur zitten. De andere drie kropen achterin op de versleten bekleding. Voordat Vincent kon plaatsnemen, moest hij eerst twee lege kippenmanden weghalen. Hij gooide ze achterin de bak en zag dat er nog meer lege manden lagen. Er kwam een penetrante mestlucht onder het zeil vandaan. De man had waarschijnlijk net zijn kippen verkocht op de markt.

Toen Vincent als laatste het portier dichtsloeg, reed de bestuurder voorzichtig de zandvlakte op. Bang als hij was om zijn auto te beschadigen, reed hij stapvoets langs de piramide. Iedereen gaf zijn ogen goed de kost in de hoop de overvaller in het vizier te krijgen. Toen ze de hoek omreden, begon Hossam zich te ergeren aan het trage tempo van de chauffeur. Op gebiedende toon sprak hij de man toe, die hoofdschuddend het gaspedaal dieper intrapte. Blijkbaar had hij weinig ervaring met het rijden buiten geasfalteerde wegen, want bij het allereerste zandhoopje waar hij overheen moest, liet hij de motor afslaan. Vlak voor de drie kleine satellietpiramides kwamen ze tot stilstand.

'Kom op, schiet op!' riep Hossam ongeduldig.

'Hij moet ook de lage gearing gebruiken,' wees Mueller naar de versnellingspook. 'Dan heeft hij meer trekkracht waardoor de wielen in het losse zand minder snel zullen spinnen.'

De chauffeur probeerde de motor weer te starten, maar kreeg hem niet aan de praat. Hossam begon hem luidkeels aan te sporen. Alle aandacht was opeens op de arme chauffeur gevestigd, waardoor niemand meer naar buiten keek. Na enkele pogingen startte de Nissan weer en op Muellers aanwijzingen reed de bestuurder in de juiste versnelling verder. De aandacht van de inzittenden was weer op de omgeving gericht en iedereen zocht de horizon af naar een eenzame ruiter. Weer was Mueller degene met de scherpste blik.

'Daar!' wees hij.

Alle inzittenden wendden hun hoofd in de richting die hij aanwees. Mueller wees vanaf de achterbank van de terreinwagen recht vooruit. Daar, honderden meters verderop, stond een eenzaam paard op de zandvlakte. Op zijn rug zat een leren zadel, maar er was geen berijder in de buurt. Het dier snuffelde over de grond, alsof hij wilde grazen, maar er groeide geen gras op het plateau van Gizeh. Niets wees erop dat dit het paard was dat zojuist in volle galop van de piramide van Cheops was komen rennen.

Hossam vroeg de chauffeur naar het paard toe te rijden. De Nissan hobbelde door het ruwe terrein op het dier af en stopte op twee meter afstand. Het paard bleef, gewend als hij was aan mensen, rustig staan en liep niet weg. Hossam stapte uit de auto en pakte de teugels vast.

'Is dit het paard?' vroeg hij aan Vincent.

Vincent stapte uit. Hij wist helemaal niets van paarden. Het dier dat voor zijn neus stond was bruin, net zoals het paard waarop de overvaller was gevlucht. Ook het lederen zadel zag er hetzelfde uit. Meer herkenningspunten waren er niet voor hem.

'Waarschijnlijk wel,' twijfelde hij, 'maar ik weet het niet zeker.'

Hij keek rond, op zoek naar een aanknopingspunt. Uit de richting van de piramides kwam een kameel aandraven. Tussen de twee bulten zat de berijder die het dier met handen en voeten aanspoorde nog harder te lopen. Aan zijn rijstijl te zien was het bepaald geen toerist. Het viel Vincent op dat een kameel vergeleken bij een paard vreemd liep. De kameel zette eerst zijn twee linkerpoten tegelijk naar voren en vervolgens zijn twee rechterpoten. Het zag er bijna komisch uit.

'Kijk nou, het is de eigenaar van het gestolen paard!'

Toen de Egyptenaar het gezelschap bij de auto had bereikt, sprong hij van zijn kameel en nam de teugels over van Hossam. Hij begon het paard onmiddellijk over zijn hals te aaien en gerust te stellen.

'Nou, dat lijkt me duidelijk,' concludeerde Vincent, 'dit is het paard dat we zoeken.'

Mueller knikte. 'Nu de ruiter nog.'

Vincent klopte de gerustgestelde eigenaar van het paard op zijn schouder en probeerde uit te leggen wat er aan de hand was.

Hossam was ondertussen naar een groep toeristen gelopen die enkele meters verderop voorbij liep. Hij liet zijn badge zien en vroeg of ze misschien net een paard voorbij hadden zien galopperen, hij wees achter zich, maar dan *met* ruiter. Het bleek een groep oudere Japanners te zijn. Ze keken hem vanonder hun petten en zonnekleppen glazig aan en gaven geen antwoord. Hun gids, ook uit Japan, legde uit dat hun Engels niet zo goed was. Zelf had hij niets gezien. Toen hij de vraag voor zijn groep vertaalde, begon er een aantal mensen onverstaanbaar door elkaar te praten. Ze wezen allemaal in de richting van Nazlet el Samman.

'Ging hij daar naartoe?' vroeg Hossam aan de gids.

Hij schudde zijn hoofd. 'Deze mensen hebben alleen het paard gezien. Geen ruiter. Het paard kwam uit de richting van de stad deze kant op lopen.'

'Geen ruiter?'

'Nee, alleen een paard.'

Hossam knikte naar de gids. 'Dank u.'

Hij wendde zich naar de rest. 'Hij moet in Nazlet el Samman zijn. Hij is daar natuurlijk ergens afgestapt en heeft het paard teruggejaagd. Snel, in de auto.'

De vijf mannen stapten weer in de Nissan en sloegen de portieren dicht. De chauffeur, die niet was uitgestapt, gaf deze keer meer gas en zo snel als de oude terreinwagen toeliet, reden ze op de gebouwen aan het eind van de zandvlakte af. Hossam gaf aanwijzingen en in no time stonden ze bij het begin van de bebouwing. De chauffeur stopte en keek vragend naar Hossam. Hij liet de motor lopen. Alle inzittenden van de pick-up keken naar buiten of ze een spoor van de verdachte zagen. Het probleem was dat ze niet wisten waar de overvaller het terrein precies verlaten had. De hele oostkant van het plateau van Gizeh werd begrensd door gebouwen, dus hij kon overal de stad wel ingelopen zijn.

'Laten we langs de rand van het plateau rijden,' stelde Enquist voor, 'dan vragen we of er iemand wat gezien heeft. Een ruiter die zijn paard achterlaat en vervolgens de stad inrent, kan niet onopgemerkt blijven.'

254

Omdat niemand een beter idee had, gebood Hossam de chauffeur de asfaltweg op te rijden. Langzaam reed de Nissan noordwaarts. Hossam stak zijn hoofd uit het raam. Terwijl hij zijn badge omhoog hield, vroeg hij aan elke voorbijganger of ze in de afgelopen vijf minuten een man op een paard uit de richting van de piramides hadden zien komen. Het antwoord luidde steevast hetzelfde. Niemand had iets gezien. Na enkele honderden meters gaf hij het op en hij liet de chauffeur de wagen keren. Ze reden nog een stuk terug over dezelfde weg en Hossam bleef zijn vraag herhalen. Zijn lichaamshouding verried echter dat hij er niet veel vertrouwen meer in had. Hij liet de chauffeur ook niet meer bij elke voorbijganger stoppen. Al rijdend stelde hij zijn vragen en wachtte het antwoord nauwelijks meer af. Toen ze alle plaatsen waar de overvaller redelijkerwijs het plateau van Gizeh had kunnen verlaten waren gepasseerd, trok Hossam zijn conclusie.

'Een ruiter die hier in galop aan komt rijden, afstapt en zijn paard achterlaat, dat moet iemand zijn opgevallen. Dat kan alleen maar betekenen dat hij hier nooit is geweest. Hij moet dus nog ergens op het terrein rondlopen.'

'Als dat zo is, hebben we kostbare tijd verloren,' zei Vincent. 'Maar iedereen heeft zojuist zijn ogen goed de kost gegeven en desondanks hebben we hem niet gezien.'

Enquist was het met Hossam eens. 'Er zijn talloze plekken waar je je kunt verstoppen. Graftombes, rotsgraven, tempels, de satellietpiramides,' somde hij op, 'maar ook achter al die rondzwervende rotsblokken en stenen kun je je uitstekend verbergen voor een passerende auto.'

'Dan zoeken we verder op het plateau van Gizeh,' besloot Hossam.

De chauffeur draaide de terreinwagen zuchtend de zandvlakte op. Mopperend in zichzelf vervloekte hij de politie. Hij had wel betere dingen te doen dan doelloos rondrijden met twee agenten en wat buitenlanders.

Een half uur lang zochten ze verder. Ze reden om tempels heen, keken bij graftombes en stapten regelmatig uit de auto om achter de vele kolossale rotsblokken te kijken. Ook hielden ze de toeristen in de gaten. Hun pogingen bleven echter vruchteloos, want ze troffen geen enkel spoor van de ruiter aan. De overvaller was op raadselachtige wijze verdwenen. Bovendien droeg de temperatuur in de auto niet echt bij aan de motivatie om verder te zoeken. De felle zonnestralen daalden genadeloos neer op de pick-up, die niet voorzien was van airconditioning. Alle ramen stonden open, maar omdat de terreinwagen nu stapvoets over het terrein reed, waaide er geen verkoelende rijwind naar binnen, waardoor de temperatuur in de cabine werd opgestuwd tot ondraaglijke hoogte.

'Ik vrees dat hij ons door de vingers is geglipt,' zei Enquist. 'Misschien is hij toch ongezien de stad ingelopen. Of wellicht heeft hij alleen het paard in de richting van de stad gejaagd en is hij zelf achtergebleven op het plateau van Gizeh. In dat geval heeft hij zich goed verstopt, want we hebben grondig gezocht. Hoe dan ook, we zijn hem kwijt.'

Vincent keek nog eens om zich heen. 'Ik vind het een beetje vreemd. Hij kan toch niet zo maar verdwijnen? Zou hij ons nu ergens vanachter een rotsblik zitten te bespieden?'

'Wie weet,' zei Enquist terwijl ze langs de Grote Piramide reden. Hij wendde zich tot de politieman op de voorbank. 'Meneer Hossam, ik neem aan dat we niet verder zoeken. Het is erg jammer, want we zaten hem op de hielen. Mogen we hier uitstappen?'

Hossam keek een beetje verbaasd achterom, maar knikte bevestigend en vroeg de chauffeur te stoppen. De achterportieren werden geopend en de drie mannen verlieten de auto. Het shirt van Vincent voelde klam aan op zijn rug. Nu hij eindelijk los was van de skylederen achterbank, wapperde hij met zijn kleding om zichzelf enige koelte te bezorgen. Hij zette een plastic fles bronwater aan zijn mond en nam een paar grote slokken.

Hossam stak zijn hoofd door het raam naar buiten en vroeg Enquist om hem onmiddellijk te bellen als de verdwenen man weer op mocht duiken. Enquist antwoordde dat ze van plan waren om zo snel mogelijk terug naar Engeland te vliegen, maar dat hij direct contact op zou nemen als de overvaller zich weer liet zien. Hossam stak zijn hand op als afscheid en de opgeluchte chauffeur zette koers naar de politiewagen, die nog steeds bij de piramide van Mykerinos in het zand stond geparkeerd.

27

Met samengeknepen ogen keek Enquist de oude terreinwagen na, die puffend van hen vandaan reed en kleine zandfonteintjes opspoot achter zijn kale banden. Toen de auto was verdwenen, wendde hij zijn blik naar de Grote Piramide.

'Kom op heren, werk aan de winkel,' sprak hij tegen Vincent en Peter. Hij begon in de richting van de vrachtwagen te lopen die nog steeds aan de zijkant van de piramide stond geparkeerd. Vincent trok zijn donkere wenkbrauwen op en keek vragend naar Peter. Die haalde zijn schouders op.

'Wat ben je van plan, Mark?'

Enquist draaide zich al lopend half om. 'Toen Abbara vanochtend belde, zei hij ook dat hij een persconferentie in het hotel heeft georganiseerd. Hij heeft namens de SCA naar buiten gebracht dat er een nieuwe ontdekking is gedaan in de piramide van Cheops. Dit soort nieuws slaat natuurlijk in als een bom, dus alle buitenlandse correspondenten en televisiezenders zullen aanwezig zijn. Hij heeft me gevraagd om iets voor te bereiden en daar heb ik jullie hulp bij nodig.'

Enquist hield halt en wachtte even tot de andere twee hem hadden ingehaald.

'Peter, je moet een nieuwe kopie van de film maken en Vincent, jij moet me helpen om het ruwe beeldmateriaal te bewerken. We hebben een filmpje van enkele minuten nodig om aan de pers te kunnen presenteren.'

'Cool,' vond Vincent, 'dus de wereld gaat getuige zijn van de rit van Pyramid Explorer naar de geheime deur in de zuidschacht. Wanneer is die persconferentie?'

'Vanmiddag.'

Vincent bleef abrupt staan.

'Vanmiddag? Dat had je dan wel eens eerder kunnen vertellen. Er gaat behoorlijk wat werk zitten in het bewerken van een film'

'Ik had het jullie vanochtend al willen vertellen, maar ik kreeg de kans niet, want jullie renden ineens het hotel uit op jacht naar de overvaller.'

'Dan kunnen we maar beter opschieten,' zei Peter pragmatisch als altijd. 'Ik ga nu naar de Koninginnekamer. Ralph en Kurt zullen daar nog wel bezig zijn met inpakken. Ik zal onmiddellijk een kopietje van de film maken, dat is zo gebeurd. Dan kunnen jullie die vervolgens op je eigen laptop bewerken. Ik kom naar het hotel zodra ik klaar ben.'

Hij draaide zich om en in looppas begaf hij zich naar de ingang van de piramide.

'Moet er niet meer voorbereid worden?' vroeg Vincent zich af. 'Een zaal, een groot beeldscherm, noem maar op.'

'Ik heb de hotelstaf vanochtend al opdracht gegeven om dat allemaal te regelen. Dat is wel het laatste waar we ons zorgen over hoeven te maken. Het belangrijkste is dat we beeldmateriaal hebben om aan de pers te tonen.'

Vincent keek nog steeds bedenkelijk.

'Ik wil de druk niet opvoeren,' glimlachte Enquist, 'maar CNN wacht niet.'

Vincent besefte dat dit een enorme kans was om het grote publiek te bereiken. 'Ga je ook vertellen wat we verder van plan zijn? Dat we tijdens een live-uitzending een gat willen boren en dat we werken aan een documentaire over de voorbereidingen?'

'Natuurlijk. Als de journalisten de film gezien hebben, is de eerste vraag die ze zullen stellen of we een vermoeden hebben wat er achter die deur zit. Ik zal antwoorden dat ze dat binnenkort met eigen ogen zullen gaan zien.'

'Oké, laten we dan terug naar het hotel lopen en aan de slag gaan.'

Ze wandelden verder langs de flank van de piramide. Op de hoek botsten ze bijna tegen Mueller op die blijkbaar was omgedraaid. Hij werd in zijn kielzog gevolgd door Feldmann.

'Goed nieuws,' zei Peter. 'Ik loop net Kurt tegen het lijf. Die was op weg naar de vrachtwagen. Hij heeft de laptop met de film bij zich.'

Kurt haalde een zwarte tas van zijn schouder en overhandigde deze aan Enquist.

'Neem hem maar mee naar het hotel. Peter vertelde net dat jullie haast hebben. Op de laptop staat ook een programma waarmee je filmpjes kunt bewerken. Daar kun jij vast mee omgaan,' zei hij tegen Vincent.

'Geen probleem,' knikte deze.

Terwijl Kurt de details aan Vincent begon uit te leggen, tikte Enquist op de tas.

'Dit is toch niet de enige versie van de film, Peter?' Geruststellend schudde hij zijn hoofd. 'Kurt heeft back-ups gemaakt. Gaan jullie nu maar naar het hotel. Je zult je tijd hard nodig hebben. Ik blijf hier om de Koninginnekamer mee op te ruimen en de terugreis te regelen.'

'Ik zou het op prijs stellen als je aanwezig bent op de persconferentie, Peter. Ik verwacht de nodige vragen over Pyramid Explorer. Die kun jij beter beantwoorden dan ik.'

'Oké,' knikte hij, 'ik zal er zijn.' Hij liep achter Kurt aan naar de vrachtwagen. Pyramid Explorer zou met alle randapparatuur terug naar Londen gevlogen moeten worden om de robot om te bouwen tot een soort boormachine op rupsbanden.

Vincent ging met Enquist mee naar het hotel. Ondanks de tijdsdruk liepen ze vanwege de tot tropische temperaturen opgelopen hitte in een rustig tempo over de verharde weg naar het hotel. Zwijgend overbrugden ze de korte afstand. In gedachten waren ze ieder al met hun deel van de voorbereiding op de persconferentie bezig. Enquist zocht naar tekst en anekdotes om de beelden van de zuidschacht mee te begeleiden. Het zou niet zijn eerste televisieoptreden worden. Hij was al enkele keren gevraagd om als deskundige commentaar te leveren bij nieuwsitems in het BBC-journaal en bij actualiteitenrubrieken. Dit was echter van een ander niveau. Uit ervaring met eerdere grote ontdekkingen in Egypte wist hij dat hij een zaal vol camera's en schrijvende pers zou moeten toespreken. Hij was door zijn jarenlange ervaring met presentaties en colleges weliswaar een begenadigd spreker, maar om voor het oog van de camera zomaar uit de losse pols een verhaal te houden ging zelfs hem te ver. Het had alles te maken met een goede voorbereiding, dus dat zou vandaag niet anders zijn.

Vincent speelde in gedachten de hele film af die hij gisteren live in de Koninginnekamer had gezien en probeerde in zijn hoofd al een selectie te maken.

Toen ze even later de lobby van het hotel binnenliepen, informeerde Enquist bij de receptie of de zaal al gereed was. De baliemedewerker pakte een telefoon en informeerde bij een collega.

'Ze zijn druk bezig dr. Enquist,' zei hij nadat hij had opgehangen.

259

'In opdracht van dr. Abbara worden er honderd stoelen klaargezet en uw film zal via een beamer op een groot scherm vertoond worden. Dr. Abbara zal zelf ook aanwezig zijn.'

'Uiteraard,' knikte Enquist en ze liepen de gang in op weg naar zijn kamer. 'Honderd stoelen lijkt me wat overdreven,' zei hij. 'We moeten oppassen dat we geen last krijgen van grootheidswaanzin. Zometeen is alleen de eerste rij bezet.'

'Abbara zal wel weten wat hij doet. Het is voor hem niet de eerste keer dat hij een nieuwe ontdekking aankondigt.'

Enquist opende de deur van zijn kamer en Vincent volgde hem naar binnen. De kamer was stijlvol ingericht met koloniale teakhouten meubels en Arabische kussens en tapijten. Op het bed lag de opengeklapte bruine koffer van Enquist en het bureau was bezaaid met paperassen. De airconditioning stond hoog. Vergeleken bij de drukkende hitte buiten was het bijna koud op de kamer.

'Prima temperatuur om te werken,' zei Enquist en hij verplaatste de stapels papier naar het bed. Hij haalde de laptop uit de tas en zette hem op het bureau.

'Ga je gang Vincent,' wees hij.

Vincent zette de computer aan en Enquist kwam naast hem zitten. Gedurende het uur dat volgde speelden ze de film af. Een groot gedeelte werd versneld afgedraaid. Andere stukken werden door Vincent geselecteerd voor de samenvatting. Al discussiërend kwamen ze tot de conclusie dat ze voor de kijker dezelfde spanning moesten opbouwen als ze zelf gevoeld hadden tijdens de rit van Pyramid Explorer. Ze begonnen met de beelden die Vincent zelf in de Koninginnekamer had geschoten van de robot, het begin van de schacht en de tafel met apparatuur en monitors. Daarna volgden de eerste meters in de schacht, de uitstekende steen, de drempel, de gladgepolijste wanden en tenslotte de mysterieuze witte sluitsteen met de metalen handvatten. Bij elke scène oefende Enquist hardop zijn tekst. Hij zorgde ervoor niet vooruit te lopen op de beelden, zodat het plotselinge verschijnen van de deur ook voor het journaille een volslagen verrassing zou zijn. Toen ze beiden tevreden waren over het resultaat, stond Enquist op.

'Het ziet er goed uit. Ik neem aan dat jij nog wel even werk zult hebben om alles netjes achter elkaar te zetten en het vloeiend in elkaar over te laten lopen. Ik ga ondertussen de zaal maar eens inspecteren.'

'Oké,' Vincent keek op zijn horloge, 'ik doe mijn best. Zodra ik klaar ben kom ik ook naar de perszaal. Dan kun je de definitieve versie zien en kunnen we de apparatuur even testen. Als de camera's straks draaien, wil je geen technische problemen.'

Enquist, die de deurknop al in zijn hand had, draaide zich nog even om. 'Oké, succes.' Vervolgens liep hij de gang op en sloot de deur achter zich.

Vincent bleef alleen achter op de hotelkamer. Hij concentreerde zich nu volledig op het beeldscherm. Filmpjes maken was zijn vak. Geroutineerd plakte hij de scènes aan elkaar die ze zojuist geselecteerd hadden. Normaal gesproken besteedde hij veel meer tijd aan het perfectioneren van zijn composities, maar omdat de klok doortikte had hij daar nu eenvoudigweg geen tijd voor. En allerlei special effects waren al helemaal niet aan de orde. Na een uurtje stevig doorwerken was hij klaar. Hij speelde de film nog een keer helemaal af van het begin tot het eind. Achterover leunend in zijn stoel vouwde hij zijn handen achter zijn hoofd en keek tevreden naar het resultaat. Drie minuten duurde het. Prima. Hij maakte een back-up en terwijl de computer bezig was, pakte hij de afstandsbediening en zette de tv aan. Staand zapte hij langs enkele kanalen en bleef even hangen bij BBC World. De presentator was in gesprek met een correspondent die voor het Witte Huis in Washington stond. Het onderwerp was net afgelopen, dus Vincent richtte de afstandsbediening alweer op de tv om verder te zappen. Net voordat zijn duim de toets beroerde, zag hij iets wat hem ervan weerhield om naar de volgende zender te gaan. Het beeldscherm schuin achter de BBC-presentator, waar zojuist de correspondent in Amerika te zien was geweest, veranderde van het Witte Huis in een wel heel erg bekend tafereel. Vincent zag plotseling hetzelfde beeld dat hij zou zien als hij zijn hoofd uit het raam van de hotelkamer zou steken. De drie piramides van Gizeh. Hij ging op de rand van het bed zitten.

'Voor ons volgende onderwerp hebben we telefonisch contact met onze correspondent in Cairo, Lincoln Shaw. Lincoln, ben je daar?'

'Jazeker George, een bijzonder goedemiddag vanuit Cairo.'

'Lincoln, ik heb begrepen dat de Egyptische autoriteiten vandaag een bijzondere persconferentie hebben aangekondigd.'

'Dat kun je wel zeggen George. De Supreme Council of Antiquities heeft vanochtend laten weten dat er een belangrijke ontdekking

is gedaan in de piramide van Cheops. Tarek Abbara, een van de be-
kendste archeologen van Egypte, heeft gezegd dat er vanmiddag een
film vertoond zal worden waarop te zien zal zijn wat ze precies hebben
aangetroffen. Helaas heeft hij nog met geen woord gerept over wat er
nu precies ontdekt is, dus dat is inmiddels onderwerp van allerlei
speculaties geworden. Abbara heeft alleen gezegd dat het een enorme
doorbraak is, die als basis zal dienen voor verdere exploratie van de
piramide. Saillant detail is dat de leider van het onderzoeksteam onze
landgenoot Mark Enquist is.'

Omdat er slechts een summier persbericht was verstuurd, viel er op dit
moment weinig te melden. Daarom vervielen de BBC-verslaggevers
al snel in speculaties en achtergrondinformatie. Vincent zette de tv
uit en liet de impact even bezinken. Hij besefte opeens dat de film
de hele wereld over zou gaan. De film die hij hier in een uurtje in
elkaar had geknutseld. Hij voelde zich langzaam een tikkeltje zenuwachtig worden.

De computer was klaar met zijn back-up. Hij nam de usb-stick
uit de laptop en stopte hem in zijn zak. Vervolgens schakelde hij de
computer uit en nam hem onder zijn arm. Vlak voordat hij de kamer
verliet keek hij op zijn horloge. Vijf voor drie. Voldoende tijd om de
laatste voorbereidingen voor de persconferentie te doen.

Enquist liep langs de receptie in de richting van de perszaal. Het
viel hem op dat het drukker was dan normaal en hij realiseerde zich
dat het wemelde van de journalisten. Snel liep hij door naar de
ruimte die was ingericht om een persconferentie te geven. Bij binnenkomst bleef hij even in de deuropening staan. De zaal stond vol
met keurig gerangschikte stoelen. Voorin was een laag podium met
een spreekgestoelte waarop een laptop stond. Achter het podium
hing een groot wit scherm van zeker drie bij twee meter. Enquist
was verbaasd dat het al zo druk was. Achterin de zaal werden zeker
vijf camera's opgesteld en overal stonden groepjes mensen te
praten. Een ontdekking in de bekendste van de drie piramides was
blijkbaar groot nieuws. Bij het podium zag hij Abbara staan. De
archeoloog was in gesprek met een man die hem vaag bekend voorkwam. Enquist liep op hen af.

'Dag Mark,' groette Abbara toen hij hem herkende. 'Mag ik je
voorstellen aan Mohamed Mehra, de voorzitter van de SCA.'

Mehra schudde hem ingenomen de hand. Hij was een kleine man en boven zijn dunne lippen prijkte een sierlijke snor.

'Wat een fantastische ontdekking, dr. Enquist. Tarek heeft me volledig bijgepraat, maar ik heb nog niets van de film gezien. Ik ben zeer benieuwd.'

Enquist knikte bescheiden en wilde beleefd antwoord geven, maar Mehra ging onverstoorbaar verder.

'En wat een briljant idee om in de schachten van de Koninginnekamer te gaan zoeken. Er werd altijd aangenomen dat ze dood zouden lopen.'

'Dat zou natuurlijk nog steeds kunnen,' merkte Enquist op. 'We weten niet wat er achter de deur zit. Misschien helemaal niets.'

Mehra's ogen glommen van opwinding. 'Het wordt vast een grote ontdekking. Ik heb er alle vertrouwen in.' Blijkbaar was de aanvankelijke scepsis over de theorie van Enquist verdwenen.

Peter Mueller voegde zich bij het gezelschap. Ook hij werd op zijn beurt voorgesteld aan Mehra, die hem bewonderend op zijn schouder klopte.

'Aha, dus u bent de vader van Pyramid Explorer,' lachte hij.

'Eh, zoiets ja.'

'Wat een geweldig stuk techniek. Hebt u al een idee op welke termijn de robot zou kunnen gaan boren?' Mehra kon blijkbaar nauwelijks wachten.

'Dat is moeilijk te zeggen, want we moeten de technologie nog ontwikkelen. Ik moet eerlijk zeggen dat ik geen ervaring heb met boren.'

Enquist werd op zijn schouder getikt door enkele bekenden uit de archeologische wereld. Omdat de grote nieuwszenders al de hele dag nieuwsflitsen uitzonden over de geplande persconferentie, wist iedereen inmiddels dat hij degene was die achter de geheimzinnige ontdekking zat. Er werd volop gegist, maar Enquist, die iedereen geroutineerd te woord stond, waakte ervoor niets los te laten zodat alle aanwezigen straks tijdens het vertonen van de film het sensationele moment zelf konden beleven. Nadat Enquist onder verwijzing naar de persconferentie een aantal nieuwsgierige vragen had afgewimpeld, schonk hij een kop koffie in en liep terug naar het podium. Als iedereen zou gaan zitten, zou de zaal voor driekwart gevuld zijn, schatte hij. Een goede opkomst.

Het was half vier, zag hij op een klok aan de muur. Vincent zou

263

nu toch langzamerhand klaar moeten zijn met het bewerken van de film. Over een half uur zou de persconferentie beginnen. En zelfs als Vincent nog bezig was met editen dan was het nu de hoogste tijd om ermee te stoppen. Enquist besloot om naar zijn kamer te lopen om Vincent op te halen. Haastig liep hij door de verlaten gangen van het hotel. Enquist wilde zelf de film ook graag nog even zien voordat ze hem aan de verzamelde pers zouden tonen. Toen hij voor de deur van zijn kamer stond, twijfelde hij even of hij zou kloppen. Hij had de key card tenslotte in zijn zak zitten. Hij was ervan uitgegaan dat Vincent die niet nodig zou hebben, omdat hij alleen de kamer hoefde te verlaten. Toen hij de kaart in het slot stak, ging de deur met een metalige klik open. Enquist stapte naar binnen en keek verbaasd rond. In een oogopslag zag hij dat het bureau waaraan ze hadden zitten werken leeg was. Van zowel Vincent als de laptop was geen spoor te bekennen. Waren ze elkaar soms net misgelopen? Voor de zekerheid wierp hij nog een blik in de badkamer, maar het was duidelijk dat Vincent de kamer verlaten had. Enquist besloot snel terug te keren naar de perszaal.

Peter Mueller was de eerste die hij tegen het lijf liep.

'Mark,' begon hij, 'ik bedacht me net dat het misschien een goed idee is om Explorer zometeen aan de pers te tonen. Het lijkt me dat iedereen hem zal willen zien. Bovendien is het veel gemakkelijker om vragen te beantwoorden als ik wat dingetjes kan demonstreren. Wat vind je daarvan?'

Enquist was even afgeleid. 'Daar had ik nog niet aan gedacht, maar het lijkt me een prima idee,' antwoordde hij terwijl zijn ogen de zaal rondkeken op zoek naar Vincent. 'Maar waar is Explorer dan? We hebben niet veel tijd meer.'

'In de vrachtwagen. Die staat hier op de parkeerplaats. Ik ben over vijf minuten terug.' Mueller draaide zich om.

'Peter, heb jij Vincent gezien? Hij had hier allang moeten zijn.'

Mueller schudde zijn hoofd. 'Nee, ik heb hem al een hele tijd niet gezien.'

'Waar zou hij toch uithangen?' vroeg Enquist zich bezorgd af. 'Het lijkt erop dat hij op weg naar de perszaal van zijn route is afgeweken. Wat is er in hemelsnaam aan de hand? De hele zaal zit vol met mensen en de film waarvoor iedereen hiernaartoe is gekomen, is spoorloos.'

28

Walter Beaney keek over zijn linkerschouder en zwenkte met zijn mountainbike tussen twee auto's door naar de overkant van de Avenue de Villiers, waar hij een smal straatje insloeg. Voor een café kneep hij in de remmen en zette zijn rechtervoet op het trottoir. Met zijn andere voet nog op het pedaal keek hij schuin omhoog. Boven de talrijke kleine winkeltjes en restaurants in de straat waren veel van de statige herenhuizen omgebouwd tot appartementen. Beaney tuurde door zijn zwarte zonnebril naar het flatje op de derde verdieping. Hij nam aan dat de politie in zijn appartement was geweest om het te onderzoeken. Sinds hij was achtervolgd door Olivier en die onbekende vrouw en bijna was gepakt door die jonge rechercheur, was hij niet meer thuis geweest. Hij vermoedde, nee, hij wist bijna zeker dat de politie zijn woning in de gaten zou houden, dus hij moest uiterst omzichtig te werk gaan. Hij zette zijn fiets tegen de glazen ruit van het café en liep naar binnen. Aan de balie bestelde hij een espresso en nam plaats op een kruk bij het raam. Nippend aan de hete koffie sloeg hij een opgevouwen krant open die op de hoek van de tafel lag. Hij staarde naar de letters, maar de berichten ontgingen hem. Terwijl hij naar een passerend groepje uitgelaten studentes keek, dwaalden zijn gedachten langzaam af. In wat voor een wespennest was hij in godsnaam terecht gekomen?

Het was allemaal begonnen op de universiteit van Oxford. Omdat hij op de middelbare school uitblonk in exacte vakken, was hij scheikunde en biologie gaan studeren. Dankzij zijn uitmuntende resultaten was het mogelijk geweest om met een beurs aan Oxford te gaan studeren. In de loop van zijn studie was hij zich steeds meer gaan interesseren voor celbiologie en op dat gebied was hij nu aan het promoveren. Tijdens zijn onderzoek was hij gefascineerd geraakt door de werking van cellen en dan met name door de manier waarop cellen reageerden op hersenimpulsen. Als kind had hij het al intrigerend gevonden dat als hij zich bedacht dat hij een glas van de tafel wilde pakken, een fractie van een seconde later zijn hand begon te bewegen en het glas daadwerkelijk opgepakt werd. Inmiddels wist hij dat dit werd veroorzaakt door elektrisch geladen deeltjes, ionen genaamd, die ervoor zorgden dat er vanuit de hersenen een zenuw-signaal met een snelheid van 400 kilometer per uur naar de spieren in de hand reisde. Toen Walter dit verhaal voor de eerste keer hoorde in een collegezaal, had het heel mechanisch geklonken. Alsof de mens gewoon een ingewikkelde machine was. Doordat ionen via een lange reeks zenuwcellen naar de miljarden spiercellen in je hand stroomden en zich daar aan eiwitten hechtten, trokken de spieren van je hand zich samen.

Was de mens inderdaad een machine? Hoe meer hij zich ver-diepte in de werking van cellen en hersenen, hoe meer hij gesterkt werd in zijn mening dat zoiets complex als het menselijk lichaam niet puur materieel kon zijn. Er moest meer zijn. De chemische en elektrische processen die overal in het lichaam triljarden keren per seconde plaatsvonden, waren wonderbaarlijk en zeer gecompli-ceerd, maar voor gespecialiseerde wetenschappers waren ze in ieder geval begrijpelijk. Je kon ze gewoon meten en onderzoeken. Maar hoe zat het met abstracte zaken als vreugde, verdriet of angst? Ook dit soort immateriële processen speelden zich af onder je hersenpan, maar er was geen enkele fysicus die je kon uitleggen wat gevoelens precies zijn. Een hoogleraar in Oxford had tijdens een college eens uitgelegd wat kleuren waren. Eigenlijk kwam het erop neer dat kleuren niet bestonden. Ze bestonden alleen in je hoofd. Kleuren werden gevormd door licht. Licht was elektromagnetische straling die uit verschillende golflengtes kon bestaan. Rode lichtstralen hadden een relatief lange golflengte en blauwe lichtstralen hadden een kortere golflengte. Je oogcellen bevatten verschillende soorten lichtgevoelige eiwitten die elk reageerden op licht met een bepaalde golflengte. Als er een lichtstraal met een korte golflengte op een dergelijk eiwit viel, dan werd er een signaal naar onze hersenen ge-stuurd die de lichtstraal zouden interpreteren als blauw. Een lange golflengte zou overeenkomstig worden omgezet in rood. De kleuren oranje, geel en groen zaten hier qua golflengte tussenin. Maar de lichtstraal zelf had geen kleur. Dat was gewoon een elektromagneti-sche golf. Kleuren bestonden dus niet. Kleuren ontstonden pas in je brein op het moment dat het zenuwsignaal vanuit de oogcellen onze hersenen had bereikt. De wereld om ons heen was in werke-lijkheid dus helemaal niet zo kleurrijk als wij hem zagen. De tinten van de regenboog bestonden alleen in ons hoofd. Zijn professor be-schouwde de hersenen als een soort machine, maar Walter kon daar geen genoegen mee nemen. Hij herinnerde zich het overlijden van zijn grootvader, die ook natuurwetenschapper was en met wie hij een fantastische band had gehad. Vroeger kwamen zijn grootouders vaak oppassen en was zijn opa altijd een onvermoeibaar speelmaatje geweest. Later had hij hem terzijde gestaan met wijze adviezen en diepgaande gesprekken over celbiologie. Het beeld van de grijze man met het gegroefde gelaat en zijn eeuwige sigaar zou hem altijd bijblijven. Plotseling had zijn geliefde grootvader moeite gekregen met slikken en niet veel later begonnen de geringste bewegingen hem grote moeite te kosten. De diagnose Amyotrofische Laterale Sclerose was zijn doodvonnis. Het was een agressieve en ongeneeslijke aandoening van de motorische zenuwcellen, waardoor de hersenen geen signaal meer konden doorgeven aan de spieren. Veel patiënten stierven uiteindelijk aan het uitvallen van hun ademhalingsspieren.

Walter was erbij geweest toen zijn grootvader zijn laatste adem uitblies. De eerste ogenblikken leek hij nog in slaap te zijn gevallen, maar opeens trok er een lichte rimpeling over zijn gezicht. Daarna was al het leven verdwenen. Wat gebeurde er op dat moment? Had iets het dode lichaam verlaten? Het stoffelijk overschot dat daar lag was zijn opa niet meer. Het was slechts een omhulsel waarin hij geleefd had. Wat had die subtiele verandering veroorzaakt waardoor hij wist dat zijn opa nu echt dood was? Was de mens inderdaad een complexe machine? Konden chemische elementen zoiets ongrijpbaars als gevoelens en sentimenten doen ontstaan? Deze link tussen je fysieke lichaam en je immateriële bewustzijn hadden wetenschappers nog niet weten te leggen en het zag er ook niet naar uit dat dit binnen afzienbare tijd zou gebeuren. Het brein bleef een groot mysterie.

Walter was al jarenlang op zoek naar antwoorden op zijn vragen en realiseerde zich langzamerhand dat die antwoorden er niet waren. Zijn opa was tijdens zijn werkzame leven altijd bezig geweest met het blootleggen van Gods hand in de schepping. Het gebied waar natuurwetenschap en geloof elkaar raakten, had hij fascinerend gevonden. Als natuurwetenschapper, zei hij altijd, zag je dat God bestond. De bewijzen waren overweldigend. De ongelooflijk nauwkeurige afstemming van de natuurwetten, de extreme complexiteit van het leven, de schoonheid van de natuur, het was gewoon de overvloed aan bewijsmateriaal die God tot het beste alternatief maakte. Darwin en alle andere theorieën schoten tekort, vond hij. Walter was niet traditioneel gelovig, maar hij wilde wel graag weten wat leven precies was en wat de verschijningsvorm van een hogere macht zou kunnen zijn. Zijn opa vergeleek God altijd met quarks, de deeltjes die nog kleiner waren dan protonen en neutronen. Niemand had ooit quarks gezien, maar hun bestaan was wetenschappelijk aangetoond omdat het paste in een theorie waarvoor veel bewijsmateriaal bestond. Zo was het ook met God.

Oud-president van Amerika Bill Clinton had ooit over DNA-onderzoek gezegd dat wetenschappers de taal aan het leren waren waarmee God het leven had geschapen. Veel collega's van Beaney zeiden schamper dat het hier om een vorm van electorale beleefdheid ging in een streng gelovig land als Amerika, maar Beaney was erdoor aan het denken gezet. De hoeveelheid informatie in de minuscule opgerolde DNA-strengen was veruit superieur aan elk systeem dat de mens kende. Het DNA zorgde ervoor dat moleculen tot leven kwamen, dus daar lag de cruciale vraag als je het ontstaan van leven wilde verklaren. Maar niemand wist waar DNA vandaan kwam. Daarom sloot hij de mogelijkheid niet uit dat de wereld geschapen was en dat iets of iemand er heel subtiel invloed op uitoefende met behulp van natuurwetten. Zo subtiel dat niemand het zag.

Sinds het overlijden van zijn grootvader bezocht hij ook regelmatig een kerk. Niet om te bidden, want hij was nog steeds niet gelovig. Geloof, wist hij, was cultureel bepaald en als kind aangeleerd. Niet voor niets had vrijwel iedereen hetzelfde geloof als zijn ouders. Vervolgens vergaten mensen dat het hun was aangeleerd en gingen ze het als waarheid beschouwen. Toch voelde hij in een kerk altijd een zekere verbondenheid met zijn grootvader en als hij in vreemde landen was, bracht hij dan ook altijd een bezoek aan een godshuis.

Hij publiceerde regelmatig over zijn cellenonderzoek en blijkbaar vielen zijn artikelen op, want de bekende Franse wetenschapper Nicolas Moreau had hem benaderd met de vraag of hij geïnteresseerd was in een tijdelijke aanstelling in Parijs. Hij zou dan onderdeel gaan uitmaken van een team dat met behulp van de allernieuwste technieken revolutionair onderzoek deed naar de werking van biologische cellen. Zijn promotieonderzoek zou gewoon door kunnen gaan, dus het was een unieke kans om te werken met de beste wetenschappers ter wereld op zijn vakgebied. Gemotiveerd was hij aan de slag gegaan. Hij had zich beziggehouden met zijn specialisme, het samentrekken van spiercellen waardoor mensen in staat waren zich te bewegen. Zijn onderzoek aan celwanden was cruciaal voor het plan van Moreau. Of een cel dood of levend was, werd namelijk bepaald door het feit of er nog ionen in en uit konden stromen. Dat gold ook voor een mens, want die bestond immers volledig uit cellen.

Op een avond liet hij zich overhalen om na het werk nog wat te gaan drinken met zijn collega's. Met een man of tien liepen ze een café binnen. Er werd Frans gesproken en omdat hij de taal nog niet helemaal machtig was, hield hij zich een beetje afzijdig. Met zijn rug tegen de bar geleund keek hij wat rond en liet zijn gedachten de vrije loop. Hij dwaalde af naar een idee dat al langer in zijn achterhoofd speelde. Het was zijn droom om op een dag zijn eigen laboratorium te hebben om onderzoek te kunnen doen naar de ziekte waar zijn grootvader aan overleden was. Omdat er wat hem betreft veel te weinig progressie werd gemaakt bij de ontwikkeling van geneesmiddelen, wilde hij zich daar zelf mee gaan bezighouden. Helaas ontbraken hem op dit moment de financiële middelen.

'Vermaak je je een beetje?' klonk een Engelstalige stem naast hem.

Walter keek nog steeds een beetje afwezig naar rechts. Er was een vrouw naast hem komen staan die hem lachend aankeek. Haar parelwitte tanden staken scherp af tegen haar gebruinde gelaat, waardoor ze op leken te lichten in de schemerige horecaomgeving.

'Ik zag jullie net met z'n allen binnenkomen en jij blijft als enige een beetje aan de zijlijn staan. Je mengt je niet echt onder het publiek, dus ik vroeg me af of je het wel naar je zin hebt. Toen jullie net langsliepen hoorde ik je Frans praten met een Engels accent, dus ik dacht dat je er misschien wel behoefte aan had om even in je moedertaal te praten.'

In verlegenheid gebracht door de onverwachte aandacht glimlachte hij. Over het algemeen was het andersom. Als hij in een café stond en hij wilde een gesprek met een vrouw aanknopen, moest hij meestal zelf het initiatief nemen. Deze goedlachse dame kwam zomaar op hem afstappen. Hij zette zijn gepeins van zich af en richtte zijn aandacht op de onbekende vrouw.

'Dat heb je goed gezien,' antwoordde hij. 'Mijn collega's vermaken zich inderdaad prima, maar ik stond even over iets na te denken.'

Ze stak haar hand uit. 'Ik ben Karen Walker. Dus jullie zijn collega's? Wat voor werk doen jullie dan?'

'Walter Beaney. We zijn onderzoekers aan de universiteit.'

'Onderzoekers? Je bedoelt wetenschappers?'

Walter knikte aarzelend. Hij was even bang dat ze hen een stelletje suffe academici zou vinden, maar ze leek erg geïnteresseerd.

'Wat onderzoeken jullie dan?'

'Eh, heb je even?' lachte hij. 'Dat kan ik niet in één minuut uitleggen.'

Ze knikte enthousiast, dus hij begon te vertellen dat hij celbioloog was en dat hij onderzoek deed naar de wonderbaarlijke processen die zich afspeelden in het menselijk lichaam.

Karen vond het tot zijn verbazing razend interessant. Ze bleek te werken in de farmaceutische industrie en stelde intelligente vragen. Walter sprak geestdriftig verder over zijn passie.

'Wil je eigenlijk wat drinken?' vroeg hij na een tijdje.

Karen knikte en hij wendde zich naar de bar om wat te bestellen.

'Maar Walter,' zei Karen even later, 'nu moet je me toch eens vertellen waarover je net, vlak nadat je binnenkwam, zo diep stond na te denken. Je leek volledig van de wereld. Had dat ook met je werk te maken?'

Walter keek haar peinzend aan. Karen leek hem een interessante vrouw en hij amuseerde zich prima, maar hij kende haar nog geen half uur. Aan de andere kant had je met vreemde mensen soms de beste gesprekken. Ach, waarom ook niet.

'De meeste wetenschappers geloven dat leven spontaan is ontstaan uit levenloze moleculen,' begon hij een beetje schuchter, 'en dat alle hedendaagse levensvormen afstammen van dezelfde gemeenschappelijke voorouder, namelijk dat ene zakje met moleculen dat miljarden jaren geleden trillend tot leven zou zijn gekomen ergens in de oerzee. Wij proberen het evolutieproces na te bootsen door zelf een levende cel te bouwen. Soms heb ik daar bepaalde twijfels bij. Mijn opa vond dat er veel bewijs is dat evolutie niet heeft plaatsgevonden.'

'Oh?' Karen keek hem nieuwsgierig aan. 'Wat voor bewijs dan?'

'Toen Darwin met zijn Beagle langs de Galápagoseilanden voer, zag hij dat er variaties voorkwamen binnen dezelfde diersoort. Daardoor ontstond bij hem het idee dat soorten afstammen van primitievere soorten, maar daar is niet iedereen het mee eens. Ik zal een voorbeeld geven.

Er bestaan bepaalde eiwitten die voorkomen in de cellen van *alle* dieren. Zoogdieren, vissen, vogels en zelfs bij planten komen ze voor. Slechts de volgorde van de aminozuren waaruit die eiwitten zijn opgebouwd varieert een beetje. De volgorde bij een hond wijkt ongeveer vijf procent af van die bij een paard. Maar naarmate dieren minder verwant zijn, wordt dat verschil groter. Tussen een hond en een vlieg is het verschil al meer dan twintig procent. Dus, zeggen de evolutionisten, moet de ene soort uit de andere soort zijn ontstaan, want bepaalde dieren zijn meer verwant aan elkaar dan andere.'

'Dat lijkt inderdaad op evolutie te duiden,' zei Karen terwijl ze Walters arm aanraakte.

Walter schudde zijn hoofd. 'Mijn opa dacht daar anders over. Wat je evolutionisten namelijk nooit hoort zeggen is het volgende. Het betreffende eiwit van een primitieve bacterie wijkt ongeveer vijfenzestig procent af van dat van een zoogdier. Dat is logisch, want deze organismen liggen qua verwantschap ver van elkaar af. Maar het verschil tussen een bacterie en een vis, een vogel of een reptiel is *ook* vijfenzestig procent. Kortom, het verschil tussen een bacterie en alle andere dieren is even groot! Dat houdt in dat er geen enkele soort is die een overgangsvorm kan zijn tussen een bacterie en een zoogdier. Complexe dieren zijn helemaal niet ontstaan uit primitieve dieren! Er is nooit sprake geweest van evolutie. Mijn opa concludeerde dat God de soorten heeft geschapen zoals ze zijn.'

Karen glimlachte naar Walter en streek een lok uit haar gezicht. Ze kwam dicht tegen hem aan staan om niets van het verhaal te hoeven missen.

'Goh,' zei ze. 'Jij komt met wetenschappelijke argumenten tegen Darwin. Dat hoor je niet vaak.'

Haar telefoon ging en ze wendde zich half af om de oproep te kunnen beantwoorden.

Walter nam haar eens goed op. Ze was best een aantrekkelijke vrouw met een betoverende lach, maar helaas was ze een jaar of tien ouder dan hij. Hoewel, leeftijd hoefde natuurlijk geen rol te spelen. Hij keek naar haar lichaam. Ze zag er behoorlijk getraind uit. Hij kon geen grammetje vet ontdekken. Ze had een strakke kaaklijn en omdat ze een diep uitgesneden wit shirt droeg, zag hij de contouren van haar ribben door de gebruinde huid van haar borstkas heen.

Karen had opgehangen en keek naar Vincent. Zijn blikken in de richting van haar decolleté waren haar niet ontgaan.

'Het is tijd om naar huis te gaan, Walter. Ik moet morgen werken en ik sta altijd vroeg op om eerst te joggen. Loop je mee naar de metro?'

Walter keek de kroeg rond en stak zijn hand op naar zijn collega's verderop.

'Oké.'

Ze verlieten het café en liepen in de richting van de metrohalte. Karen kwam dicht tegen hem aan lopen en greep zijn hand. Er ging een lichte tinteling door zijn lichaam en een beetje onwennig omklemde hij haar hand. Hij had niet zo veel ervaring met vrouwen.

'Waarom doe je dit werk eigenlijk, Walter? Volgens mij sta je diep van binnen niet echt achter het onderzoek waar je mee bezig bent.'

Walter dacht even na over haar woorden. 'Misschien heb je gelijk. Maar wat me boeit is de volmaakte schoonheid van het leven op microniveau. Het zit zo ongelooflijk fantastisch in elkaar dat je vanzelf gaat nadenken over hoe het allemaal heeft kunnen ontstaan.'

Ze passeerden de trappen van de Sacre Coeur. Karen keek omhoog naar de witte basiliek, die hoog op zijn heuvel boven hen uittorende.

'Jullie kennis zou op een veel betere manier aangewend moeten worden,' zei ze zachtjes op samenzweerderige toon. 'De farmaceutische industrie zit te springen om dit soort technologie.'

Walter wierp haar een verbaasde blik toe, maar er verscheen ook een vleugje opluchting in zijn ogen. Ze reageerde door hem mee de trappen van de Sacre Coeur op te trekken. Op het eerste plateau, uit het zicht van het passerende publiek onder hen, duwde ze hem neer op de rand van een bloemperk. Ze kwam dicht tegen hem aanzitten en bewoog haar gezicht naar hem toe.

'Mijn bedrijf zou er veel geld voor over hebben om met behulp van jullie kennis een nieuwe generatie medicijnen te ontwikkelen.'

Walter zweeg verbluft en liet haar woorden even bezinken. Karen boog zich verder naar hem toe en zoende hem onverwacht op zijn mond. Zijn hart sloeg over, maar hij bood geen enkele weerstand, waarna ze haar tong bij hem naar binnen duwde. Ze zette haar voorstel handig kracht bij door gebruik te maken van zijn onzekerheid en gebrek aan ervaring. Geroutineerd nam ze zijn hoofd in haar handen en duwde hem achterover in de planten. Terwijl hun tongen om elkaar heen bleven krullen, zette ze haar handen op zijn borstkas en ging op hem zitten. Even hield Walter zijn armen hulpeloos in de lucht, maar al snel overwon hij zijn schroom en bewoog zijn handen voorzichtig over haar blote benen naar boven. Opgewonden liet hij ze langzaam onder haar rok glijden.

Walter schrok op uit zijn gemijmer omdat de ober het lege koffiekopje voor zijn neus weghaalde. Met een glimlach op zijn gezicht dacht hij nog even aan Karen. Ze hadden elkaar daarna regelmatig gezien. Het bedrijf van Karen bleek zeer geïnteresseerd in hun celtechnologie. Aanvankelijk informeerde ze telkens voorzichtig naar zijn rol in het project, maar naarmate ze elkaar beter leerden kennen, hadden ze in steeds grotere openheid over het geheime onderzoek op de Sorbonne gesproken. Walter was er inmiddels van overtuigd dat het veel nuttiger was om hun moleculaire technieken aan te wenden voor de ontwikkeling van nieuwe en betere medicijnen en hij had al met Karen gefilosofeerd over de mogelijkheden om dit te realiseren. Daarnaast was er bij hem een ander idee gerezen. Misschien was dit wel de kans om zijn grote droom te verwezenlijken. Als de farmaceutische industrie er werkelijk veel geld voor over had om de ontdekking van Moreau commercieel te exploiteren, dan zou hij daarmee zijn eigen laboratorium kunnen financieren. Hij was ervan overtuigd dat hij een geneesmiddel tegen de spierziekte van zijn opa zou kunnen ontwikkelen.

Het bedrijf van Karen, Medical Pharma, een multinational met een miljardenomzet, had vijf miljoen euro geboden. Dat was precies de prikkel die hij nodig had om het laboratorium van Moreau de rug toe te keren.

Toen hij op een keer 's avonds nog aan het werk was in het laboratorium, had Karen hem mobiel gebeld. Ze wist dat hij er nog was, want hij had de avond ervoor tijdens een etentje tegen haar gezegd dat het die dag waarschijnlijk laat zou worden op zijn werk. Op gejaagde toon had ze hem gevraagd om iets voor haar te doen. Op het bureau van Nicolas Moreau stond een kartonnen koffiebeker met een plastic dekseltje erop. Die moest hij, als hij naar huis ging, meenemen en buiten ergens in een afvalbak gooien. Ze gaf hem nog wat instructies en drukte hem op het hart geen vragen te stellen.

De volgende dag was Nicolas Moreau opeens verdwenen. Niemand die er iets van begreep. De politie had onderzoek gedaan in het laboratorium en ook Walter was ondervraagd. Hij had geen enkel idee van wat er precies was gebeurd, maar hij had wel een vermoeden. Karen was vanaf dat moment vrijwel onbereikbaar. Soms nam ze haar telefoon op, maar dan zei ze dat ze hem nog wel zou bellen. Walter had zich plotseling gerealiseerd dat hij niet eens wist waar ze woonde. Hij was nog niet bij haar thuis geweest. Ze hadden altijd ergens in de stad afgesproken. Eigenlijk, bedacht hij zich, wist hij bijna niets van haar. En over de afspraak met Medical Pharma stond niets op papier.

Later had Karen hem opnieuw gebeld. Ze zei dat ze iets belangrijks wilde vragen. Ze was naar hem toegekomen en bleek ondanks de geheimhouding te weten dat Moreau verdwenen was. Ze informeerde of hij wist waar de cellen waren. Daar had hij wel een idee van. Het was hem opgevallen dat Olivier veel vaker dan gebruikelijk in het kelderlaboratorium te vinden was. Toen hij dit tegen Karen vertelde, had ze hem tegen de muur geduwd en na een lange zoen zei ze dat het tijd was om zijn gedeelte van de afspraak na te komen. Dat was een koud kunstje geweest voor Walter. Hij had zich enkele dagen daarvoor moedwillig ziek gemeld, waardoor hij ongestoord zijn gang kon gaan. Na wat rondsnuffelen tussen de kweken in het kelderlab vond hij twee schaaltjes zonder etiket. Hoe moeilijk kon het zijn? Een snelle inspectie onder de microscoop bevestigde zijn vermoeden. Helaas was hij buiten gesnapt door Olivier en die onbekende vrouw.

De tweede keer was het beter gegaan. Walter was doodgemoedereerd na zeven uur 's avonds het gebouw binnengelopen. Hoewel hij na de achtervolging door Olivier en de politie ontmaskerd was, deed zijn toegangspasje het nog gewoon. Hij had van tevoren een lijstje gemaakt met plekken waar Olivier de cellen dit keer verborgen zou kunnen hebben en de bewuste opbergruimte in het lab stond erbij. Ook wist hij precies waar Olivier de sleutels bewaarde. Waarschijnlijk was het zijn bedoeling geweest om de cellen te verbergen voor buitenstaanders. In dat geval had hij een uitstekende plek uitgekozen. Walter wist echter de weg.

Vanuit het café keek hij nog eens schuin omhoog naar zijn appartement. Alles zag er rustig uit. Zijn buurman van de eerste verdieping, een jonge student, was een maand op vakantie. Hij was een van de weinigen met wie Walter contact had in Parijs. Ze gingen wel eens samen wat drinken in de kroeg aan de overkant. Omdat hij een kom goudvissen had die regelmatig gevoerd moesten worden, had hij zijn huissleutel bij Walter achtergelaten. Sinds Walter de cellen voor de eerste keer had gestolen, had hij in het appartement op de eerste verdieping geslapen. Hij had de sleutel van de achterdeur, die via een buitentrap aan de achterzijde van het gebouw te bereiken was. Op die manier hoefde hij zich niet te vertonen in de hal aan de straatzijde van het gebouw, waar een centrale trap naar alle appartementen leidde. Dat was de gebruikelijke ingang en Walter ging ervan uit dat daar gesurveilleerd werd door de politie.

Er stak een man de straat over met twee papieren zakken van McDonald's in zijn hand. Hij stapte in aan de passagierskant van een zwarte auto en Walter zag dat hij één zak aan de bestuurder gaf. Ze begonnen rustig te eten en leken geen haast te hebben. De auto was zodanig geparkeerd dat ze door de voorruit vrij zicht hadden op zijn appartement zonder dat ze hun nek hoefden uit te steken. Walter vroeg zich af of het rechercheurs waren. Misschien waren het gewoon twee lunchende mannen, maar hij besloot geen enkel risico te nemen. Hij liep naar buiten en stak schuin de straat over, waarbij hij bewust de andere kant opkeek. Bij het kleine supermarktje waar hij altijd zijn boodschappen deed, knikte hij vriendelijk naar de vader van de eigenaar, die op een gammele keukenstoel voor de winkel een sigaar zat te roken. De oude man blies een blauwe rookwolk uit en knikte terug. Walter liep het smalle steegje naast de winkel in. Het gangetje kwam uit aan de achterkant van de huizenrij, waar hij in de richting van zijn appartement liep. Een beetje gespannen om zich heen kijkend kwam hij bij de stalen brandtrap, die als een spiraal tegen de gevel omhoog kronkelde. Snel liep hij naar boven en glipte door de achterdeur het kleine keukentje van de student binnen. Linea recta liep hij naar de woonkamer aan de voorkant, waar hij op zijn knieën voor een commode ging zitten. Hij opende de onderste lade en diepte een cassette op. De cellen. Nadat hij ze voor de tweede keer uit het laboratorium had meegenomen, bewaarde hij ze hier. Karen had hem ge-sms't dat ze een afspraak wilde maken om de cellen van hem over te nemen. Samen met wat persoonlijke spullen deed hij de cassette in een kleine rugzak en keek nog even door de gordijnen naar buiten. De zwarte auto stond er nog steeds. Hij liep terug naar de keuken en opende de achterdeur. Op de koelkast, die naast de deur stond, viel zijn oog op de viskom.

Het zou nog een week duren voor zijn benedenbuurman terugkwam. Glimlachend pakte hij het potje visvoer en kieperde een flinke lading in het water. Daarna legde hij de sleutel naast de kom en liep naar buiten. Hij liet de deur in het slot vallen, haalde diep adem en begon snel de trap af te dalen. Sinds hij gezocht werd, was de grond hem wat te heet onder de voeten geworden. Karen ging hem hierbij helpen. Na twee treden stopte hij heel even en spitste zijn oren. Werd er nu binnen aangebeld? Terwijl er allerlei gedachten door zijn hoofd flitsten, vervolgde hij haastig zijn weg.

29

Vincent deed de deur van Enquists hotelkamer achter zich dicht en liep met de laptop onder zijn arm de gang in. Het voelde alsof hij een kostbaar kleinood met zich meedroeg. De BBC deed nota bene een vooraankondiging van de persconferentie en ook op de ticker-tape die tijdens nieuwsuitzendingen onder in beeld meeliep, werd melding gemaakt van een baanbrekende ontdekking in de piramide van Cheops. Alleen wist niemand nog wat de ontdekking precies inhield. Dat had Enquist zorgvuldig geheim gehouden. En hij, Vincent Albright, onbekend documentairemaker, was met de cruciale film op weg naar de perszaal. Hij voelde een prettig soort spanning opkomen bij de gedachte aan de onthulling van de ontdekking. Hij vond zichzelf een bevoorrecht mens dat hij zo toevallig bij het project betrokken was geraakt en reikhalzend keek hij uit naar het moment waarop Enquist met de presentatie zou beginnen.

Hij besloot buitenlangs het hotel te gaan om de pers zoveel mogelijk te ontlopen. Via de exotische tuin kwam hij bij de hoofdingang, waar het een komen en gaan van hotelgasten en verslaggevers was. Haastig bewoog hij zich tussen de mensen door in de richting van de entree. Vlak voordat hij naar binnen wilde lopen, voelde hij een dwingende hand op zijn schouder. Toen hij verbaasd omkeek zag hij twee Egyptische mannen in uniform. Op een bepaalde manier kwamen ze hem bekend voor, maar voordat Vincent hen kon plaatsen, spraken ze hem aan.

'Wilt u even met ons meekomen,' vroeg een van hen in slecht Engels terwijl hij een geplastificeerd pasje toonde dat waarschijnlijk voor ID moest doorgaan.

'Sorry, wie bent u?' vroeg Vincent kortaf. 'Ik heb enorme haast, dus ik heb hier geen tijd voor. Waar gaat het over?'

'Ik verzoek u dringend om met ons mee te lopen. Er is iemand die u even wil spreken.'

'Iemand die me even wil spreken? En wie mag dat dan wel zijn?'

Zonder antwoord te geven op Vincents vraag grepen beide mannen hem bij zijn bovenarmen en trokken hem mee in de richting van de parkeerplaats. Vincent was te verbouwereerd om tegen te stribbelen. Wat gebeurde hier? Omdat hij in een vreemd land was, durfde hij zich niet zo goed te verweren tegen het gezag. Maar waren dit wel politiemensen? Hij keek nog eens naar de twee mannen die hem inmiddels in een ijzeren greep hielden en kon zich nauwelijks voorstellen dat het daadwerkelijk politiemensen waren. Ze gedroegen zich niet erg professioneel. Plotseling wist hij weer waar hij de uniformen van kende. Dit waren bewakers die op het plateau van Gizeh werkten. De mannen die hen verzocht hadden de piramide van Cheops te verlaten hadden hetzelfde tenue gedragen.

'Ik wil graag dat u me nu vertelt waarom u me meeneemt,' riep hij en hij probeerde zich driftig los te rukken. De twee bewakers reageerden door hem nog steviger vast te pakken. Ze waren inmiddels vlakbij de parkeerplaats aanbeland, waar het aanmerkelijk rustiger was. Vincent overwoog of hij de aandacht van voorbijgangers zou proberen te trekken door om hulp te roepen. Tegelijkertijd wist hij niet zeker of dat een verstandige actie zou zijn. Het waren tenslotte officiële, geüniformeerde bewakingsmensen die zich gelegitimeerd hadden. Daarom besloot hij het over een ander boeg te gooien.

'Luister,' zei hij rustig maar inwendig kokend. 'Ik ken mijn rechten. Jullie kunnen me niet zomaar meenemen. Je moet me eerst vertellen wat de reden is van deze ontvoering. Binnen een uur begint er hier in het hotel een hele belangrijke persconferentie en op deze laptop staat de film die daar vertoond gaat worden. Ik moet nu meteen naar binnen toe, want er zitten daar mensen op me te wachten. Er zijn zelfs cameraploegen aanwezig. Als jullie me niet laten gaan, kan de persconferentie niet doorgaan en ik kan je wel vertellen dat jullie dan verantwoordelijk zullen worden gehouden.'

'Ik heb al verteld waarom u met ons mee moet komen,' zei dezelfde bewaker weer. 'Iemand wil u even spreken.'

De ander opende het achterportier van een gereedstaande auto en wilde hem hardhandig in de wagen duwen.

Vincent werd spinnijdig. 'Blijf van me af,' riep hij terwijl hij de man van zich afduwde. 'Waar haal je het recht vandaan om me zomaar te kidnappen! Ik heb het helemaal gehad met jullie. Ik ga naar het hotel. Als iemand me wil spreken, dan kan dat na de persconferentie!'

Hij wilde weglopen, maar de twee mannen duwden hem hardhandig in de auto. De een kwam naast hem zitten en hield een oude revolver op hem gericht. De ander sprong achter het stuur en liet de auto met piepende banden optrekken. De bewaker naast Vincent beet hem toe dat hij vanaf nu zijn mond moest houden.

Allerlei scenario's spookten door zijn hoofd, dus hij probeerde zijn gedachten te ordenen. Waren ze uit op de film? Als ze een uurtje zouden wachten konden ze de beelden op tv zien. Waarom zo moeilijk doen? Tenzij, Vincent schrok van zijn plotselinge ingeving, tenzij ze eropuit waren om het vertonen van de film te verhinderen. De twee mannen leken hem niet echt gevaarlijk. Ze waren weliswaar gewapend, maar als hij het portier open zou gooien en weg zou rennen, verwachtte hij bepaald niet dat ze hem neer zouden schieten. Misschien zou hij een vluchtpoging kunnen wagen.

De chauffeur moest even wachten, omdat het druk was op de weg. Uit de richting van Cairo reed een hele colonne touringcars voorbij die allemaal op weg waren naar het plateau van Gizeh. De bewaker achter het stuur draaide zich half om en riep enkele verwensingen die Vincent niet kon verstaan. De man naast hem knikte instemmend en begon druk terug te praten. Zijn waakzaamheid verslapte en Vincent rook zijn kans. Hij keek vanuit zijn ooghoeken waar de handgreep van het portier zich bevond. Heel langzaam gleed zijn hand naar de hendel. Onhoorbaar haalde hij heel diep adem en vulde zijn longen met lucht om zich op te laden voor zijn ontsnappingspoging. Precies op het moment dat hij zijn arm wilde bewegen om het portier open te gooien, draaide de man naast hem zijn hoofd in zijn richting. Vincent kon zich nog net inhouden en ademde zachtjes uit. Toen hij de wagen in beweging voelde komen greep hij zijn kans. Hij deed geen moeite meer om ongemerkt zijn hand naar het portier te bewegen. Terwijl de chauffeur de auto alvast langzaam vooruit liet rollen om over enkele seconden snel in te kunnen voegen, greep Vincent bliksemsnel de klink beet. Hij trok het handvat naar zich toe, zette zich af met zijn voeten en gooide zijn volle gewicht tegen het portier. De Egyptenaar op de achterbank zag hem in beweging komen, maar deed geen enkele poging om hem tegen te houden. Een fractie van een seconde later wist Vincent waarom. Met zijn schouder beukte hij tegen de binnenkant van het portier, maar het gaf geen millimeter mee.

De bewaker keek hem spottend aan.

'Heb je geen kinderen?' grinnikte hij.

'Wat bedoel je?' snauwde Vincent.

'Kinderslot. De deur kan alleen van buitenaf geopend worden.'

Vincent vloekte en wreef over zijn pijnlijke schouder.

De auto reed niet in de richting van Cairo, zoals Vincent verwacht had, maar sloeg rechtsaf naar de piramides.

'Waar brengen jullie me naartoe?' riep hij gefrustreerd.

Ze lieten niets los. 'We zijn er over enkele minuten.'

Langzaam werd hij bekropen door een gevoel van onzekerheid. Rusteloos keek hij uit het raam. De persconferentie zou binnen een uur beginnen, maar zonder de film op de laptop had dat geen enkele zin. Wat zou Enquist wel niet denken? De man naast hem had gezegd dat ze er over een paar minuten waren. Dat zou betekenen dat ze op het plateau van Gizeh zouden blijven. Dan was er dus nog steeds een kans dat hij op tijd bij de persconferentie zou kunnen zijn. Hij nam zich voor zijn kans te grijpen zodra die zich voordeed.

Ze stopten bij een wit gebouwtje met grote openstaande ramen. De auto werd vlak voor de deur geparkeerd. De chauffeur stapte uit en opende het achterportier. Hij wenkte Vincent om eruit te komen. Vincent stond op. Hij wilde de laptop met de film onder geen beding achterlaten in de auto, dus hij boog zich voorover om het apparaat te pakken. Op dat moment voelde hij een hand in zijn kraag die hem ruw overeind trok.

'Opschieten, we gaan naar binnen.'

Hij kon de laptop nog net oppakken en werd door de twee mannen met harde hand naar de deur geleid. Opnieuw probeerde hij zich los te rukken.

'Waar brengen jullie me naartoe! Laat me onmiddellijk los! Ik moet naar de persconferentie!'

De twee uit de kluiten gewassen bewakers gaven echter geen duimbreed toe. Ze bleven hem stevig vasthouden.

'Rustig, rustig,' hoorde Vincent plotseling een bekende stem tussenbeide komen.

Hij keek op. In de deuropening herkende hij tot zijn verbazing de corpulente gestalte met de grote snor en de dubbele onderkin.

'Kapitein Mido? Zit u achter deze actie? Ik moet onmiddellijk terug naar het hotel, want er begint zometeen een belangrijke persconferentie waar ik absoluut bij moet zijn. Ik heb hier een laptop met ...'

'Rustig, rustig,' herhaalde Mido, 'alles op zijn tijd. Volgt u mij alstublieft.'

Mido draaide zich kalm om en liep weer naar binnen. Vincent keek naar de bewakers. Die grijnsden en leidden hem achter Mido aan naar een spartaans ingerichte kamer die blijkbaar zijn kantoor was. Mido ging achter een grijsmetalen bureau zitten en gebaarde dat Vincent op een van de twee stoelen voor het bureau moest gaan zitten. Tegen de bewakers knikte hij dat ze bij de deur moesten blijven staan.

Het was warm in de kamer. In de hoek stond een grote ventilator die op de maximale stand wat koelte probeerde rond te blazen, wat met recht een uitdaging genoemd mocht worden. Achter Mido was een groot raam dat wagenwijd openstond, maar ook dat kon de hitte niet verdrijven.

Vincent ging zitten en legde de laptop op zijn knieën.

'Dus u zit achter deze ontvoering,' begon hij nors.

'Ontvoering?' Mido tuitte zijn lippen en trommelde met zijn vingers op tafel. 'Zo zou ik het niet willen noemen.'

'Ik heb er geen andere woorden voor. Ik heb geen idee wat hierachter zit, maar het lijkt wel of ik gearresteerd ben. Alleen, u bent de politie niet. U hebt het recht niet.'

'Nee,' glimlachte Mido vanonder zijn snor, 'ik ben inderdaad de politie niet.' Hij ging voorover zitten en vouwde zijn handen onder zijn kin.

'Weet u, meneer eh ...' Mido keek hem vragend aan.

'Albright.'

'Weet u, meneer Albright, wij hebben een belangrijke taak hier op het plateau van Gizeh. Wij bewaken namens de Supreme Council of Antiquities en namens het Egyptische volk ons nationale erfgoed. En jullie Britten hebben daar al genoeg van gestolen. De steen van Rosetta, de buste van Nefertiti, mummies, obelisken, jullie hebben onze halve culturele nalatenschap weggeroofd.'

'Nefertiti staat in Berlijn,' wist Vincent, die het beroemde borstbeeld daar ooit met eigen ogen had gezien.

'Dat doet er niet toe,' snauwde Mido. 'Het punt is dat het niet in Egypte staat, daar waar het thuishoort.'

Hij keek hem nu doordringend aan. 'En persoonlijk vertrouw ik jullie voor geen cent. Wat zijn jullie van plan in de piramide?'

Vincent schudde onzeker zijn hoofd en keek op zijn horloge. Half vier geweest.

'Wat is de reden dat ik hier ben?'

'De reden dat u hier bent,' Mido wreef over zijn ongeschoren kin, 'is de vergunning om te filmen in de piramide.'

Vincent keek hem achterdochtig aan. De vergunning? Daar was niets mis mee. Abbara was zeer enthousiast geweest over de film en had zelfs toestemming gegeven om te gaan boren. Enquist had hem het document vanochtend zelf laten zien. De fax was ondertekend door Abbara en Mehra. Het viel hem op dat Mido zich ongemakkelijk leek te voelen. Hij schoof onrustig heen en weer op zijn stoel.

'Wat is er aan de hand met de vergunning? Volgens mij is er geen enkel probleem.'

'Mijn baas denkt daar anders over,' antwoordde Mido.

'Uw baas? Wie is uw baas? De Supreme Council gaat over de vergunningen. Tarek Abbara heeft persoonlijk toestemming gegeven om te filmen. Wat is hier aan de hand?'

Mido negeerde de vraag en knikte naar de laptop. 'Die wil ik graag even bekijken.'

De kapitein stond op en liep om het bureau heen. Gebiedend strekte hij zijn hand uit naar de computer. Vincent stond op het punt om zijn hakken in het zand te zetten, maar bedacht zich dat Mido uiteindelijk toch zijn zin wel zou krijgen. In de hoop tijd te winnen en zo alsnog de persconferentie te kunnen halen, besloot hij voorlopig mee te werken.

Mido pakte de laptop gretig aan en liep onmiddellijk de kamer uit. De bewakers deden een stap zijwaarts om hem door te laten en namen vervolgens weer onverzettelijk plaats in de deuropening.

Vincent draaide zich om op zijn stoel. 'Waar gaat u naartoe?' riep hij hem na.

Mido stak zijn hoofd nog even om de hoek. 'Blijf daar zitten,' wees hij.

Hij verdween weer en liet Vincent in verwarring achter. Wat gebeurde hier allemaal? Waarom was hij zo geïnteresseerd in de film? Zou hij echt de persconferentie willen saboteren? Hij keek naar de bewakers en hoorde verderop in de gang Mido praten. De stemmen klonken gedempt. Opeens voelde hij zich een stuk minder veilig. Hij keek nog eens op zijn horloge. De tijd begon nu echt te dringen. Mark vroeg zich op dit moment ongetwijfeld af waar hij in hemelsnaam uit zou hangen. De zaal zou inmiddels wel volgelopen zijn met nieuwsgierige journalisten en waarschijnlijk was Enquist hem al aan het zoeken. Of hij stond lastige televisieploegen te woord die zich afvroegen wanneer hun lange wachten nu eindelijk beloond zou worden.

Vincent besloot dat het tijd was om in actie te komen. Hij voelde even of de back-up nog in zijn zak zat. Hij keek naar de deur. Een van de bewakers was net weggelopen, waarschijnlijk om koffie te halen of zoiets. De ander leek afgeleid door iets wat er op de gang gebeurde. Hij lachte zijn gele tanden bloot en riep iets in het Arabisch. Vincent wist niet zeker of hij het tegen zijn kameraad had of tegen Mido, maar in elk geval keek hij de andere kant op. Terwijl de bewaker een stap de gang op deed, richtte Vincent zijn aandacht op het openstaande venster. De naar buiten scharnierende ramen stonden helemaal open. De piramides fonkelden in het late middaglicht. De onderkant van het kozijn bevond zich ongeveer een halve meter boven de vloer. Als hij nu uit zijn stoel zou opveren en om het bureau heen zou rennen, hing hij al in de lucht voordat de bewaker zijn hoofd had kunnen draaien. Op het moment dat de man zou kunnen reageren, was hij al bij de weg. De bewaker stond nog steeds nonchalant in de deuropening geleund, druk in gesprek met zijn collega. Dit was het moment. Hij spande zijn spieren, veerde op uit zijn stoel en rende om het bureau heen. Tijdens het passeren moest hij zijn hand op het bureaublad leggen om zijn evenwicht niet te verliezen. In volle vaart sprong hij door het raam naar buiten en landde op het tegelpad dat langs het gebouw liep. Hij wierp nog een snelle blik over zijn schouder en zag dat de bewaker als aan de grond genageld bij de deur stond.

Terwijl hij tussen enkele auto's door in de richting van de weg sprintte, hoorde hij de alarmerende kreten van de bewakers door de open ramen naar buiten schallen. Het zou nu een kwestie van seconden zijn voor ze naar buiten zouden stormen. Hij gokte erop dat ze op het drukke plateau van Gizeh niet zouden durven schieten. Vlug rende hij de asfaltweg op en begon terug in de richting van het hotel te lopen. Achter zich hoorde hij de bewakers naar buiten komen. Vreemd genoeg gedroegen ze zich rustig. Er was geen geschreeuw. Vincent keek kort achterom en zag dat Mido en de twee bewakers snel in een auto stapten. Waarschijnlijk wilden ze geen aandacht trekken van de toeristen. Weer een aanwijzing dat er iets niet klopte, flitste het door zijn hoofd. Mido was tenslotte gewoon een bewaker, die niet het recht had om hem te arresteren of om zijn laptop in beslag te nemen. Hij had alleen nog geen enkel idee wat er achter deze actie zat.

Koortsachtig probeerde hij na te denken. Als hij over de weg bleef lopen, hadden ze hem snel te pakken. Hij begon door het zand langs de piramides te lopen en hoopte dat de auto van Mido en zijn mannen hem zo niet meer kon volgen. Na korte tijd kreeg hij last van steken in zijn zij. Lopen door het mulle zand was veel zwaarder. Door de stoffige omgeving begon zijn keel aan te voelen als schuurpapier en zijn longen konden het tempo niet meer bijhouden. Terwijl hij langzamer ging lopen, keek hij om zich heen op zoek naar een oplossing. Bij een groep graftombes stond de kamelendrijver die vanochtend door de onbekende overvaller tegen de grond was gewerkt. Het paard, dat hij na de zoekactie met de terreinwagen weer had teruggevonden, stond rustig aan zijn leidsel en dronk water uit een houten emmer. Zijn twee kamelen waren nergens te bekennen. Die liepen waarschijnlijk rondjes met toeristen op hun rug. De Egyptenaar zag hem aankomen en herkende hem onmiddellijk. Nieuwsgierig trok hij zijn wenkbrauwen op. Van alle mensen op het plateau van Gizeh was Vincent de enige die rende. En dat met deze temperatuur. Hij rende recht op de man af en diepte een paar bankbiljetten op uit zijn broekzak. Zonder iets te zeggen duwde hij ze in zijn hand en blies even uit. Hij was nog niet tot spreken in staat. Na enkele ogenblikken kon hij weer een paar woorden achter elkaar zeggen.

'Ik moet naar dat hotel daar,' hijgde hij, 'en snel. Kun je me brengen met je paard?'

De man keek naar het geld in zijn hand. 'Oké,' knikte hij.

Vincent had geen idee hoeveel hij precies had gegeven, maar blijkbaar was het genoeg.

De Egyptenaar maakte het paard los en zette een voet in de stijgbeugel. Soepel zwaaide hij zijn been over de rug van het dier en gebaarde Vincent achterop te klimmen. Toen hij hem een beetje moeilijk zag kijken, haalde hij zijn laars uit de stijgbeugel en reikte hem de hand. Vincent pakte de uitgestoken arm beet en zette zijn voet in de vrijgekomen stijgbeugel. Onwennig hees hij zich omhoog en nam plaats achter de ruiter.

'Vlug!' riep hij ongeduldig. 'Snel naar het hotel.'

De Egyptenaar had geen verdere aanmoediging nodig en gaf zijn paard de sporen. Vincent greep zich vast aan het zadel en moest zijn uiterste best doen om niet van het galopperende paard geslingerd te worden. Ze reden nu buiten het zicht van Mido, die genoodzaakt was met de auto op de verharde weg te blijven. Maar de mannen op het paard hadden de handicap dat ze niet overal voluit konden gaan. Regelmatig moesten ze inhouden omdat er toeristen in de weg liepen. Na een woedende reactie van een man die ternauwernood aan de kant kon springen, besloot de Egyptenaar om een wijde boog om de piramides te beschrijven. Op deze manier konden ze in galop blijven. Briesend snelde het paard voort. Zijn hoeven roffelden over de vlakte. Vincent, die hevig heen en weer geschud werd en zich krampachtig aan het zadel bleef vasthouden, zag dat de auto van Mido hen in de verte gepasseerd was. Door de gedwongen omweg zouden ze niet als eersten aankomen. Toen ze in de buurt van het hotel kwamen, zag Vincent Mido en zijn mannen uit hun auto stappen. Ze posteerden zich op strategische plaatsen rond de ingang.

Hij tikte de ruiter op zijn rug en gebaarde hem te stoppen. De man trok aan de teugels, waarna het paard overging in draf en tenslotte schuddend met zijn manen tot stilstand kwam. Vincent sprong op de grond en bedankte de Egyptenaar. Deze knikte zwijgend en wendde zijn paard. Het laatste stuk naar het hotel legde hij te voet af en hij zorgde ervoor om uit het zicht van de bewakers te blijven. Vlakbij de hoofdingang gekomen, stelde hij zich verdekt op achter een rij coniferen. Het was nu bijna vier uur. Hij viste zijn telefoon tevoorschijn en belde Enquist. Die nam onmiddellijk op.

'Waar zit je nou? De persconferentie begint zo. We zijn al bijna een uur naar je op zoek.'

Vincent onderbrak hem.

'Mark, luister even, ik zal het straks uitgebreid uitleggen. Ik ben gekidnapt door Mido. Zijn mannen hebben me ontvoerd toen ik een uur geleden op weg was naar de perszaal.'

'Wat?' bracht Enquist verbijsterd uit. 'Wat denkt hij wel?'

'Hij zei dat er iets met de vergunning was, maar ik ben ontsnapt. Ik sta nu voor de ingang van het hotel, maar ik kan niet naar binnen. Mido staat me op te wachten. Hij heeft de laptop met de film van me afgepakt, maar ik heb de back-up nog.'

Vincent hoorde allerlei achtergrondruis door de telefoon.

'De mensen in de zaal worden wat ongeduldig, Vincent. Abbara heeft net al aan de pers uitgelegd dat er misschien een probleem is.'

'Zodra ik er ben, kunnen we beginnen. Kom naar buiten en breng Abbara mee. Als ik jullie zie verschijnen, kom ik eraan. Mijn inschatting is dat Mido niets durft te doen als hij jullie ziet. Ik heb de indruk dat hij op eigen houtje handelt.'

'Oké,' zei Enquist, 'we komen er meteen aan.'

Vincent verbrak de verbinding en gluurde voorzichtig door de planten. Mido stond met de hand op zijn holster een meter of tien voor de entree. Hij zocht met samengeknepen ogen de omgeving af. Zijn mannen stonden een eindje bij hem vandaan op de uitkijk.

Nog geen minuut later zag hij Enquist en Abbara verschijnen. Ze moesten onmiddellijk na zijn telefoontje naar buiten zijn gelopen. Aarzelend bleven ze staan en keken zoekend rond. Mido stond met zijn rug naar hen toe en had niets in de gaten.

Vincent haalde diep adem, voelde even of de usb-stick nog in zijn zak zat en besloot zich bloot te geven. Vastberaden kwam hij uit zijn dekking tevoorschijn en liep met bonkend hart het laatste stukje naar de ingang van het hotel. Was dit de juiste beslissing? Zou zijn gevoel hem niet bedriegen? Wat als hij het mis had en Mido hem opnieuw zou meenemen? Het was te laat voor twijfels. Welbewust liep hij recht in de armen van de bewakers. Mido zag hem meteen. Zijn mond zakte langzaam open van verbazing, maar al snel verscheen er een brede grijns op zijn gezicht. Vincent liep vastberaden door. Hij zag dat Mido een teken aan zijn handlangers gaf, die direct op hem afkwamen. Op dat moment stak hij zijn hand op.

'Mark, dr. Abbara!' riep hij luid.

De twee wetenschappers zagen hem nu ook.

'Vincent! Kom snel,' wenkte Enquist.

Mido, in verwarring gebracht door de stemmen achter zich, keek over zijn schouder en herkende de beroemde Tarek Abbara. Snel gebaarde hij zijn ondergeschikten om zich terug te trekken.

Vincent liep opgelucht op Enquist en Abbara af. In het voorbijgaan keek hij Mido aan. Deze wendde tandenknarsend zijn blik af. Vincent had nu geen tijd om zich druk te maken om Mido en besloot om na de persconferentie uit te zoeken wat hij precies in zijn schild voerde. Waarschijnlijk kon hij het beste inspecteur Hossam inschakelen.

Enquist legde bezorgd een hand op zijn schouder.

'Wat is er in hemelsnaam gebeurd? Was dat niet Mido die daar verderop stond?' Hij knikte vragend naar de kapitein, die nors afdroop.

'Dat komt later Mark,' reageerde Vincent. 'Laten we ons eerst met de persconferentie bezighouden. Ik begreep dat het publiek een beetje ongedurig begint te worden.'

Hij haalde de usb-stick uit zijn zak en hield hem omhoog.

'Alles staat hierop. We kunnen direct beginnen.'

Snel liepen ze door de verlaten gangen naar de perszaal. Bij binnenkomst verstomde het geroezemoes en gingen alle blikken hun kant op. Abbara had in cryptische bewoordingen aan de journalisten uitgelegd dat er wat problemen waren en het was de verzamelde pers niet ontgaan dat Enquist en Abbara even later haastig de zaal hadden verlaten. Enquist glimlachte geruststellend en terwijl hij met Vincent plaatsnam op de voorste rij, liep Abbara naar het spreekgestoelte. Hij tikte even op de microfoon en plaatste beide handen op de katheder. De journalisten hielden hun pen in de aanslag en de camera's liepen.

'Dames en heren, namens de Supreme Council of Antiquities heet ik u welkom op deze persconferentie. U zult aanstonds getuige zijn van de meest opmerkelijke ontdekking in Egypte sinds jaren. Ik geef graag het woord aan dr. Mark Enquist.'

30

Rechercheur Marc Dupont veegde zijn mond af met een servetje en legde zijn hamburger in de papieren zak op zijn schoot. Eigenlijk was het niet zijn gewoonte om fastfood te eten, zeker niet als lunch, maar hij zat met zijn collega al een hele tijd te wachten in een onopvallende zwarte politiewagen en hun magen rammelden. Dan moest hij vanavond maar een paar kilometer extra hardlopen, besloot de pezige politieman. Ze zaten hier omdat Walter Beaney al enige tijd spoorloos was en zijn appartement het enige houvast was dat ze hadden. Misschien zou hij zich hier laten zien. Hij stootte zijn collega aan en tuurde door de voorruit naar boven.

'Georges, zag je dat?' zei hij terwijl hij een restje hamburger doorslikte.

'Wat?' zei zijn collega half verstaanbaar door zijn volle mond. Hij zat voorovergebogen op zijn stoel en hield met twee handen een Big Mac vast, waar hij zojuist een grote hap uit had genomen.

'Het gordijn op de eerste verdieping bewoog.'

Driftig kauwend keek hij naar boven. 'Maar we houden toch de derde verdieping in de gaten?'

'In principe wel,' zei Dupont. 'Beaney woont op de derde verdieping, maar volgens mijn informatie zou er op de eerste verdieping niemand thuis moeten zijn. We hebben buurtonderzoek gedaan en de bewoonster van de tweede verdieping wist ons te vertellen dat haar benedenbuurman op vakantie was.'

Dupont keek in zijn aantekeningenboekje.

'Als het goed is, blijft hij nog een week weg. Misschien heeft hij een huisdier, maar het lijkt me verstandig als we een kijkje gaan nemen.'

Georges Guillaume knikte en spoelde vlug zijn mond leeg met cola. Hij opende het portier en stapte uit de auto. Dupont stond al buiten.

'Daar is de ingang,' wees hij. 'Ik ben hier al eerder geweest. Ik ga naar boven en bel aan. Neem jij ondertussen een kijkje aan de achterzijde? Ik weet niet zeker of de eerste verdieping een achterdeur heeft, maar er zijn op zijn minst ramen waardoor je zou kunnen ontsnappen.'

Ze staken de straat over en splitsten zich op. Guillaume liep om het huizenblok heen naar de achterkant en Dupont ging het halletje aan de voorzijde binnen. Op de begane grond bevond zich een rij brievenbussen en in de hoek stond een grote plant. Er was geen lift, dus Dupont nam de trap naar boven. Aan de muur hingen schilderijtjes en foto's. Nietszeggende landschappen, maar iemand had in ieder geval de moeite genomen om het onpersoonlijke trappenhuis een beetje aan te kleden. Dat zou die dame van de tweede verdieping wel geweest zijn. Over haar bovenbuurman, Beaney, had ze weinig kunnen vertellen. Die zag ze zelden. Haar benedenbuurman was een student die zijn appartement van haar huurde, maar momenteel op vakantie was. Dupont had zich haar woorden onmiddellijk herinnerd toen hij zojuist het gordijn zag bewegen. Hij snelde de krakende, houten trap op en enige ogenblikken later stond hij voor een bruine deur. Onderzoekend keek hij door het kleine getraliede raampje naar binnen. Hij zag niets bijzonders en duwde op de bel.

Guillaume was ondertussen bij de achterkant van het blok aangekomen. Op de hoek telde hij het aantal huizen om te kunnen bepalen wat het bewuste pand was, want de achterzijde zag er heel anders uit dan de voorkant. De rechercheur richtte zijn blik op de eerste verdieping en zag tot zijn verbazing dat de deur van het appartement langzaam openging. Er kwam een jongeman naar buiten die via de brandtrap naar beneden begon te lopen. Op de tweede trede stopte hij even, maar liep toen vlug weer verder. Haastig diepte hij een foto van Walter Beaney op die hij van Dupont had gekregen. De man was inmiddels onderaan de trap gekomen en liep bij hem vandaan. Ondanks de afstand van ongeveer vijftig meter herkende Guillaume hem meteen. Het was hem! Geen twijfel mogelijk. Dit was de man die ze zochten.

Hij begon te rennen. 'Halt! Politie!'

De verdachte keek om. Hij bedacht zich geen moment en zette het op een lopen. Bliksemsnel rende hij een steegje in, waardoor hij uit het zicht verdween. Guillaume zette de achtervolging in. Zo snel als hij kon sprintte hij naar de hoek waar hij Beaney had zien verdwijnen. Toen hij de bocht omvloog, zag hij Beaney alweer de volgende hoek omrennen. Dit gangetje kwam uit op een straat die parallel liep aan de straat waar het appartement van Beaney gevestigd was. Hij zette alles op alles, want hij besefte dat hij de verdachte

289

in de drukke winkelstraat snel kwijt zou zijn. Hijgend kwam hij aan op de hoek en keek in de richting die Beaney ingeslagen was. Verderop zag hij hem. Bij een fietsenstalling van Vélib haalde hij net zijn credit card uit de gleuf. Hij trok een grijze fiets uit het rek en verdween tussen het verkeer. Niet meer in te halen. Teleurgesteld constateerde Guillaume dat de verdachte hem was ontglipt. Haastig greep hij zijn telefoon en koos het nummer van Dupont.

31

'En na negenenvijftig meter klimmen door de schacht zag Pyramid Explorer dit.'

Enquist zette het beeld stil en de zaal vol journalisten keek gefascineerd naar de spookachtig verlichte witte deur met de twee handvatten, die scherp afstak tegen de donkere omgeving. Hij pauzeerde even en liet de beelden voor zich spreken. Tien minuten geleden was de persconferentie begonnen. Nadat Abbara hem had aangekondigd, was Enquist het podium opgeklommen en had hij een korte uiteenzetting over Pyramid Explorer gegeven. Mueller had de robot op een tafel naast de microfoon gezet. Vervolgens had hij het filmpje aangezet. Terwijl Explorer gestaag vorderde in de donkere tunnel, had hij verteld wat er onderweg gebeurde met als hoogtepunt het plotselinge opdoemen van de deur. Blijkbaar duurde de stilte die Enquist liet vallen te lang, want de mensen in de zaal begonnen nu door elkaar vragen af te vuren.

'Weet u al wat er achter die deur zit?'

'Zou het lichaam van Cheops nog in de piramide liggen?'

'Bestaat de kans dat u schatten of kostbaarheden zult aantreffen?'

'Hoe gaat u die deur openen?'

Enquist stak beide handen in de lucht en maande de zaal tot stilte.

'We hebben geen enkel idee wat er achter de deur zit,' zei hij bijna verontschuldigend. 'Op dit moment is het technisch niet mogelijk om Pyramid Explorer aan de andere kant te laten kijken. Daartoe is hij simpelweg niet uitgerust. Daarom hebben we besloten om de robot mee terug te nemen naar Engeland. We hebben daar, in onze eigen werkplaats, betere faciliteiten. Peter Mueller, de ingenieur die Explorer gebouwd heeft, gaat hem uitrusten met een boor, zodat hij een gaatje kan boren in de steen. Vervolgens steken we een klein, op afstand bestuurbaar cameraatje door het gat, zodat we aan de andere kant van de steen kunnen kijken. Op dat moment kunnen we op basis van de videobeelden beslissen of het zin heeft een poging te ondernemen om door de muur heen te breken.'

Enquist laste noodgedwongen een adempauze in. Enkele journalisten maakten hier handig gebruik van.

'Denkt u dat er een nieuwe kamer ontdekt wordt?'

'Hoe lang gaat het duren voordat de robot is uitgerust met een boor?'

Enquist, die aan het einde van zijn verhaal was gekomen, besloot dat het vragenuurtje begonnen was en ging in op de laatste vraag. 'Moeilijk te zeggen. We hebben geen ervaring met het gebruik van een op afstand bestuurbare boor op een robot. Er zal eerst een ontwerp gemaakt moeten worden. Daarna moet Explorer aangepast worden en zal er getest moeten worden.'

Enquist keek Peter Mueller aan die ook op de voorste rij zat.

'Peter, kun je inschatten hoeveel tijd je nodig hebt?'

Mueller fronste zijn voorhoofd en trok een bedenkelijk gezicht.

'Enkele weken, misschien maanden,' zei hij voorzichtig. 'Afhankelijk van hoeveel tegenslag we zullen ondervinden.'

Enquist keek de zaal in en herhaalde het antwoord in de microfoon.

Er priemden nu meer dan tien vingers in de lucht. Enquist voelde zich als een vis in het water en beantwoordde geduldig alle vragen. Uit het enthousiasme van de pers leidde hij af dat de ontdekking van de mysterieuze deur goed ontvangen was. Alle aanwezigen werden gegrepen door het intrigerende idee dat de stokoude piramide misschien weer een van haar geheimen zou gaan prijsgeven.

John Gallagher tilde voorzichtig het dekzeil een stukje op en tuurde vanuit de laadbak van de pick-up truck naar buiten. Gulzig zoog hij zijn longen vol met frisse lucht. De penetrante geur van kippenmest was langzamerhand ondraaglijk geworden in de benauwde ruimte onder het zeil. Hij had Enquist en de twee anderen een paar minuten geleden de wagen horen verlaten en zojuist waren die twee rechercheurs ook weer in hun eigen auto gestapt. De pick-up reed nu in een slakkengangetje verder naar Cairo.

Het was voor Gallagher een onaangename verrassing geweest dat hij herkend was. Gisteren had hij urenlang bij de Grote Piramide gepost en uiteindelijk was zijn lange wachten beloond. Terwijl Enquist en die andere man hem passeerden, had hij gezien dat ze een usb-stick bij zich hadden waar blijkbaar iets belangrijks opstond. Onopvallend had hij de achtervolging ingezet, maar hij werd ingehaald door een groepje bewakers dat klaarblijkelijk ook achter Enquist aanzat. Hij besloot zich afzijdig te houden en zag dat de twee vluchters de bewakers handig hadden afgeschud. Van een afstandje zag hij dat ze terug naar het plateau van Gizeh waren gegaan en dat ze uiteindelijk op de piramide van Chefren waren geklommen om uit het zicht van de bewakers te blijven. Nadat de Egyptenaren verdwenen waren, was hij de twee mannen gevolgd naar het hotel. Toen hij zag dat ze in een auto stapten, was hij onmiddellijk in een taxi gesprongen om ze niet kwijt te raken. Die usb-stick moest hij hebben. Lisa Abramowicz zou daar zeer geïnteresseerd in zijn. In een opwelling had hij besloten om zich de stick met geweld toe te eigenen. Enquist en zijn collega waren volslagen overdonderd geweest toen hij brutaalweg achterin hun auto was gestapt. Eenvoudig dreigen met geweld was voldoende geweest om de usb-stick in bezit te krijgen. Na de geslaagde actie was hij teruggekeerd naar zijn hotelkamer, waar hij de stick op zijn laptop had bekeken. Hij zag beelden van een lange gang. De film stopte toen er een deur in zicht kwam. Gallagher begreep er niet veel van. Was dit belangrijk? Voordat hij Lisa hierover zou inlichten, wilde hij eerst meer weten, want hij wilde geen modderfiguur slaan. Hij besloot om de volgende ochtend naar het hotel te gaan in de hoop uit te vinden wat die deur te betekenen had. Door brutaalweg met zijn rug naar Enquist aan het tafeltje naast hem te gaan zitten, had hij alle gesprekken kunnen volgen. Terwijl hij deed alsof hij de krant las, ving hij op dat ze inmiddels over zijn signalement beschikten. Hij zou dus nog voorzichtiger moeten zijn. Ook hadden ze het over een vergunning om te boren en over een televisie-uitzending. Gallagher wist genoeg. Het was tijd om Lisa en het presidium op de hoogte te stellen. Rustig had hij zijn laatste slok koffie gedronken. Daarna sloeg hij zijn krant dicht en verliet bedaard het hotel. Niemand had hem opgemerkt en hij had zich licht euforisch gevoeld. Blijkbaar was het net zo gemakkelijk als in speelfilms. Juist door zich in het hol van de leeuw te vertonen, verwachtte niemand zijn aanwezigheid en kon hij uiterst eenvoudig informatie vergaren.

De achtervolging rond de piramides had roet in het eten gegooid. Hij had oog in oog gestaan met die twee vrienden van Enquist, die plotseling op onverklaarbare wijze waren opgedoken. Vanaf nu was het dus uitgesloten dat hij zich nog ongezien in hun buurt kon begeven. Instinctief was hij weggerend en gevlucht op een paard. Hij was vroeger een verdienstelijk ruiter geweest, maar terwijl hij

293

zich op het paard slingerde werd hij op pijnlijke wijze herinnerd aan zijn gewonde hand. Op zijn tanden bijtend had hij doorgezet. Bij de piramide van Mykerinos was hij afgestegen. Hier liepen nauwelijks mensen rond. Gallagher had het paard een klap op zijn flank gegeven en zich verborgen achter de drie kleine satellietpiramides van Mykerinos. De bruine merrie draafde verder en kwam aan de rand van de vlakte tot stilstand. Een mooie afleidingsmanoeuvre, vond hij.

Tot zijn verbazing zag hij even later vlak voor zijn neus een terreinwagen tot stilstand komen waarin zich een bekend gezelschap bevond. De chauffeur had de motor laten afslaan. Behoedzaam tuurde hij vanachter de kleine piramide naar de auto. Als de mannen uit zouden stappen en gingen zoeken, zou hij ongetwijfeld ontdekt worden. Maar er waren geen betere verstopplaatsen in de buurt. Tenzij … Hij keek naar de laadbak van de wagen. Daar, onder dat zeil, zou niemand hem zoeken. De inzittenden van de pick-up maakten geen aanstalten om uit te stappen. Zonder verder na te denken, liep hij gebukt naar de auto. Hij naderde van de achterzijde en niemand zag hoe hij zich geruisloos onder het zeil wurmde. Vrijwel meteen startte de auto en werd de rit vervolgd. Tijdens de zoekactie over het plateau van Gizeh bleef Gallagher stil op de vuile, metalen bodem van de laadbak liggen. Hij hoorde hoe ze verwoed naar hem op zoek waren, hoe ze kriskras de vlakte doorkruisten en dat ze het tenslotte onverrichterzake opgaven. Eerst stapten Enquist en zijn metgezellen uit, daarna verlieten de agenten de auto.

Gallagher zag door de kleine opening onder het afdekzeil dat de chauffeur het plateau van Gizeh had verlaten en in de buitenwijken van Cairo reed. Toen de oude auto piepend en krakend tot stilstand kwam voor een rood stoplicht, liet hij zich ongemerkt uit de laadbak glijden. Op het trottoir slaakte hij een diepe zucht. Wat een ochtend! Hij keek om zich heen over de drukke kruising of hij ergens een kop koffie kon drinken om even tot rust te komen. Zijn oog viel op het uithangbord van een internetcafé. Bij gebrek aan betere gelegenheden opende hij de glazen deur en stapte de tl-verlichte ruimte binnen. Tegen de muren stond een twintigtal computers opgesteld en in het midden was een soort receptie annex helpdesk ingericht. Gallagher trok een blikje cola uit een automaat en kocht bij de receptie een kaartje met een inlogcode waarmee hij een uur kon internetten. Hij koos een rustig hoekje uit en nam plaats achter een computer. Nadat hij had ingelogd, liet hij zich achterover zakken en trok het blikje cola open. Zijn oog viel op een televisiescherm aan de muur. De Arabische nieuwszender Al Jazeera stond op. Terwijl hij een grote slok cola nam, keek hij met een half oog naar de tv. In hoog tempo flitsten de nieuwsberichten voorbij. Omdat Gallagher geen woord van de Arabische uitzending kon verstaan, ging hij rechtop zitten om zijn aandacht op de computer te richten. Hij zette het blikje op tafel. Vlak voor hij zijn blik wilde afwenden van het televisiescherm werd zijn aandacht getrokken door het volgende nieuwsitem. De drie piramides van Gizeh verschenen in beeld, gevolgd door een schemerige kamer binnenin een van de piramides. Vervolgens werd er een Egyptische man geïnterviewd die enthousiast en druk gebarend zijn verhaal vertelde. Gallagher stond op en liep naar de balie.

'Wat zegt die man?' vroeg hij aan de medewerker achter de receptie terwijl hij naar de tv knikte.

De slungelige jongen keek verstrooid op van zijn computer en luisterde zwijgend naar het interview.

'Ze hebben een ontdekking gedaan in de piramide van Cheops,' zei hij in verrassend goed Engels.

'Wat voor een ontdekking?' Gallagher kon het antwoord wel raden.

'Dat zegt hij niet, maar het schijnt nogal spectaculair te zijn. Vanmiddag is er een persconferentie.'

Gallagher knikte begrijpend. 'Wie is die man eigenlijk?' wilde hij nog weten.

'Tarek Abbara, een bekende archeoloog.'

De jongen draaide zijn hoofd weer naar het beeldscherm. Blijkbaar maakte het nieuws geen grote indruk op hem.

Gallagher liep terug naar zijn computer. Het bericht van de ontdekking werd uitgezonden op Al Jazeera. Dat betekende dat het echt belangrijk nieuws moest zijn. Maar wat was er dan zo spectaculair? Op de gestolen usb-stick had hij alleen een schacht gezien met een deur aan het einde. Hij keek op zijn horloge. In Amerika was het nu vroeg in de ochtend. Hij haalde de stick uit zijn rugzak en stopte hem in de computer. Snel begon hij een mailtje te tikken.

Lisa, hierbij stuur ik je een film over de ontdekking die Mark Enquist in de piramide van Cheops heeft gedaan. Het gaat over een van de schachten. Blijkbaar is het erg belangrijk, want het nieuws wordt

momenteel uitgezonden op Al Jazeera. Vanmiddag is er een perscon-
ferentie in Cairo. Ik heb een gesprek afgeluisterd waarin ik hoorde
dat Enquist naar Londen gaat om zijn apparatuur te verbeteren.
Hij wil een gat boren in de deur die je op de film ziet, om te kijken
wat er achter zit. Ik heb ze ook horen spreken over een tv-uitzending.
Ik wacht op verdere instructies. John Gallagher

Hij verstuurde de e-mail en zond een deel van het filmpje mee als
bijlage. De volledige film was te groot om te verzenden.

Een persconferentie? Gallagher was nog steeds niet over zijn verbazing heen. Die Abbara had niet bekend gemaakt wat de ontdekking
precies inhield. Dat bewaarden ze voor de persconferentie. Hij nam
de usb-stick uit de computer en keek er even naar. Hij besefte dat hij
cruciale informatie in handen had.

Er plofte een nieuw bericht in zijn mailbox. Lisa Abramowicz,
las hij. Ze had direct gereageerd.

Hoi John, goed werk. Ik zal de film doorsturen naar het presidium.
Je zou ons erg helpen als je Enquist zou kunnen dwarsbomen, bij-
voorbeeld door die persconferentie te saboteren of door het vertonen
van de film te voorkomen. Zie je daar kans toe? Kus, Lisa.

De persconferentie saboteren? dacht Gallagher verbaasd. Hoe moest
hij dat voor elkaar krijgen? Dan zou hij maar enkele uren de tijd
hebben om een plan te bedenken èn uit te voeren.

Hoi Lisa, dat lijkt erg krap. Ik heb maar een paar uur tijd. Boven-
dien hadden ze me bijna te pakken, dus ze hebben mijn signalement.
Ik doe mijn best maar ik kan niets garanderen. Ik hou je op de
hoogte.

Gallagher dacht even na hoe hij zou afsluiten. *Kus, Lisa* stond er
onder haar mailtje. Hij dacht terug aan die zwoele avond in Houston, toen ze gezoend hadden. Lisa was moeilijk te peilen. Was het
een eenmalige zoen geweest? Was ze gewoon blij geweest dat hij zijn
medewerking had toegezegd? Of zat er meer in? Dat moest hij maar
eens haarfijn uitzoeken als hij weer in Houston was. Hij besloot een
voorzichtige toespeling te maken.

Wanneer zie ik je weer? Kus, John.

Nadat hij de e-mail verzonden had, bleef hij even hoopvol op een antwoord wachten. Toen een snelle reactie uitbleef, logde hij uit. Gallagher zat op hete kolen want er was maar weinig tijd om nog iets te ondernemen voordat de persconferentie zou beginnen. Hij verliet het internetcafé en begon terug naar het plateau van Gizeh te lopen. De persconferentie tegenhouden? Hoe kon hij dat het beste aanpakken? Gallagher ging in gedachten de mogelijkheden af. Hij zette op een rijtje wat hij de afgelopen dagen allemaal gezien en gehoord had en kwam tot de conclusie dat er maar één mogelijkheid was die enige kans van slagen had. In gedachten verzonken bereikte hij de rand van de beroemde zandvlakte weer. Aan de zuidzijde van de piramide van Cheops liet hij zich op een steen zakken en begon de omgeving te observeren. Gisteren had hij op deze wijze enkele uren doorgebracht bij de ingang van de Grote Piramide, wachtend tot Enquist weer naar buiten zou komen. Het was hem toen opgevallen dat de bewakers op het plateau van Gizeh in groepjes van twee over het terrein patrouilleerden. Tijdens zijn lange zit had hij regelmatig ploegjes voorbij zien komen. Zoekend keek hij rond. Uit zuidelijke richting kwamen weer twee gewapende mannen aanlopen. Loom sloften ze voorbij. Hun uniformjasjes hadden ze opengeknoopt om wat meer lucht te hebben. Gisteren had Gallagher weinig aandacht aan hen geschonken, maar deze keer keek hij nieuwsgierig waar ze naartoe gingen. Blijkbaar waren ze aan het einde van hun ronde, want een eindje verderop gingen de mannen naar binnen in een wit gebouw. Dat moest hun hoofdkwartier zijn. Gallagher kwam overeind van zijn steen en begon langzaam in de richting van het gebouw te lopen. Toen hij dichterbij kwam, stopte er een witte auto op de parkeerplaats voor het pand. De twee voorportieren zwaaiden open en tot zijn verbazing zag Gallagher dat de persoon die zich met enige moeite uit de passagiersstoel hees een bekend gezicht had. Het was de officier die gisteren vanaf de piramide van Cheops met rood aangelopen gezicht zijn manschappen achter Enquist aangestuurd had. Gallagher wilde een leidinggevend figuur spreken dus hij versnelde zijn pas. Bij de ingang van het gebouw had hij de man ingehaald.

'Pardon meneer, mag ik u wat vragen?' vroeg hij beleefd.

De officier bleef nors in de deuropening staan en keek hem vragend aan. Hij was niet gewend dat toeristen hem zomaar aanspraken. Gallagher liet zich door die houding niet van de wijs brengen.

'Ik wil u graag even spreken over de recente ontdekking van Mark Enquist in de Grote Piramide. U hebt gisteren naar aanleiding hiervan contact met hem gehad.'

De stuurse blik van de officier ging over in achterdocht. Wat wist die onbekende buitenlander hiervan?

'Kom maar mee,' gebaarde hij.

De officier ging hem voor naar een schaars ingerichte ruimte en draaide zich om in de kamer.

'Ik ben kapitein Mido. En u bent?'

Gallagher stak zijn hand uit. 'John Smith,' stelde hij zich voor. Hij hoopte maar dat het feit dat de eerste naam die in hem opkwam waarschijnlijk de meest voorkomende Engelstalige naam was, de Egyptenaar zou ontgaan.

Mido ging achter een bureau bij het raam zitten. Gallagher nam plaats tegenover hem op een metalen stoel met houten zitting die zijn langste tijd had gehad. In zijn hoofd bereidde hij het verhaal voor dat hij wilde gaan afsteken.

'Kapitein Mido,' begon hij, 'ik werk voor de internationale wetenschappelijke organisatie *Interscience*. Mijn organisatie speelt een belangrijke rol bij de werelderfgoedlijst die wordt samengesteld door de VN-organisatie Unesco.'

Mido staarde hem emotieloos aan.

'Interscience beoordeelt momenteel in opdracht van Unesco alle nieuwe archeologische ontdekkingen in Egypte van het afgelopen jaar. Via de heer Abbara bereikte ons het nieuws over een nieuwe ontdekking in de piramide van Cheops. We weten nog niet precies wat de impact van deze ontdekking zal zijn, maar mijn organisatie is van mening dat het erg voorbarig is om zo overhaast via een wereldwijde persconferentie met het nieuws naar buiten te treden.'

Terwijl Gallagher zichzelf hoorde praten, bedacht hij dat zijn verhaal vast niet erg overtuigend zou klinken, dus hij eindigde met een argument dat meestal goed werkte. Hij haalde een dikke bundel dollarbiljetten uit zijn zak en legde die achteloos op het bureau.

'Er staat ook een vergoeding tegenover.'

Hij besefte dat hij zich daarmee op zeer glad ijs begaf. De kans dat Mido hem zou aangeven voor omkoping was aanwezig, maar hij gokte erop dat Mido gevoelig zou zijn voor het geld en dat hij in ruil daarvoor wel een relatief onschuldige opdracht wilde uitvoeren.

'Ik zou u dus willen vragen of u die jonge collega van dr. Enquist op uw kantoor zou kunnen uitnodigen, zodat we de film die in de piramide is gemaakt even kunnen bekijken voordat de persconferentie van vanmiddag begint. Daarna kunnen we hem gewoon weer laten gaan.'

Ook dit was een gok van Gallagher. Hij had gezien dat die medewerker van Enquist gisteren bij het verlaten van de piramide de usb-stick in zijn handen had, dus hij hoopte dat die jonge man degene was die ze moesten hebben.

Mido keek begerig naar het geld. Gallagher kon de dollartekens in zijn ogen bijna zien. Hij leunde peinzend achterover in zijn stoel en keek Gallagher argwanend aan.

'Interscience zei je?'

Gallagher knikte. Hij probeerde zijn spanning te verbergen.

'Ja, we werken voor Unesco,' zei hij zo overtuigend mogelijk waarbij hij probeerde zijn stem niet te laten trillen. Had hij een grove inschattingsfout gemaakt? Had Mido meer ruggengraat dan hij dacht?

'Mmm, Unesco,' bromde Mido, 'die ken ik wèl.'

Mido stond op en staarde met zijn rug naar Gallagher gekeerd nadenkend door het raam naar buiten. Met zijn handen op zijn rug gevouwen bleef hij zo een tijdje staan. Net toen Gallagher begon te denken dat zijn plan mislukt was, draaide hij zich om.

'Dus we nodigen die meneer uit voor een gesprekje, we bekijken de film en we laten hem weer lopen,' vatte hij het voorstel samen.

Gallagher knikte. 'Als het lukt, moeten we hem vasthouden tot na de persconferentie.'

Gretig pakte Mido de rol bankbiljetten van het bureau. Blijkbaar had zijn hebzucht het gewonnen van zijn geweten.

'Deal.'

32

Met bonzend hart rukte Walter Beaney een grijze fiets uit het rek en slingerde zich op het zadel. Omkijkend zag hij de rechercheur om de hoek verschijnen. Buiten adem hield hij zich staande tegen een muur. Die zou hem niet meer inhalen, stelde Beaney tevreden vast, en hij ging er als een haas vandoor. Naast en achter zich kijkend manoeuvreerde hij handig tussen auto's en andere fietsen door en in volle vaart sloeg hij een paar keer links- en rechtsaf om eventuele achtervolgers op een dwaalspoor te brengen. Op de Rue Rennequin zag hij plotseling uit tegengestelde richting een politiewagen naderen. Onmiddellijk kneep hij in de remmen en paste zijn tempo aan om niet onnodig op te vallen. Gespannen, maar onbewogen voor zich uit kijkend fietste hij kalm verder. De patrouillewagen passeerde zonder dat er wat gebeurde. Toch besloot hij geen enkel risico te nemen. De rechercheur die hem zojuist achtervolgde, had inmiddels ongetwijfeld zijn collega's gealarmeerd. Hij sloeg de hoek om en zette de fiets terug in een stalling. Aan het eind van de straat zag hij een metrohalte. Opgelucht liep hij ernaartoe. Hij daalde de trap af en ging op een afgelegen bankje in de hoek van de drukke metrohal zitten. Eigenlijk wist hij niet precies wat hij nu moest doen. De gestolen cellen zaten in zijn rugzak, dus wat dat betreft was de missie geslaagd. Hij kon vijf miljoen euro tegemoet zien. Maar de keerzijde van de medaille was dat hij zich nergens meer kon vertonen. De Franse politie zocht hem, zijn signalement was bekend. Waarschijnlijk kon hij niet eens het land verlaten om terug naar huis te gaan, dus ook zijn onderzoeksbaan aan de universiteit in Londen kon hij wel op zijn buik schrijven. Van een getalenteerde jonge wetenschapper was hij veranderd in een gezocht crimineel. Dit was niet wat hij voor ogen had gehad toen hij hieraan begon. Hij besloot Karen te bellen om te horen hoe het nu verder moest.

'Hallo,' nam ze op.

'Met Walter,' zei hij opgelucht dat hij haar stem weer hoorde.

'Walter! Waar ben je?'

'In metrostation Pereire.'

'Heb je de cellen nog?'

'Ja, natuurlijk. Daarom bel ik je. Ik heb ze net opgehaald uit het appartement van mijn buurman, maar het gebouw werd in de gaten gehouden door de politie. Er stond een surveillancewagen in de straat. Ik kon maar net ontsnappen. Wat gaan we nu doen?'

'Ik kom de cellen halen,' zei ze. 'Kunnen we ergens afspreken? Dan kom ik meteen naar je toe.'

Al telefonerend liep Beaney terug de trap op. Op straat keek hij om zich heen en zag aan de overkant van de straat een drukke bistro.

'Oké, kom maar naar metrohalte Pereire. Daar zit een bistro met rode luifels. Ik wacht binnen op je.'

Hij stak de straat over en opende de deur. Een opgewekt meisje met opgestoken haar en een lange rode schort voor wees hem een klein tafeltje voor twee personen. Hij ging zitten met zijn gezicht naar de ingang en legde het rugzakje tussen zijn voeten op de grond. Hij zette zijn ellebogen op tafel en legde zijn kin in zijn handen. Buiten zag hij weer een politieauto voorbij rijden. Hij begon zich langzamerhand een opgejaagd dier te voelen en probeerde zich te bedenken hoe zijn toekomst eruit zou zien. Was er nog wel een weg terug naar zijn vertrouwde leven als wetenschapper?

Even later kwam Karen de bistro binnen. Haar verschijning verdrong zijn zorgen even naar de achtergrond. Ze zag hem meteen zitten en kwam naar hem toe. Voordat ze tegenover hem aanschoof, boog ze zich over de tafel en zoende hem.

'Heb je de cellen bij je?' was het eerste wat ze vroeg.

'Jazeker,' zei Beaney en hij wees naar zijn rugzak.

'Mooi, ik zal ze straks meenemen. Dan kan ik ze overdragen aan onze onderzoekers.'

Karen slaakte een diepe zucht en keek hem gelukzalig aan.

'Ik ben zo blij met ons,' zei ze voldaan.

Beaney glimlachte nieuwsgierig. 'Hoezo?'

'Nou, gewoon, omdat we het zo goed kunnen vinden samen.'

Hij knikte instemmend en liet een korte stilte vallen.

'Ik maak me eerlijk gezegd wel wat zorgen over mijn toekomst. Wetenschappelijk onderzoek is mijn grote passie, maar ik word gezocht door de politie. Ik kan me nergens meer vertonen. Ik kan misschien niet eens terug naar Engeland.'

Karen keek hem aan. 'Mijn bedrijf heeft overal een oplossing voor,' zei ze met een geheimzinnig lachje. 'Je hebt gelijk. Waarschijnlijk loopt er al een internationaal opsporingsbevel tegen je. Dan kun je het land niet meer verlaten, want dan loop je bij de douane tegen de lamp.'

Ze bukte zich om iets uit haar tas te pakken. Terwijl ze weer overeind kwam gooide ze een witte enveloppe op tafel.

'Wat is dat?' vroeg hij verbaasd.

'Kijk maar,' zei ze met twinkelende ogen.

Beaney opende de enveloppe en haalde er verbaasd een donkerblauw paspoort uit. *United States of America* stond er in cursieve letters onder het blinkende logo op de voorkant. Vragend keek hij naar Karen. Die gebaarde dat hij het moest openslaan. Nieuwsgierig opende hij het document. Toen hij de pasfoto zag, zakte zijn mond open van verbijstering. Met wijd opengesperde ogen keek hij niet begrijpend naar Karen. Die glimlachte triomfantelijk.

'Bij Medical Pharma werken invloedrijke mensen,' zei ze eenvoudig.

'Ik kan mijn ogen niet geloven,' zei Beaney nog steeds in opperste verbazing. Hij liet zijn blik weer op het Amerikaanse paspoort vallen en keek verwonderd naar zijn eigen pasfoto. USA stond er in hoofdletters boven zijn beeltenis. Volgens dit reisdocument was hij Amerikaans staatsburger.

'Wat betekent dit?' vroeg hij aarzelend.

Ze keek hem uitdagend aan. 'Begrijp je het niet? We gaan naar de Verenigde Staten. Jij en ik. Samen. Je hebt nu een nieuwe identiteit. Je hebt ook een sofinummer, dus je bent bekend bij de overheidsdiensten. Alles is geregeld.'

Beaney was sprakeloos. Dit kon niet waar zijn. En samen met Karen nog wel. Blijkbaar zag ze het dus wel zitten tussen hen.

'Ik weet niet wat ik moet zeggen,' zei hij van zijn stuk gebracht. 'Het lijkt me geweldig.'

Karen lachte verheugd en keek hem verliefd aan.

'Mooi. Hier had ik al op gehoopt. Je zult het fantastisch vinden.'

Ze legde haar armen op tafel en pakte zijn beide handen beet.

'Maar voordat we naar Amerika gaan, heb ik eerst nog een andere opdracht voor je.'

Hij keek haar niet begrijpend aan. Een andere opdracht? Had hij nog niet genoeg gedaan dan?

Ze reikte hem een verzegelde enveloppe aan.

'Ik weet deze keer niet precies waar het over gaat, want de instructies komen van het hoogste management van Medical Pharma. Hierin zit alle informatie die je nodig hebt.'

Hij opende de enveloppe en liet zijn ogen vluchtig over de niet ondertekende brief gaan. Aarzelend fronste hij zijn wenkbrauwen. 'Dit lijkt me niet ongevaarlijk.'

'We zullen je op alle mogelijke manieren ondersteunen. Ik ben ervan overtuigd dat het je gaat lukken. Echt.'

Beaney zweeg.

Karen pakte zijn handen weer vast. 'En daarna trekken we ons samen terug in Amerika. Daar kunnen we aan een nieuw leven beginnen.'

'Kunnen we niet nu meteen al naar Amerika gaan?' vroeg hij terwijl hij naar zijn nieuwe paspoort staarde. 'Er zijn vast genoeg anderen die deze opdracht kunnen uitvoeren.'

Karen verstrakte en liet zijn handen los.

'Medical Pharma heeft veel voor je gedaan. Er wordt loyaliteit van je verwacht.' Ze knikte naar het paspoort. 'Ik weet niet zeker of het aanbod wel blijft gelden als je besluit om deze opdracht niet uit te voeren.'

Beaney keek haar aan. Haar blik leek koel en afstandelijk geworden. Of was het teleurstelling? Besluiteloos staarde hij in de verte. Wat moest hij doen? Plotseling schrok hij op.

'Wat is er?' vroeg Karen. 'Gaat het?'

Beaney dook in elkaar en keek voorzichtig over haar schouder naar buiten.

'Niet omkijken.'

Buiten, op de stoep voor de bistro, stond iemand die hem bekend voorkwam maar die hij niet direct kon thuisbrengen. Beaney associeerde hem wel meteen met de politie. Het was in ieder geval niet de rechercheur die hem net achtervolgd had. Was het dan zijn partner? Hij had gezien dat er twee personen in de auto hadden gezeten die in zijn straat geparkeerd stond. Vanuit het café had hij echter alleen een silhouet van de man achter het stuur kunnen zien. Hij pijnigde zijn hersens en liet alle gebeurtenissen van de afgelopen tijd de revue passeren. Ineens wist hij het weer. De man die buiten zoekend rond stond te kijken was de rechercheur die onverwacht was opgedoken toen Olivier Leblanc en die vrouw hem bijna te pakken hadden beneden bij de Seine.

Een geüniformeerde agent voegde zich nu bij de rechercheur

en begon druk te praten terwijl hij met gestrekte arm in de richting van het metrostation wees. De rechercheur knikte met samengeknepen lippen en liet zijn blik speurend over de gebouwen aan de overkant glijden.

Beaney besefte dat hij waarschijnlijk degene was naar wie ze op zoek waren. Blijkbaar had iemand hem toch ergens herkend. Hij moest er onmiddellijk vandoor. Snel legde hij de situatie aan Karen uit. Die knikte begrijpend. Hij griste zijn rugzak onder de tafel vandaan en stond op onder dekking van een dikke pilaar, die naast hun tafeltje stond.

'Hier,' zei Karen terwijl ze hem het Amerikaanse paspoort aanreikte. 'Dit zul je nodig hebben.'

'Dank je. Ik bel je zodra ik in veiligheid ben. Vanuit een telefooncel,' zei hij er wijselijk achteraan.

Beaney maakte een kusbeweging met zijn lippen en ging er snel vandoor, Karen met een bezorgd gezicht achterlatend. Vlug liep hij naar de achterkant van de zaak. Er kwam net een meisje met drie volle borden door de klapdeuren gelopen. Beaney liep door dezelfde deuren het restaurant uit en belandde in een smal gangetje. Links zag hij de keuken. Drie koks in witte kleding stonden boven dampende fornuizen en besteedden geen enkele aandacht aan hem. Hij liep verder en opende de deur aan het einde van de gang. Die kwam uit op een grauwe binnenplaats met afvalcontainers, lege wijnflessen en hoog opgestapelde kratten frisdrank. Aan de overzijde zag hij een doorgang naar de straat. Opgelucht rende hij het plaatsje over.

33

Mark Enquist zat achter de computer in zijn krap bemeten werkkamer op de universiteit. Drie dagen geleden waren ze teruggevlogen naar Londen. Met een muisklik stopte hij de filmbeelden uit de piramide en liet zich achterover zakken in zijn comfortabele bureaustoel. Hij nam een slok van zijn koffie en keek in gedachten verzonken naar het scherm voor zich. De film stond stil bij het beeld van het spookachtig verlichte witte luik met de koperen handvatten in de zuidschacht van de Grote Piramide. Eindeloos had hij de afgelopen twee dagen de beelden opnieuw afgespeeld. Hij kon het traject inmiddels dromen. Het meest fascinerend was uiteraard het geheimzinnige luik. Wat zou erachter zitten? Er werd in de media al druk gespeculeerd over een verborgen schatkamer en het lichaam van Cheops. Zelf had Enquist hier andere ideeën over. Hij was niet zozeer geïnteresseerd in kostbaarheden zoals die destijds in het graf van Toetanchamon waren aangetroffen, maar hij hoopte bewijzen te vinden voor zijn theorie. Het bleef een mysterie hoe de Egyptenaren de bouwkundig zeer gecompliceerde piramides van Gizeh hadden kunnen bouwen, zeker als je in ogenschouw nam dat de constructies van later gebouwde piramides veel eenvoudiger, zelfs gebrekkiger, in elkaar staken. Je zou toch verwachten dat kennis op het gebied van bouwkunde zich in de loop der jaren zou ontwikkelen naar een hoger niveau, niet dat het zou degenereren. Daarom vroeg hij zich af of het niet mogelijk was dat de Egyptenaren de piramides van Gizeh hadden aangetroffen als overblijfsel van een ander volk. Dat zou dan betekenen dat ze niet de bouwers waren, maar dat ze alleen de bouwstijl hadden overgenomen voor andere, kwalitatief mindere piramides. Waar hij op hoopte, was dat er achter het luik iets gevonden zou worden waarmee de ouderdom van de piramide onomstotelijk vast zou komen te staan. Het was zeker dat er in al die eeuwen na de bouw van de schacht niemand in staat was geweest om achter het luik te kijken. Dat zou betekenen dat als er in een eventuele ruimte achter de stenen deur voorwerpen gevonden zouden worden, die daar alleen achtergelaten konden zijn door de bouwers van de piramide.

Gelukkig, dacht hij, was er de koolstof C14-methode. Die had hem in het verleden al vaker geholpen om oudheidkundige voorwerpen te dateren. Alle levende wezens, inclusief bomen en planten, bevatten de radioactieve koolstofisotoop C14. Zodra een organisme stierf, nam de hoeveelheid C14 heel langzaam met een constante snelheid af. C14 was dus een soort terugtikkende klok. Voorwerpen van organisch materiaal, zoals hout en botten, konden op deze manier tot een ouderdom van ongeveer 60.000 jaar betrouwbaar gedateerd worden. Enquist hoopte vurig dat er achter de deur bruikbaar materiaal gevonden zou worden. Al was het maar een houten lepel of een kippenpootje dat achteloos was achtergelaten door de werklieden, voor Enquist zou dat meer waard zijn dan alle gouden schatten van Toetanchamon bij elkaar.

De persconferentie in Cairo was een overweldigend succes geweest. Zijn mailbox zat vol met felicitaties van collega's uit vele landen en zijn telefoon had de hele dag door gerinkeld. Ook de meeste kranten maakten melding van de ontdekking.

De dag na hun aankomst in Londen was hij gaan lunchen met Peter Mueller. In de drukke mensa van de universiteit had hij Mueller een voorpaginabericht in *the Independent* laten lezen.

Archeologen hebben in de grootste piramide van Egypte de ingang van een tot nu toe niet ontdekte kamer gevonden. Er zijn aanwijzingen dat deze kamer de schatten van farao Cheops herbergt, die de Grote Piramide 4.500 jaar geleden bouwde. Waarschijnlijk is de inhoud van de kamer intact.

'Nou, nou,' grinnikte Mueller. 'Dat lijkt me een beetje voorbarig. Zover is het nog lang niet, maar de pers duikt er wel goed bovenop.' Op zijn beurt gooide Mueller een Duitse krant op tafel. *Mysterie van Grote Piramide bijna ontrafeld*, kopte het blad.

'Maar het zal niet mee gaan vallen,' zei Mueller terwijl hij een broodje opensneed.

'Wat?' Enquist, die met zijn gedachten nog bij alle mediabelangstelling zat, keek afwezig op.

'Nou, het ombouwen van Pyramid Explorer. Ik heb geen enkele ervaring met een op afstand bestuurbare boor.'

'Mmm, de hele wereld wil nu weten wat er achter de deur zit, dus we moeten proberen om op korte termijn met een oplossing te komen. Kun je geen hulp inroepen van experts?'

'Experts?' vroeg Mueller. 'Ik heb nog nooit gehoord van experts op het gebied van miniatuurboren. Misschien moet ik eens bij mijn tandarts informeren.'

'Ha, ha,' zei Enquist langzaam, 'erg geestig.' Hij nam een hap van zijn soep. 'Hoe gaan we dit aanpakken, Peter?'

Mueller werd serieus. 'Ik heb er in het vliegtuig al over na zitten denken. Er zijn wel wat mogelijkheden, maar het zal de nodige tijd kosten om het voor elkaar te krijgen. We moeten maar eens gaan experimenteren. Daarnaast zullen we, zoals ik al eerder gezegd heb, veel moeten oefenen als de boor eenmaal bevestigd is. We willen geen fouten maken als we live op tv zijn.'

'Tja, ik zou liever zien dat het snel zou gaan, want we hebben nu momentum,' zei Enquist naar de kranten wijzend.

Mueller nam een grote hap van zijn broodje en staarde peinzend voor zich uit.

Er kwam een student naast hen zitten die hun smakelijk eten wenste. Mueller knikte met volle mond. Enquist keek hem terloops aan en mompelde iets wat op een bedankje leek. Ook hij was in gedachten verzonken. Traag bracht hij de lepel naar zijn mond. Wat zou er toch achter de geheimzinnige deur zitten? Een nieuwe gang? Of toch iets anders?

'Dr. Enquist?' vroeg de student.

Enquist keek op en trok vragend zijn wenkbrauwen omhoog. Hij zag een onbekend gezicht naast zich. De jongen was wat ouder dan de gemiddelde student. Waarschijnlijk een promovendus. Hij had kort haar en een baard van enkele dagen. Zoals veel studenten was hij onopvallend gekleed in een vale spijkerbroek en een T-shirt.

'Neem me niet kwalijk dat ik u stoor tijdens uw lunch,' zei hij schuchter, 'maar ik heb uw persconferentie op tv gezien. Wat een fantastische ontdekking.'

Enquist glimlachte plichtmatig en wendde zijn hoofd weer naar Mueller. De jongen liet zich echter niet zomaar afwimpelen.

'U zei tijdens de persconferentie dat u de robot wilt uitrusten met een boor, zodat hij een doorgang kan forceren in die deur. Ik heb daar veel ervaring mee, dus misschien kan ik u wel helpen.'

Enquist keek hem opnieuw aan, maar nu met beduidend meer interesse. Zonder iets te zeggen keek hij naar Mueller, bij wie een ongelovig lachje rond zijn mondhoeken speelde.

'Ben je soms tandarts?' vroeg hij met een blik naar Enquist.

'Nee,' zei hij onzeker, 'ik ben aan het promoveren aan de technische faculteit, maar ik heb een hobby waarbij ik samen met een aantal medestudenten een robot met een op afstand bestuurbare boor heb gebouwd. Die boor zou ik zonder problemen kunnen overzetten op jullie robotwagentje.'

Enquist zei nog steeds niets. Mueller keek de jongen onderzoekend aan.

'Dus jij hebt een robot met een boor gebouwd?' vroeg hij. 'Mag ik vragen wat dat dan voor een hobby is?'

De jongen kreeg een geestdriftige blik in zijn ogen.

'Hebben jullie wel eens van *Robot Wars* gehoord?' vroeg hij.

Enquist schudde zijn hoofd, maar Mueller knikte.

'Robot Wars? Bedoel je dat televisieprogramma waarbij zelfgebouwde robots elkaar in een soort arena als vechtmachines te lijf gaan?'

'Precies!' zei de jongen. 'Dat bedoel ik. Daar doe ik met mijn team aan mee.'

'Aha,' begreep Mueller. 'En jullie robot is bewapend met een soort dodelijke boor?'

'Ja, inderdaad,' lachte de jongen.

Mueller keek weer naar Enquist, die vruchteloze pogingen deed om hun gesprek te volgen.

'Wat hij bedoelt,' begon Mueller uit te leggen. Vervolgens keek hij weer naar de jongen. 'Hoe heet je eigenlijk?'

'Alex Thompson.'

'Peter Mueller, aangenaam. Wat Alex bedoelt, is dat hij een soort vechtrobot heeft gebouwd die meedoet aan een competitie waarbij zelfgemaakte robots elkaar bestrijden. Meestal worden die robots gebouwd door teams van technische studenten. Ik ken de regels niet precies, maar de robots worden allemaal draadloos bestuurd en ze zijn uitgerust met de meest creatieve aanvalswapens, zoals pneumatische hamers en cirkelzagen, waarmee ze proberen de ander te beschadigen. De winnaar is de robot die de ander met behulp van zijn wapens uitschakelt. Het is een televisieprogramma.'

Enquist knikte. 'Dus die machines proberen elkaar te vernielen?'

Mueller knikte geamuseerd om het gezicht van Enquist. De antropoloog had het programma duidelijk nooit gezien. Mueller keek wel eens naar Robot Wars. Het bouwen van de zeer wendbare vechtrobots was echt een hobby voor techneuten. Als werktuigbouw-kundige vond hij het wel interessant om te zien wat voor originele creaties er bedacht werden door de inventieve studenten.

Hij realiseerde zich dat de vechtrobots ongeveer dezelfde afme-tingen hadden als Pyramid Explorer. Hun techniek leek vrij eenvou-dig toe te passen op zijn eigen wagentje. Dit kon interessant zijn. Mueller kon zich alleen niet herinneren dat hij ooit een robot met een elektrische boor in het programma had gezien.

'Volgens mij heb ik jullie robot nooit op tv gezien. Kun je vertel-len hoe die boor precies werkt?' wilde hij weten.

Alex glimlachte verontschuldigend. 'Helaas zijn we nooit zo ver gekomen,' zei hij met enige spijt in zijn stem. 'Onze tegenstan-ders waren meestal sterker en vooral wendbaarder dan wij. Maar onze boor werkt uitstekend en ik heb veel ervaring met de bedie-ning. De boor is bevestigd op een beweegbare arm en we kunnen hem op afstand bedienen met een joystick. Het toerental is draad-loos te regelen.'

Mueller floot bewonderend tussen zijn tanden en keek naar En-quist.

'Dit is misschien de moeite van het proberen waard, Mark. Als we die boor relatief gemakkelijk zouden kunnen overzetten naar Explorer, dan hoeven we alleen nog maar te oefenen op kalksteen.'

'Dat klopt,' bevestigde Alex. 'Ik heb jullie robot tijdens de pers-conferentie op tv gezien en het lijkt me geen probleem om onze boor over te zetten naar Pyramid Explorer. Onze robot is nu uitge-rust met een metaalboor. Die zullen we moeten vervangen door een steenboor. Verder zullen we inderdaad moeten oefenen op kalk-steen, onder andere om na te gaan of ons materiaal bestand is tegen het stof dat zal vrijkomen tijdens het boren.'

Enquist was nog niet overtuigd. 'Jij bent de deskundige, Peter. Als het inderdaad zo eenvoudig is als Alex beweert, kunnen we deze week nog terugvliegen naar Cairo. Is dat realistisch?'

Mueller keek nadenkend naar Alex en zweeg even. 'Eerst wil ik die robot wel eens aan het werk zien,' zei hij tenslotte. 'Als het me bevalt wat ik zie, kunnen we bekijken of de boor gemakkelijk is over te zetten naar Explorer. Wanneer zou je een demonstratie kunnen geven?'

'Nu meteen,' zei Alex onmiddellijk. 'Ik heb hem bij me.'

'Zo, jij laat er geen gras over groeien, maar waarom ook niet?

Mag ik nog even mijn lunch afmaken?' vroeg hij lachend om de gedrevenheid van de jonge ingenieur.

'Uiteraard,' zei Alex. 'Jullie zullen wel een drukke agenda hebben, dus ik zal hem snel even gaan halen.'

Mueller legde uit waar hij zich zometeen moest melden en de jongen maakte zich uit de voeten.

'Niet te geloven,' zei Enquist.

Mueller knikte. 'Wat ik van die strijdende robots heb gezien, zag er vrij professioneel uit, dus wie weet. Het zou ons in ieder geval erg veel tijd besparen.'

Ze gingen verder met hun lunch en wandelden daarna rustig naar de ruimte die door Mueller was ingericht als werkplaats. Alex stond al voor de deur te wachten met naast zich twee grote metalen koffers. Mueller opende de deur en hielp Alex met het naar binnen dragen van de koffers. In het midden van de werkruimte stond een enorme houten tafel waarop gereedschap en allerlei onderdelen door elkaar lagen. Boven de tafel hingen lage lampen die het werkblad fel verlichtten. Alle kisten met onderdelen en randapparatuur van Pyramid Explorer, die gisteren waren overgevlogen uit Cairo, stonden nog opgestapeld tegen de muur. In het midden van de tafel stond Explorer opgesteld. Kurt Feldmann zat over het inmiddels beroemde wagentje gebogen en keek op toen de drie mannen binnenkwamen.

'Nou, daar staat ie dan,' zei Mueller trots naar zijn creatie wijzend.

Alex staarde geïntrigeerd naar de robot die hij ook op tv had gezien.

'Dit is Alex Thompson,' reageerde Mueller op de vragende blik van Kurt. 'Misschien kan hij ons helpen met het monteren van een boor op Explorer. Laat eens zien wat er in die koffers zit, Alex.'

De student opende het deksel en stak voorzichtig beide armen naar binnen. Langzaam tilde hij een tomaatrode, futuristisch aandoende robotwagen omhoog en zette hem op de grond. De machine leek net als Explorer een beetje op een tank, alleen had hij geen rupsbanden maar wieltjes en in plaats van een kanon stond er een dreigende boor bovenop. Alex opende een klepje aan de achterkant, waaronder zich een klein display bevond. Hij schakelde de systemen van de wagen in en haalde vervolgens een toetsenbord uit de koffer. Hij plugde snel enkele snoeren in het apparaat en pakte een joystick. Toen hij de stuurknuppel beroerde begon het elektrische wagentje met een zoemend geluid te rijden. Eerst een stukje vooruit, toen weer terug en tenslotte liet hij hem behendig een rondje om de tafel rijden.

'Maar dit is natuurlijk niet wat jullie willen zien,' zei hij nadat het gepantserde voertuig weer tot stilstand was gekomen.

'Nee,' beaamde Mueller, 'ik ben zeer benieuwd naar dat wapen bovenop.'

'Ik kan hem niet tegelijkertijd laten rijden en boren,' verontschuldigde hij zich, 'want normaal bedienen we hem met twee personen. Een chauffeur en een boordschutter, zoals wij dat noemen.'

Hij pakte het wagentje en zette het op tafel. Vervolgens concentreerde hij zich weer op zijn apparatuur en liet de boor eerst in horizontale stand een rondje van 360 graden maken. Daarna zette hij hem aan. Terwijl het apparaat een hoog, snerpend geluid begon te produceren, liet hij hem verticaal op en neer bewegen.

Mueller knikte. 'Dat ziet er goed uit.'

'Dit is het proberen waard, Peter,' vulde Kurt aan. 'Zo te zien werkt die boor prima. Als we die over zouden kunnen zetten op Explorer zou ons dat veel werk besparen.'

Enquist werd in zijn overpeinzingen gestoord door de telefoon op zijn bureau. Het was Mueller.

'Mark, we willen je iets laten zien. Heb je tijd om even deze kant op te komen?'

'Natuurlijk,' antwoordde Enquist. 'Als het is wat ik denk dat het is, dan maak ik daar tijd voor.'

'Ik zal je niet teleurstellen,' beloofde Mueller.

Enquist had Mueller de laatste twee dagen niet meer gesproken. Nadat die student, hoe heette hij ook alweer, Alex Thompson, met zijn vechtrobot op de proppen was gekomen, had Enquist de techneuten in hun hok met rust gelaten. Hij had niet verwacht nu al een telefoontje te krijgen.

Even later opende hij de deur van de werkruimte en liep nieuwsgierig naar binnen. Alleen Mueller en Thompson waren aanwezig. Ze stonden bij de grote tafel in het midden van de ruimte. Deze keer was het werkblad voor de helft schoongeveegd. Alle losse onderdelen leken simpelweg naar de andere kant van de tafel te zijn verplaatst, want daar was het zo mogelijk nog een grotere puinhoop dan de vorige keer. Uit de hoeveelheid lege pizzadozen en blikjes frisdrank leidde Enquist af dat er de laatste dagen flink was doorgewerkt. Op de lege helft van de tafel stond een vreemdsoortige constructie van hout en steen die Enquist onmiddellijk herkende als een nagebouwd model van de schacht. Over een lengte van ongeveer een meter hadden ze de schacht op ware grootte nagebouwd.

'Dat ziet er goed uit, heren,' zei Enquist.

Mueller knikte. 'We hebben de omstandigheden in de piramide zo goed mogelijk proberen na te bootsen. En wat vind je van Explorer?'

Enquist wendde zijn blik naar het wagentje, dat ook op tafel stond. Aan de voorkant van de robot was de boor bevestigd die hij eerder op de machine van Alex Thompson had gezien. Verder zag hij dat er een soort voelspriet was bijgekomen. Dat moest de nieuwe minicamera zijn die door het gat gestoken kon worden.

'Ik ben zeer benieuwd,' zei Enquist. 'Krijg ik een demonstratie?'

Op dat moment kwam Kurt binnen. Hij nam meteen plaats achter zijn computer.

'Ga je gang, Alex,' zei Mueller.

De student ging achter een laptop zitten en na enkele toets-aanslagen pakte hij een joystick en liet Explorer langzaam omhoog rijden. Toen hij bij het stenen blok was aangekomen, liet hij hem stoppen. Enquist keek geïntrigeerd toe hoe de boor langzaam in beweging kwam en voorzichtig een perfect rond gat in de steen boorde.

'Prachtig,' zei Enquist onder de indruk.

'Kurt, nu is het jouw beurt,' zei Mueller.

Dit keer was het de buigzame arm met de fiberoptische camera die in beweging kwam. Als een slangenbezweerder bewoog Feldmann de flexibele spriet met zijn joystick naar het gat en stak hem er doorheen. Mueller ging aan het einde van de houten schacht staan en keek in de camera. Op een van de beeldschermen zag Enquist zijn lachende gezicht verschijnen.

'Fantastisch,' complimenteerde hij de technici. 'Dat hebben jullie ongelooflijk snel klaargespeeld.'

'Boek die tickets naar Cairo maar. We zijn er klaar voor,' zei Mueller.

'Tarek Abbara zal niet weten wat hij hoort als ik hem vertel dat we nu al in staat zijn om een gat te boren,' zei Enquist, die niet kon wachten om het nieuws aan het vooraanstaande lid van de SCA te melden. 'En inderdaad,' knikte hij naar Mueller, 'we kunnen de tickets alvast gaan boeken. Wie moeten er mee van je team?'

'Nou,' zei Mueller hardop denkend, 'Ralph Lahaye heeft verplichtingen in Frankrijk. Hij doet daar onderzoek voor zijn afstudeerscriptie.' Hij keek naar Thompson. De promovendus zat gespannen op zijn krukje en de hoopvolle blik in zijn ogen verried dat hij Ralph maar al te graag zou willen vervangen.

'Wat denk jij Kurt?' vroeg hij op een toon waaruit bleek dat hij zijn keuze al had gemaakt. 'Vinden we Alex goed genoeg om mee te nemen naar Egypte?'

'Jouw beslissing baas,' lachte Kurt. 'Ben je een beetje mediageniek, Alex? Misschien kom je wel op tv.'

Thompson knikte aarzelend en keek een beetje onzeker de kring rond.

'Ik denk dat we in Alex een waardige vervanger van Ralph hebben gevonden,' verloste hij Thompson uit zijn onzekerheid. 'Of eigenlijk hebben wij hem niet gevonden, maar heeft hij ons gevonden.'

Enquist liet de ingenieurs weer alleen en liep tevreden terug naar zijn kamer. Hij ging achter zijn bureau zitten en nam direct de telefoon op. Met de hoorn tussen hoofd en schouder geklemd zocht hij het nummer van Abbara op. Plotseling bedacht hij zich dat hij eerst nog iemand anders wilde spreken.

Vincent keek op het display van zijn telefoon om te zien wie hem belde. *Mark Enquist*, zag hij op het oplichtende schermpje.

Enkele dagen geleden was hij samen met Enquist en zijn team mee teruggevlogen naar Londen. In het vliegtuig had hij al in de kranten gelezen over de ontdekking en bij thuiskomst was hij naar alle mogelijke nieuwssites gesurft om maar zo vaak mogelijk te kunnen lezen hoe het nieuws over de spectaculaire vondst ontvangen was. Zodra Pyramid Explorer gereed zou zijn om te gaan boren, zou National Geographic Channel live verslag mogen doen vanuit de piramide van Cheops. De contracten werden al voorbereid. Vincent had opdracht gekregen om de regie te voeren over de live uitzending. Bovendien zou hij een documentaire maken over de ontdekking van de steen in de zuidschacht en over de voorbereidingen op de tweede missie. De film zou uitgezonden worden voorafgaand aan de live-uitzending waarin Explorer zou proberen om een gat in de geheime deur te boren.

Hij nam de telefoon op.

'Dag Vincent,' hoorde hij Enquists stem. 'Hoe gaat het? Maak je al vorderingen met je documentaire?'

'Vorderingen wel, maar hij is nog niet af. Al moet ik zeggen dat het behoorlijk opschiet. Er moeten nog teksten ingesproken worden en ik wil ook nog wat interviews opnemen. Onder anderen met jou.'

'Dat zal dan snel moeten gebeuren, want we kunnen onze koffers weer gaan pakken. Pyramid Explorer is er klaar voor.'

Vincent wist niet wat hij hoorde. 'Wat? Nu al? Maar Peter zei toch dat hij meerdere weken nodig zou hebben om een boor te monteren?'

'Dat was aanvankelijk inderdaad zijn inschatting, maar we zijn toevalligerwijs in contact gekomen met een technische student die verstand heeft van robotwagens. Die knul is fantastisch. Je zult hem nog wel zien, want hij gaat mee naar Egypte als assistent van Peter.'

'Dat is goed nieuws. Ik had eerlijk gezegd mijn koffer nog niet eens uitgepakt. Die interviews kunnen we ook wel in Egypte doen.'

'Dat lijkt mij ook. Zorg maar dat je snel een filmploeg bij elkaar krijgt.'

34

Michelle Rousseau opende de deur van de kapperszaak en snoof de weeïge geur van shampoo en haarlak op. Ze werd verwelkomd door Pierre, een hippe jongen met kort stekelhaar en een piercing door zijn wenkbrauw die haar al jarenlang knipte.

'Hallo Michelle, je bent precies op tijd,' zei hij vrolijk vanachter de balie terwijl hij op de computer in het afsprakenboek keek.

'Ga maar vast zitten,' wees hij, 'ik kom zo bij je.'

Michelle nam plaats voor de spiegel en keek om zich heen. Bijna alle stoelen waren bezet en er werd druk geknipt, gewassen en geföhnd. Aan de muur hing een tv waarop videoclips te zien waren. Helaas duwde de kapper je gezicht altijd met zachte dwang precies de verkeerde kant op, zodat je eigenlijk nooit tv kon kijken tijdens het knippen.

In de spiegel zag ze het lachende gezicht van Pierre opduiken. De kapper kletste altijd honderduit tegen haar, terwijl ze zelf bijna niets terug hoefde te zeggen. Af en toe vond ze dat heerlijk. Pierre rolde druk pratend haar stoel achteruit en legde haar hoofd in een wasbak. Hij zette de sproeier aan en begon vervolgens de shampoo in te masseren.

Michelles gedachten dwaalden af naar de laatste keer dat ze in het laboratorium van Nicolas Moreau was. Nadat ze de wetenschapper uit zijn lugubere cel hadden bevrijd, bleek hij bijzonder snel hersteld van zijn gijzeling. De taaie professor had zich bijzonder veerkrachtig getoond en wilde zich, na een onverwachte verbale confrontatie met zijn tegenstrever Richard Petit, onmiddellijk weer gaan bezighouden met de publicatie van zijn ontdekking. De diefstal van zijn cellen had echter roet in het eten gegooid. Niemand twijfelde eraan dat Walter Beaney opnieuw verantwoordelijk was voor de ontvreemding, maar de politie was het spoor volledig bijster. Walter Beaney leek van de aardbodem verdwenen. Michelle had van Olivier gehoord dat de rechercheurs hem nog betrapt hadden bij zijn appartement, maar dat hij daarna opnieuw ontsnapt was.

Aanvankelijk waren Moreau en Olivier hevig gedesillusioneerd geweest, maar na enkele dagen hadden ze al hun wilskracht bijeen geraapt en waren ze opnieuw aan de slag gegaan. Volgens Olivier was hun onderzoek enkele jaren teruggeworpen in de tijd, waardoor het risico bestond dat ze ingehaald zouden worden door een andere universiteit. Ook Michelle was zeer teleurgesteld. Ze had intensief meegeleefd met de wetenschappers, maar ook haar eigen reportage was nu afgeblazen.

Pierre had de shampoo uit Michelles haar gespoeld en wikkelde geroutineerd een handdoek om haar hoofd. Hij rolde haar terug naar de spiegel en zette met de afstandsbediening de tv op een andere zender. Ze keek met een schuin oog naar de tv en herkende het logo van France 2 boven in beeld. Tevreden stelde ze vast dat Pierre een nieuwsuitzending had opgezet. Ze zag een man die bij de uitgang van een luxueus hotel staande werd gehouden door een aantal journalisten. Er werden microfoons onder zijn neus geduwd en hij beantwoordde vriendelijk enkele vragen. Ze herkende de Engelse antropoloog die vorige week een nieuwe ontdekking in de piramide van Cheops bekend had gemaakt. Veel actualiteitenrubrieken hadden er aandacht aan besteed. Michelle had de berichtgeving op de voet gevolgd omdat ze het een intrigerend idee vond dat er mogelijk een verborgen kamer in de piramide zou bestaan. Geïnteresseerd spitste ze haar oren. Mark Enquist, ze herkende de naam, was na zijn ontdekking naar Londen gereisd, maar blijkbaar was hij alweer met zijn team terug in Cairo.

Pierre nam de handdoek van haar hoofd en haalde zijn schaar tevoorschijn. Hij draaide haar gezicht terug zodat ze weer recht in de spiegel keek, maar ze bleef vanuit haar ooghoeken de uitzending volgen. Dr. Enquist vertelde dat ze voorbereidingen troffen om hun robot opnieuw de schacht in te sturen. Deze keer wilden ze proberen om achter de steen te kijken. Spannend, vond ze. Ze was zelf eigenlijk ook best benieuwd wat de wetenschappers aan zouden treffen. Geboeid bleef ze kijken.

Plotseling veerde ze als door een wesp gestoken rechtovereind in haar stoel en sperde haar ogen wijd open. Zonder haar gezicht af te wenden van de tv greep ze beide stoelleuningen zo stevig vast dat haar knokkels er wit van werden. Ze draaide de stoel met zo'n hevige ruk naar de tv dat Pierre geschrokken een sprongetje achteruit deed. Met kam en schaar in de lucht keek hij haar verbaasd aan.

'Wat is dit nu, Michelle?' stamelde hij.

'Zie je dat?' riep ze terwijl ze gespannen naar de tv staarde.

Pierre keek niet begrijpend naar het beeldscherm.

'Wat bedoel je, Michelle?'

'Nee, nu is hij weer weg,' riep ze nog steeds gebiologeerd naar het scherm starend. 'Let op, daar, links in beeld!'

Ze had niet in de gaten dat de hele kapperszaak nu mee zat te kijken. Pierre begreep er niets van en keek vragend naar Michelle.

'Ik ben bang dat ik niet precies begrijp wat je bedoelt,' probeerde hij voorzichtig.

'Daar!' riep Michelle nu luid. 'Daar, schuin achter Enquist. Daar staat Walter Beaney!'

Ze stond op uit haar stoel en gooide de handdoek die op haar schouders lag van zich af. Pierre staarde haar met open mond aan en leek te denken dat ze haar verstand verloren was.

'Eh, Walter Beaney?'

'Ja, hij is in Egypte! Kijk maar!'

'Wie is in hemelsnaam Walter Beaney?' vroeg Pierre, terwijl de hele zaak geamuseerd toekeek. Het personeel was gestopt met knippen en iedereen keek nieuwsgierig mee.

Michelle realiseerde zich ineens weer waar ze was. Zonder haar ogen van het beeld af te wenden sloeg ze haar natte haar naar achteren en liep langzaam achteruit in de richting van de kassa. Ze pakte haar telefoon tevoorschijn en koos het nummer van Olivier Leblanc. Misschien was het verstandiger om eerst inspecteur Martin of Moreau te bellen, maar Olivier kende ze inmiddels veel beter. Dat vond ze op dit moment vertrouwder.

Wat deed Walter Beaney in Cairo? Was het toeval dat hij in beeld was, of had hij iets te maken met dat onderzoek in de piramide? Misschien logeerde hij alleen maar in hetzelfde hotel als Enquist. Allerlei gedachten flitsten door haar hoofd terwijl ze het toestel naar haar oor bracht.

'*Allo?*'

'Olivier, met Michelle. Heb je een tv in de buurt?' siste ze gejaagd.

'Eh, ja. Hoezo?' luidde het verwonderde antwoord.

'Zet hem op France 2, snel!'

Olivier reageerde haar niet snel genoeg, want ze moest de vraag nog twee keer herhalen voordat hij in beweging kwam.

'Er is een programma over piramides of zoiets,' zei hij uiteindelijk.

'Ja, er wordt een Engelse antropoloog geïnterviewd. Maar kijk eens links achter hem. Zie je wie daar tussen die mensen staat? Achter die blonde man.'

Even was het stil aan de andere kant van de lijn.

'Wat?' hoorde Michelle hem na enkele seconden roepen. 'Walter Beaney? Dat kan niet waar zijn! Wat doet die nu in Egypte?'

'Geen idee,' antwoordde ze. 'Maar hij wordt gezocht voor het ontvoeren van Moreau, dus ik denk dat we het beste de politie kunnen inschakelen. Bovendien is hij het enige aanknopingspunt voor het terugvinden van de cellen. Inspecteur Martin zal wel weten hoe hij contact moet leggen met zijn collega's in Cairo. Ik ga hem direct bellen.'

'Dat lijkt mij ook het beste plan,' vond Olivier. 'Ik zal intussen Nicolas op de hoogte brengen. Jezus, Michelle, wat een toeval dat je net naar die uitzending zat te kijken.'

'Bedankt Pierre maar,' zei ze in de richting van de nog steeds verbouwereerde kapper.

'Pierre?' vroeg Olivier, maar ze had al opgehangen.

35

Vincent betrad voor de tweede keer in zijn leven de piramide van Cheops. Hij knikte naar de twee streng kijkende bewakers bij de ingang en volgde Mark Enquist, die vlak voor hem de schaars verlichte gang inliep.

Onwillekeurig dacht hij terug aan het telefoontje van Enquist, waarin hij had aangekondigd dat ze alweer terug naar Cairo zouden gaan. Het was ongelooflijk snel gegaan. Hij had National Geographic Channel op de hoogte gebracht van de laatste ontwikkelingen en hij had ook het team dat de live-uitzending zou gaan verzorgen ingelicht. Het was maar een klein team, dat voornamelijk bestond uit technici, want het enige wat ze hoefden te doen was het doorstralen van de beelden die Pyramid Explorer zou maken. Om de beelden compleet te maken voor de kijker, was er ook nog een cameraman om opnames te maken van de activiteiten in de Koninginnekamer. In de studio in Londen zouden de beelden vervolgens van live commentaar worden voorzien door een ervaren presentator. Daarnaast had National Geographic Channel een egyptoloog uitgenodigd voor de noodzakelijke diepgang. In alle landen waar de zender te ontvangen was, werden de beelden live uitgezonden.

Toen Vincent alle voorbereidingen in Londen had afgerond, was hij met zijn team naar Cairo gevlogen, waar hij zich weer bij Enquist gevoegd had. Mark had twee dagen geleden weer een drukbezochte persconferentie gegeven. Voor een volle zaal had hij zijn plannen uiteengevouwen en Peter Mueller had uitgelegd wat ze aan Pyramid Explorer hadden veranderd om hem in staat te stellen een gat in de deur te boren. Voor het oog van de camera's hadden ze een korte demonstratie gegeven met het kleine rupsvoertuigje, wat vele kreten van bewondering had ontlokt aan de verzamelde journalisten. Ook de schrijvende pers was in groten getale neergestreken in Cairo en Enquist kon geen stap buiten het hotel zetten of er werd wel een microfoon onder zijn neus geduwd. Het leek hem niet te deren en met een glimlach rond zijn lippen beantwoordde hij geduldig alle vragen.

Op handen en voeten legde Vincent het laatste stukje van de

horizontale gang af. Hij zag dat Enquist al in de Koninginnekamer was aangekomen en even later kon hij ook zijn benen weer strekken. De grote kamer in het hart van de piramide baadde in een zee van licht. Naast Enquist en zichzelf telde hij nog zes anderen in de ruimte. Peter, Kurt, die nieuwe jongen Alex Thompson en twee mensen van NGC, een technicus en een cameraman. Als laatste herkende hij Tarek Abbara. Hij zat op een stoel bij een computer die niet gebruikt werd en leek zich afzijdig te houden. Zodra hij Enquist zag opduiken uit het donkere gat in de muur, veerde hij overeind.

'Mark, blij dat je er bent. Ik heb net van de heren hier begrepen dat alles gereed is om te kunnen beginnen.'

'Dag Tarek. Ja, we hebben de afgelopen dagen alles grondig getest en we verwachten geen problemen. Explorer houdt zich prima en de televisieverbindingen werken uitstekend. Het echt spannende gedeelte gaat pas beginnen op het moment dat we gaan boren. Daarover durf ik nog niets te zeggen.'

'Ik heb er alle vertrouwen in,' lachte Abbara terwijl hij Enquist joviaal op de schouder klopte. 'Ik heb jullie demonstratie tijdens de persconferentie gezien. Daarmee hebben jullie grote indruk gemaakt. En niet alleen op mij, want ik heb e-mails en telefoontjes vanuit de hele wereld ontvangen om jullie succes te wensen. Het lijkt wel of iedereen weet waar we mee bezig zijn.'

'Nou, laten we dan maar starten,' zei Enquist en hij keek naar Vincent, die contact had met de regie in de studio. 'Zijn ze er klaar voor in Londen?'

Vincent keek op zijn horloge en knikte. Zijn documentaire over de eerste rit van Pyramid Explorer was zojuist uitgezonden. Het had hem de nodige inspanning en nachtrust gekost om alles op tijd af te krijgen. Hij stak zijn duim op naar Mueller als teken dat ze konden starten. Deze knikte een tikkeltje gespannen en liep naar het begin van de zuidschacht. Zelfs de altijd zo ontspannen ingenieur werd gegrepen door het idee dat de beelden van Pyramid Explorer de hele wereld over zouden gaan. Hij pakte voorzichtig het voertuig op en plaatste het aan het begin van de smalle schacht. De cameraman van NGC had zijn positie ondertussen ook ingenomen en filmde hoe Mueller naar Kurt knikte dat Pyramid Explorer kon gaan rijden. De camera zwenkte naar de studenten achter hun computers en de kijkers thuis konden zien dat Kurt na enkele muisklikken zijn joystick langzaam van zich af bewoog. De eerste beelden van Explorer verschenen op de monitor en Vincent wist dat de regie in Londen nu zou overschakelen naar de opnames vanuit de schacht. Hij pakte een krukje en ging schuin achter Kurt en Alex zitten, zodat hij over hun schouders kon meekijken op het beeldscherm. Pyramid Explorer was bij het einde van het korte horizontale gedeelte van de schacht aangekomen en stond op het punt om te beginnen aan de beklimming.

36

Walter Beaney was na zijn overhaaste vlucht uit het café waar hij
Karen had achtergelaten lukraak door de straten van Parijs gaan
zwerven. Diep in gedachten passeerde hij winkels, restaurants en
historische bezienswaardigheden zonder er aandacht aan te schen-
ken. Af en toe wendde hij zijn blik af omdat er een politiewagen
passeerde. Na een half uur plofte hij neer op een bankje in een park
en haalde het paspoort tevoorschijn. *United States of America* las hij
weer. De letters blonken in het zonlicht. Karen had hem de oplossing voor zijn problemen op een presenteerblaadje aangereikt. Hij
hoefde alleen maar ja te zeggen tegen de nieuwe opdracht en hij
zou zich in Amerika kunnen vestigen samen met de vrouw voor wie
hij als een blok was gevallen. Dit document zei tenslotte dat hij Amerikaans staatsburger was. Bovendien zou hij met die vijf miljoen euro
financieel onafhankelijk zijn en kon hij eindelijk beginnen met het
onderzoek naar de spierziekte van zijn grootvader. Wat hem ervan
weerhouden had om direct ja te zeggen tegen haar voorstel was die
nieuwe missie waarover ze gesproken had. Bij de vorige opdracht
was hij door het oog van de naald gekropen en die nieuwe klus was
ook niet zonder risico's. Peinzend bleef hij nog even op het bankje
zitten. Eigenlijk had hij geen keus, besefte hij. Karen had gezegd
dat Medical Pharma hem niet langer zou steunen als hij niet mee-
werkte. In dat geval zou hij voortvluchtig blijven in een vreemd land.
Een uitzichtloze situatie. Vastberaden stond hij op. Zijn besluit stond
vast. Zoekend keek hij om zich heen of hij een telefooncel zag. Dat
was niet het geval. In het hele park en ook in de straten eromheen
was geen enkele telefooncel te vinden. Mobiele telefonie had ook zijn
nadelen, maar hij wilde Karen niet bellen met zijn eigen telefoon.
Hij had genoeg films gezien om te weten dat hij dan gemakkelijk te
traceren zou zijn.

Het was druk in het park. Talloze mensen zaten op bankjes en
muurtjes en overal liepen wandelaars. Het viel Beaney op dat veel
mensen een telefoon aan hun oor hadden. Als je erop ging letten leek
het wel alsof de hele wereld met elkaar aan het bellen was. Vlakbij hem
zaten twee meisjes van een jaar of zestien druk te kletsen op een houten

bankje. De een had zojuist een telefoongesprek beëindigd en stopte haar telefoon in een handtas die naast haar op het bankje lag. De rits liet ze open. Beaney zag dat de telefoon een stukje boven de tas uitstak. Hij raapte een grote kiezelsteen van de grond en liep op hen af. Toen hij vlakbij het bankje was gooide hij de steen met een snelle beweging over de meiden heen. Met een harde tik landde de kiezel op de grond en de beide hoofden draaiden automatisch in de richting van het geluid. Precies op dat moment liep Beaney achter het bankje langs en stopte de telefoon van het meisje ongezien in zijn zak. Onverstoorbaar liep hij verder. De twee meisjes hadden geen idee waar de steen vandaan was gekomen en haalden giechelend hun schouders op. Beaney zocht al lopend het nummer van Karen op in zijn eigen telefoon en belde haar met het gestolen toestel. Ze nam direct op en was opgelucht dat hij veilig was ontkomen. Ze vertelde dat op het moment dat ze het café verliet, er een agent was binnengekomen. De politie was duidelijk naar hem op zoek geweest. Beaney vertelde haar op zijn beurt dat hij de nieuwe opdracht wilde uitvoeren en dat hij niet kon wachten om daarna met haar naar de Verenigde Staten te verhuizen. Karen was dolenthousiast geweest. Hij had bewust niets gezegd over de cellen, die hij bij zijn overhaaste aftocht uit de bistro had meegenomen. Die zouden later misschien nog van pas kunnen komen als Medical Pharma zijn beloften eventueel niet na zou komen.

Ze hing op en Beaney liep haastig het park uit om een taxi naar het vliegveld te nemen. Terwijl hij op de rand van het trottoir stond te wachten, viel zijn oog op de gestolen telefoon die hij nog steeds in zijn hand hield. Hij liep al in de richting van een vuilnisbak om het toestel weg te gooien, toen hij plotseling weer aan de twee giechelende meisjes op het bankje dacht. Een van hen miste nu waarschijnlijk haar telefoon. De kans was groot dat ze aangifte bij de politie zou doen wanneer ze in de gaten kreeg dat haar telefoon weg was. In dat geval zouden ze na kunnen trekken welke nummers er met het toestel gebeld waren. Hij besloot geen enkel risico te nemen en keerde op zijn schreden terug naar het bankje in het park. De twee meiden zaten er nog en leken de telefoon niet te missen. Hij liep op dezelfde manier achter het bankje langs en terwijl hij zich bukte attendeerde hij de meisjes erop dat hun telefoon op de grond was gevallen. Ze bedankten hem vriendelijk en Beaney liep met een voldaan gevoel weer terug naar de straat. Hij stapte

323

snel in een taxi die hem naar de luchthaven bracht.

'Daar is de drempel weer,' zei Peter Mueller op een toon die een zekere spanning verried. Hij wees naar de steen die zes centimeter boven de vloer van de schacht uitstak en die ze tijdens de vorige rit pas bij de derde poging hadden kunnen bedwingen. Kurt knikte en liet Pyramid Explorer vlak voor het obstakel stoppen.

'Ik hoop dat het nu minder moeite kost dan de vorige keer,' zei Enquist. 'Jullie hebben toch geoefend in Londen?'

'Jazeker,' knikte Mueller. 'Deze keer zou het geen probleem moeten zijn.'

Walter Beaney keek op het beeldscherm van Kurt, die naast hem zat. Hij herkende de hindernis uit de film die Enquist in Londen aan hem had laten zien en wist dat ze nu bijna bij de geheimzinnige deur waren die verder onderzoek aan de schacht vooralsnog verhinderde.

In de anonieme enveloppe die hij in Parijs van Karen had gekregen, had hij een vliegticket naar Londen en een hotelreservering aangetroffen. Verder vond hij instructies om het onderzoek van professor Enquist in de piramide van Cheops te saboteren. Er werd geen reden genoemd, maar hij nam zich voor om geen vragen te stellen. Hij dacht alleen nog maar aan de mogelijkheden die het geld hem zou bieden. Bovendien had hij vanuit zijn penibele situatie eigenlijk geen keuze. Toen hij las over het plan om met een robotwagentje een gat te boren, wist hij dat zijn vroegere hobby hem goed van pas zou gaan komen.

Nadat hij in Londen was ingecheckt in een hotel, had hij via een naamloze e mail een schat aan achtergrondinformatie over Enquist ontvangen. Er waren gegevens over zijn werk en zijn publicaties, maar hij vond ook informatie over zijn medewerkers, persberichten over zijn recente ontdekking in de zuidschacht en zelfs foto's van het robotwagentje.

De volgende dag was Beaney brutaalweg rond lunchtijd de mensa van het Birkbeck College binnengelopen. Hoewel hij niet eens wist of Enquist wel aanwezig zou zijn, was hij bij de kassa's gaan staan alsof hij op iemand stond te wachten. Hij had geluk. Na een half uur verscheen de man die hij zocht met een dienblad bij de kassa. Hij herkende onmiddellijk het sympathieke gezicht met de scherpzinnige bruine ogen van de foto's uit de e-mail. Hij keek waar

Enquist ging zitten en zag dat een andere man zich bij hem voegde. Ook zijn gezicht kwam hem bekend voor. In gedachten ging hij nog eens door de informatie in de e-mail en hij concludeerde dat de blonde man Peter Mueller moest zijn, de technicus achter Pyramid Explorer. Hij was op het tweetal afgestapt en had zich voorgesteld als Alex Thompson, de naam die in zijn nieuwe paspoort stond. Zo enthousiast als hij kon had hij verteld over zijn vroegere hobby Robot Wars en over de bewapening van zijn vechtmachine. Het verhaal was erin gegaan als koek. Uiteraard had hij die ochtend zijn oude robot al opgehaald, zodat hij direct een demonstratie kon geven. Iedereen was laaiend enthousiast geweest en hij was opgenomen in het team van Peter Mueller. Maar het mooiste van alles was dat Mueller hem gevraagd had om mee naar Cairo te gaan!

Beaney schrok op. Het was tijd om in actie te komen. Hij stond op en liep rustig naar zijn eigen computer. Die had hij op een tafel tegen de uiterste zijde van de Koninginnekamer gezet. Hij had hem bewust achterin de ruimte neergezet, zodat er niemand ongewenst mee zou kunnen kijken op zijn scherm.

In hun werkplaats in Londen hadden ze de hindernis nauwkeurig nagebouwd en terwijl Mueller zich voornamelijk had beziggehouden met het monteren van de camera, had Kurt intensief geoefend met Pyramid Explorer. In de proefopstelling vormde de drempel geen enkel probleem meer en Mueller had de besturing van Explorer deze keer volledig aan Kurt overgelaten. Hij moest het nu voor het oog van vele televisiekijkers daadwerkelijk gaan waarmaken.

Beaney nam plaats achter zijn computer en opende een programma. Mueller, die gespannen de verrichtingen van Explorer zat te volgen, keek op van zijn scherm.

'Zorg jij dat je gereed bent om te gaan boren, Alex? Het kan nu elk moment beginnen.'

Beaney knikte. Hij was er nog steeds niet aan gewend dat iedereen hem hier Alex noemde. Hij concentreerde zich op het beeldscherm en controleerde snel alle instellingen nog een keer. Alles was in orde. Als Explorer voor de stenen deur stond, zou hij onmiddellijk kunnen beginnen met boren. Maar Beaney was helemaal niet geïnteresseerd in wat er achter het schot zat. Hij klikte het programma weg en opende een nieuw venster. Zenuwachtig liet hij zijn blik door de Koninginnekamer gaan, maar niemand lette op hem. Iedereen richtte zijn aandacht op Pyramid Explorer, die voorbereidingen trof om tegen de drempel op te gaan rijden.

Na lang nadenken was hij tot de conclusie gekomen dat hij het beste kon proberen om Pyramid Explorer tijdens zijn rit omhoog met behulp van explosieven tot ontploffing te brengen. In zijn tijd bij Robot Wars hadden ze wel eens geëxperimenteerd met lichte explosieven als aanvalswapen. Met een mechanische katapult kon je kneedbare explosieven als een soort kauwgum op je tegenstander afvuren die je vervolgens tot ontploffing kon brengen. Die ervaring kwam nu goed van pas. Hij had de anonieme opdrachtgever per e-mail laten weten dat hij C4 nodig had. Hij wilde een kleine hoeveelheid van dit kneedbare explosief samen met een elektrische detonator ergens in Pyramid Explorer verstoppen, zodat hij de robot vanuit de Koninginnekamer tot ontploffing zou kunnen brengen als deze zich diep in de schacht bevond. Explorer was maar een klein wagentje, dus veel plek om explosieven te verstoppen was er niet. Dat hoefde geen probleem te zijn, want een geringe hoeveelheid C4 zou al voldoende zijn om de robot onklaar te maken en de schacht voor een klein gedeelte te laten instorten. Als de gang vol met brokstukken lag, zou het onmogelijk zijn om het stenen luik nog te bereiken. Op die manier zou niemand ooit te weten komen wat er zich achter het luik bevond en daarmee zou de missie geslaagd zijn.

Tot zijn schrik had hij later een e-mail ontvangen waarin stond dat er niet alleen verwacht werd dat hij Pyramid Explorer onklaar zou maken, maar dat hij ook Enquist moest uitschakelen. Hij had nog gevraagd wat ze precies met uitschakelen bedoelden, maar daar had hij geen antwoord op gekregen. Instinctief had hij aangevoeld dat het weinig goeds voorspelde. Vijf miljoen euro en een veilig leven met Karen in de Verenigde Staten waren echter zo'n aanlokkelijk vooruitzicht dat hij weigerde naar zichzelf te luisteren.

Een dag na zijn aankomst in Cairo zei de receptionist dat er een pakketje voor hem was afgegeven en hij overhandigde hem een klein kartonnen doosje. Beaney nam het nieuwsgierig in ontvangst en bekeek de buitenkant. Hij kon geen afzender ontdekken. Op zijn kamer had hij het snel opengemaakt. Naast de explosieven en de ontsteker waar hij om gevraagd had, trof hij een kleine zwartmetalen cilinder aan, die verpakt was in schokvrij materiaal. Aan beide zijkanten zat een zilverkleurige dop. Verbaasd pakte hij het glanzende voorwerp uit de doos en hield het omhoog. Het had ongeveer het formaat van een lipstick, maar dan zwaarder omdat het van metaal was. Besluiteloos liet hij de cilinder op zijn hand balanceren toen zijn oog op een briefje viel dat naast de cilinder in het doosje had gelegen. *Niet laten vallen! Check je e-mail.* Aanvankelijk was hij hevig geschrokken van de uitleg, want tot zijn grote ontsteltenis bevatte de cilinder het uiterst dodelijke zenuwgas VX. Er werd van hem verwacht dat hij de VX-capsule samen met de explosieven zou aanbrengen in Explorer. Door de schok van de explosie zou de capsule breken en zou het gas, dat zwaarder was dan lucht, door de schacht naar beneden zakken en iedereen in de Koninginnekamer vergiftigen. Op die manier zouden ze twee vliegen in een klap slaan. Door Pyramid Explorer op te blazen zou de schacht volledig geblokkeerd worden en tegelijkertijd waren alle betrokkenen uit de weg geruimd.

Beaney was verbijsterd geweest. Wilden ze werkelijk zo ver gaan? Vroegen ze hem om mensen te vermoorden? Hij had zijn bedenkingen geuit, maar ze hadden hem op het hart gedrukt om deze laatste opdracht toch vooral uit te voeren. Alles zou voor hem geregeld worden. Na zijn actie zou hij met vijf miljoen euro op zak onder zijn nieuwe identiteit op het vliegtuig kunnen stappen om op te gaan in anonimiteit. Karen zou zich bij hem voegen. Als hij weigerde verviel het aanbod met alle rampzalige gevolgen van dien.

Feitelijk had hij geen andere keus, dacht hij na zijn aanvankelijke scepsis. Wat moest hij anders? Als hij niet op het voorstel inging, bleef hij voortvluchtig voor de politie en zou hij zijn geliefde vak nooit meer kunnen uitoefenen. Sterker nog, als hij werd opgepakt, zou hij waarschijnlijk voor vele jaren achter de tralies verdwijnen. Dit was de enige manier om daaraan te ontsnappen. En bovendien, als die geheimzinnige organisatie bereid was over lijken te gaan, wat zou zijn eigen lot dan wel niet worden als hij de opdracht weigerde?

Het plaatsen van de explosieven en het zenuwgas was een koud kunstje geweest. Toen iedereen gisteren aan het eind van de dag de Koninginnekamer verlaten had, was hij achtergebleven om zogenaamd nog wat instellingen van de boor te controleren. Beaney was een volwaardig lid van het team geworden en iedereen vertrouwde hem volledig. Behoudens de bewaking bij de ingang had hij het rijk alleen in de piramide. Nadat hij de bodemplaat van Explorer had losgeschroefd, had hij het C4 stevig aangeduwd in de ruimte tussen de rupsbanden. Vervolgens had hij de detonator in de kleiachtige substantie gestoken en het ontstekingsmechanisme via een dun draadje onzichtbaar aangesloten op de elektriciteitskabel waarmee Pyramid Explorer gevoed werd. Als allerlaatste had hij heel voorzichtig de kleine capsule met VX aangebracht. In de e-mail had hij gelezen dat het gas niet zomaar uit de capsule kon ontsnappen, maar dat er een behoorlijke schok, zoals een explosie, voor nodig was. Toch was hij uiterst zorgvuldig te werk gegaan. Met tape had hij de zwarte cilinder bevestigd en hij hoopte dat niemand Explorer per ongeluk zou laten vallen zolang hij nog in de Koninginnekamer was. Na de explosie was het zaak om zo snel mogelijk een veilig heenkomen te zoeken. Hij wist niet precies hoe lang het zou duren voordat het gas vanuit de lange schacht de Koninginnekamer had bereikt, maar hij was niet van plan om zelf slachtoffer te worden.

'Heel goed!' hoorde hij Enquist zeggen. 'In één keer gelukt!'

Kurt had Pyramid Explorer bij de eerste poging op de drempel gekregen.

'Nu kunnen we vol gas doorrijden naar de steen,' zei Mueller.

Abbara stond met zijn neus bovenop het beeldscherm van Mueller en bestudeerde de beelden minutieus.

'Het is inderdaad treffend hoe het steenhouwwerk in de schacht op dit punt opeens overgaat van een ruw en ongelijkmatig oppervlak naar mooie, glad gepolijste wanden,' zei hij bewonderend. 'Alsof de bouwers hebben willen aangeven dat er iets belangrijks aankomt.'

Beaney voelde zijn hart in zijn keel bonken. Dit was het moment. Pyramid Explorer was bijna op het verste punt in de schacht aangekomen. Nu zou hij de explosieve lading tot ontploffing moeten brengen. Bloednerveus keek hij om zich heen. Nadat hij had gehoord hoe giftig het VX-gas was, had hij even gegoogeld wat het zenuwgas precies zou aanrichten. Hij rilde bij de gedachte dat de mensen in de Koninginnekamer zometeen schuimbekkend en volledig verkrampt ter aarde zouden storten wanneer ze het gas zouden inademen of er zelfs maar een druppeltje van op hun huid zouden krijgen. De slachtoffers zouden hevig brakend alle controle over hun lichaam verliezen, onvrijwillig hun ontlasting laten lopen en wild stuiptrekkend aan hun einde komen.

Beaney zette de gruwelijke gedachte van zich af en bewoog met zijn muis langzaam de cursor in de richting van de button die het ontstekingsmechanisme in werking zou zetten.

37

'Dank u,' zei Michelle tegen de Egyptische douanier terwijl hij haar paspoort terugschoof en de volgende uit de rij wenkte. Ze liep door, maar bleef een stukje verderop stilstaan om op Nicolas Moreau te wachten die achter haar in de rij stond. Toen ook de wetenschapper een stempel in zijn paspoort had ontvangen, liepen ze samen door op weg naar de bagageband om hun koffers op te halen.

Nadat Michelle vanuit de kapperszaak haastig Olivier had gebeld om te vertellen dat Walter Beaney zich om onduidelijke redenen in Cairo bevond, had ze onmiddellijk contact opgenomen met inspecteur Martin. Ze had uitgebreid haar verhaal gedaan, waarna Martin direct in actie was gekomen. Eerst had hij hoofdcommissaris Lambert op de hoogte gebracht. Omdat er al een internationaal opsporingsbevel tegen Beaney liep, had Lambert geadviseerd om via Interpol contact te leggen met de politie in Egypte.

Ondertussen had Olivier het nieuws overgebracht aan Moreau. Die was overeind gesprongen en wilde onmiddellijk op het vliegtuig naar Cairo stappen. Ze wisten niet eens zeker of Beaney de cellen nog wel had, maar hij was hun enige kans. Na gezamenlijk overleg was er besloten dat Moreau samen met Michelle naar Egypte zou gaan. Ze had toestemming van David Girard gekregen om haar reportage weer op te pakken en Moreau was vastbesloten om zijn cellen terug te gaan halen. Aangezien ze beiden in staat waren om Beaney te identificeren, had Martin geen bezwaar gehad dat ze de Egyptische recherche zouden assisteren. Ze hadden hem wel moeten beloven om niets op eigen houtje te doen en alle aanwijzingen van de Egyptische politie op te volgen. Olivier zou in Parijs achterblijven om de dagelijkse leiding over het laboratorium op zich te nemen.

'Zo,' zei Moreau terwijl hij hoffelijk Michelles koffer van de bagageband tilde en hem op haar bagagekarretje zette. 'Ik ben benieuwd wie ons op komt halen. Ik heb geen idee met wie Martin gesproken heeft.'

'Ik ook niet,' schudde Michelle, 'maar dat zullen we zo zien.'

Vanuit de relatieve rust van de bagageafhandeling duwden ze

hun karretjes de aankomsthal in, waar de mensen drie rijen dik stonden te wachten en iedereen door elkaar schreeuwde en met naambordjes zwaaide. Een beetje overweldigd door de Afrikaanse hectiek bleven ze staan en keken zoekend in het rond.

'Daar,' knikte Michelle in de richting van een Egyptenaar in pak die een beetje afzijdig stond met een A4'tje voor zijn borst.

'Dr. Moreau?' vroeg de man toen hij hen zag naderen.

Moreau knikte. 'En dit is Michelle Rousseau van France 2. Ze maakt een reportage.'

De man stak zijn hand uit. 'Mijn naam is Hossam, recherche, aangenaam. Volgt u mij alstublieft.'

Ze liepen achter hem aan naar buiten. Hossam had zijn auto tussen de taxi's bij de hoofdingang van de luchthaven geparkeerd. Hij opende de kofferbak, zette hun bagage erin en gebaarde dat ze op de achterbank konden plaatsnemen. Toen Michelle instapte zag ze dat er al een chauffeur achter het stuur zat.

'Dit is mijn collega Abdelwahab,' zei Hossam terwijl hij voorin ging zitten. 'We werken samen aan de zaak Enquist.'

Michelle opende haar mond om wat te zeggen, maar Hossam was haar voor. Terwijl de auto optrok, draaide hij zich half om in zijn stoel en haalde een printje uit zijn map.

'Ik heb van Interpol begrepen dat jullie op zoek zijn naar Walter Beaney,' zei hij zonder op te kijken van het papier. 'Verder zou er een verband zijn tussen Beaney en Mark Enquist, die momenteel onderzoek verricht in de piramide van Cheops.'

Hossam keek vragend naar de achterbank. 'Klopt dat?'

'Nou,' zei Michelle aarzelend, 'in Frankrijk zag ik een interview met Enquist op tv en Beaney stond schuin achter hem. Voor ons was het belangrijkste dat we hem daardoor weer op het spoor kwamen. Ik weet niet zeker of er een verband met Enquist is. Ik heb het in ieder geval nog niet kunnen ontdekken.'

'In mijn vak kom ik zelden toevalligheden tegen. We moeten uit zien te vinden wat hem naar Cairo heeft gebracht.'

Hossam overhandigde een blad papier uit zijn map aan Michelle.

'Ik heb dat televisiefragment nog niet gezien, dus ik weet niet hoe Walter Beaney eruit ziet. Ik heb wel de namen van de leden van Enquists team opgevraagd. Zitten er bekenden bij?'

Michelle keek naar de lijst. Enquist, Mueller, Albright, Feldmann, Thompson en nog enkele andere namen. Het zei haar allemaal niets. Ze gaf het blad door aan Moreau, maar ook die schudde zijn hoofd nadat hij de namen had gelezen en gaf het papier terug aan Hossam.

'U zei net dat u en uw collega werken aan de zaak Enquist,' merkte ze op. 'Mag ik vragen wat de zaak Enquist inhoudt?' Waarom was de politie ook geïnteresseerd in een antropoloog die onderzoek deed aan een piramide?

'Dat zal ik u vertellen,' zei Hossam.

Terwijl Abdelwahab onder de slagboom door het vliegveld afreed, vertelde de rechercheur over de overval op Enquist in Cairo en de gebeurtenissen in Londen.

Michelle en Moreau keken elkaar aan.

'De rest van het verhaal kennen jullie. U, mevrouw Rousseau, hebt blijkbaar een voortvluchtige ontvoerder herkend op tv, dat was Walter Beaney. En u, dr. Moreau, was het slachtoffer van die ontvoerder. Later heeft Beaney nog iets eh,' Hossam zocht naar het juiste Engelse woord, maar hij wist het niet precies, 'iets uit uw laboratorium gestolen.'

Hossam keek hen beurtelings aan. 'Klopt dat tot zover?'

'Dat klopt, helaas,' antwoordde Moreau.

'Ik werk al twintig jaar bij de recherche, maar ik heb nog nooit meegemaakt dat ik vlak na elkaar twee aanwijzingen uit verschillende landen krijg, die allebei naar dezelfde persoon leiden, dus naar Enquist in dit geval. Nogmaals, in mijn vak geloven we niet in dergelijke toevalligheden. Hebt u enig idee of er een connectie bestaat tussen Walter Beaney en Mark Enquist?'

Moreau schudde zijn hoofd. 'Ik zou het niet weten. Ik had nog nooit van Mark Enquist gehoord.'

'Voor mij geldt hetzelfde,' zei Michelle.

'De overvaller in Cairo en de inbreker in Londen zouden nog dezelfde persoon kunnen zijn,' zei Hossam. 'Maar Walter Beaney moet een ander zijn. De gebeurtenissen in Londen en Parijs vonden namelijk min of meer tegelijkertijd plaats.'

Hij liet een van de foto's zien. 'Zegt dit jullie wat?'

Op de foto zagen ze een gouden zegelring met een felgroene steen in het midden. Moreau haalde laconiek zijn schouders op. 'Nee, sorry.'

Michelle keek echter strak naar de afbeelding. Die ring had ze eerder gezien. Hossam zag haar reactie en reikte de foto aan. Ze kneep haar ogen samen en staarde met ingehouden adem naar het gouden sieraad. *Deo volente* las ze. Waar had ze die ring eerder gezien? Ze dacht koortsachtig na, maar ze kon er niet opkomen.

'Ik herken die ring,' zei ze tenslotte. 'Maar ik weet niet meer bij wie ik hem gezien heb. Ik kan er niet opkomen.'

Hossam keek Michelle indringend aan. 'Hebt u die ring eerder gezien? Deze foto is gemaakt in Engeland.'

Hij keek even peinzend uit het raam en leek te overdenken wat dit betekende voor de zaak. 'Dit bevestigt in ieder geval mijn vermoeden dat de gebeurtenissen in Londen en Parijs iets met elkaar te maken hebben,' concludeerde hij. 'En Enquist lijkt in beide gevallen een rol te spelen.'

Hij vertelde kort het verhaal over de inbraak en de afgerukte vinger en liet de bijbehorende foto's zien. Michelle gruwelde toen ze de losse pink zag en wendde haar hoofd af. Waar had ze die ring eerder gezien? In gedachten zag ze hem zo voor zich, maar ze wist het echt niet meer.

'Ik kom er nog wel op,' zei ze tegen Hossam. 'Waar brengt u ons eigenlijk naartoe? Naar ons hotel?'

'Ja,' knikte hij. 'We hebben kamers voor jullie gereserveerd in een hotel op het plateau van Gizeh. Enquist logeert daar ook. Ik heb begrepen dat het televisiefragment waarop u Beaney herkende is gefilmd bij de ingang van dat hotel. Dr. Enquist werd op die plek geïnterviewd en Walter Beaney was daar op dat moment dus ook. Daarom leek het me een goede locatie om te beginnen met zoeken.'

'Klinkt logisch,' vond Michelle.

'Als ik Walter daar tegenkom, kan hij maar beter rennen voor zijn leven,' zei Moreau.

'Nou, nou,' zei Hossam, 'laat dat maar aan ons over. U kunt ons beter van dienst zijn door zoveel mogelijk informatie over Walter Beaney te geven. Alles kan helpen in dit onderzoek.'

Hossam wilde meer details weten over de ontvoering van Moreau, hoe hij behandeld was en over de diefstal van de cellen. Moreau leunde achterover in de kussens en gaf rustig antwoord op al zijn vragen.

'Wat is er eigenlijk zo bijzonder aan die cellen, dr. Moreau?' vroeg Hossam tenslotte. 'Wat maakt ze zo speciaal dat u er de halve wereld voor afreist om ze terug te krijgen?'

Moreau keek hem aan. 'Elk van de 100 triljoen cellen waar u en ik uit bestaan, is een extreem geavanceerde fabriek; zo uitermate complex dat ik me er nog dagelijks over verbaas dat zoiets schitterends vanzelf heeft kunnen ontstaan.'

Michelle voelde aan waar het gesprek naartoe ging. Dit verhaal had ze al vaker gehoord. Moreau begon aan Hossam uit te leggen wat er zo bijzonder was aan zijn eigenhandig gecreëerde cellen en de rechercheur, een gelovig moslim, had hier zo zijn bedenkingen bij. Terwijl er tussen de twee een gesprek op gang kwam, staarde ze gedachteloos door het raam naar buiten. De wagen stopte voor een verkeerslicht en ze keek naar de druk claxonnerende stoet optrekkende auto's, vrachtwagens en brommers die aan haar voorbij trok. Het aandeel oude voertuigen was groot en er steeg een blauwgrijze wolk van uitlaatgassen op die door de openstaande raampjes naar binnen drong. Ze sloot snel haar raampje, maar voelde direct de hete zonnestralen door het glas naar binnen branden. Zuchtend deed ze het raampje weer naar beneden en keek naar de passerende voetgangers op het trottoir.

Opeens werd haar aandacht getrokken door een elektronicazaak. Tussen een fruitverkoper die bij zijn houten kar mandarijnen stond af te wegen en de hoog opgestapelde vijgen, meloenen en sinaasappels door, zag ze een rij televisieschermen in de etalage die allemaal dezelfde zender hadden opstaan. Wat ze zag was een verlichte witte gang die aan het einde geblokkeerd werd door een deur met twee zwarte handvatten. Het einde van de gang kwam langzaam dichterbij.

Verwonderd tikte ze Hossam op zijn schouder. De rechercheur was nog steeds druk in gesprek met Moreau en keek haar vragend aan.

'Is dat niet het project van Mark Enquist?' wees ze.

Met opgetrokken wenkbrauwen draaide Hossam zijn hoofd en keek naar buiten. Hij zag onmiddellijk wat Michelle bedoelde.

'Dat klopt,' beaamde hij. 'Dit zijn beelden van dat robotwagentje. National Geographic Channel doet vandaag live verslag van de expeditie van dr. Enquist. Ze willen proberen om een gat te boren in die stenen deur om te kijken wat erachter zit. Er is de laatste dagen veel over gespeculeerd in de pers.'

'Ik heb het gelezen,' knikte Michelle. Ze had de berichtgeving over de zuidschacht vanaf het begin al met interesse gevolgd, maar

333

sinds ze Walter Beaney in de buurt van Enquist had gezien, was ze op zoek gegaan naar zoveel mogelijk informatie over zijn onderzoek in de piramide. Ze had alle berichten als een spons in zich opgezogen in de hoop dat ze ergens een link naar Walter Beaney zou aantreffen. Vooralsnog was dat niet gelukt.

'Dat wagentje,' zei Michelle, 'Pyramid Explorer heet hij, is nu bijna bij het einde van de schacht. Dat betekent dat ze waarschijnlijk elk moment kunnen beginnen met boren.'

Hossam knikte. 'Daar lijkt het wel op. Laten we zo snel mogelijk naar de piramides rijden. Het feit dat Beaney zich tijdens dat interview in de buurt van Enquist bevond is het enige aanknopingspunt dat we op dit moment hebben. Als dat geen toeval was, dan bestaat de kans dat hij nu, op het hoogtepunt van de expeditie, ook in de buurt van Enquist zal zijn.'

'En Enquist is op dit moment in de piramide, dat kan niet missen,' vulde Michelle aan. 'Misschien zijn we nog op tijd.'

Het stoplicht werd groen en Abdelwahab duwde het gaspedaal in. De anderen wierpen nog een laatste blik op de televisies in de etalage en zagen dat het wagentje inmiddels vlak voor de geheimzinnige witte deur stond.

'Ze zijn bij het einde van de schacht,' zei Michelle. 'We moeten echt opschieten.'

'We doen ons best,' zuchtte Hossam naar het drukke verkeer wijzend, 'maar het zal niet meevallen.'

De straat waarin ze stonden was hopeloos verstopt. Op de driebaans weg reden de auto's stapvoets vier tot vijf rijen dik. Er was geen enkele mogelijkheid om in te halen. De Egyptenaren leken zich niets aan te trekken van de witte strepen op het wegdek. Links en rechts werden ze gepasseerd door brommertjes die iets meer snelheid konden maken.

'Kunnen we niet achterop zo'n scooter springen?' opperde Moreau.

'Ik heb een andere troefkaart die we in kunnen zetten,' zei Hossam.

Hij boog zich voorover en haalde een blauw zwaailicht tevoorschijn dat hij via het open raampje op het dak van de auto plaatste. Abdelwahab duwde een knop op het dashboard in en de passagiers op de achterbank hoorden dat de sirene begon te loeien.

'Hopelijk gaan we nu wat sneller,' glimlachte Hossam.

Bij het horen van de gillende sirene begonnen de auto's voor hen langzaam uiteen te wijken voor zover dat mogelijk was in de opeengepakte blikmassa. Dit ging een eeuwigheid duren, dacht Michelle, en ze liet zich achterover in de kussens vallen. Opnieuw probeerde ze te beredeneren wat de connectie tussen Beaney en Enquist zou kunnen zijn. Mark Enquist was iemand die zich bezighield met de klassieke oudheid. Ze liet alle artikelen die ze de laatste tijd over hem en zijn onderzoek had gelezen opnieuw de revue passeren, maar ze kon nog steeds geen verband vinden tussen de antropoloog en de natuurwetenschapper. Toch was Enquist, zoals Hossam terecht had gezegd, het enige aanknopingspunt dat ze op dit moment hadden.

Michelle zag dat de file langzaam oploste en keek op haar horloge. Pyramid Explorer zou inmiddels wel begonnen zijn met boren. Abdelwahab kon inmiddels weer stevig doorrijden en zette de sirene af. Hossam haalde het zwaailicht van het dak. Ze kwamen nu snel dichterbij het plateau van Gizeh. Moreau was even later de eerste die ze zag.

'Daar!' wees hij toen hij plotseling aan het einde van de straat de machtige bouwwerken boven de stad zag uittorenen.

'Wow,' zei Michelle, die nog nooit in Egypte was geweest. 'Ik had me nooit gerealiseerd dat ze zo groot waren.'

Met ontzag keek ze naar de stenen kolossen, die steeds groter leken te worden naarmate ze dichterbij kwamen.

'Ze zijn inderdaad gigantisch,' constateerde ook Moreau. 'Ik neem aan dat we geen tijd hebben om een rondleiding te doen,' glimlachte hij tegen beter weten in.

'Nee,' schudde Hossam een beetje geërgerd. Hij had zijn blik weer op de weg gericht en zag Moreau's gezichtsuitdrukking niet, waardoor de typische ironie van de wetenschapper hem ontging.

'We rijden rechtstreeks naar de Grote Piramide. Jullie bagage brengen we later wel naar het hotel. Ik zal de bewakingsdienst alvast opdracht geven om de omgeving uit te kammen. De ghafirs hebben weliswaar nog geen signalement van Beaney, maar zodra we er zijn geef ik dat direct door aan kapitein Mido.'

'Wie is kapitein Mido?' wilde Michelle weten.

'De chef van de beveiliging. Hij kan het dan vervolgens doorgeven aan zijn mensen.'

Ze waren nu bij de rand van de stad aangekomen en hadden

voor het eerst vrij zicht op de drie piramides. Terwijl Hossam zat te bellen, reed Abdelwahab het plateau van Gizeh op en stopte vlakbij de ingang van de piramide van Cheops. Michelle opende meteen het portier en stapte snel uit. Bewonderend bleef ze naast de auto staan en keek eerbiedig omhoog naar de reusachtige steenmassa. Voor een moment werd ze bevangen door het legendarische monument. Bij de ingang van de Grote Piramide stond een satellietwagen en ze herkende het gele rechthoekige logo van National Geographic. Ze stootte Moreau aan, die naast haar was komen staan.

'Zie je dat? Van daaruit worden de beelden doorgestuurd naar de rest van de wereld.'

Moreau knikte. 'Volgens mij is hij vandaag gesloten voor het publiek. Kijk maar, de bewakers sturen iedereen terug.'

Michelle kneep haar ogen tot spleetjes tegen de felle zon. In de buurt van de ingang zag ze opvallend veel uniformen rondlopen en er dropen inderdaad meerdere groepjes toeristen teleurgesteld af. Een gids legde met brede armgebaren in de richting van de satellietwagen aan zijn gezelschap uit wat er aan de hand was en boven aan de uitgehouwen trap naar de ingang verscheen een bleke man die een beetje verdwaasd over de zandvlakte staarde alsof hij hevig ontgoocheld was dat hij niet naar binnen mocht. Dat was vast iemand die lange tijd had toegeleefd naar een bezoek aan de piramide en nu onverwacht de toegang werd geweigerd. Haar ogen bleven onbewust rusten op de man die even uit het zicht verdween toen hij de trap afdaalde, maar aan de voet van de piramide weer tevoorschijn kwam. Ze kreeg bijna medelijden met de gedesillusioneerd rondkijkende man. Zijn lichaamstaal kwam haar bekend voor. Vreemd trouwens dat hij helemaal bij de ingang had mogen komen. Alle andere toeristen werden onderaan de trap al tegengehouden door de bewakers. Ze hield beide handen boven haar ogen en ingespannen turend naar de figuur bij de piramide probeerde ze beter te focussen. Ineens zag ze het. De onzekere man met het rossige haar die daar zoekend om zich heen stond te kijken was Walter Beaney! Even kon ze geen woord over haar lippen krijgen. Naar adem happend gaf ze Moreau een harde por in zijn ribben en wees driftig in de richting van Beaney, die langzaam en nog steeds hulpeloos om zich heen kijkend weg begon te lopen van de ingang. Moreau begreep niet wat Michelle bedoelde en keek haar met een pijnlijk gezicht vragend aan.

'Walter Beaney!' bracht ze eindelijk uit.

'Wat?' Met zijn hand op de pijnlijke plek keek Moreau opnieuw in de aangewezen richting en herkende zijn voormalige collega nu ook.

'Eropaf!' schreeuwde hij furieus en hij begon alvast te rennen. De gedachte aan zijn cellen gaf hem vleugels.

'Nee, voorzichtig!' riep Michelle. Ze herinnerde zich de ijzeren greep van Beaney bij de Seine in Parijs en wist uit eigen ervaring waartoe hij in staat was. Moreau stoorde zich echter niet aan haar waarschuwing en rende gewoon verder.

Beide portieren van de auto vlogen open en Hossam informeerde verbaasd wat er aan de hand was.

'Walter Beaney is daar,' wees ze. 'Ik kon Nicolas niet meer tegenhouden.'

Hossam overzag de situatie in een oogwenk en rende direct achter Moreau aan. Hij trok zijn badge tevoorschijn en begon met handgebaren de alom aanwezige bewakers te waarschuwen. Abdelwahab boog zich snel voorover in de politiewagen en greep naar de portofoon om zijn collega's te waarschuwen. Michelle woog even haar opties af en besloot om achter Hossam en Moreau aan te lopen.

38

'Stop maar,' zei Peter Mueller.

Kurt liet de joystick los en liet zich achterover in zijn stoel zakken om even te kunnen ontspannen. Hij had Pyramid Explorer zojuist zeer geconcentreerd omhoog gereden en was nu vlak voor de stenen deur gestopt. Er viel een stilte in de Koninginnekamer en iedereen keek elkaar gespannen aan. Dit was het moment.

'Kunnen we meteen gaan boren?' informeerde Vincent. 'We kunnen al die televisiekijkers niet te lang laten wachten.'

Mueller knikte. 'We kunnen beginnen. Kurt, als jij hem in de schacht verankert, dan kan Alex een gat gaan boren.'

Kurt knikte en liet de bovenste rupsbanden voorzichtig stijgen zodat Explorer stevig klem kwam te zitten in de schacht.

Walter Beaney keek zenuwachtig de ruimte rond. Met zijn rechterhand bewoog hij langzaam de muis en trillend tilde hij zijn wijsvinger op. Met één muisklik kon hij Pyramid Explorer en een gedeelte van de schacht opblazen, waardoor het gas sissend vrij zou komen. Maar omdat hij degene was die nu in actie moest komen met Pyramid Explorer, keek iedereen op dit moment in zijn richting. Hij kon nu niet zomaar weglopen. Dan zouden ze hem achterna komen om te vragen wat er aan de hand was.

Hij werd overmand door twijfels. Had hij eerder op de knop moeten duwen? Dan had hij nu al veilig buiten gestaan. Hij vervloekte zichzelf, want daar was het nu te laat voor. Peter Mueller liep zijn kant al op. Snel klikte hij het venster waarin hij het ontstekingsmechanisme kon bedienen dicht en opende de besturingssoftware. Mueller kwam naast hem staan en trok er een krukje bij.

'Oké Alex, nu wordt het jouw feestje. Dit is waarvoor we je erbij hebben gehaald.'

Beaney knikte. 'Ik ben er klaar voor.'

Hij probeerde zelfverzekerd over te komen, maar hij voelde zich allerminst op zijn gemak. Dat boren zou niet het probleem zijn. Ze hadden zo intensief geoefend dat het bijna niet mis kon gaan. Wat hem zorgen baarde was datgene wat ze aan zouden treffen aan de andere kant van het schot. Wat als de piramide haar geheim zou prijsgeven? Wat als zijn opdrachtgevers de mislukking op hem zouden afreageren? Hij had het C4 eerder tot ontploffing moeten brengen, maar hij had het steeds uitgesteld omdat hij bang was om zelf slachtoffer te worden. Bovendien zou het hem tot een moordenaar maken. Dat had hij zich al eerder gerealiseerd, maar toen had het allemaal nog zo ver weg geleken.

Hij vermande zich en concentreerde zich op het beeldscherm. Hij zou zijn moment nog wel kiezen. Met de joystick bewoog hij de boor langzaam in de richting van de steen. Hij deed precies wat ze talloze malen geoefend hadden en wat ze gisteren nog uitgebreid hadden doorgesproken. Op het moment dat de boor de muur raakte, liet hij de joystick los. De boorkop rustte precies op het midden van de onderste helft van het stenen schot. Vragend keek hij naar Mueller. Die keek op zijn beurt naar de overige aanwezigen.

'Wat ons betreft kunnen we beginnen.'

'Ik kan niet wachten,' zei Enquist enigszins gespannen en ook Vincent en Tarek Abbara knikten om aan te geven dat wat hen betreft alles gereed was. De NGC-technicus stak zijn duim in de lucht.

'Nou, daar gaan we dan,' zei Mueller. 'Camera gereed? Aan jou de eer, Alex.'

De cameraman van NGC kwam naast Beaney en Mueller staan om de mensen achter de knoppen van Pyramid Explorer te filmen. Beaney haalde diep adem en zette met een druk op de knop de boor in beweging. Traag begon het apparaat met zijn roterende beweging. Toen er een mooi rond gat ontstond in het zachte kalksteen, voerde hij het toerental op en liet de boor dieper in de sluitsteen doordringen. Langzaam verdween de boor enkele centimeters in het poreuze materiaal. Beaney bracht de boor even tot stilstand en controleerde enkele gegevens op zijn beeldscherm.

'We zijn nu vier centimeter doorgedrongen in de steen.'

Mueller knikte en keek naar Abbara, bij wie de spanning van zijn gezicht was af te lezen.

'Zou er echt iets achter zitten?' vroeg hij zich hardop af.

'Theoretisch zou de steen het einde van de schacht kunnen markeren,' antwoordde Enquist zonder op te kijken, 'maar dat acht ik niet aannemelijk. Er zijn te veel aanwijzingen dat het een soort toegangsdeur is.'

Mueller wendde zijn hoofd weer naar Beaney. 'Ga maar verder, Alex.'

Beaney zette de boor weer in beweging. Langzaam maar zeker drongen ze steeds dieper door in het witte kalksteen.

Vincent zat met een koptelefoon op zijn hoofd naast de technicus van National Geographic Channel. Als regisseur stond hij in verbinding met de studio in Londen. Ze hadden twee beeldschermen voor hun neus. Links zag Vincent de opnames van het boren die Pyramid Explorer maakte en rechts kon hij de live-uitzending bekijken. Op dit moment waren die beelden hetzelfde, maar toen Explorer nog op weg was naar de deur hadden ze ook beelden van de Koninginnekamer uitgezonden. Zo had hij op tv gezien hoe Peter Mueller het robotwagentje aan het begin van de zuidschacht had geplaatst en hadden de televisiekijkers ook kunnen zien hoe Explorer snel uit het zicht verdween. Toen ook het door de koplamp veroorzaakte lichtpuntje uit beeld verdwenen was en het horizontale gedeelte van de schacht weer in duisternis was gehuld, schakelde de regie over naar de beelden die Pyramid Explorer zelf uitzond. Tijdens de rit omhoog werden de opnames uit de schacht regelmatig afgewisseld met shots uit de Koninginnekamer, zoals van Mueller die overlegde met Enquist of van Kurt die geconcentreerd Explorer bestuurde. Ook had hij zichzelf een paar keer voorbij zien komen. Terwijl hij keek naar de groep mensen die zeer gedreven met hun werk bezig was, werd hij overvallen door een gevoel van trots. Deel uit maken van dit team voelde als een enorm voorrecht.

'We zijn erdoor!' riep Mueller plotseling.

Abbara veerde op uit zijn stoel. 'Echt waar?'

Vincent ontwaakte uit zijn gedachten en keek weer naar de beelden. Thompson trok de boor langzaam terug uit de steen en schakelde het apparaat uit. In het midden van de onderste helft was een perfect rond, zwart gat ontstaan dat scherp contrasteerde met de witte steen. Het leek wel een kogelgat.

Vincent zag dat Thompson een vuurrood hoofd had van inspanning. Er stonden kleine zweetdruppeltjes op zijn voorhoofd en langs zijn linkerslaap parelde er eentje naar beneden. Hij maakte een vermoeide indruk. De technicus schoof zijn joystick aan de kant en keek naar Mueller, die nog steeds naast hem zat.

'Mijn werk zit erop,' zei hij. 'Neem jij het over?'

'Yep,' zei Mueller energiek terwijl hij opstond en naar zijn eigen plek liep. 'Heren,' sprak hij plechtig, 'we staan nu op het punt om te ontdekken wat er zich achter de deur bevindt.'

Hij ging op het puntje van zijn stoel zitten en pakte zijn muis beet. De fiberoptische camera was door hem zelf op Pyramid Explorer gemonteerd en hij had er in Londen veelvuldig mee geoefend, dus het was vanzelfsprekend dat hij degene was die de camera zou bedienen. Abbara ging staan en pakte zijn krukje op. Voorzichtig tussen alle kabels door manoeuvrerend kwam hij naast Mueller zitten om maar niets te hoeven missen van wat er nu komen ging.

'Komt u op de eerste rang zitten?' informeerde Mueller die ondanks de spanning een glimlach op zijn gezicht toverde.

'Inderdaad,' antwoordde de Egyptenaar terwijl hij gebiologeerd naar het ronde zwarte gat keek, dat hen mysterieus leek aan te staren. 'Hopelijk gaat dat gat ons een blik in het verleden gunnen.'

'Dat zou hartstikke mooi zijn,' knikte Mueller terwijl hij zijn blik niet van de laptop afwendde en druk met zijn muis klikte. 'De steen is ongeveer 7,5 centimeter dik.'

Vincent keek op het rechterscherm en zag dat de regie inmiddels was overgeschakeld naar de presentatoren in de Londense studio. De twee heren waren druk met elkaar in discussie en keken naar het stilstaande beeld van de verlichte deur met het ronde gaatje in het midden. Het wachten was op beelden van de fiberoptische camera. In de tussentijd wijdden ze zich aan speculaties over wat er dadelijk aangetroffen zou worden aan de andere kant van de steen. Terwijl Mueller de noodzakelijke voorbereidingen trof om met de camera aan het werk te kunnen gaan, bleef Vincent luisteren naar de tv-uitzending. Zou Enquist gelijk krijgen en was de piramide helemaal geen koningsgraf?

'Daar gaat ie,' zei Mueller na enkele ogenblikken.

Alle gesprekken werden gestaakt en iedereen keek weer gespannen naar zijn monitor. Als een kronkelende slang zagen ze de beweeglijke cameraspriet in beeld verschijnen. Hij bewoog zich langzaam in de richting van het gat in de sluitsteen. Op het moment dat de kop van de spriet zich vlak voor het gat bevond, schakelde de regie over naar de beelden die de minicamera uitzond. Voorzichtig stuurde Mueller de bewegende arm het gat in. Voor de televisiekijker leek het nu alsof ze op de lens van de camera mee de donkere tunnel in reisden. Hoewel de lengte van de tunnel slechts 7,5 centimeter bedroeg, leek het alsof ze een levensgrote ruimte betraden die door het ingebouwde lampje in een schemerig blauw licht werd gezet. Als een volleerd chirurg leidde Mueller de camera op afstand naar het einde van het gat dat Explorer zojuist geboord had. Toen hij bijna bij het einde was, leek de ruimte opeens weer groter te worden. Iedereen zat in opperste concentratie aan zijn beeldscherm gekluisterd toen de camera als een regenworm uit de verse aarde in de verborgen ruimte opdook.

Verwonderd zagen ze dat de nieuwe ruimte precies dezelfde doorsnede had als het eerste deel van de schacht. Het leek wel alsof de zuidschacht na de sluitsteen gewoon verder doorliep naar boven. Het verbazingwekkende was echter dat de schacht ongeveer twintig centimeter verderop opnieuw geblokkeerd werd door een vergelijkbare steen.

'Nog een deur!' riep Enquist.

De aanwezigen in de Koninginnekamer, en met hen de tv-kijkers thuis, zagen tot hun verbazing dat er zich geen verborgen kamer achter de deur bevond, maar dat de schacht geblokkeerd werd door een tweede steen. Deze steen was niet zo glad gepolijst als de eerste, maar had een ruwer oppervlak, waarin diverse scheuren zaten. Verder had de tweede steen geen handvatten.

Enquist keek geïntrigeerd, maar met gemengde gevoelens naar de beelden. Wat moesten ze hier nu mee? Was het positief of negatief dat ze op een tweede deur gestuit waren? Het was in ieder geval duidelijk dat ze op dit moment nog geen doorbraak konden melden. Hij schraapte zijn keel.

'Het ziet ernaar uit dat we nog een keer moeten gaan boren,' begon hij.

'Onmogelijk,' zei Mueller meteen. 'Dat wil zeggen, op dit moment. De boor is te kort om het tweede schot te kunnen bereiken. Hetzelfde geldt voor de camera. We moeten eerst onderzoeken of Explorer in staat zal zijn om de tweede steen te bereiken. Daar is opnieuw tijd voor nodig.'

'Uiteraard,' knikte Enquist. 'Ik heb ook niet de illusie dat we op dit moment verder gaan komen.'

Abbara bemoeide zich ermee. Hij stond op van zijn krukje en keek de kamer rond met een ingenomen glimlach op zijn gezicht.

'Heren, we laten ons natuurlijk niet uit het veld slaan vanwege het feit dat we niet meteen een spectaculair resultaat hebben geboekt. De ontdekking van de eerste steen met de koperen handvatten was al opzienbarend genoeg. Het blijft een fascinerend onderzoek dat zeer de moeite waard is om mee door te gaan. Mohamed Mehra zal dat met me eens zijn. Hij zou naar de Koninginnekamer komen, dus ik verwacht hem elk moment hier. Daarnaast hebben we laten zien dat we met Pyramid Explorer een effectief instrument in handen hebben, dus we gaan vol goede moed door.'

Hij keek naar Enquist. 'Kalief Al Mamun zag zich voor hetzelfde probleem geplaatst als wij toen hij een opening naar de stijgende gang wilde forceren'

Enquist toverde een flauwe glimlach op zijn gezicht. 'Toen hij destijds op de drie granietblokken stuitte, heeft hij er een gang omheen gehakt.'

'Precies. Daardoor konden uiteindelijk de tot dan toe verborgen Konings- en Koninginnekamer ontdekt worden. Ik heb er alle vertrouwen in dat het ons ook gaat lukken.'

Vincent herkende het verhaal van Al Mamun. Misschien had Abbara gelijk en waren hun verwachtingen wel erg hooggespannen geweest. De oude Egyptenaren hadden al vaker bewezen dat ze hun rijkdommen uitstekend wisten te verbergen, dus misschien hadden ze niet mogen verwachten dat ze meteen succes zouden hebben. Ze moesten gewoon geduld hebben. Peter Mueller zou ongetwijfeld weer iets bedenken om dit probleem op te lossen, hoewel het nog maanden zou kunnen duren voordat alles weer gebouwd en getest zou zijn. Maar voor de televisiekijkers die op dit moment voor de buis zaten zou de uitzending misschien wel een teleurstellend einde hebben gehad. Dat baarde Vincent enige zorgen, want hij voelde zich als regisseur medeverantwoordelijk voor de show. Benieuwd naar de reacties van het publiek pakte hij de vaste telefoonlijn om te horen hoe de uitzending ontvangen was.

Walter Beaney keek vanachter zijn computer om zich heen. Hij stond nog steeds stijf van de zenuwen. Zijn maag leek zich om te keren en hij moest hevig slikken om te voorkomen dat hij zou overgeven. Kokhalzend vroeg hij zich af of iedereen die op het punt stond een aanslag te plegen zich zo voelde. Terwijl alle aanwezigen in meer of mindere mate teleurgesteld hadden gereageerd op de ontdekking van de tweede steen, had hij zelf een zucht van verlichting geslaakt. Gelukkig hadden ze vooralsnog niets gevonden, dus hij kon zijn plan gewoon doorzetten. Als de opdrachtgever op dit moment voor de tv zat, zou hij zich ongetwijfeld afvragen waarom Pyramid Explorer nog steeds beelden uitzond. In het oorspronkelijke plan had hij de explosieve lading C4 immers allang tot ontploffing moeten brengen. Hoe dan ook, het moment om tot actie over te gaan was nu echt aangebroken. Er heerste inmiddels een grote bedrijvigheid in de Koninginnekamer. Iedereen was druk met elkaar in gesprek over de nieuwste ontdekking en keek tegelijkertijd gefascineerd naar het beeldscherm om te zien of Mueller, die met de fiberoptische camera minutieus de zojuist ontdekte steen onderzocht, op iets belangwekkends stuitte. Ze werden allemaal volledig in beslag genomen door de blauwgrijze beelden van de nieuwe afsluitsteen. Niemand lette op hem. Dit was het moment. Met trillende vingers opende hij opnieuw het venster waarin hij door middel van één muisklik een stroomstoot in de richting van het ontstekingsmechanisme kon jagen. Over zijn laptop gebogen kneep hij zijn ogen tot spleetjes en tuurde nog een keer door zijn wimpers over het scherm heen. Enquist was naast Mueller door zijn knieën gezakt en gaf aanwijzingen waar de ingenieur de camera naartoe moest bewegen. Beaney zag de lippen van Enquist bewegen, maar hij hoorde geen geluid. Zijn gedachten waren volledig blanco en hij handelde in een soort sereen automatisme. Verdoofd door de adrenaline klikte hij op de button. Hij zag het scherm van Mueller onmiddellijk zwart worden. Vreemd dat hij geen knal hoorde, dacht hij in een roes. Dat zou wel komen doordat het geluid van de ontploffing gesmoord werd door de negenenvijftig meter diepe schacht. Terwijl hij zo rustig mogelijk opstond, zag hij dat iedereen vragend naar Peter Mueller keek. Deze staarde niet begrijpend naar zijn scherm dat plotseling dienst weigerde en keek op zijn beurt de National Geographic-technicus aan.

Beaney sloop snel achter iedereen langs. In de hoek van de Koninginnekamer bukte hij zich en verdween geruisloos door het gat in de muur. Voorovergebogen schuifelde hij zo snel als zijn krampachtige houding het toeliet naar het einde van de horizontale gang. Toen hij weer rechtop kon staan werd hij in de claustrofobische ruimte plotseling bevangen door een blinde angst voor het zenuwgas. Hij was zo bezig geweest met de detonatie van de bom dat het gevaar van het dodelijke VX-gas even naar de achtergrond was verdwenen. Omdat hij niet precies wist hoe snel het zenuwgas zich zou verspreiden, begon hij in paniek te rennen. De gang liep nog even door naar beneden en begon daarna te stijgen in de richting van de uitgang. Terwijl er beelden van over de grond kronkelende slachtoffers en misvormde lijken door zijn hoofd spookten, rende hij verder.

Toen hij in de verte daglicht zag opdoemen, hield hij in en bleef even staan om zijn hoog opgelopen hartslag onder controle te krijgen. Hij wilde zo normaal en onopvallend mogelijk langs de bewaking naar buiten glippen. Onwillekeurig keek hij naar zijn ontblote onderarmen en constateerde dat er geen vlekken of blaasjes te zien waren. Een beetje angstig sloot hij zijn ogen om zich even te kunnen concentreren op zijn lichaam. Behalve de knoop in zijn maag van de spanning en zijn bonkende hart voelde hij zich goed. Beaney concludeerde opgelucht dat hij het dodelijke gas tot nu toe was voorgebleven. Hij haalde een paar keer diep adem en liep uiterlijk kalm naar buiten. Bij het toegangshek stonden twee geüniformeerde bewakers die hem ongeïnteresseerd aankeken. Blijkbaar hadden ze weinig belangstelling voor wat er zich in de Koninginnekamer afspeelde. Ze waren geïnstrueerd om alleen bevoegde personen toe te laten, maar wie de piramide uit wilde werd geen strobreed in de weg gelegd. Op een stenen bankje zaten drie ghafirs onderuitgezakt te roken met de karabijn tussen hun knieën. Beaney knikte vriendelijk en knipperde met zijn ogen tegen het felle zonlicht. Boven aan de stenen trap bleef hij even staan en keek besluiteloos rond over de zandvlakte. Het fijne, opwaaiende woestijnzand kriebelde in zijn neusgaten.

Voordat hij aan de missie begon, had hij per e-mail een ontsnappingsplan ontvangen. Bij het verlaten van de piramide zou hij worden opgevangen door iemand die hem zou helpen om weg te komen van het plateau van Gizeh. Beaney wist alleen niet wie die helper was of hoe hij eruit zou zien. Onzeker keek hij om zich heen. Zoals gewoonlijk wemelde het van de toeristen die loom door het hete zand om de piramides heen sloften. Hij zag dat de dikke bundel kabels die helemaal vanuit de Koninginnekamer langs de trap naar beneden liep, uitkwam bij de satellietwagen die naast de piramide geparkeerd stond. Door een raampje in de auto kon hij zien dat de technici binnenin koortsachtig aan het werk waren. Die probeerden ongetwijfeld de tv-verbinding te herstellen, dacht Beaney schamper. Ze hadden nog niet door dat er vanuit de schacht geen beelden meer werden doorgegeven. Ook was er een enorme tent opgezet die diende om de in groten getale toegestroomde pers op te vangen. Op diverse plaatsen hadden tv-verslaggevers zich in het zand geposteerd waar ze zich door hun cameramensen lieten filmen met de Grote Piramide op de achtergrond.

Beaney zag echter niets wat leek op een redder in nood die hem naar een veilige haven zou loodsen. Langzaam begon hij de trap af te dalen. Er zou dadelijk ongetwijfeld iemand op hem afkomen die hem mee zou nemen naar een gereedstaande auto. Hij concentreerde zich op de smalle traptreden en toen zijn voeten even later het zand raakten, keek hij opnieuw om zich heen. Nog steeds niets. Waarom wachtte er niemand op hem? Zouden ze zich aan hun belofte houden? Moest hij terug naar het hotel gaan? Hij probeerde zich te herinneren wat er precies in de e-mail had gestaan.

Plotseling stond er een man voor zijn neus. Zo te zien was het een Egyptenaar. De man was een kop kleiner dan Beaney en keek hem met gefronste wenkbrauwen aan. Hij maakte een haastige indruk en tuurde gejaagd naar boven. Beaney glimlachte opgelucht en keek de man afwachtend aan.

'Waar gaan we naartoe?' begon hij.

De man keek hem misprijzend aan. 'Ik ga naar boven. Als u me even wilt excuseren?'

Verbouwereerd deed Beaney een stap opzij en liet de grijze Egyptenaar passeren. Blijkbaar blokkeerde hij de weg naar boven. Teleurgesteld keek hij de man, die moeiteloos de bewakers passeerde, na. Toen hij zijn hoofd weer omdraaide zag hij dat er enkele mensen in de richting van de trap begonnen te rennen. Omdat zijn ogen nog steeds rusteloos op zoek waren naar iemand die hem in veiligheid zou kunnen brengen, schonk hij er geen aandacht aan. Hij besloot dat hij niet stil moest blijven staan. Dat zou te veel opvallen. Instinctief begon hij weg te lopen van de piramide. Weg van de bewakers. Weg van het gevaar. Op dat moment begon een van de mannen die op de ingang afstormden luidkeels in het Arabisch naar de ghafirs te roepen en driftig met zijn armen te zwaaien. Heel even dacht Beaney nog dat het televisiemensen waren die aan kwamen snellen in verband met het wegvallen van de tv-beelden, maar tot zijn grote ontsteltenis herkende hij in de voorste, moeizaam door het mulle zand ploeterende man zijn voormalige baas in Parijs, Nicolas Moreau. Zijn woedende, rood aangelopen gezicht keek hem dreigend aan en zijn ogen spuwden vuur.

De schrik sloeg hem om het hart. Wat deed Moreau hier? Hoe hadden ze hem in hemelsnaam op kunnen sporen in Egypte? Hij was hier onder een andere naam en nationaliteit naartoe gekomen. Voordat Beaney ook maar iets kon doen, werd hij van twee kanten stevig beetgepakt door de gealarmeerde bewakers. Uit alle macht probeerde hij zich los te rukken uit hun ijzeren greep. Als een kat in het nauw schopte en sloeg hij wild om zich heen. De twee ghafirs hadden de grootste moeite om de ontketenende Beaney in bedwang te houden. Hij zag zijn Amerikaanse droom voor zijn ogen uit elkaar spatten en deed er alles aan om te voorkomen dat hij gepakt zou worden. De bewakers kregen hulp van hun collega's die op het tumult afkwamen. Beaney zag in dat hij niet tegen de overmacht was opgewassen en wilde net opgeven toen iedereen afgeleid werd door een luid gehinnik. Een onbekende ruiter kwam in volle galop op de groep mensen bij de ingang van de piramide afstormen. De hoeven veroorzaakten een flinke stofwolk, waardoor talloze toeristen hem afkeurend nakeken. Sommigen moesten zelfs snel aan de kant springen, omdat het blinkend zwarte paard als een zojuist afgevuurde kogel zonder uitwijken op zijn doel afging. Toen de ruiter Beaney en de bewakers bereikt had, minderde hij vaart en gaf een harde ruk aan de teugels, waardoor het paard zich hoog op zijn achterbenen verhief. De bewakers deinsden geschrokken achteruit voor het steigerende paard dat machtig boven hen uittorende. Ook Moreau, die net hijgend de voet van de piramide had bereikt, deed verschrikt een stapje achteruit voor de wild in het rond maaiende hoeven.

'Spring achterop, snel!' riep de ruiter tegen Beaney.

Hij had zijn bruine hoed diep over zijn ogen getrokken en zijn stem werd gesmoord door een zwart-witgeblokte doek die hij voor zijn gezicht had geknoopt. Beaney realiseerde zich dat de geheimzinnige ruiter zijn helper moest zijn. Terwijl de anderen geschrokken terugweken, rukte hij zich los van de bewakers, wiens aandacht verslapt was door het steigerende paard. Hij rende om het dier heen, greep met twee handen de achterkant van het zadel beet en slingerde zich achterop. De ruiter wilde het paard weer de sporen geven, maar zag hoe de toegesnelde Moreau met twee handen de rugzak beet had die zijn passagier bij zich droeg. De wetenschapper leek niet van plan om los te laten.

'Laat vallen!' schreeuwde de ruiter. 'Anders komen we hier niet weg!'

Beaney had geen andere keus dan de rugzak van zich af te

gooien. Ontdaan van hun ballast gingen ze er in galop vandoor. De ghafirs herpakten zich snel en haalden hun karabijn van de schouder. De wapens werden doorgeladen en gericht op het vluchtende tweetal. Hoewel het sterke paard zich razendsnel voortbewoog over het losse zand, waren ze nog ruim binnen schootsafstand van de schietgrage bewakers. Toen de eerste schoten klonken, rende Hossam kwaad naar de mannen toe.

'Stop! Niet schieten!' riep hij luidkeels. 'Het is veel te druk hier. Je zou zomaar een voorbijganger kunnen raken.'

De bewakers keken hem aan en haalden onverschillig hun schouders op. Ze lieten hun wapens zakken en zagen hoe de twee mannen op hun paard aan de horizon verdwenen. Hoewel hij wist dat het weinig zin had, stuurde Hossam de bewakers te voet achter de vluchters aan onderwijl om zich heen kijkend op zoek naar een vervoermiddel.

Michelle had de worsteling van Beaney en de onverwachte ontsnapping van een afstandje aangezien en kwam dichterbij. Moreau ritste het buitgemaakte rugzakje open en bekeek de inhoud. Tussen een fles water en wat kleren zag hij een kleine, schokvrije cassette zitten. Haastig deed hij een greep in de rugzak en haalde het platte doosje tevoorschijn. Michelle herkende onmiddellijk de blauwe cassette die ze in Parijs na de wilde achtervolging op de fiets heroverd hadden. Beaney had de cellen later weliswaar opnieuw uit het laboratorium van Moreau gestolen, dus het kon niet hetzelfde doosje zijn, maar blijkbaar had hij een soortgelijke cassette gebruikt om het biologisch materiaal in te vervoeren.

Moreau liep gejaagd naar de piramide en legde de cassette nerveus op de onderste steenlaag. Voorzichtig ontgrendelde hij de sluiting en opende langzaam de cassette. In twee ronde uitsparingen in het grijze schuimrubber stonden twee glazen petrischaaltjes gevuld met transparant vocht. Het zag er exact hetzelfde uit als wat Michelle in Parijs had gezien toen Olivier de heroverde cassette op straat had geopend.

'De cellen,' zei Moreau opgelucht. 'Tenminste, daar ga ik vanuit.'

'Hoezo?' vroeg Michelle, die bij het zien van het blauwe doosje onmiddellijk had aangenomen dat ze de cellen weer in bezit hadden.

'Ik kan niet met het blote oog zien of de cellen nog in de petrischaaltjes drijven,' legde Moreau uit. 'Daarvoor heb ik een microscoop nodig.'

'Dus hoe komen we daarachter?'

'Ik heb een microscoop meegebracht, maar die zit nog in mijn koffer.'

'Zullen we meteen even kijken?' opperde Michelle. 'De auto staat vlakbij.'

'Nee,' zei Moreau, 'dat kan niet hier. Het is veel te stoffig. Normaalgesproken doen we dit soort dingen in een steriele omgeving, maar ik zal straks in het hotel controleren of de cellen er nog zijn.'

'Mag ik vragen wat dat is?' bemoeide Hossam zich ermee. 'U kunt zich niet zomaar bewijsmateriaal uit de bezittingen van de verdachte toe-eigenen.'

Moreau keek hem vastberaden aan en leek niet van zins om de cellen af te geven.

'Dit is het biologisch materiaal dat Walter Beaney uit mijn laboratorium in Parijs gestolen heeft. Interpol heeft u daarvan op de hoogte gebracht. Dit materiaal is wetenschappelijk van zeer grote waarde. Het is eigendom van de Sorbonne en ik geef het onder geen beding meer uit handen. Ik moet u helaas doorverwijzen naar Interpol als u hier een probleem mee hebt.'

Hossam keek in dubio naar de petrischaaltjes. Voor hem waren het niet meer dan twee schaaltjes gevuld met water. Je zag hem denken dat hij eigenlijk meer geïnteresseerd was in het vinden van Beaney dan in die twee glazen schaaltjes, die blijkbaar aan Moreau toebehoorden. Interpol had hier inderdaad melding van gemaakt.

'Oké,' knikte hij. 'Ik noteer dat het gestolen materiaal uit Parijs is aangetroffen bij de verdachte en dat u het weer in uw bezit hebt.'

'Prima,' zei Moreau tevreden en hij draaide zijn hoofd naar Michelle. 'Ga je mee? Dan gaan we naar het hotel om een kijkje door de microscoop te nemen.'

Ze schudde voorzichtig haar hoofd. 'Eigenlijk ga ik liever kijken wat Beaney te zoeken had in de piramide van Cheops. Denkt u dat we naar binnen kunnen?' vroeg ze aan Hossam.

De inspecteur dacht even na en knikte toen bevestigend.

'Ik laat de achtervolging van Beaney over aan mijn collega's. Eigenlijk is het wel een goed idee als u met ons mee naar binnen gaat. U kent Beaney beter dan wij en u weet ook precies wat er in Parijs allemaal gebeurd is. Misschien kunt u ons nog van dienst zijn.'

Michelle maakte inwendig een vreugdesprongetje. Dit was precies waar ze op gehoopt had. Nu kreeg ze de kans om een kijkje in de Koninginnekamer te nemen. Zo'n kans kreeg ze nooit meer en het was nog nuttig voor haar reportage ook.

'Uitstekend,' zei Moreau nog steeds opgetogen over het terugvinden van zijn cellen. 'Maar als jullie er geen bezwaar tegen hebben ga ik toch alvast naar het hotel. Ik wil er namelijk zeker van zijn dat er niet alleen maar vloeistof in die petrischaaltjes zit.'

'Ik zal ervoor zorgen dat u gebracht wordt,' zei Hossam.

Michelle glimlachte begrijpend. 'Oké. Dan zien we elkaar straks weer.'

Ze draaide zich om en liep achter Hossam en Abdelwahab aan de trap op die naar de ingang van de Grote Piramide leidde. De bewakers bij het toegangshek waren door alle commotie extra alert en keken hen argwanend aan. Hossam liet zijn politiebadge zien en begon in het Arabisch met de mannen te praten. Ze leken bevestigend te knikken. Hossam vroeg nog even door en draaide zich toen om naar Michelle.

'Walter Beaney kwam inderdaad uit de piramide. Hij lijkt deel uit te maken van het team van Enquist, want deze mannen zeggen dat hij meestal samen met hen naar binnen liep. Bovendien had hij een geldige toegangspas. De bewaking heeft geen namenlijst van de onderzoekers, dus we kunnen het niet verifiëren. Het vreemde is dat hij niet voorkomt op de lijst met onderzoekers die geaccrediteerd zijn door de SCA, de Supreme Council of Antiquities. Ik heb jullie die lijst laten zien toen we in de auto zaten.'

'Het wordt steeds gekker,' zei Michelle. 'Ik snap er helemaal niets meer van. Een natuurwetenschapper die onderzoek gaat doen in een piramide?'

'Laten we naar de Koninginnekamer gaan,' besloot Hossam. 'Waarschijnlijk zal er dan wat meer duidelijk worden. Ze moeten Beaney daarbinnen in ieder geval kennen.'

Omdat hij zelf niet eerder in de piramide was geweest, vroeg hij een van de bewakers om hen naar binnen te begeleiden. Michelle keek hem verbaasd aan. Was Hossam nog nooit in de piramide geweest? Net toen ze daar een opmerking over wilde maken, bedacht ze zich dat ze als Parisienne ook nog nooit bovenop de Eiffeltoren had gestaan. Dat kon altijd nog wel een keer, dacht ze meestal als ze de lange rij met wachtenden zag staan.

De bewaker wisselde enkele woorden met zijn collega en draaide zich om. Met zijn karabijn over de schouder liep hij de dalende gang in. Hossam liep er achteraan en wenkte Michelle hem te volgen. Abdelwahab sloot de rij. Michelle keek gefascineerd om zich heen in de duizenden jaren oude gang. Van de buitenkant had de piramide een massief blok stenen geleken en hoewel ze wist dat er een wijdvertakt netwerk aan gangen en kamers bestond, werd ze toch getroffen door het uitgebreide maag- en darmstelsel van de piramide.

Vrij snel namen ze een afslag en begon de gang te stijgen. Ze had verwacht dat het binnen heerlijk koel zou zijn, maar dat viel tegen. De brandende zon was verdwenen, maar de temperatuur was vrij hoog. Door de gebukte houding waarin ze moest lopen viel de wandeling niet mee. Haar mond voelde opeens droog aan. Haar tong leek aan haar gehemelte te plakken en ze kreeg een acute behoefte om te drinken. Aan het einde van de stijgende gang hield de bewaker even halt en keek over zijn schouder of iedereen nog achter hem liep. Ze moesten zich nu in het hart van de piramide bevinden. Er drong geen enkel geluid van buiten meer door. Het enige wat Michelle nog hoorde was de licht versnelde ademhaling van de anderen. Hossam liet een fles water rondgaan waar ze gretig van dronk. Het hielp niet echt, want haar tong bleef aanvoelen als leer. Zonder iets te zeggen bukte de bewaker zich en verdween in de lage horizontale gang, het laatste stukje op weg naar de Koninginnekamer. Terwijl Hossam op zijn hurken achter hem aan kroop, wierp Michelle een bewonderende blik omhoog naar de grote galerij. Als ze meer tijd had moest ze maar eens terugkomen om alles uitgebreid te bekijken, besloot ze.

Toen ze door haar knieën zakte om achter Hossam aan te kruipen, rook ze opeens een geur die ze niet goed kon thuisbrengen. Het was een soort misselijkmakende combinatie van goedkope aftershave en zweetlucht. Ze keek over haar schouder. Rechercheur Abdelwahab, die tot nu toe een beetje was achtergebleven, stond gereed om na haar de tunnel in te kruipen. Was die walgelijke geur van hem afkomstig of kwam het uit de tunnel? Ze tuurde in de donkere gang voor haar. Hossam was al halverwege en de bewaker had zelfs bijna de Koninginnekamer bereikt die zich bij het vage schijnsel aan het einde van de tunnel moest bevinden. Het was akelig stil. Er drong nog steeds geen enkel geluid vanuit de Koninginnekamer door, waar zich toch een voltallig team onderzoekers moest bevinden. Michelle keek uit naar een ontmoeting met dr. Enquist en begon gehurkt in de richting van het licht te bewegen.

39

John Gallagher schoof zijn hoed naar achteren en wiste het zweet van zijn voorhoofd. Hij was in de schaduw van een rijtje bomen aan de rand van het plateau van Gizeh gaan zitten om te ontsnappen aan de ergste hitte. Vanuit deze positie had hij vrij zicht op de ingang van de piramide van Cheops. Loom leunde hij achterover in het warme zand. Voor passanten zag hij eruit als een vermoeide toerist, maar ondertussen hield hij de hele noordzijde van de piramide scherp in de gaten.

Zijn poging om de vertoning van het filmpje tijdens de persconferentie te voorkomen was helaas mislukt. Lisa had hem gelukkig niets kwalijk genomen. Ze had toegegeven dat hij wel erg weinig tijd had gehad om een gedegen plan voor te bereiden. Terwijl hij haar aan de telefoon had, wilde Gallagher ook eindelijk wel eens weten waarom het presidium het zo belangrijk had gevonden om uitzending van de beelden uit de piramide te voorkomen. Hij had vol overtuiging zijn medewerking toegezegd om de wereldwijde belangen van de Kerk te helpen behartigen. Daarom had hij er geen problemen mee gehad om in Londen wat speurwerk te verrichten naar Enquist, want de denkbeelden van die man over volkeren die ouder waren dan Gods schepping waren verwerpelijk. Hij begreep alleen nog steeds niet wat de ontdekking van een nieuwe deur in de piramide van Cheops daarmee te maken had.

Lisa had uitgelegd dat Enquist zijn godslasterlijke theorie wilde onderbouwen door te bewijzen dat de piramide veel ouder was dan tot nu toe werd aangenomen. Natuurlijk wisten Lisa en hij dat zoiets onmogelijk was, maar hij kon zich indenken dat de invloed van het geloof verder af zou brokkelen als zijn theorie veel aandacht in de media zou krijgen. Ze had hem gevraagd of hij nog even in Cairo wilde blijven om af te wachten wat er nu verder ging gebeuren. Als een soort slapende cel was hij ondergedoken in de stad, maar al snel was hij erachter gekomen dat Enquist zijn kamp zou opbreken en met zijn team terug naar Londen zou vliegen. Opgelucht had Gallagher een ticket terug naar Houston geboekt. Hij vond dat hij goed werk had verricht en kon niet wachten om weer aan de slag te gaan in zijn vertrouwde omgeving bij Lakewood Church. Ook keek hij er reikhalzend naar uit om Lisa weer te zien. Alle vluchten naar Houston zaten echter vol, zodat hij meer dan een week geduld moest hebben.

Voordat hij daadwerkelijk op het vliegtuig had kunnen stappen, had hij bericht ontvangen dat Enquist alweer terug naar Cairo zou komen. Gallaghers missie in Egypte werd met onbepaalde tijd verlengd.

Aanvankelijk was hij niet erg actief geweest. Lisa had hem per e-mail opdracht gegeven om een pakketje te bezorgen in het hotel waar Enquist verbleef, dat hij onder vermelding van een wachtwoord had moeten ophalen in een duister winkeltje aan de rand van de stad. Hij had niet geweten wat erin zat. Lisa had hem slechts instructies gemaild om het af te geven ter attentie van ene Alex Thompson. Verder had hij de tijd gedood met lezen en Bijbelstudie.

Tot gisteravond. Terwijl hij op zijn hotelkamer televisie lag te kijken, had Lisa hem gebeld op zijn mobiele telefoon. Er stond iets te gebeuren, had ze gezegd. Morgen, tijdens de live-uitzending van Enquists expeditie, zou hij iemand op moeten pikken bij de piramide van Cheops. Lisa kon niet inschatten onder welke omstandigheden dit precies zou plaatsvinden, dus hij zou op alles voorbereid moeten zijn. Hij had nauwkeurige instructies gekregen. Ze hadden een ontsnappingsroute gepland en Lisa had hem per e-mail foto's toegestuurd van de persoon in kwestie. Ze had alleen niets losgelaten over de achtergrond van deze actie en hij had geen idee waarom de man in veiligheid gebracht moest worden. Ook het tijdstip waarop hij uit de piramide zou komen was onbekend. Daarom zat Gallagher al uren achterover geleund tegen de boom. Hoewel hij prima zicht had op de ingang van de piramide, had hij een verrekijker onder handbereik waarmee hij regelmatig even inzoomde op de gezichten van mensen die zich bij de ingang meldden. Hij zag hoe de bewakers iedereen wegstuurden. Blijkbaar was de Grote Piramide vandaag niet toegankelijk voor het publiek. Dat had waarschijnlijk alles te maken met de tv-uitzending die op dit moment bezig was.

Gallagher was loom geworden van het lange, eentonige wachten. Onderuitgezakt in het warme zand voelde hij zijn ogen zwaar worden en hij kon een reusachtige geeuw niet onderdrukken. Om alert te blijven stond hij op en nam een slok water uit zijn fles. Hij sprenkelde wat over zijn gezicht en rekte zich uit.

Er verscheen een man bovenaan de trap. Hij leek zojuist uit de piramide te zijn gekomen en keek zoekend om zich heen. Gallagher stond onmiddellijk op scherp en greep zijn verrekijker. De man begon aarzelend af te dalen en bleef intussen onzeker rondkijken alsof hij niet precies wist wat hem te doen stond. Zijn ogen speurden de omgeving van de piramide af op zoek naar hulp. Door de lenzen turend herkende Gallagher de man van de foto's die Lisa hem gestuurd had. Snel maakte hij het zwarte paard los dat een stukje verderop onder een boom stond. Deze keer had hij er gewoon een gehuurd bij de stallen aan de rand van het plateau van Gizeh. Even twijfelde hij of het wel noodzakelijk was om op het paard te stappen, want alles leek rustig. Hij had het dier alleen maar meegebracht voor het geval ze zich onverhoopt snel uit de voeten zouden moeten maken. Hij besloot het zekere voor het onzekere te nemen en hees zich in het zadel. Met zijn hakken tikte hij tegen de flanken van het paard en in een rustig drafje ging hij op de onbekende man bij de ingang af. Om niet op te vallen, maar ook om de verdwaasde man niet te laten schrikken van de plotselinge verschijning van het grote paard, kon hij zometeen beter afstijgen en de merrie meevoeren aan de teugel. Ze konden dan samen eerst het paard terugbrengen en vervolgens naar de afgesproken plaats in Cairo gaan.

Gallagher wendde zijn hoofd toen er vanaf de parkeerplaats rechts van hem plotseling rumoer ontstond. Twee mannen renden schreeuwend naar de piramide, op enige afstand gevolgd door een knappe vrouw met donker golvend haar. De voorste man was een zestiger die zich een tikkeltje houterig voortbewoog door het losse zand. Gallagher kon niet goed verstaan wat hij riep, maar hij hoorde wel dat de man Engels sprak. Hij werd al snel ingehaald door de tweede man, een Egyptenaar die druk gebarend bevelen leek te schreeuwen naar de bewakers bij de piramide. De beveiligers reageerden snel en twee van hen grepen de man die Gallagher in veiligheid moest brengen bij zijn schouders. Die gaf zich niet zomaar gewonnen en begon woest om zich heen te schoppen en te slaan. De bewakers hadden de grootste moeite om hem in bedwang te houden, maar het was duidelijk dat de furieus worstelende man het niet ging redden tegen de toesnellende overmacht.

Gallagher twijfelde geen moment. Hij schoof zijn sjaal voor zijn gezicht en gaf het paard de sporen. In galop snelde hij op het groepje mensen af, dat verbaasd opkeek toen ze in volle vaart een paard zagen naderen. Iedereen werd afgeleid door het aanstormende geweld. Vlakbij de piramide hield hij in en liet het paard zich op zijn achterbenen verheffen, een kunstje dat hij vroeger vaak geoefend had. Iedereen deinsde geschrokken terug en de greep van de bewakers verslapte even. De rossige man leek niet van zijn stuk gebracht en slingerde zich met een korte aanloop lenig achterop het paard. Zijn rugzak moest hij helaas laten schieten. Met een ruk aan de teugels wendde Gallagher het dier en zette in razende galop koers naar de gebouwen van Nazlet el Samman, het verbouwereerde groepje mensen in een wolk van fijn stof achterlatend.

Tot nu toe had Gallagher geen enkele angst of paniek gevoeld. Hij had gezien dat de bewakers gewapend waren, maar deels instinctief en deels uit plichtsbesef was hij zonder aarzelen te hulp geschoten. Pas toen er schoten klonken, zag hij de ernst van de situatie in. Hij ging zo plat mogelijk op het voortrazende paard liggen en voelde dat zijn passagier achter hem hetzelfde deed. Driftig spoorde hij het dier extra aan. Na enkele honderden meters keek Gallagher achterom en zag tot zijn opluchting dat de bewakers niet direct in staat waren om de achtervolging in te zetten, waardoor ze een flinke voorsprong hadden kunnen opbouwen. Aan de rand van de woestijn gekomen liet hij het paard overgaan in een rustige draf en schoof de sjaal die zijn gezicht nog steeds grotendeels bedekte naar beneden. Stapvoets reden ze de bebouwing binnen. Bij de stallen, waar het druk was met toeristen die een ritje op een kameel of paard wilden maken, hield hij halt en gebaarde zijn passagier af te stijgen. Vlug bracht hij het paard terug en keek daarna de straat in of hij ergens een taxi zag. Even verderop stond een chauffeur tegen zijn zwart-witte auto geleund. Zonder iets te zeggen duwde Gallagher zijn beschermeling in de richting van de taxi. De man begreep dat ze nog niet in veiligheid waren en liet zich gewillig naar de gereedstaande auto leiden. Het was duidelijk dat hij geweten had dat hij door iemand opgepikt zou worden. Hij stelde geen enkele vraag en maakte een opgeluchte indruk. Hij leek volledig op zijn redder te vertrouwen. Vlug stapten ze beiden achterin de taxi.

'Downtown,' zei Gallagher tegen de chauffeur.

Terwijl de taxi wegstoof keek hij voor de zekerheid nog even door de achterruit. Alles oogde normaal en niets wees erop dat ze nog gevolgd werden. Voldaan liet hij zich achterover in de kussens zakken en keek nieuwsgierig naar de man naast zich.

'Je ging behoorlijk tekeer tegen die bewakers,' begon hij het gesprek.

Beaney knikte. 'Ze hadden me bijna te pakken. Bedankt voor je hulp.'

'Ik zag je uit de piramide komen. Was je in de Koninginnekamer? Ze zijn op dit moment toch aan het filmen in de piramide?'

'Ja, het wordt uitgezonden op televisie.'

'Had je toestemming om erbij te zijn?' viste Gallagher verder. Hij had van Lisa alleen opdracht gekregen om de man naar een bepaalde plek in het centrum te brengen, maar hij had geen idee wat zijn achtergrond was of wat hij in de piramide gedaan had. Zou hij soms ook een missie uitgevoerd hebben voor het presidium? Zou hij soms het stokje van hem overgenomen hebben? Vond het presidium het te riskant worden nu zijn eigen signalement bekend was geworden?

'Ik was inderdaad bij de opnames in de Koninginnekamer aanwezig,' antwoordde Beaney terughoudend.

'Maar de uitzending is toch nog niet afgelopen?'

'Het is nu gevaarlijk in de piramide. Ik moest ervandoor.'

'Het leek wel of de bewaking gealarmeerd werd door die mensen die er plotseling aan kwamen rennen. Wat was er aan de hand?'

Beaney keek afwezig naar buiten en leek er niet veel over kwijt te willen. 'Waar gaan we eigenlijk naartoe?'

'Ik heb opdracht gekregen om je af te zetten bij een adres in het centrum. Je zult het zo wel zien.'

Het was intussen veel drukker op straat geworden en de taxi naderde het centrum. De chauffeur draaide zijn hoofd half om.

'*Where to, sir?*'

Gallagher viste een briefje uit zijn zak en gaf de man aanwijzingen. Even later reden ze een brede laan in. Aan beide kanten stonden grote witte huizen met fraaie voortuinen. De twee weghelften werden gescheiden door een bloemrijke middenberm. Ze waren duidelijk aanbeland in een welgesteld deel van de stad. Halverwege de laan liet Gallagher de auto stoppen voor een hoog, smeedijzeren hek. Achter het hek bevond zich een witgepleisterde villa met een plat dak en grote vensters die aan de bovenkant spits toeliepen als de ramen in een Arabisch paleis.

Ze stapten uit de taxi en Gallagher duwde op de bel naast het hek. Even later hoorden ze een zoemtoon en konden ze doorlopen naar de voordeur. Terwijl ze over het grindpad tussen de weelderige planten door liepen, werd de deur al geopend door een Egyptische vrouw in huishoudstersuniform met een witte schort voor, die hen glimlachend wenkte haar te volgen. Aan het einde van de brede gang opende ze een deur en gebaarde naar Gallagher dat hij naar binnen kon gaan. Gallagher liep verder en kwam terecht in een grote zit-ruimte met een marmeren vloer en comfortabele fauteuils. Beaney wilde hem achterna lopen, maar de vrouw legde haar hand op zijn arm en gebaarde dat hij met haar mee moest lopen naar een andere kamer. Gallagher haalde verontschuldigend zijn schouders op. Hij wist ook niet wat er ging gebeuren of door wie ze zouden worden ontvangen. Beaney knikte gelaten en de vrouw sloot de deur.

Gallagher bleef alleen achter. Een beetje onzeker keek hij rond. Aan de witte muren hing kunst en op een lage tafel lagen glossy tijd-schriften en stond een waterkaraf. Hij schonk zichzelf een glas in en ging ontspannen in een van de fauteuils zitten. Minutenlang gebeurde er niets en Gallagher begon half geïnteresseerd in een tijdschrift te bladeren. Plotseling zwaaide de deur open en stapte er tot zijn stomme verbazing een bekend gezicht de kamer binnen. Overrompeld, maar blij verrast veerde hij overeind.

'Lisa!'

'Dag John,' glimlachte ze kalm.

'Wat doe jij nou in Egypte?'

Dit was wel het allerlaatste waar hij op gerekend had. Hoewel ze vaak in zijn gedachten was, had hij verwacht dat hij Lisa pas in Hous-ton weer zou zien. Opgetogen liep hij naar haar toe en sloot haar na een korte aarzeling in een innige omhelzing. Lisa vouwde haar armen om zijn nek en hij voelde hoe ze haar zachte lichaam sensu-eel tegen hem aandrukte. Gallagher reageerde door haar op de mond te kussen. Lisa beantwoordde de zoen en gedurende enige ogenblikken gingen ze volledig in elkaar op. Toen Gallagher zijn handen via haar rug verder liet afdalen naar haar heupen, maakten Lisa's felrode lippen zich los van de zijne en legde ze een wijsvinger op zijn mond.

'We hebben werk te doen, John. Hoe gaat het met je hand?'

Ze wees naar zijn hand die nog steeds zorgvuldig verbonden was. Gallagher had haar per e-mail geïnformeerd over het incident op de boerderij van Enquist in Engeland.

'Naar omstandigheden goed, al moet ik helaas de rest van mijn leven mijn pink missen. Maar wat brengt je hierheen? Waarom duik je plotseling op in Cairo?'

Ze gaf hem nog een zoen en kwam toen ter zake.

'Tijdens jullie vlucht is er iets kwijtgeraakt wat we erg graag terug willen hebben,' begon ze. 'Waarschijnlijk is het weer in bezit van Nicolas Moreau, een Franse wetenschapper die momenteel in Cairo verblijft.'

Gallagher knikte. Zonder dat Lisa ook maar iets gevraagd had, begreep hij al dat het zijn taak zou worden om het terug te halen.

'Het is van cruciaal belang voor de Kerk, John. Moreau claimt namelijk dat hij in zijn laboratorium in Parijs zomaar uit het niets levende cellen heeft gecreëerd. *Levende* cellen.'

Lisa liet haar woorden even inwerken op Gallagher.

'Levende cellen? Je bedoelt bacteriën? Maar dat is toch onmogelijk?'

'Dat lijkt mij ook. Het scheppen van leven is voorbehouden aan God. Waar het om gaat is dat Moreau onvermijdelijk de publiciteit zal gaan zoeken met zijn ontdekking. Als hij hiermee gehoor vindt bij de media, zal dat de Kerk veel invloed en gezag kosten. We staan de laatste jaren toch al onder grote druk door excessen als kindermisbruik en homoseksualiteit onder priesters, waardoor we al historisch bezit hebben moeten verkopen om de vele claims te kunnen betalen. Door het onderzoek van Moreau zou het wel eens verder bergafwaarts kunnen gaan met het geloof. Dat mogen we niet laten gebeuren.'

Gallagher keek haar verbijsterd aan. 'Maar heeft hij nu echt levende cellen gebouwd?'

'Dat doet er niet toe,' ontweek Lisa de vraag. 'Waar het om gaat is dat we Moreau de kans moeten ontnemen om met zijn ontdekking naar buiten te treden. Hij moet gestopt worden.'

Gallagher gaf nog niet op.

'Vind je niet dat ik het recht heb om te weten of hij echt cellen heeft gebouwd? We kunnen ons wel weer in allerlei bochten gaan wringen en grote risico's nemen door achter die Moreau aan te gaan, maar als het straks allemaal niet waar blijkt te zijn omdat het bijvoorbeeld om een publiciteitsstunt gaat of zoiets, dan is het allemaal voor niets geweest. Dan houden we de gelovigen die eventueel af dreigden te haken gewoon aan boord.'

Gallagher ging weer in de fauteuil zitten en keek naar Lisa. Ze kwam naast hem op de leuning zitten en legde haar arm over zijn schouder.

'Ik ben het met je eens, John. Natuurlijk kan hij onmogelijk nieuw leven geschapen hebben. Moreau denkt dat het leven uit het niets is ontstaan en zich gedurende miljoenen jaren ontwikkeld heeft tot wie wij nu zijn. Wij weten beter. Die miljoenen jaren waren er niet. Sla de Bijbel er maar op na. Zesduizend jaar, ouder is de aarde niet. De hele wereld zit vol met bewijzen voor het bestaan van God en tegen het bestaan van evolutie.'

'Oh ja?'

'Ja,' zei ze gepassioneerd. 'Fossielen bijvoorbeeld. Fossielen kunnen bewijzen dat de aarde helemaal niet zo oud is als de darwinisten denken.'

'Oh? Hoe dan?'

'Evolutionisten denken dat de meest primitieve levensvormen, zoals eencelligen, heel oud zijn en dat hoger ontwikkelde soorten, zoals zoogdieren, honderden miljoenen jaren jonger zijn. Dat denken ze omdat fossielen van primitieve diersoorten veel dieper in de grond worden gevonden dan fossielen van zoogdieren. Volgens hen zijn diepe aardlagen ouder dan minder diepe. Ik heb hier een andere verklaring voor.'

Gallagher begon het te begrijpen. 'En dat is waarschijnlijk een verklaring waar Darwin het niet mee eens zal zijn.'

Ze glimlachte.

'Tijdens enorme natuurrampen in het verleden, de Bijbel spreekt van een zondvloed, zijn vele diersoorten omgekomen en uitgestorven. Hierbij is het logisch dat kleine, primitieve organismen, die dichtbij de zeebodem leefden, als eerste bedolven werden door aardverschuivingen en lavastromen. Hun fossielen vinden we dus in de diepste aardlagen. Amfibieën en reptielen leefden veelal aan land en worden dus in hogere lagen gevonden dan de zeedieren. Fossielen van zoogdieren en vogels worden zelden gevonden. De reden is dat ze beter in staat waren te vluchten, waardoor ze niet bedekt werden door modderstromen, maar uiteindelijk verdronken. Hun restanten verrotten in het water en kregen geen kans om te fossiliseren. De diepste laag, waarin geen fossielen voorkomen, is de oorspronkelijke zeebodem. Het is dus niet zo dat de oudste en meest primitieve fossielen het diepste liggen, zoals de evolutie-theorie beweert. De aardlagen zijn kort na elkaar ontstaan en niet in de loop van honderden miljoenen jaren. Dat houdt in dat de verschillende diersoorten niet na elkaar leefden en niet uit elkaar ontstaan zijn, zoals de darwinisten denken, maar dat alle soorten tegelijk leefden. Er was geen evolutie. God heeft alles geschapen.'

Gallagher keek haar nadenkend aan.

'Interessant. Ik vond het altijd al treffend dat het zondvloedverhaal voorkomt in de legendes van vele verschillende volken. Maar één ding begrijp ik niet. Hoe hebben die fossielen dan kunnen ontstaan? Er zijn toch miljoenen jaren voor nodig om organische resten te laten verstenen?'

'Dat is een fabeltje. Laboratoriumproeven bewijzen overduidelijk dat verstening zeer snel kan optreden. De Bijbel heeft het bij het rechte eind.'

Lisa leunde op zijn schouder en keek hem nadenkend aan.

'Maar toch hebben we sterke aanwijzingen dat Moreau iets bijzonders heeft gepresteerd. Het presidium heeft contact met naaste medewerkers van hem en het lijkt er echt op dat hij een wetenschappelijke doorbraak heeft bereikt. We kunnen geen enkel risico nemen, want elke vorm van publiciteit werkt in het voordeel van de darwinisten en in het nadeel van de Kerk. We moeten die cellen terug in handen krijgen.'

Gallagher knikte begrijpend.

'Moreau logeert in dat hotel bij de piramides. Je moet het vanmiddag hebben zien liggen.'

'En de man die ik hier net heb afgeleverd? Wat heeft die ermee te maken?'

'Daar kan ik niet veel over zeggen. Dat is beter voor eenieders veiligheid.'

Gallagher was niet tevreden met het antwoord. Hij opende zijn mond om door te vragen, maar ze boog zich over hem heen en kuste hem opnieuw. Gallagher rook wederom haar opwindende parfum en voelde haar blonde lokken over zijn gezicht glijden. Begerig legde hij een hand op haar achterhoofd, maar net toen hij haar bij zich in de stoel wilde trekken, richtte ze zich weer op. Teleurgesteld keek hij haar aan. Het leek wel of ze een spelletje met hem speelde. Geroutineerd werd hij steeds weer afgewimpeld.

'Je hebt werk te doen, John,' zei ze eenvoudig.

Beteuterd stond hij op. 'Hoe is het eigenlijk afgelopen met de poging om Enquist te stoppen?'

'Dat is geregeld,' was het enige wat Lisa kwijt wilde.

40

Michelle legde snel de laatste meters af in de horizontale gang op weg naar het schijnsel aan het einde. Voor haar kwam Hossam al overeind en luttele seconden later voegde ze zich bij hem in de Koninginnekamer. Gefascineerd keek ze rond in de ruimte. Ze zag twee vierkante gaten in de muur wat de noord- en de zuidschacht moesten zijn. Uit een van de gaten hing een zwart snoer. Dat was de stroomkabel die Pyramid Explorer verbond met de apparatuur in de Koninginnekamer. Verder was het een hele kale ruimte die op dit moment echter volgestouwd was met computers en andere apparatuur. Aan de verschillende tafels telde ze in totaal negen mensen die geen enkele aandacht aan hen schonken. Als versteend zaten ze achter hun beeldschermen. Ze herkende Mark Enquist van tv, maar de overige gezichten waren onbekenden voor haar. Hossam liep over de wirwar van kabels een stukje naar voren en schraapte zijn keel. Nog steeds kwam er geen reactie. Vertwijfeld keek hij Michelle aan.

'Ja! Hij reageert weer!' riep plotseling een blonde man met een Duits accent.

Iedereen veerde op en begon druk met elkaar te praten. Op de computerschermen zag Michelle schemerige beelden van een ruwe stenen wand. Dat moesten opnames uit de schacht zijn.

'Mooi,' zei een kleine Egyptische man. 'Dat hebben jullie snel opgelost.'

Terwijl een andere Egyptenaar in het Arabisch met hem begon te praten, stond er iemand op die naar hen toekwam. Een leuke man, vond Michelle. Hij sloeg zijn donkere krullen achterover en lachte hen verbaasd toe.

'Inspecteur Hossam, wat kan ik voor u doen?'

'Ik wil graag enkele vragen stellen aan dr. Enquist,' knikte hij naar de antropoloog, die druk in gesprek was met Mueller en niet in de gaten had dat er bezoek was.

De man draaide zich om. 'Mark, heb je even tijd?'

Belangstellend wendde hij zich tot Michelle.

'Ik ben Vincent Albright van National Geographic Channel.

Hoor je bij hem?' Hij knikte naar Hossam.

'Dat is een lang verhaal,' lachte ze. 'Ik ben Michelle Rousseau. Ik werk voor France 2.'

'Ah, een collega,' constateerde Vincent verrast. 'Eindelijk iemand met wie ik kan praten. Ik zit al veel te lang tussen wetenschappers en technici. Ben je hier voor de uitzending van Pyramid Explorer?'

'Nou, eigenlijk niet, maar ik vind het wel een interessante bijkomstigheid. Is de uitzending nog bezig?'

'Nee. De ontdekking van de tweede deur is uitgezonden en er is even niets nieuws te melden. Eigenlijk hebben we sinds jullie binnenkwamen pas weer beeld, want we hadden net wat problemen. We waren even uit de lucht.'

'Oh ja?'

'Alle schermen gingen opeens op zwart en Explorer reageerde niet meer. De jongens hier hebben geprobeerd uit te zoeken wat er aan de hand was, maar ze begrijpen er niets van. Het leek wel of het systeem overbelast werd, zeiden ze. Alsof er te veel stroom doorheen ging. Ik heb geen idee wat ze gedaan hebben, maar opeens hadden we weer beeld en deed Explorer het gelukkig weer.'

Enquist kwam erbij staan en keek vragend naar Hossam.

'Dag inspecteur. Mag ik vragen wat er aan de hand is? We zitten in een cruciale fase van het project, dus dit komt niet erg gelegen.'

Hossam knikte. 'We zijn op zoek naar een zekere Walter Beaney. We troffen hem zojuist bij de ingang van de piramide, maar hij is ontsnapt. Volgens mijn informatie zou hij mogelijk onderdeel uitmaken van uw team. Kent u hem?'

Enquist keek vragend naar Vincent. Die haalde zijn schouders op.

'Walter Beaney? Die naam zegt me niets.'

'Hij was minder dan een kwartier geleden nog in de piramide. Ik weet niet zeker of hij bij u in de Koninginnekamer was, maar de bewakers zeggen dat hij de laatste dagen regelmatig met uw team mee naar binnen liep. Hij zou ook een geldig toegangspasje hebben.'

'Mijn team zit hier binnen,' wees Enquist. 'Ik kan u verzekeren dat er geen Walter Beaney tussenzit.'

'Het vreemde is inderdaad dat hij niet voorkomt op de officiële lijst met accreditaties die door de SCA zijn verstrekt,' gaf Hossam toe. Hij opende de map die hij onder zijn arm droeg en overhandigde de lijst die hij ook aan Michelle had laten zien in de auto.

'Is deze lijst correct?'

Enquist liet zijn blik over de namen glijden en knikte. Er stonden geen onbekenden tussen. Hossam gaf niet zomaar op. 'Toch is Beaney hier herhaaldelijk gesignaleerd. Zou het mogelijk zijn dat er iemand met een vals pasje rondloopt?' vroeg hij zich hardop af.

'Onmogelijk,' zei Enquist. 'Ik zal u zijn signalement geven. Onze verdachte is een Engelsman. Hij is lang, bleke huid, rossig haar.'

Vincent fronste zijn wenkbrauwen en keek Enquist aan. 'Dat lijkt Alex wel.'

Zoekend keek hij de Koninginnekamer rond, maar de technicus was nergens te bekennen.

'Waar is Alex eigenlijk?' vroeg hij aan niemand in het bijzonder.

Hossam was degene die met de namenlijst in zijn hand de conclusie trok.

'Alex Thompson is naar buiten gegaan,' zei hij. 'Hij is zojuist met behulp van een ruiter te paard ontsnapt.'

Enquist keek Vincent verwonderd aan.

'Waarom zou Alex ervandoor gaan?' vroeg hij zich hardop af. 'Hij heeft uitstekend werk verricht. Er moet iets gebeurd zijn.'

Hossam legde het uit. 'Walter Beaney, want dat is zijn echte naam, wordt in Frankrijk gezocht wegens diefstal en ontvoering. Deze dame hier heeft persoonlijk met hem te maken gehad. Ze herkende hem op tv tijdens een persconferentie die u gaf vanuit Cairo.'

'Hij zit in mijn team, dus dat kan kloppen.'

Hossam keek Enquist ernstig aan. 'Er loopt momenteel een internationaal opsporingsbevel tegen hem. Ik ben bang dat de man die u beschouwt als uw collega een gezochte crimineel is.'

Enquist keek onthutst naar Vincent en kon even geen woord uitbrengen.

'Wat zegt u?' reageerde Vincent ongelovig. 'Alex een crimineel?'

'Hij heeft in Parijs een gerenommeerd onderzoeker ontvoerd,' knikte Hossam. 'Bovendien heeft hij een belangrijke wetenschappelijke ontdekking gestolen.'

Enquist schudde ongelovig zijn hoofd.

'Hoe bent u met hem in contact gekomen?' wilde Hossam weten.

'We zochten een robotexpert. Iemand met boorervaring. Hij was een goede kandidaat.'

'Hoe hebt u hem gevonden?'

'Nou,' zei Enquist aarzelend. 'Nu ik erover nadenk, eigenlijk heeft hij ons gevonden.'

Enquist legde kort uit hoe ze hem hadden leren kennen. Hossam schreef driftig mee.

'Dus hij heeft zich aan u opgedrongen?'

'Nou, nee. Helemaal niet zelfs. We hebben zelf besloten om hem mee te nemen naar Egypte.'

Enquist legde uit hoe ze tot hun beslissing waren gekomen om Beaney erbij te vragen en wat zijn kwalificaties waren.

'Vechtende robots?' vroeg Michelle. 'Maar hij is natuurwetenschapper! Volgens mij is hij bioloog. Hij werkte in Parijs mee aan een onderzoek naar biologische cellen.'

'Bioloog? Nou, ons heeft hij wat anders verteld,' zei Enquist.

Michelle rook opeens weer de combinatie van zweetlucht en goedkope aftershave. Ze keek om en zag dat rechercheur Abdelwahab naast haar was komen staan. Hij probeerde het gesprek te volgen, maar zijn Engels was duidelijk niet goed genoeg. Vragend keek hij naar Hossam.

'Kunnen we dit gesprek op een later moment voortzetten?' vroeg Enquist. 'Ik wil hier absoluut meer over weten, maar ik ga nu eerst een persconferentie geven samen met de heren van de SCA. Ga je mee Vincent?'

Vincent knikte. Hij lachte verontschuldigend naar Michelle en ging naast de technicus zitten om het beeldmateriaal gereed te maken voor vertoning aan de pers. Iedereen had de ontdekking van het tweede stenen schot al op televisie gezien, maar Enquist en Abbara zouden vast en zeker de opnames opnieuw willen tonen ter ondersteuning van hun betoog.

Terwijl Enquist met Abbara en Mehra in gesprek ging, begonnen Hossam en Abdelwahab in het Arabisch te overleggen.

Michelle besloot op Vincent af te stappen. Hij had gezegd dat hij voor National Geographic Channel werkte, dus hij moest hier zijn in verband met de tv-uitzending. Dat betekende dat hij een collega was, zoals hij zelf ook al had opgemerkt. Misschien kon ze via hem wat meer te weten komen over Walter Beaney. Vincent had immers met hem samengewerkt. Mogelijk kon hij informatie verstrekken die ze kon gebruiken in haar reportage over het onderzoek van professor Moreau. Het was haar nog steeds een raadsel waarom Beaney was geïnfiltreerd in het team van Enquist. Wat had een microbioloog te zoeken in de piramide van Cheops? Wat was hij van plan geweest? Ongemerkt ging ze achter Vincent staan en keek mee over zijn schouder. Voor het eerst zag ze de opnames van de tweede stenen deur. Gefascineerd staarde ze naar het zojuist ontdekte nieuwe stukje schacht.

Vincent draaide zijn hoofd om en keek schuin omhoog naar Michelle.

'Vind je het interessant?'

Ze knikte.

'Ja, het is spannend. Maar het ziet ernaar uit dat we nog een keer terug moeten komen, want het spoor lijkt voorlopig dood te lopen.'

Vincent stond op. 'Het beeldmateriaal is klaar. We kunnen naar het Mena House voor de persconferentie.'

Michelle herinnerde zich dat Hossam dezelfde naam genoemd had. 'Daar logeer ik ook.'

'Oh? Nou, dan kun je wel meerijden,' bood Vincent aan.

'Mijn bagage ligt nog in de politiewagen. En die van Moreau trouwens ook. Hij is al in het hotel.'

'Oké, dan zie ik je in het hotel nog wel,' glimlachte hij. 'Wie is Moreau?'

'Dat is de wetenschapper die door Beaney in Parijs ontvoerd is. We hebben hem inmiddels bevrijd. Ik maak een reportage over zijn onderzoek. Het lijkt erop dat er via Beaney op een of andere manier een verband bestaat tussen Moreau en Enquist. Ik probeer uit te vissen wat de connectie is, maar ik ben er nog niet achter. Zouden we daar straks even over kunnen praten? Jullie kennen Walter Beaney tenslotte ook.'

'Geen probleem. Ik zou ook wel eens willen weten wat iemand die blijkbaar een hele andere achtergrond heeft dan we dachten op ons project te zoeken heeft. Laten we zometeen in het hotel afspreken. Ik hoef niet bij de hele persconferentie aanwezig te zijn.'

Enquist, Abbara en Mehra bukten zich al om de ruimte te verlaten. Vincent, Michelle en de rechercheurs volgden. De rest bleef achter in de Koninginnekamer om Pyramid Explorer veilig naar beneden te loodsen. Vlak voor Vincent in de donkere gang verdween, draaide hij zich nog even om naar Michelle.

'Walter Beaney zei je toch? Ik moet nog even wennen aan die

naam.' Met gefronst voorhoofd verdween hij in de tunnel. 'Alex leek me zo'n betrouwbare vent,' hoorde Michelle hem nog zeggen.

Snel ging ze achter hem aan. Ze wilde graag meer weten over Walter Beaney en als ze heel eerlijk was ook over Vincent zelf. Hij leek de leiding te hebben over de televisieopnames. Terwijl ze allemaal achter elkaar door de gangen schuifelden, vertelde hij haar over de expeditie in de schacht en dat Beaney degene was geweest die het gat geboord had waar ze uiteindelijk de camera doorheen hadden kunnen steken.

Even later waren ze bij de uitgang. De middag was voor het grootste deel verstreken en de laagstaande zon was een oranje bol geworden die lange schaduwen over de vlakte wierp. Michelle liep met de beide rechercheurs mee naar hun auto en liet zich afzetten bij het hotel. Ze stapte uit bij de hoofdingang en terwijl ze wachtte tot Abdelwahab haar bagage uit de kofferbak had gehaald, stopte ook de auto met Vincent en Enquist bij de entree. Enquist lachte haar vriendelijk toe en Vincent wenkte haar om met hen mee te lopen. Ze liet haar bagage achter bij de receptie en volgde de mannen naar een grote ruimte die was ingericht als perszaal. Tussen de rijen met stoelen stonden groepjes journalisten te praten en achterin stonden enkele camera's opgesteld. Toen Enquist de zaal betrad, draaiden alle hoofden in zijn richting en werden de eerste vragen al op hem afgevuurd. Hij vroeg de verzamelde pers nog even geduld te hebben tot de heren van de Supreme Council of Antiquities gearriveerd waren. Vincent liep mee naar voren om de opnames uit de zuidschacht klaar te zetten op de computer. Michelle bleef achterin de zaal staan en keek geamuseerd naar alle activiteit voorafgaand aan de persconferentie.

Toen na enkele minuten Abbara en Mehra binnenkwamen, nam iedereen plaats op een stoel. Na een korte beraadslaging met Enquist liep Abbara naar de microfoon en kwam Vincent vlug naast Michelle staan. Ze hoorden hoe Tarek Abbara de pers verheugd meedeelde dat ze weer een stap verder waren gekomen met het onderzoek in de piramide van Cheops. Het nieuwe obstakel moest niet gezien worden als een onneembare hindernis, maar het was duidelijk dat er opnieuw tijd nodig was om een werkbare oplossing te bedenken. Hij complimenteerde het onderzoeksteam en gaf daarna het woord aan Enquist voor verdere details.

Die beklom bescheiden glimlachend het podium. De film van de schacht verscheen levensgroot op het scherm achter hem en geroutineerd begon hij commentaar bij de beelden te geven.

Vincent stootte Michelle aan. 'Ga je mee? Het gedeelte dat nu komt is bekend. Daar hoef ik niet bij te blijven.'

Ze knikte afwezig en bleef gebiologeerd naar Enquist luisteren. In de Koninginnekamer had ze enkele fragmenten van de meest recente opnames uit de schacht gezien, maar ze wilde graag alles zien. Bovendien vond ze het interessant om het commentaar van Enquist bij de beelden te horen. Vincent sloeg zijn armen over elkaar en keek met zijn schouder tegen de muur geleund mee. Michelle bleef nog even geboeid luisteren hoe Enquist beschreef wat de fiberoptische camera achter de eerste sluitsteen had geregistreerd, maar toen hij zijn betoog afsloot en de journalisten gelegenheid gaf tot het stellen van vragen, knikte ze naar Vincent en verlieten ze samen de zaal.

Via de receptie, waar ze snel incheckte en een toegeschoten piccolo haar bagage alvast naar haar kàmer bracht, liepen ze naar het buitenterras. De zon was inmiddels achter de horizon gezakt en de lantaarns werden ontstoken. Nu de hitte van overdag langzaam oploste, begon de temperatuur zowaar aangenaam te worden. De meeste stoelen werden bezet door toeristen die net terugkeerden van hun uitstapjes naar Cairo. Met een drankje in hun hand waren ze uitgeput neergeploft aan de rand van het zwembad. Terwijl Michelle rondkeek waar ze konden gaan zitten, herkende ze verderop Moreau. Hij zat alleen aan een tafeltje de krant te lezen. *De cellen*, schoot het door haar heen. Ze was zo in beslag genomen door de gebeurtenissen bij de piramide dat de cellen even naar de achtergrond waren verdwenen. Zou Moreau hebben kunnen vaststellen dat zijn cellen nog in de petrischaaltjes zaten?

'Daar zit Nicolas Moreau,' wees Michelle. 'Zullen we even bij hem gaan zitten?'

Vincent keek nieuwsgierig in de aangewezen richting.

'Dus dat is de man die door Alex, eh, ik bedoel Walter Beaney ontvoerd is.'

'Ja, kom maar mee,' nodigde Michelle hem uit.

Vincent volgde haar naar het tafeltje van Moreau, die verheugd opkeek. Voordat ze ook maar iets kon vragen gaf hij al antwoord.

'We hebben ze weer terug, hoor. De cellen zitten nog in de petrischaaltjes.'

'Mooi,' reageerde Michelle. 'Dan is onze reis naar Egypte geslaagd. Voor het grootste deel in ieder geval,' voegde ze eraan toe, 'want Beaney is nog steeds spoorloos.'

'Het belangrijkste is dat ik de cellen weer heb. Beaney is een zaak voor de politie. Zolang hij maar uit mijn buurt blijft vind ik het best.'

'Waar zijn de cellen nu?'

Moreau schoof de krant opzij die voor hem op tafel lag, waardoor er een platte doos zichtbaar werd die Michelle herkende als de cassette die ze vanmiddag hadden aangetroffen in de rugzak van Beaney.

'Ik verlies ze vanaf nu niet meer uit het oog. Ik neem ze overal mee naartoe. Die rechercheur belde trouwens nog, Hossam. Dat team van Mark Enquist logeert hier ook en omdat Walter Beaney ook met hen een connectie heeft, verwachten ze dat hij hier nog wel eens zou kunnen opduiken. Daarom wordt het hotel extra bewaakt.'

Hij grinnikte. 'We zitten hier voorlopig dus veilig.'

'Mooi,' knikte Michelle. 'Mag ik je dan nu voorstellen aan Vincent Albright. Vincent werkt voor National Geographic. Hij heeft de uitzending vanuit de piramide verzorgd en hij kent Walter Beaney ook.'

Vincent, die zich tot nu toe op de achtergrond had gehouden, deed een stap naar voren en knikte vriendelijk naar Moreau. De onderzoeker schudde zijn uitgestoken hand, maar keek vragend naar Michelle.

'Vincent probeert me te helpen,' legde ze uit. 'Ik ben geïntrigeerd geraakt door de dubbelrol die Beaney lijkt te hebben. Zelfs de politie heeft geen enkel idee waarom hij opeens in Cairo is opgedoken. Hij lijkt zich opeens getransformeerd te hebben tot een soort robotspecialist. Ik probeer te ontdekken wat de relatie is tussen zijn onderzoekswerk in Parijs en zijn rol in het team hier.'

Moreau klaarde op en nodigde hen uit om erbij te komen zitten. Hij wenkte een ober om wat te drinken te bestellen en stond hoffelijk op om Michelles stoel aan te schuiven. Vincent kon zijn nieuwsgierigheid niet langer bedwingen. Hoewel hij net zoals Michelle graag wilde weten wat de motieven van Beaney waren, was hij ook erg benieuwd naar de inhoud van de cassette die voor hen op tafel lag. Ze hadden het zojuist over cellen gehad.

'Dus u hebt uw cellen weer terug,' probeerde Vincent het onderwerp aan te snijden.

'Gelukkig wel,' knikte Moreau. 'Anders waren we jaren teruggeworpen in de tijd.'

Vincent trok een vragend gezicht.

'Dr. Moreau heeft een opzienbarende ontdekking gedaan op microbiologisch gebied,' zei Michelle. 'Waarschijnlijk zal hij binnenkort zijn resultaten publiceren, maar omdat de concurrentie op de loer ligt wordt er tot die tijd een strikte geheimhouding in acht genomen.'

Ze keek met een schuin oog naar Moreau. 'Maar misschien kunnen we gegeven de situatie een uitzondering maken.'

Moreau dacht even na over haar suggestie en knikte tenslotte. Hij liet Michelle aan het woord.

'Die cassette bevat biologische cellen die in het laboratorium gebouwd zijn. *Levende* cellen, de oorsprong van al het leven dat we kennen. Het verschil is alleen dat deze cellen door mensenhanden vervaardigd zijn. Je kunt je voorstellen dat het enorme maatschappelijke discussies zal opleveren als dit bekend wordt. Niet alleen in wetenschappelijke kringen, maar ook vanuit ethisch en religieus oogpunt.'

Vincent liet de impact van de ontdekking even tot zich doordringen en begreep dat Michelle gelijk had. De gevolgen moesten enorm zijn.

'De reden dat ik het je toch vertel is de rol die Walter Beaney speelde in het onderzoek. Hij heeft de cellen gestolen. We weten niet precies waarom.'

'Betekent dit echt dat jullie in het laboratorium uit het niets levende cellen hebben gemaakt die zichzelf vervolgens in stand houden?'

Moreau knikte. 'Nou, niet helemaal uit het niets natuurlijk. We hebben uit levenloze elementen een primitieve, maar levende cel gebouwd.'

'Maar hoe kun je nu iets bouwen dat zonder hulp van buitenaf blijft werken?' vroeg Vincent. 'Dat is toch onmogelijk?'

'Hoezo?' vroeg Moreau onverstoorbaar. 'Dat is in het verleden ook gebeurd toen het eerste leven op onze planeet ontstond. Blijkbaar is het onvermijdelijk dat er op de lange duur leven ontstaat als de omstandigheden daarvoor gunstig zijn. Dat geldt niet alleen voor onze planeet, maar voor alle planeten in het heelal. In het laboratorium kunnen we die gunstige omstandigheden uitstekend nabootsen.'

'Wacht even,' zei Vincent. 'Dus u beweert dat er op andere plaatsen in het heelal ook leven bestaat?'

'Dat is inderdaad onvermijdelijk,' knikte Moreau.

'Maar daar is toch nooit enig bewijs voor gevonden?'

'Nee. En vanwege de gigantische afmetingen van het heelal is het twijfelachtig of dat bewijs ooit geleverd zal kunnen worden. Maar statistisch gezien is het onmogelijk dat we de enigen zijn. De schattingen variëren van twee of drie tot enkele duizenden intelligente beschavingen alleen al in ons eigen melkwegstelsel.'

'Maar waarom vinden we ze dan niet?' vroeg Vincent. 'Met die krachtige telescopen van tegenwoordig kunnen we toch zo ongeveer tot aan het einde van het heelal kijken? Er zijn genoeg sterren om te onderzoeken.'

'Sterren zenden licht uit,' zei Moreau. 'Daarom kunnen we sterren waarnemen die zich op afstanden van vele lichtjaren hiervandaan bevinden. Maar op sterren kun je niet wonen. Sterren zijn gasbollen waarin onder enorme druk kernfusie van waterstof plaatsvindt. Daarom zijn we op zoek naar planeten. Maar omdat planeten geen licht geven zijn ze een stuk moeilijker waar te nemen. Ze worden namelijk volledig overstraald door het licht van de ster waar ze omheen draaien. Onze eigen zon, bijvoorbeeld, is een middelgrote ster die een miljoen keer groter is dan de aarde. De enige manier waarop astronomen het bestaan van verre planeten kunnen bewijzen, is doordat sterren tijdelijk een fractie minder licht uitzenden als er een planeet voorlangs schuift. Ze kunnen die planeten dus alleen indirect waarnemen en dat betekent dat we onmogelijk leven op verre planeten kunnen zien. Bij de zoektocht naar buitenaardse beschavingen zijn we daarom niet op zoek naar planeten, maar naar elektromagnetische straling zoals radiogolven, die uitgezonden moeten zijn door een intelligente beschaving. Radiogolven reizen met de snelheid van het licht, dus die kunnen grote afstanden overbruggen.'

'Wordt er dan serieus gezocht naar buitenaardse beschavingen?' wilde Vincent weten.

'Jazeker, er is zelfs een manifest van de Verenigde Naties over hoe we moeten reageren als er ooit contact gelegd zou worden.'

'Maar de kans dat we leven vinden is blijkbaar minimaal,' concludeerde Michelle spijtig.

'Daar lijkt het wel op. Maar er is nog een andere mogelijkheid om aan te tonen dat er leven buiten deze planeet bestaat.'

Michelle keek verrast op.

'Om buitenaards contact te kunnen leggen, hebben we een intelligente beschaving nodig. Het grootste deel van het buitenaards leven zal echter bestaan uit micro-organismen. Eencellige bacteriën die zich er niet van bewust zijn dat wij ze zoeken. Het is voor ons onmogelijk om dergelijk leven te traceren op planeten die vele lichtjaren van ons verwijderd zijn. Daarom concentreren onderzoekers zich op ons eigen zonnestelsel. Als het hen lukt om zo dichtbij al leven te vinden, moeten we aannemen dat leven zich werkelijk overal in het heelal kan ontwikkelen.'

'Vandaar dat er zoveel geld wordt gestoken in missies naar Mars,' begreep Vincent. 'Zouden ze daar ooit wat aantreffen?'

'Microscopisch leven is hardnekkig en onuitroeibaar. Dat blijkt hier op aarde al. Bacteriën komen voor in kokend hete bronnen, maar ook diep in het ijs van de Noordpool. Ze handhaven zich in radioactieve omgevingen, onder extreme druk op tien kilometer diepte in de oceaan en op plaatsen zonder zuurstof. Ze zijn overal. Ons lijf bevat meer bacteriën dan lichaamscellen. Tien procent van je gewicht wordt gevormd door bacteriën. Kortom, het is de meest voorkomende soort op aarde en al het complexe leven is uit die eencelligen ontstaan. Genoeg reden om ze uitgebreid te bestuderen.'

'En om ze na te bouwen,' vulde Vincent aan.

'Precies,' lachte Moreau terwijl hij op de cassette klopte. 'Dat is uiteindelijk ook gelukt.'

'Hoe hebt u dat eigenlijk voor elkaar gekregen? Het lijkt me ongelooflijk complex om iets te vervaardigen dat je met het blote oog niet eens kunt zien.'

'Dat houd ik nog even geheim,' glimlachte Moreau mysterieus. 'Binnenkort kun je het lezen in de vakbladen. Dan zal alles duidelijk worden.'

Hij onderdrukte een geeuw en keek op zijn horloge. Hij leek aanstalten te maken om naar zijn kamer te gaan. Michelle zag het.

'Kunnen we het nog even over Walter Beaney hebben? Jullie hebben allebei met hem gewerkt. Is jullie iets opgevallen? Heeft hij ooit iets gezegd waaruit zou kunnen blijken wat zijn motieven waren?'

Vincent dacht even na. Beaney, of Thompson zoals hij zich tegenover de groep van Enquist had genoemd, had bij hem een goede indruk achtergelaten. Hij was een aardige, beetje teruggetrokken jongen die zich volgens Peter Mueller vol overgave op de verbetering van Pyramid Explorer had gestort. In de Koninginnekamer had hij steeds geconcentreerd achter zijn computer gezeten en uiteindelijk was hij degene geweest die vakkundig een perfect rond gat in de muur geboord had. Vincent had aan niets gemerkt dat hij kwaad in de zin had.

'Nee,' zei hij peinzend. 'Maar ik bedenk me ineens iets anders. Blijkbaar probeert Beaney het onderzoek van dr. Moreau te saboteren. Mark Enquist heeft iets soortgelijks meegemaakt.'

Hij vertelde kort over de inbraak in Engeland en de overval in Cairo. Ook legde hij uit dat Enquist in Londen al het gevoel had dat hij gevolgd werd.

De beide anderen knikten. Dat had Hossam hun ook verteld toen hij hen van het vliegveld kwam halen.

Vincent dacht terug aan de conversatie tussen Enquist en Abbara over de ingetrokken vergunning.

'Als ik het goed begrepen heb, zijn er bepaalde mensen binnen de Supreme Council of Antiquities die het niet eens zijn met de opvatting van Enquist dat de piramides mogelijk gebouwd zijn door volkeren die leefden in een tijd dat er volgens de traditionele wetenschap nog helemaal geen intelligente beschavingen bestonden. Dat zou namelijk betekenen dat de piramides veel ouder zijn dan tot nu toe werd aangenomen. Enquist hoopt achter de deuren in de zuidschacht aanwijzingen te vinden die deze stelling bevestigen. In de ogen van de SCA is dit een zeer omstreden standpunt.'

Michelle en Moreau knikten, maar ze begrepen nog niet waar Vincent naartoe wilde.

'De overeenkomst met u, dr. Moreau, is dat ook het kunstmatig creëren van leven niet onomstreden is. Zoals jullie net al zeiden, zal het een grote impact op de samenleving hebben en zal er vanuit bepaalde kringen zeer sceptisch gereageerd worden. Misschien vertegenwoordigt Beaney wel een groepering die om een of andere reden beide onderzoeken wil saboteren.'

'Om dezelfde reden, bedoel je?' vroeg Moreau.

'Ja, hoewel ik nog niet kan bedenken wat die reden zou kunnen zijn. En er is nòg iets wat ik niet begrijp. In zijn pogingen om uw onderzoek tegen te werken ging hij erg ver. Hij heeft de cellen gestolen en hij heeft u zelfs gevangen gehouden om zijn doel te bereiken. Blijkbaar gaat hij over lijken.'

'Hij heeft wel meer geweld gebruikt,' zei Michelle terugdenkend aan zijn wurgende greep op de kade van de Seine.

'Maar waarom heeft hij dan nog niets gedaan om het onderzoek van Mark Enquist te dwarsbomen? Hij bevindt zich al geruime tijd in het hol van de leeuw, maar op het hoogtepunt is hij ervandoor gegaan. Enquist staat op dit moment zijn succes te vieren op de persconferentie. Beaney's missie lijkt dus mislukt.'

'Wie zal het zeggen,' zei Moreau terwijl hij opstond. 'Hij is nog steeds op vrije voeten, dus misschien zijn we nog niet van hem af. Als jullie me nu willen excuseren, dan trek ik me even terug op mijn kamer. Ik word te oud voor dit soort drukke dagen. Zie ik jullie straks bij het diner?'

Michelle en Vincent knikten en keken hem na terwijl hij met zijn cassette naar binnen liep.

Op hetzelfde moment kwam Peter Mueller het terras oplopen. Hij stopte en keek gejaagd rond. Toen hij Vincent herkende beende hij met grote stappen op hen af.

'Waar is Mark?' vroeg hij hijgend.

De altijd zo rustige Peter leek behoorlijk van streek. Het leek wel of hij vanaf de piramide rennend hiernaartoe was gekomen. Hij had een verwilderde blik in zijn ogen en keek onrustig om zich heen.

'Ik denk dat hij nog op de persconferentie is,' antwoordde Vincent. 'Wat is er aan hand?'

'Dat verklaart waarom hij zijn telefoon niet beantwoordt.'

Mueller ging aangeslagen zitten en keek de anderen geëmotioneerd aan.

'We hebben zojuist Pyramid Explorer naar beneden gehaald. Het blijkt dat hij gesaboteerd was.'

'Wat?' riepen Vincent en Michelle bijna in koor.

Mueller haalde diep adem en probeerde zijn emoties onder controle te krijgen.

'We wilden natuurlijk weten of Explorer schade had opgelopen door die stroomstoring, dus we hebben hem meteen opengeschroefd. Toen bleek dat er aan de binnenkant explosieven bevestigd waren. Er zat ook een soort spuitbusje in dat waarschijnlijk gas bevat.'

Nog steeds ontdaan leunde Mueller achterover.

'Dat moet het werk van Beaney zijn,' riep Michelle uit.

'Dat denk ik ook. Maar de explosieven zijn blijkbaar niet afgegaan,' reageerde Vincent.

'Nee, gelukkig niet. Het was kneedbaar spul dat als een soort klei aan de binnenkant was bevestigd. De ontsteker die erin zat geprikt is door het trillen van de boor losgekomen, waardoor er geen detonatie heeft plaatsgevonden. Waarschijnlijk gingen de beeldschermen even op zwart omdat er te veel stroom door de kabel werd gejaagd toen hij de explosieven wilde laten afgaan.'

'En dat gas?' vroeg Michelle.

'Geen idee. We weten niet wat er precies in het busje zit. We hebben onmiddellijk de politie erbij gehaald. Die hebben het meegenomen voor onderzoek.'

Michelle en Vincent keken elkaar aan en dachten precies hetzelfde. Walter Beaney had dus wel degelijk een poging gedaan om het onderzoek in de schacht te saboteren.

41

John Gallagher tuurde van een afstandje naar de verlichte ingang van het hotel. Het was inmiddels volledig donker geworden en hij kneep zijn ogen tot spleetjes om niet verblind te worden door de felle koplampen van arriverende en vertrekkende auto's met hotelgasten. Hij bevond zich in de duisternis buiten de lichtcirkel van het hotel en zag vanuit zijn verdekte positie dat er agenten rondliepen die regelmatig mensen aanhielden die naar binnen wilden. Zo te zien vroegen ze naar paspoorten en hotelreserveringen, want iedereen begon koortsachtig in zijn bagage te rommelen op zoek naar de gevraagde documenten. Blijkbaar werd het hotel extra beveiligd en het liet zich raden waarom.

Gallagher begreep dat hij door Lisa bij het team van Enquist weggehouden werd. Hij had zich nu iets te vaak bloot moeten geven, dus het risico werd te groot. Hoewel Lisa er niets over wilde zeggen, nam hij aan dat de jongen die hij had helpen ontsnappen zijn taken had overgenomen. Van zijn nieuwe doelwit, Nicolas Moreau, wist hij niet veel. Het enige wat telde, was dat hij die cellen in bezit kreeg. Voor hem stond vast dat de man ten koste van alles gestopt diende te worden.

Peinzend over een manier om ongezien het hotel binnen te komen, keek hij naar de surveillerende agenten bij de ingang. Die kon hij onmogelijk passeren zonder herkend te worden, dus hij moest wat anders bedenken. De overige ingangen zouden ongetwijfeld ook bewaakt worden en hij kon zelfs de mogelijkheid niet uitsluiten dat er agenten in burger rondliepen. Spiedend keek hij rond. Plotseling zag hij tussen alle toeristen een bekend gezicht. Een beetje aan de zijkant, half verscholen achter de sierbeplanting, herkende hij de lijvige gestalte van kapitein Mido. Hij had twee handen om zijn buikriem geklemd en observeerde wijdbeens alle mensen die passeerden. Gallagher glimlachte. Dat was de man die hem naar binnen ging loodsen.

Snel begon hij aan een omtrekkende beweging. Hij liep een stukje langs de rand van de woestijn en naderde ongezien de ingang vanaf de zijkant. Het laatste stuk liep hij door een onverlicht bloemperk dat eindigde bij de haag waar Mido zich had opgesteld. Gallagher bevond zich nu achter een boom op twee meter afstand van de bewaker en zocht oogcontact.

'Psst! Kapitein Mido,' riep hij gedempt.

Mido wendde zijn hoofd en keek opzij. Zijn ogen werden groot van verbazing toen hij Gallagher herkende. Gealarmeerd opende hij zijn mond om zijn collega's te waarschuwen. Hij leek zich echter te bedenken en deed onopvallend enkele passen zijwaarts. Dit was waar Gallagher op gerekend had. Mido had er geen belang bij om hem te arresteren. Dan zou zijn corrupte gedrag bekend worden, wat ongetwijfeld gevolgen zou hebben voor zijn positie.

'Wat moet je?' siste hij nijdig.

'Ik wil naar binnen, maar dat gaat niet lukken met al die bewaking. Daarom ga jij me hierbij helpen.'

'Wat?' Mido keek om zich heen of iemand hem zag praten. 'Onmogelijk. Jij bent een van de mensen die gezocht worden. Als ik nu de politie roep, zullen ze je onmiddellijk arresteren.' Hij knikte dreigend naar de agenten bij de ingang.

'Doe maar,' moedigde Gallagher hem aan. 'Dan zal ik ze vertellen hoeveel je laatst hebt bijverdiend. Ik denk dat je dan kunt fluiten naar je mooie baantje.'

Mido twijfelde en woog zijn opties af. Aarzelend keek hij naar de agenten. Ze ondervroegen op dit moment een westerse man die Engels sprak en qua uiterlijk en postuur een beetje op Gallagher leek.

'Bovendien loopt Vincent Albright hier ook nog rond. Die zal mijn verhaal graag willen bevestigen,' gooide Gallagher er nog een schepje bovenop.

Dat was het laatste duwtje dat Mido nodig had. Met tegenzin keek hij rond naar een mogelijkheid om Gallagher het hotel binnen te loodsen.

'Aan de zijkant zit een nooduitgang,' wees hij nukkig. 'Daar kun je ongezien naartoe lopen. Ik zal de deur van binnenuit openen.' Hij draaide zich om en liep ogenschijnlijk rustig met zijn handen op de rug het hotel in.

Gallagher liep onder dekking van de duisternis door de struiken in de aangewezen richting en zag de nooddeur waarover Mido had gesproken. Hij hurkte naast een boom en wachtte tot hij de kapitein achter de verlichte ruit zag verschijnen. Mido opende de deur en wenkte hem naar binnen. Gallagher kwam overeind uit zijn dekking en liep de laatste meters over een tegelpaadje naar de deur. Hij stapte over de drempel en kwam terecht in een klein portaaltje.

'Dank je,' zei hij tegen Mido. 'Je zult geen last meer van me hebben. Ik ben zometeen weer verdwenen. Als jij ook je mond houdt, is je geheim veilig bij mij.'

Mido knikte nors en draaide zich om. Gallagher liep achter hem aan en kwam terecht in een lange gang. Zoekend keek hij rond. De zich verwijderende voetstappen van Mido's leren laarzen klonken hol op de donkere houten vloer. Hij realiseerde zich dat hij nu weliswaar binnen was gekomen, maar hij had nog niet goed nagedacht over hoe hij Moreau zou kunnen vinden in het grote hotel. Simpelweg naar de receptie lopen en vragen op welke kamer de wetenschapper verbleef was geen optie met al die veiligheidsmaatregelen. Verder was het de vraag hoe lang hij hier anoniem zou kunnen rondlopen. Hij keek naar zijn verbonden hand. Die viel niet direct op omdat hij in een huidskleurig verband was gewikkeld. Zijn signalement was echter wel bekend. Bovendien was het de vraag hoe lang Mido zijn mond zou houden. Er was dus enige haast geboden.

'Eh, kapitein Mido,' riep hij hem na.

Mido wilde net aan het eind van de gang de hoek omlopen en keek vragend om. Gallagher liep snel naar hem toe.

'Eigenlijk wil ik nog een laatste gunst van u vragen,' zei hij toen hij hem had ingehaald.

Mido keek hem schamper aan. 'Volgens mij heb ik je genoeg geholpen. We staan quitte. Ik ben je niets meer verschuldigd.'

Gallagher dacht koortsachtig na. Het leek hem op dit moment niet verstandig om Mido verder onder druk te zetten. Het risico dat hij van gedachten zou veranderen was te groot. Hij besloot het over een andere boeg te gooien met een methode die zijn succes reeds bewezen had. Knipogend stak hij zijn hand in zijn broekzak en haalde een flinke stapel Egyptische ponden tevoorschijn. Mido's gezichtsuitdrukking veranderde onmiddellijk. Begerig keek hij naar de bankbiljetten. Zonder het geld te tellen was al duidelijk dat Gallagher een flink bedrag in zijn handen hield.

'Het is niet eens zo'n grote gunst die ik van u vraag,' zei Gallagher met een glimlach. 'Ik wil Nicolas Moreau graag even spreken. Hij verblijft in dit hotel, maar ik weet niet wat zijn kamernummer is. Ik hoop dat u me kunt helpen om dat te achterhalen.'

Gretig nam Mido de ponden aan en ging vluchtig met zijn duim langs de bankbiljetten. Tevreden met wat hij zag stopte hij het geld weg achter zijn uniform.

'Loop maar even mee,' wenkte hij met een voldaan gezicht.

Samen liepen ze de gang uit die na een haakse bocht uitkwam bij de lobby.

'Wacht hier,' wees Mido op een donkere garderobe.

Gallagher stelde zich verdekt op en zag hoe Mido op de geüniformeerde dame achter de receptie afliep. Hij legde een elleboog op de balie en kruiste zijn ene been voor het andere. Geanimeerd begon hij met haar te praten en ze gaf lachend antwoord. Toen ze iets intikte op haar computer boog hij zijn hoofd over de balie en keek nieuwsgierig mee. De dame wees iets aan op het scherm en Mido knikte. Hij bedankte haar en liep rustig terug in de richting van de garderobe.

'Kamer 124,' zei hij in het voorbijgaan.

Zonder op te kijken liep Mido verder en wandelde met een grote glimlach op zijn gezicht door de hoofdingang naar buiten.

Nicolas Moreau opende de deur van zijn hotelkamer en deed het licht aan. De airconditioning op de koloniaal ingerichte kamer stond flink te blazen. Vergeleken met het broeierige terras waar hij zojuist vandaan kwam voelde het fris aan. Hij legde de cassette met de cellen op de rand van het bed en zette de airco uit. Om de temperatuur wat aangenamer te maken opende hij de buitendeuren. De kamer had uitzicht op de verlichte piramides en Moreau bleef even in de deuropening staan. Hij nam zich voor om morgen een excursie over het plateau van Gizeh te gaan doen. Net toen hij zich omdraaide om weer naar binnen te gaan werd er geklopt. Terwijl hij naar de deur liep, probeerde hij te bedenken wie het zou kunnen zijn. Hij verwachtte niemand.

'*Excuse me, sir,*' hoorde hij een mannenstem op de gang zeggen. 'Ik heb een boodschap voor u van de receptie.'

Moreau fronste zijn wenkbrauwen. Wat kon dat nu weer zijn? Hij opende de deur en zag een lange, forsgebouwde man op de gang staan. Hij droeg vrijetijdskleding, dus hij hoorde blijkbaar niet bij het hotelpersoneel. Bovendien was het geen Egyptenaar. In zijn hand hield hij een brief met het logo van het hotel.

'Mag ik even binnenkomen?' vroeg hij beleefd in perfect Engels.

'Eh,' aarzelde Moreau, 'waar gaat het precies over?'

'Over uw onderzoek. We hebben reden om aan te nemen dat u in gevaar verkeert. Mijn naam is John Smith van Interpol.'

Hij tastte in zijn broekzak, schijnbaar op zoek naar zijn badge, en deed tegelijkertijd een stap naar voren. Moreau ging automatisch aan de kant en liet hem een beetje van zijn stuk gebracht binnen. Was hij in gevaar? Zat Walter Beaney soms weer achter de cellen aan? Op zijn hoede deed hij de deur dicht en zag hoe de agent van Interpol verder zijn kamer inliep. Onderzoekend keek Smith de kamer rond.

'Zijn dat de cellen?' vroeg hij wijzend naar de cassette op de rand van het bed.

Moreau knikte achterdochtig. Hij had ze net terug, dus hij wilde ze onder geen enkel beding meer afstaan. De agent draaide zich om en wilde de cassette oppakken.

'Sorry, meneer Smith,' reageerde Moreau. 'De inhoud van die cassette is uiterst delicaat dus ik heb liever niet dat u daar aanzit.'

Smith negeerde zijn woorden. Hij pakte zijn telefoon en terwijl hij naar Moreau gebaarde om zijn mond te houden wendde hij zich af om een nummer op te zoeken.

Moreau keek hem wantrouwend aan. Hij zag dat Smith de brief die hij bij binnenkomst in zijn handen had op bed had neergelegd. Tot zijn verbazing zag hij dat er geen boodschap voor hem opstond, maar dat het een reclamefolder was voor excursies die je via het hotel kon boeken. Die lagen bij de receptie, herinnerde hij zich. Elke hotelgast kon er eentje meenemen. Bovendien realiseerde hij zich opeens dat Smith nog steeds zijn badge niet had getoond. Hij nam de agent nog eens goed op en plotseling gingen zijn nekharen rechtovereind staan. Geschokt stelde hij vast dat de linkerhand van Smith in een huidskleurig verband was gewikkeld. Er staken slechts drie vingertoppen boven de grauwe zwachtel uit. Hij herinnerde zich de foto van de afgerukte pink die Hossam hun in de taxi had laten zien.

Moreau besefte dat hij inderdaad in gevaar was, maar dat de dreiging uit een andere hoek kwam. Gedreven door angst om de cellen opnieuw kwijt te raken pakte hij bliksemsnel een stenen replica van een farao van het dressoir en liet het beeldje met kracht neerkomen op het achterhoofd van John Smith. De man slaakte een gesmoorde kreet en terwijl hij zich op één knie liet zakken, greep hij met een van pijn vertrokken gezicht naar zijn hoofd. Moreau pakte vlug de cassette van het bed en rende door de openstaande deuren naar buiten. De klap op het hoofd van Smith was niet hard genoeg geweest om hem volledig uit te schakelen, dus hij moest snel handelen. Hij rende het hotelterrein over in de richting van de piramides. Pas toen hij buiten het schijnsel van de hotelverlichting kwam, durfde hij om te kijken. Hij zag dat de man die zich John Smith had genoemd in de deuropening verscheen. Moreau drukte zich hijgend tegen een muur en hoopte dat hij in de duisternis niet opgemerkt zou worden. Smith leek aardig hersteld van de klap op zijn hoofd en keek gejaagd om zich heen op zoek naar Moreau. Links en rechts van hem stonden enkele hotelgasten die rustig met elkaar in gesprek waren. Hij leek de conclusie te trekken dat Moreau niet langs hen heen was gerend, want hij koos dezelfde richting als de wetenschapper.

Onder dekking van bomen, struiken en gebouwtjes rende Moreau verder. Zijn conditie was niet best en ook zijn leeftijd werkte niet in zijn voordeel. Al spoedig raakte hij buiten adem en voelde hij hevige steken in zijn zij. Noodgedwongen matigde hij zijn tempo en stak zo snel als hij kon de open zandvlakte naar de piramides over. Bij de westelijke begraafplaats hurkte hij achter een grote graftombe en keek behoedzaam in de richting van het hotel om te zien of hij nog gevolgd werd. In het schijnsel van de piramideverlichting herkende hij de gestalte van Smith die inmiddels ook de rand van de zandvlakte bereikt had. Verontrust zag hij dat zijn achtervolger nog steeds in zijn richting liep. Moreau zag geen uitweg meer en werd bevangen door een aanval van paniek. Het plateau van Gizeh lag er op dit tijdstip verlaten bij en de weg terug naar het hotel werd geblokkeerd door Smith. Tevergeefs voelde hij in zijn broekzak, want hij wist al dat zijn telefoon nog op de hotelkamer lag. Angstig realiseerde hij zich dat hij op zichzelf was aangewezen. Omdat Smith recht op hem af bleef lopen, stond hij op en liep in gebukte houding tussen de mastaba's door. Aan het einde van de begraafplaats kwam hij bij de asfaltweg die langs de piramides liep. Even bleef hij hoopvol staan, maar er was in beide richtingen geen auto te bekennen. Hij zag zelfs geen koplampen in de verte. Snel stak hij de weg over en regelmatig achterom kijkend liep hij verder langs de piramide van Chefren. Het lopen viel hem steeds zwaarder en hij besefte dat hij iets moest bedenken om aan zijn achtervolger te ontkomen. Dit strompelen door het mulle zand hield hij niet lang meer vol. Recht voor zich zag hij de kleinere piramide van Mykerinos en daarachter begon de woestijn. Het had geen zin om de kale zandvlakte op te lopen, want dan zou hij een te gemakkelijk doelwit vormen. In plaats daarvan liep hij de hoek van de piramide van Chefren om en hield na enkele tientallen meters halt om even op adem te komen. Er heerste een doodse stilte op het verlaten plateau van Gizeh. Als hij al om hulp had willen roepen, zou hij waarschijnlijk door niemand worden gehoord. De toeristen waren verdwenen en met hen de verkopers, gidsen en kamelendrijvers. Bovendien zou hij zijn positie verraden aan Smith, die hoogstwaarschijnlijk nog in de buurt was. Aan het eind van zijn krachten gekomen besloot hij niet verder te vluchten, maar zich te verbergen. Angstig keek hij omhoog langs de getrapte zuidzijde van de piramide. De brokkelige schuine wand zag er allerminst uitnodigend uit, maar hij zag geen andere uitweg. Met bonkend hart hees hij zich op de onderste trede van de piramide en begon voorzichtig omhoog te klimmen. De ongelijkmatige treden waren steil en boden weinig houvast, dus hij vorderde slechts langzaam. Om de paar seconden keek hij naar beneden. Duizelend van de hoogte zag hij dat zijn achtervolger zich nog steeds niet vertoonde. Toen hij uitgeput een wat bredere richel bereikte, liet hij zich moeizaam op zijn buik zakken en wachtte af. Hij legde de cassette voor zich neer en bekeek zijn geschaafde handen. Met een pijnlijk gezicht veegde hij het fijne zand eraf en keek nog eens om zich heen. In de verte zag hij de lichtjes van Cairo branden. Naast zich had hij een magnifiek uitzicht op de piramide van Mykerinos, maar daar kon hij op dit moment niet van genieten. Zijn ogen speurden de omgeving af op zoek naar zijn achtervolger. De donkere vlakte bleef echter verlaten en Moreau begon voorzichtig te hopen dat hij John Smith, of wie het dan ook was, had afgeschud. Hij besloot het zekere voor het onzekere te nemen en nog een tijdje onbeweeglijk te blijven liggen.

Het eerste wat hij morgen zou doen, was proberen om zijn vlucht naar Parijs te vervroegen. Nu hij zijn cellen terug had, was er geen enkele reden om hier nog langer te blijven. In Parijs zou hij allereerst de cellen in veiligheid brengen, deze keer gingen ze echt achter slot en grendel, en vervolgens als een bezetene aan zijn publicatie gaan werken. Als hij het nieuws wereldkundig zou maken, had hun geheimzinnige vijand hopelijk een reden minder om jacht op hem en zijn cellen te blijven maken.

Moreau's hart sloeg over van schrik toen de cassette plotseling vanuit het niets voor zijn neus werd weggegrist. Hij had niemand horen aankomen. Verbouwereerd wilde hij opkijken, maar zijn hoofd werd hard door een schoenzool terug op de stenen geduwd. Zijn wang begon te branden en zijn kaak voelde verdoofd door de klap. Ook zonder op te kijken wist hij dat het John Smith was. De zogenaamde agent moest via een andere zijde omhoog zijn geklommen en was hem van bovenaf ongezien genaderd.

'Wat wil je nou?' bracht Moreau wanhopig uit. 'Wat moet je in hemelsnaam met mijn cellen?'

Gallagher opende zwijgend de cassette en zag dat er twee platte glazen schaaltjes met heldere vloeistof inzaten. Precies zoals Lisa gezegd had. Tevreden klapte hij het doosje weer dicht.

'Als u het niet erg vindt, neem ik dit mee,' zei hij laconiek tegen Moreau. 'Het kan niet Gods bedoeling zijn dat zijn eigen creaties zich gaan bemoeien met de bouwstenen van het leven zoals het door hem gecreëerd is.'

'Oh nee,' kreunde Moreau. 'Ben je er zo een?'

'U zet de mensen op het verkeerde been met uw onderzoek. Jullie darwinisten denken dat jullie het wetenschappelijke gelijk aan jullie zijde hebben. Dat geloof voor de dommen is en evolutie een feit. Maar als Darwin het bij het rechte eind had, dan zijn wij slechts ontwikkelde apen. Als we uit het niets ontstaan zijn, dan bestaat God niet en is er geen leven na de dood. Dan bestaan er geen normen voor goed of slecht en kunnen we dus straffeloos doen wat we maar willen. Gelooft u dat nou echt? Hoop en vrees, liefde en angst, denkt u dat dit soort emoties veroorzaakt wordt door rond elkaar zoemende atomen? Denkt u echt dat er met de dood een einde zal komen aan al deze menselijke gevoelens en sentimenten?'

Moreau zweeg gelaten. Dit was wat hem betreft niet het moment om dit soort discussies aan te gaan.

'Nee, ik weet het. U bent wetenschapper. Maar veel van uw collega's zijn het niet met u eens. Nobelprijswinnaar en biochemicus Francis Crick zei ondanks zijn scepsis tegenover godsdienst dat zelfs met alle kennis die we op dit moment hebben, de oorsprong van het leven bijna een wonder lijkt.'

Moreau bleef zwijgend naar beneden kijken. Het leek alsof hij niet eens luisterde. Gallagher ging onverstoorbaar verder.

'Het is schandelijk dat het idee dat een hoopje levenloze moleculen zich op een dag uit zichzelf getransformeerd heeft tot een levende cel in de hoofden van vele mensen leeft als zijnde een wetenschappelijk bewezen feit. Zeker als je je bedenkt dat er geen enkele wetenschapper te vinden is die nog gelooft dat toeval een rol heeft gespeeld bij het ontstaan van leven. Het is pure misleiding.'

Gallagher opende de cassette weer en keek nog eens goed naar het glinsterende vocht in de petrischaaltjes. Hij leek te willen zien of er iets in de vloeistof dreef.

Moreau zag zijn kans schoon. Terwijl Gallagher was afgeleid, deed hij een uitval naar de cellen in een ultieme poging zijn bezit te heroveren. Balancerend op de hoge richel stortte hij zich op Gallagher en omklemde vastberaden met twee handen de cassette. Gallagher liet echter niet los en er ontstond een korte worsteling om de cellen die erin uitmondde dat de beide petrischaaltjes, die los in de cassette zaten, rinkelend naar beneden vielen en vele meters lager uiteen spatten op het kalksteen. Verbijsterd keken de beide mannen naar de scherven.

'Hebt u nu uw zin?' bracht Gallagher uit. Tegelijkertijd realiseerde hij zich dat het eigenlijk niet zo vreselijk veel uitmaakte dat de cellen verloren waren gegaan. Lisa wilde het onderzoek van Moreau saboteren en in die opzet waren ze nu geslaagd. Triomfantelijk keek hij Moreau aan.

'En dit was dan het einde van uw onderzoek,' concludeerde hij minachtend.

Moreau ging zitten en liet voorovergebogen zijn hoofd in zijn handen rusten. Na Gallaghers woorden keek hij op en wreef vermoeid over zijn gezicht. Hij leek zich langzaam te herstellen van het verlies en maakte een gelaten indruk.

'Ach,' zei hij tenslotte. 'Eigenlijk is er niets verloren. Ik ga mijn artikel ondanks alles publiceren en het is slechts een kwestie van tijd voordat we een nieuwe cel hebben gebouwd. Ik weet nu hoe het werkt.'

Hij kwam moeizaam overeind en maakte zich op om naar beneden te gaan.

'Hoe bedoelt u?' vroeg Gallagher verbaasd.

'Mijn onderzoek is niet voor niets geweest. Het heeft hooguit vertraging opgelopen, maar ik weet nu hoe God zijn kunstje heeft geflikt. Het zal me enige tijd kosten, misschien gaat het zelfs nog wel jaren duren, maar ik zal het opnieuw doen. Ik zal opnieuw een levende cel laten ontstaan en bewijzen dat we God daar niet voor nodig hebben.'

Hij draaide zich om en wilde aan de afdaling beginnen. Voorzichtig zette hij zijn linkerbeen een trede lager.

De laatste opmerking van Moreau was bij Gallagher aangekomen als een mokerslag. Niet alleen realiseerde hij zich dat Moreau blijkbaar gewoon door kon gaan met zijn goddeloze onderzoek, maar met name het duivelse idee dat Moreau dacht dat hij voor God kon spelen bracht bij Gallagher een rode waas voor zijn ogen. Blind van woede en teleurstelling kwam hij overeind en gaf Moreau met beide handen een enorme duw tegen zijn borst. De wetenschapper was nergens op voorbereid. Verbaasd sperde hij zijn ogen wijd open en probeerde wankelend zijn evenwicht te bewaren op de smalle rand. Na enkele wanhopige ogenblikken die uren leken te duren viel hij met een gesmoorde kreet achterover de diepte in. Het laatste wat hij zag was de verlichte piramidetop die scherp afstak tegen de nachtelijke hemel.

42

Michelle sloot de deur van haar hotelkamer achter zich en klopte aan bij Moreau. Hij had zich gisteravond niet meer gemeld voor het diner en ze hadden aangenomen dat hij in slaap was gevallen. Toen hij ook na de tweede keer kloppen niet reageerde, besloot ze niet langer te wachten. In gedachten liep ze door de lange stille gangen naar de ontbijtzaal.

Na de persconferentie van gisteravond had Enquist zich bij hen aan tafel gevoegd. Toen hij van Peter Mueller het nieuws over de sabotage van Pyramid Explorer te horen had gekregen, had hij geschokt gereageerd. Opnieuw had hij zich afgevraagd wie er toch achter hem aan kon zitten, maar er was geen haar op zijn hoofd die erover dacht om met zijn onderzoek te stoppen. Ondanks de teleurstelling dat ze slechts een tweede stenen deur hadden aangetroffen, waren Enquist en Mueller vol vertrouwen dat ze de barrière uiteindelijk zouden weten te slechten. Volgens Enquist was ook de pers nog steeds enthousiast en de reacties op de tv-uitzending waren overwegend positief geweest.

Ze liep de ontbijtzaal binnen en zag dat Enquist en Mueller er al zaten. Vincent stond bij het buffet en schonk net een kop koffie in. Zijn haar was nog nat van het douchen.

'Goedemorgen,' begroette ze hem.

Vincent keek op. 'Goedemorgen Michelle. Wil je ook koffie?'

'Graag,' glimlachte ze.

Vincent schonk een tweede kopje in en samen voegden ze zich bij de andere twee.

'Ah, goedemorgen Michelle,' werd ze verwelkomd door Enquist. 'Is dr. Moreau nog niet wakker?'

'Volgens mij niet. Ik heb op zijn deur geklopt, maar ik kreeg geen reactie.'

'Jammer, ik wil hem graag eens ontmoeten.'

Michelle had gisteravond na de persconferentie verteld waarom zij en Moreau in Cairo waren en daarbij had ze ook over het cellenonderzoek gesproken. Enquist had het zeer interessant gevonden en ze hadden nog even doorgepraat over de implicaties van zijn ontdekking. Ze was nog steeds nieuwsgierig naar de raadselachtige drijfveren van Walter Beaney.

'Mark,' begon ze. Enquist had gisteren gezegd dat ze hem Mark moest noemen, want dat deed iedereen. Het voelde nog een beetje onwennig. 'Vincent vertelde gisteren dat je theorie dat de piramides ouder kunnen zijn dan tot nu toe wordt aangenomen niet bij iedereen in goede aarde valt.'

'Dat klopt inderdaad,' knikte Enquist.

'Zou dat een motief kunnen zijn voor Walter Beaney? Zou het zo kunnen zijn dat hij in jullie team geïnfiltreerd is omdat zeer oude piramides of hele oude samenlevingen niet passen in het beeld dat de Bijbel schetst? Tegen Moreau heeft hij een opmerking gemaakt over het verhaal van de vijf broden en twee vissen. Misschien is hij wel gelovig.'

Enquist keek naar Vincent.

'Wat denk jij? Was Alex, eh ik bedoel Walter, zo religieus? Daar heb ik nooit wat van gemerkt?'

'Ik ook niet, maar ik heb ook nooit gemerkt dat hij kwaad in de zin had. Iedereen geloofde dat hij Alex Thompson was. Blijkbaar kost het hem geen moeite om een andere rol aan te nemen.'

'Mmm, dus het zou een motief kunnen zijn,' bromde Enquist. 'Hopelijk heeft de politie hem snel te pakken. Misschien moeten ze eens in de kerk gaan zoeken.'

'In de kerk? Hoe bedoel je?' vroeg Michelle.

'Als hij werkelijk zo gelovig is, heeft hij hier in Cairo misschien wel behoefte aan het bezoeken van een godshuis,' opperde Enquist.

Vincent en Michelle keken elkaar aan. Ze dachten beiden hetzelfde.

'Zullen we proberen om hem te vinden?' stelde Vincent voor. 'Zoveel christelijke kerken zullen er niet zijn in Cairo.'

'Vergis je niet,' temperde Enquist zijn verwachting. 'Er zijn tamelijk veel koptisch-orthodoxe kerken in Cairo, dus het is niet zo eenvoudig als het lijkt.'

'Laten we even op internet zoeken,' zei Michelle. 'Misschien valt het mee. We kunnen het in ieder geval proberen.' Ze werd enthousiast van het idee om de jacht op Beaney te openen.

'Oké, dat is dan afgesproken.' Vincent keek Enquist en Mueller aan. 'En wat gaan jullie doen vandaag?'

'Ik zal inspecteur Hossam op de hoogte brengen van jullie besluit,' zuchtte Enquist, die inmiddels uit ervaring wist dat het geen zin had om Vincent van zijn plan te weerhouden.

'Zorg in ieder geval dat je zijn nummer bij de hand hebt voor het geval dat.'

'Oké,' knikte Vincent.

'En verder,' zei Enquist met een geheimzinnig lachje, 'gaan wij vandaag terug naar de piramide.'

Vincent keek hem vragend aan. 'En dat is vast niet om de apparatuur op te halen.'

'Nee. Nog niet in ieder geval. Je kunt er natuurlijk op wachten dat de SCA na de sabotagepoging van gisteren verder onderzoek in de Koninginnekamer zal verbieden. Maar zolang wij dat bericht niet hebben gehad, gaan we gewoon verder met ons onderzoek.'

'Maar wat zijn jullie dan van plan? De schacht loopt toch dood?'

'De *zuid*schacht loopt dood. Althans, hij is geblokkeerd. Of hij doodloopt, weten we nog niet. Maar er is natuurlijk nog een tweede schacht vanuit de Koninginnekamer, de noordschacht. Die hebben we nog niet onderzocht. Alle apparatuur staat er nog, dus we gaan Pyramid Explorer vandaag de noordschacht insturen. Wie weet wat we daar zullen aantreffen.'

Vincent knikte. Je zou bijna vergeten dat er nog een tweede schacht was.

'Interessant,' zei hij. 'Ik ben benieuwd wat jullie zullen aantreffen. Denk je dat de noordschacht er hetzelfde uit zal zien als de zuidschacht?'

'Beide schachten zijn nooit eerder onderzocht. Wij waren de eersten, dus ik weet het niet. Ik hoop een aanwijzing te vinden waarmee we de piramide wat nauwkeuriger kunnen dateren.'

'Ik ben benieuwd,' zei Vincent.

Even twijfelde hij of hij mee zou gaan naar de Koninginnekamer. Hij was hier tenslotte voor een documentaire over Enquist. Zoeken naar Beaney was echter ook spannend en Michelle keek hem al ongeduldig aan. Dat gaf de doorslag.

'Dan gaan wij op zoek naar Walter Beaney.'

Michelle knikte. De rol van onderzoeksjournalist beviel haar wel. Vooral de spanning die het met zich meebracht.

'Laten we eerst even achter de computer gaan zitten,' stelde ze voor. 'We moeten uitzoeken hoeveel christelijke kerken er in Cairo zijn en waar ze liggen. Misschien kunnen we daaruit afleiden waar

Beaney logischerwijs naartoe zou gaan.'

'Oké,' knikte Vincent.

Na het ontbijt vertrokken Enquist en Mueller naar de piramide. Vincent haalde zijn laptop van zijn kamer en samen met Michelle begon hij te googelen naar kerken in Cairo. Na enig zoeken vonden ze veertien christelijke kerken, waarvan de meeste inderdaad koptisch-orthodox waren, zoals Enquist gezegd had.

'Veertien kerken verspreid over de stad,' zuchtte Vincent. 'Hoe gaan we dat aanpakken?'

Michelle schoof de laptop naar zich toe en begon de websites van de verschillende kerken te bekijken.

'Kijk,' wees ze. 'Veel kerken zijn alleen geopend tijdens de diensten in het weekend. Daar kan hij doordeweeks niet terecht. Verder ligt een aantal kerken vrij ver uit het centrum. Dat ligt ook niet voor de hand.'

Ze maakten een lijstje met kerken in het centrum die je ook buiten de diensten kon bezoeken en verlieten het hotel. Een taxi bracht hen naar de eerste kerk op hun lijstje. Nadat Vincent de chauffeur had gevraagd of hij even wilde wachten tot ze terug waren, stapten ze uit.

De twee torens van de vroegmiddeleeuwse kerk rezen hoog uit boven de omliggende gebouwen. Vincent vond de Gotische bouwstijl en de stenen kruizen bovenop de torens in schril contrast staan met de Arabische omgeving van moskeeën, mannen in kaftans en de oproep tot gebed die vanaf een minaret in de buurt schalde. Ze liepen naar de ingang en Michelle voelde aan de grote houten toegangsdeur. Die was open en een beetje schuchter stapten ze naar binnen. Er was niemand te zien in de kerk. Hun voetstappen klonken hol op de grijze tegels en hun stemmen echoden lang na in de grote ruimte, waardoor ze de neiging kregen om tegen elkaar te fluisteren. Tussen de kerkbanken door liepen ze naar het altaar, waar enkele kaarsen brandden. Zoekend keken ze om zich heen.

'Kan ik u helpen?' hoorden ze opeens een stem in het Engels vragen.

Verwonderd draaiden ze zich om. In de opening van een kleine zijdeur stond een keurig geklede Egyptische jongeman die hen vragend aankeek. Hij was duidelijk niet gewend aan bezoekers op dit tijdstip.

Vincent schraapte zijn keel. 'Goedemorgen. Mijn naam is Vincent

Albright en dit is Michelle Rousseau. We zijn journalisten. Mogen we u wat vragen?'

De jongen knikte aarzelend.

'We zijn op zoek naar een Engelse man die deze week misschien in uw kerk is geweest.'

Michelle haalde een foto van Beaney tevoorschijn die Olivier haar vanochtend gemaild had en toonde hem aan de jongen. Hij wierp een blik op het printje en schudde zijn hoofd.

'Er komen hier doordeweeks weinig mensen,' zei hij verontschuldigend.

'Oké. Nou, bedankt,' zei Vincent en hij draaide zich om naar Michelle.

'Kom. Op naar de volgende kerk. Dit was pas de eerste.'

Michelle knikte vriendelijk naar de jongen en volgde hem naar buiten. Ze stapten in de wachtende taxi en reden naar de volgende kerk. Ook daar werd Beaney na het tonen van de foto niet herkend en hetzelfde gold voor de drie kerken die ze daarna nog bezochten. Een beetje moedeloos stapten ze opnieuw in de taxi. Beiden hadden ze op een snel succes gehoopt. Misschien was Beaney wel met hele andere zaken bezig dan het bezoeken van een kerk in Egypte.

Zoals elke dag was het ook nu weer verzengend heet in de stoffige straten van Cairo.

'Een ijskoud blikje cola,' zuchtte Vincent. 'Dat is wat ik nodig heb.'

'Bij de volgende kerk kun je dat ongetwijfeld kopen,' zei Michelle op haar lijstje kijkend. 'El Moalakka, de hangende kerk. Die schijnt vrij toeristisch te zijn.'

'Mooi,' knikte Vincent verheugd bij de gedachte aan koude cola. 'Laten we daar dan maar eens naartoe gaan. Waarom is die kerk zo toeristisch?'

'Het is een van de oudste en mooiste kerken van Cairo,' las Michelle voor. 'In de vierde of vijfde eeuw gebouwd op een Romeinse verdedigingstoren. Daar dankt ze haar bijnaam aan. Het middenschip van de kerk hangt over een oude doorgang.'

De taxi zette hen af bij El Moalakka. Vincent keek omhoog naar de twee hagelwitte torens van de kerk. De zwarte kruizen bovenop staken scherp af tegen de blauwe lucht en het felle zonlicht weerkaatste op de witte muren. Er waren ook stalletjes. Snel liep hij naar de dichtstbijzijnde verkoper waar hij om een blikje cola en een flesje water vroeg. De man grabbelde diep in zijn koelbox die tot de rand was gevuld met ijs en diepte grijnzend de twee drankjes op. Vincent nam ze aan en hield ze in Michelles richting.

'Kies maar,' knikte hij.

Michelle begon te lachen. 'Ik zou nu natuurlijk niet meer voor de cola durven te kiezen.' Ze pakte het flesje water aan.

'Hij heeft nog meer cola in het ijs liggen hoor,' reageerde Vincent en hij draaide zich al om naar de verkoper.

'Nee, nee, dit is prima. Laten we de trappen oplopen.'

Samen begonnen ze aan de bestijging. Vincent legde het ijskoude blikje eerst even in zijn nek en opende het pas toen ze na zo'n dertig treden onder de sierlijk bewerkte houten toegangspoort doorliepen. Ze kwamen terecht op een binnenplaats met kleurige mozaïeken en een klaterende fontein. In tegenstelling tot de andere kerken die ze vanochtend bezocht hadden, waren ze hier niet de enigen. Talloze toeristen schuifelden door de kerk en bleven staan bij de eeuwenoude iconen. Vincent en Michelle volgden de stroom en namen plaats op een bankje aan de zijkant van de kerk. Van hieruit hadden ze een goed overzicht over de hele ruimte. Onopvallend probeerden ze de gezichten van de aanwezigen op hun netvlies te krijgen. In de meeste gevallen was het in één oogopslag duidelijk dat het niet om Beaney ging, maar een paar keer bleven ze iemand volgen die op het eerste gezicht aan zijn profiel voldeed. Dan stootten ze elkaar aan en knikten in de richting van de bewuste persoon. Maar telkens als de man in kwestie zijn gezicht in hun richting draaide, bleek het niet Walter Beaney te zijn.

Toen er een geestelijke in een lang habijt passeerde, stond Michelle op en toonde hem de foto. Vriendelijk vroeg ze aan de oudere man of hij misschien de bewuste persoon in de kerk had gezien. De priester keek even naar de foto en schudde zijn hoofd. Hij verwees haar behulpzaam naar een man in een donkerblauw pak die verderop zwijgend met zijn rug tegen de muur toezicht stond te houden. Hij had zijn handen voor zijn buik gevouwen en knikte toen hij zag dat de priester in zijn richting wees. Dat moest een soort suppoost zijn. Ze bedankte de priester en liep op hem af. Vincent bleef zitten en zag hoe Michelle opnieuw de foto toonde. De suppoost keek even aandachtig naar de foto maar gaf geen blijk van herkenning. Ze wisselde enkele woorden met hem en keerde daarna terug bij Vincent.

'Helaas. Die man is hier elke dag, maar Beaney komt hem niet bekend voor. Waarschijnlijk zitten we op een dood spoor.'

Ze ging naast Vincent zitten en nam een slok water. Hun aandacht voor de ronddrentelende toeristen verslapte een beetje en ze kwamen op een ander onderwerp.

'Geloof jij eigenlijk dat Nicolas Moreau werkelijk levende cellen heeft gebouwd in het laboratorium?' vroeg Vincent. 'Zou zoiets echt mogelijk zijn?'

Michelle antwoordde niet meteen. In gedachten liet ze alle personen met wie ze de laatste tijd gesprekken had gevoerd de revue passeren. Frédéric Dubois en Patrick Laurent op de Sorbonne, daarna Olivier Leblanc, intelligent designaanhanger Richard Petit en tenslotte Nicolas Moreau zelf. Allemaal hadden ze vanuit hun eigen optiek het verhaal over de oorsprong van het leven verteld. Ze had veel nieuwe inzichten verworven, maar als journaliste wilde ze ook haar eigen mening vormen en haar eigen conclusies trekken. Daarom had ze als research voor haar reportage alles over het onderwerp gelezen wat ze maar had kunnen vinden.

'Ik vind het moeilijk,' zei ze uiteindelijk. 'Kijk, het darwinisme en de evolutietheorie zijn al tijden boven iedere discussie verheven en dat is niet voor niets zo. Het klinkt allemaal heel erg logisch en aannemelijk. Het klinkt zelfs zo logisch en aannemelijk dat iedereen het klakkeloos aanvaardt als de enige waarheid. Bovendien gaat iedereen er altijd vanuit dat de evolutietheorie een bewezen feit is, maar in alle boeken en artikelen die ik over het onderwerp heb gelezen, heb ik geen enkel hard bewijs aangetroffen. Ook geven veel wetenschappers toe dat er nauwelijks degelijk onderbouwde feiten zijn. De evolutietheorie is een *theorie*. Het is weliswaar een theorie waar veel goede ideeën inzitten, maar de gedachte dat de huidige soorten via vele tussenvormen afstammen van gemeenschappelijke voorouders is nooit onomstotelijk bewezen. Daarom intrigeert het me.'

'Wat voor soort bewijs verwacht men dan?' vroeg Vincent.

'Overgangsvormen,' antwoordde Michelle. 'Tussenvormen van de ene soort naar de andere. Als nieuwe soorten werkelijk ontstaan zijn omdat *natuurlijke selectie steeds kleine, gunstige variaties toevoegt*, zoals Darwin zelf zei, dan moeten er tussenvormen zijn geweest. Dat kan niet anders.'

'Klinkt logisch,' knikte Vincent. 'Zijn die er dan niet?'

'Nee,' zei Michelle. 'Darwins theorie voorspelt dat organismen gedurende zeer lange periodes steeds verder gaan afwijken van hun gemeenschappelijke voorouder, totdat de verschillen zo groot zijn dat je bij de huidige soorten uitkomt. Heb je wel eens gehoord van de *Cambrische explosie?*'

'Eh, nee. Wat is dat?'

'Het Cambrium is een geologisch tijdvak dat meer dan 500 miljoen jaar geleden begon. In de aardlagen van vóór die tijd zien we eigenlijk alleen maar wat wormen en weekdieren. En dan opeens, pats-boem, als een donderslag bij heldere hemel verschijnt plotseling meer dan de helft van alle hoog ontwikkelde diergroepen. Zomaar ineens, volledig ontwikkeld, zonder dat er fossielen van directe voorouders gevonden zijn. Complexe structuren met volledige zenuwstelsels en voortreffelijke ogen. Dat is de Cambrische explosie, door geologen ook wel de oerknal van het leven genoemd. Dus geen geleidelijke ontwikkeling, geen overgangsvormen, maar een plotselinge verschijning van een grote hoeveelheid nieuwe levensvormen. De fossielen uit de Cambrische explosie zijn onverenigbaar met de theorie van Darwin.'

'Wat bedoel je met plotselinge verschijning?' vroeg Vincent een beetje achterdochtig. 'Je bent toch niet van plan om God erbij te halen?'

'Nee, maar ik vraag me wel eens af hoeveel sneller evolutie nog moet gaan voordat ze stoppen om het evolutie te noemen. Je moet die plotselinge verschijning trouwens niet al te letterlijk nemen. De nieuwe levensvormen uit het Cambrium zijn in maximaal vijf miljoen jaar ontstaan, maar geologisch gezien is dat een oogwenk. In die relatief zeer korte periode heeft de complexiteit van het leven een ongelooflijk spectaculaire vlucht genomen. Volgens de uitgangspunten van de evolutietheorie met zijn weg van geleidelijkheid zou dat absoluut onmogelijk zijn.'

'Mmm, verrassend,' vond Vincent. 'Maar bedoel je nu te zeggen dat je twijfelt aan de evolutietheorie?'

'Ik weet het niet,' schudde Michelle. 'Ik zou me er nog meer in moeten verdiepen. Ik dacht alleen ...' Ze zweeg even.

'Wat?'

'Nou, als soorten zomaar ineens kunnen ontstaan, misschien kan Moreau dan ook wel zomaar leven laten ontstaan.'

Op dat moment werd ze afgeleid door een man die vooraan in

de kerk plaatsnam op een bank in de zijbeuk. Ze ging rechtop zitten om beter te kunnen kijken. Er liep net een groep toeristen voor hen langs die het zicht belemmerde, waardoor ze gedwongen werd om op te staan. De man zat in zijn eentje op het hoekje van een houten bank. Hij had zijn handen tussen zijn benen gevouwen en liet zijn hoofd hangen. Hij leek wel in gebed verzonken. Het rossige haar van de man was kort geknipt en hij had zijn zonnebril boven op zijn hoofd gezet. Hij had een baard van enkele dagen. Ze herinnerde zich dat Beaney ook een ongeschoren gezicht had gehad toen ze hem bij de piramide had gezien. De roodbruine stoppels kwamen haar bekend voor. Ze stootte Vincent aan.

'Zie je die man voor in de kerk?' wees ze gespannen.

Vincent keek in de aangewezen richting. 'In dat witte T-shirt?'

'Ja, met die zonnebril op zijn hoofd. Zou dat Walter Beaney kunnen zijn?'

Ze bevonden zich schuin achter de bewuste man, maar ze konden zijn gezicht niet goed zien. Vincent tuurde nog even met samengeknepen ogen en keek nerveus naar Michelle.

'Hij lijkt wel op hem, maar ik weet het niet zeker. We moeten zijn gezicht van de voorkant zien.'

Hij keek nog eens goed, maar vanuit hun positie was het onmogelijk te zien of het werkelijk Walter Beaney was.

'Ik ga er even op af,' besloot hij. 'Dat is de enige manier om erachter te komen.'

Michelle knikte. Terwijl ze de man scherp in de gaten hield, liep Vincent achter een groepje toeristen aan naar voren. De groep werd vergezeld door een gids die om de haverklap stil bleef staan om iets te vertellen, waardoor Vincent slechts langzaam vorderde. Ongeduldig luisterde hij met een half oor naar de uitleg over de historie van de kerk, waarbij de gids hem misprijzend aankeek omdat hij doorhad dat Vincent niet bij zijn groep hoorde. Zodra het kon verliet hij zijn dekking en stelde zich op achter een grote pilaar. Hij keek even naar Michelle die nog steeds achterin de kerk stond. Haar ogen schoten onrustig heen en weer tussen hem en de man op de bank. Hij stak zijn duim naar haar op ten teken dat alles onder controle was. Hij wachtte even tot er weer enkele mensen voorbij liepen en stak toen voorzichtig zijn hoofd om de pilaar. Tussen de passanten door keek hij naar de jongen, die nu voorovergebogen met zijn hoofd in zijn handen zat. Op deze manier was hij nog steeds niet herkenbaar.

Ongeduldig bleef Vincent wachten tot hij zich weer zou oprichten. Hij verschool zich zoveel mogelijk achter de pilaar, want als de jongen zijn kant op zou kijken hadden ze onvermijdelijk oogcontact. Plotseling kwam hij overeind. Hij bleef nog enkele seconden naar het altaar kijken en liep daarna met grote passen in de richting van de uitgang.

Vincent dook weg. Er was geen twijfel mogelijk. Het was Walter Beaney. Of Alex, zoals hij hem in gedachten nog steeds noemde. Terwijl hij opstond had Vincent hem recht in zijn gezicht kunnen kijken en hij had onmiddellijk het bleke gezicht van de gewezen wetenschapper herkend. Ze moesten nu onmiddellijk in actie komen. In verwarring holde hij naar Michelle. Hij realiseerde zich dat ze helemaal niet bedacht hadden wat ze precies zouden doen in het geval ze Beaney daadwerkelijk zouden vinden.

'Het is hem,' zei hij gejaagd toen hij weer bij Michelle was.

'Ik heb het gezien,' knikte ze. 'Wat een geluk. We moeten onmiddellijk inspecteur Hossam waarschuwen.'

'Maar hij loopt op dit moment naar buiten. Zo ontsnapt hij opnieuw. We moeten achter hem aan. Kom mee.'

Terwijl ze gehaast achter Beaney aan naar buiten holden, haalde Vincent zijn telefoon tevoorschijn en belde Hossam. Die nam meteen op.

'Met Vincent Albright.' … 'Ik sta hier samen met Michelle Rousseau bij El Moalakka en Walter Beaney is hier.' … 'Ja, echt. Hij loopt op dit moment naar buiten.' … 'Nee, hij heeft ons niet gezien.' … 'We willen achter hem aan gaan zonder dat hij ons ziet. Op die manier kunnen we u naar hem toe leiden.'

Opeens stopte hij met rennen en luisterde zwijgend naar Hossam. Zijn ogen werden langzaam groot van verbazing en ontsteld keek hij naar Michelle.

'Oké, ik begrijp het,' sloot hij het gesprek af. 'We zullen voorzichtig zijn.' … 'Ja, ik hou u op de hoogte.'

Vincent stopte zijn telefoon weg.

'Wat zei hij?'

'In het politielaboratorium hebben ze de metalen cilinder onderzocht die bij de explosieven in Pyramid Explorer is aangetroffen.' Hij pauzeerde even om het nieuws goed tot zich te laten doordringen.

'Ja, en wat zat erin?'

'Om geen enkel risico te nemen hebben ze de cilinder onder beschermende omstandigheden geopend en dat was maar goed ook, want er bleek een uiterst dodelijk zenuwgas in te zitten.'
Michelle keek hem verbijsterd aan. 'Een dodelijk zenuwgas?'
'Ja, Hossam had het over VX. Beaney heeft dus niet alleen geprobeerd om Pyramid Explorer op te blazen, maar hij wilde blijkbaar ook een aanslag plegen op het team in de Koninginnekamer. Door de kracht van de explosie had het zenuwgas vrij moeten komen. De gevolgen waren dan niet te overzien geweest. Er zouden doden zijn gevallen.'
Michelle realiseerde zich onmiddellijk de consequentie van zijn woorden. 'Dat betekent,' stamelde ze, 'dat we achter een potentiële moordenaar aanzitten.'
'Inderdaad. Als je met VX-gas in aanraking komt, heeft dat volgens Hossam hele akelige gevolgen. We zijn in de Koninginnekamer door het oog van de naald gekropen.'
'Maar dat geldt ook voor mij,' besefte Michelle. 'Wij kwamen in de piramide vlak nadat Beaney vertrokken was. Hij moet onmiddellijk na zijn aanslag gevlucht zijn. Als hij was geslaagd in zijn opzet, zouden wij ook met dat gas in aanraking zijn gekomen.'
Aangeslagen bleven ze bij de ingang van de kerk staan en zagen hoe Beaney iets verderop door het smalle straatje liep.
'Wat denk jij?' aarzelde Michelle. 'Is het verstandig om achter zo'n gevaarlijke crimineel aan te gaan? Hossam is toch onderweg?'
'Ja, hij zou meteen in zijn auto springen. Maar als we hier blijven staan glipt Beaney opnieuw door onze vingers.' Hij wees naar de Engelsman die zich snel van hen verwijderde. 'We moeten hem nu volgen, anders vinden we hem misschien nooit meer.'
'Laten we dan in ieder geval zorgen dat hij ons niet opmerkt,' besloot Michelle.
Op ruime afstand begonnen ze hem te volgen. Beaney stopte en keek om zich heen. Ze reageerden door razendsnel een portiek in te duiken. Aan het zicht onttrokken door een grote tropische plant keken ze wat hij van plan was. Beaney stak zijn hand op naar een passerende taxi, die onmiddellijk stopte. Door het geopende raam begon hij met de chauffeur te praten.
'Hij neemt een taxi,' siste Michelle. 'We moeten er ook een aanhouden.'
Zoekend keek ze links en rechts de straat in, maar hoewel er ge-

woonlijk talloze taxi's voorbijreden, was er op dit moment geen enkele te bekennen. Beaney stapte ondertussen achterin de taxi, die vol gas de straat uitstoof.

'Rennen!' riep Vincent.

Beaney reed vijftig meter verderop de hoek om, dus ze konden zich nu blootgeven. Ze stormden naar het kruispunt, waar beduidend meer verkeer was. Uit de tegenovergestelde richting kwamen enkele taxi's hen tegemoet. Michelle rende naar de overkant en ging half op straat staan met haar hand in de lucht. De voorste taxi stopte. Vincent was haar achterna gerend en snel stapten ze op de achterbank.

'We moeten de andere kant op,' zei Michelle gejaagd. 'Die taxi achterna.'

Ze keek door de achterruit en zag dat er een paar honderd meter verderop wel drie of vier dezelfde taxi's reden. Ze kon niet meer zien in welke wagen Beaney zat.

'Vlug, vlug, omdraaien,' riep Vincent haastig en hij wapperde met wat bankbiljetten.

De chauffeur had geen verdere aansporing nodig. Hij stak zijn arm door het open raam naar buiten om het achteropkomende verkeer tegen te houden en draaide zijn auto geroutineerd de andere richting op. Terwijl hij het gaspedaal flink intrapte draaide hij zich half om.

'Welke taxi?' informeerde hij wijzend naar het verkeer voor hem.

Vincent en Michelle leunden allebei naar voren en tuurden in de verte.

'Volgens mij was het een van die twee Nissans,' wees Vincent. 'Maar ik weet niet zeker welke.'

'Snel,' spoorde Michelle de chauffeur aan. 'We moeten er zijn voordat ze ieder een andere kant opgaan.'

Hij knikte en concentreerde zich op het verkeer. Toeterend laveerde hij tussen de andere auto's door en al snel kwamen ze in de buurt van de andere taxi's. Terwijl Vincent met Hossam belde om door te geven in welke richting ze reden, tuurde Michelle naar buiten. Ze klemde zich tussen de twee voorstoelen in en probeerde te ontdekken in welke taxi Beaney zich bevond. Het verkeer was drukker geworden en er reden nu vier of vijf taxi's voor hen. Geconcentreerd liet ze haar blik over de wagens gaan en probeerde overal naar binnen te kijken.

'Daar!' wees ze toen ze de eerste Nissan hadden ingehaald. 'Dat is hem!'

Vincent keek op en herkende het kortgeknipte, rossige haar van Beaney achterin de taxi. Hij keek rustig naar buiten en had duidelijk niet in de gaten dat hij gevolgd werd. Vincent pakte opnieuw zijn telefoon en gaf aan Hossam door dat ze Beaney nu op de hielen zaten.

'Is that your friend?' informeerde de chauffeur.

'Ja,' zei ze. 'Bedankt voor de snelle inhaalactie. Dat heb je goed gedaan.'

De chauffeur ging naast zijn collega rijden.

'Nee, niet doen!' riep Michelle. Ze realiseerde zich dat ze niet tegen de chauffeur hadden gezegd dat ze onopgemerkt moesten blijven. Snel liet ze zich achterover in de kussens vallen zodat ze van buitenaf niet meer zichtbaar was. Vincent, die nog steeds met Hossam in gesprek was, had het te laat in de gaten. Hij draaide zijn hoofd in de richting van de andere taxi en keek recht in de ogen van Walter Beaney, die uitdrukkingloos naar buiten zat te staren. Zijn gesprek met Hossam stokte en een ogenblik lang zat hij gevangen in het blikveld van de ontvoerder van Nicolas Moreau. Hun chauffeur reageerde onmiddellijk op de kreet van Michelle door stevig op de rem te trappen en het oogcontact werd abrupt verbroken. Hopelijk was Beaney zo diep in gedachten verzonken dat hij niet bewust naar de taxi naast hem had gekeken. Vincent legde aan Hossam uit wat er gebeurd was en hing op.

'Zag hij ons?'

'Ik weet het niet,' antwoordde Michelle. 'Ik heb zijn gezicht niet gezien, want ik dook meteen weg. Hoe reageerde hij?'

'Nou, eigenlijk reageerde hij helemaal niet, dus ik hoop dat hij me niet herkend heeft. We hebben het voordeel dat hij ons hier niet verwacht.'

'Laten we hem maar op veilige afstand blijven volgen. Is inspecteur Hossam al bij ons in de buurt?'

'Hij is onderweg. Als we onze positie aan hem blijven doorgeven is hij in staat om ons snel vinden.'

'Dat is een geruststellende gedachte,' knikte ze terwijl ze de taxi van Beaney scherp in de gaten bleef houden.

Ze stonden nu voor een stoplicht. Beaney bevond zich in de

rechtse rij met auto's. Zelf stonden ze in de middelste. Plotseling maakte de andere taxi zich los uit de rij en begon langzaam langs de overige auto's naar voren te rijden. Met twee wielen op de stoeprand bereikte hij de kruising, waar het verkeer van links en rechts voorbij raasde. Even hield hij halt. Vervolgens sloeg hij rechtsaf, het rode stoplicht negerend.

'Hij gaat ervandoor!' riep Michelle. 'Hij heeft ons herkend. We moeten achter hem aan.'

Vincent keek om zich heen en zag dat ze de achtervolging niet meteen konden inzetten omdat ze helemaal ingesloten waren door andere auto's. Haastig tikte hij de chauffeur op zijn schouder.

'Kunnen we hier snel uitkomen? We mogen die auto niet uit het oog verliezen.'

De chauffeur keek om zich heen en schudde vertwijfeld zijn hoofd. De auto's stonden bumper aan bumper te wachten voor de verkeerslichten. Er was geen doorkomen aan. Hij stuurde zijn wagen alvast een stukje de andere rijbaan op, wat hem op boze blikken van andere bestuurders kwam te staan. Vincent besloot een handje te helpen en sprong uit de auto. Met armgebaren probeerde hij wat ruimte te maken tussen de overige auto's en brommers, wat slechts mondjesmaat lukte. Op dat moment sprong het licht op groen, waardoor het verkeer weer op gang begon te komen. Vincent hield de auto's op de rechterrijbaan tegen en stapte snel weer achterin de taxi, die in volle vaart de achtervolging voortzette. In de verte zagen ze een taxi afslaan, maar ze konden niet goed meer zien of het de Nissan van Beaney was. Omdat er geen andere taxi's te zien waren in de straat, namen ze de gok. Vincent belde intussen Hossam weer op om hun nieuwe richting door te geven en keek tegelijkertijd door het zijraampje naar buiten om te zien of hij ergens een straatnaam zag, zodat hij Hossam gerichte aanwijzingen kon geven.

'Stop!' riep hij plotseling.

De chauffeur, inmiddels gewend aan de onverwachte aanwijzingen van zijn passagiers, bracht direct de wagen tot stilstand en keek vragend in zijn achteruitkijkspiegel.

'Rij eens een stukje achteruit,' gebood Vincent gejaagd. 'In die zijstraat reed een taxi en volgens mij was het een Nissan.'

De chauffeur deed wat hem gevraagd werd en zette de wagen een eindje terug. Hossam had zijn telefoon inmiddels opgenomen en terwijl Vincent hem uitlegde wat er gebeurde, tuurde hij door het zijraampje de bewuste straat in. Michelle boog zich nieuwsgierig naar Vincent om beter naar buiten te kunnen kijken. In de verte reed inderdaad een taxi die op dat moment tot stilstand kwam voor een rood stoplicht. Of het de taxi van Beaney was konden ze van deze afstand niet zien. Besluiteloos keken ze elkaar aan. Op welk paard moesten ze wedden? Als ze hier bleven staan zouden ze allebei de taxi's uit het oog verliezen en bleven ze met lege handen achter. Dan zou Beaney opnieuw ontsnappen. Vincent keek rechtdoor. De taxi die ze zojuist gevolgd hadden verdween nu ook bijna uit het zicht.

'Kun jij zien of Beaney erin zit?' vroeg hij gejaagd aan Michelle.

'Nee, het is echt te ver weg. We zullen moeten gokken.'

'*Your friend is in that taxi*,' wees de chauffeur onverwacht door het zijraampje.

Verbaasd keken Michelle en Vincent naar de taxi die nog steeds voor het stoplicht stond.

'Sorry?' vroeg Vincent.

'Eén remlicht doet het niet,' merkte de man op. 'Dat had die taxi van net ook.'

'Wat goed! Dat was mij niet eens opgevallen.'

'Mij ook niet. Waar wachten we nog op. Snel, erachteraan,' spoorde Michelle de chauffeur aan.

De taxi draaide de zijstraat in en toen ze het stoplicht naderden, herkenden ze het silhouet van Beaney door de achterruit. Met enkele auto's tussen hen en de andere taxi in bleven ze rustig achter Beaney aanrijden. Het centrum van Cairo kwam snel dichterbij en het verkeer werd steeds drukker. Michelle vroeg de chauffeur om wat dichter achter Beaney te gaan rijden zodat ze hem niet uit het oog zouden verliezen. Ze reden nu op de oostelijke oever van de Nijl. Vincent herkende de brug waarover hij met Enquist was gereden op weg van de piramides naar het Egyptisch Museum voor hun afspraak met Tarek Abbara. Hij keek om zich heen en belde hun positie weer door aan Hossam. Hij kon zich nu beter oriënteren, waardoor hij in staat was om nauwkeurig door te geven waar ze zich bevonden.

Na enige tijd zwenkte de taxi van Beaney plotseling naar rechts en stopte volkomen onverwacht aan de kant van de straat. Het achterportier vloog open en Beaney sprong uit de taxi. Hij wierp een verachtelijke blik in hun richting en maakte zich vervolgens over het trottoir uit de voeten.

'Stop!' schreeuwde Vincent tegen de chauffeur terwijl hij het portier alvast opende. 'Ik ren achter hem aan. Er zijn hier allemaal zijstraatjes waar hij zomaar in kan verdwijnen.'

'Ik ga met je mee!' riep Michelle gedecideerd. 'Maar we gaan géén confrontatie met hem aan.'

Ze wierp enkele bankbiljetten op de voorstoel en stapte snel uit de auto.

'Hartelijk dank!' riep ze door het openstaande raampje naar de chauffeur. Die haalde verbaasd zijn schouders op en stopte het geld in zijn borstzak.

In de tussentijd had Beaney alweer een flinke voorsprong opgebouwd. Ze zagen hem verderop bij een klein restaurantje de hoek omgaan en zetten de achtervolging in over het trottoir. Zigzaggend om de mensen heen bereikten ze de zijstraat, die bestond uit ongelijke klinkers en afbrokkelende stoepranden. Het was hier nog drukker dan in de hoofdstraat en ze begrepen meteen waarom. Aan het eind van de straat bevond zich de kleurrijk versierde ingang van een overdekte bazaar. Michelle doorzag onmiddellijk het plan van Beaney. Een Egyptische bazaar! Als je daar naar binnen ging kwam je terecht in een immens labyrint van smalle, onoverzichtelijke gangetjes, volgebouwd met stalletjes die hun koopwaar breed hadden uitgestald en waar de mensen rijen dik doorheen schuifelden. Binnen vijf meter was je uit het zicht verdwenen. Als moeders hun kinderen niet aan de hand hielden, waren ze hun kroost in een mum van tijd kwijt. Als Beaney de bazaar bereikte, zouden ze het spoor onmiddellijk bijster raken.

Midden op de weg lopend renden ze verder. Er claxonneerde een auto achter hen die blijkbaar haast had om erlangs te komen. Terwijl ze even inhielden om de toeterende auto te laten passeren, zagen ze dat Beaney bijna bij de ingang van de bazaar was. Het leek onmogelijk om hem nog op tijd in te halen en ze vertraagden hun pas een beetje.

'Misschien maken we binnen nog een kans,' zei Michelle. 'Zo'n lange Europeaan in westerse kleding valt op tussen al die Egyptenaren.'

Vincent knikte en in een iets lager tempo bleven ze hem volgen.

De auto die hen zojuist op het trottoir had gedwongen, reed inmiddels de nog steeds voortsnellende Beaney voorbij. Vlak voor de ingang van de bazaar stopte hij met piepende remmen. Het portier vloog open en er sprong een jonge Egyptenaar uit die de aanstormende Beaney opving en hem professioneel tegen de grond werkte. Beaney werd volledig overrompeld en bood geen enkele weerstand toen hij met zijn hoofd naar beneden in het stof beet. De man, die op gymschoenen liep en informeel gekleed ging in een spijkerbroek en een gestreept overhemd, zette zijn knie stevig in de rug van Beaney en vouwde diens handen op zijn rug.

Michelle en Vincent hielden hun pas in en sloegen de actie verbaasd gade. Toen het andere portier van de auto openzwaaide vielen de stukjes weer op hun plaats. Tot hun opluchting herkenden ze inspecteur Hossam, die vluchtig zijn hand naar hen opstak terwijl hij zich snel bij zijn collega voegde. Ze keken elkaar aan en legden vlug het laatste stuk af. Toen ze bij de auto kwamen, was Beaney al in de boeien geslagen en werd hij net overeind geholpen door de collega van Hossam. Woedend keek hij hen aan, maar hij hield zijn kaken stijf op elkaar.

Hossam klopte Vincent op zijn schouder. 'Dankzij je aanwijzingen konden we snel ter plaatse zijn.'

Michelle keek naar Beaney die nijdig voor zich uit stond te kijken. Toen hij zag dat ze naar hem keek sloeg hij zijn ogen neer. Deze keer waren de rollen omgekeerd. Ze hoefde nu niet bang te zijn dat hij haar bij de keel zou grijpen. Ze had allerlei vragen die ze hem wilde stellen over de motieven achter de ontvoering van Nicolas Moreau en zijn plotselinge verschijning in Egypte, maar dit leek haar niet het goede moment.

Vincent dacht er anders over. 'Zo Alex,' sprak hij hem aan onder de naam die hij naar het team van Enquist toe gebruikt had. 'Ik heb begrepen dat Thompson niet je echte naam is. Wat is hier allemaal aan de hand? Je leek zo'n talentvolle technicus, maar het lijkt erop dat je geprobeerd hebt om een moordaanslag te plegen.'

Beaney schudde zijn hoofd en opende zijn mond om iets te zeggen, maar hij leek zich te bedenken. Er kwam geen woord over zijn lippen en hij keek Vincent vijandig aan.

Hossam kapte Vincents toenaderingspoging af en leidde hem met zachte dwang weg bij Beaney.

'Op het bureau zullen we de verdachte verhoren. Laat dat maar aan de politie over. Ik zou het op prijs stellen als jullie ook meekomen.'

Beaney werd achterin de politiewagen gezet en Hossam belde om assistentie van een patrouillewagen, die binnen enkele minuten om de hoek verscheen. Hij wisselde enkele woorden met de twee agenten en gebood Vincent en Michelle om in de auto te stappen. Ze reden achter Hossam aan en na een korte rit kwamen ze bij het politiebureau, een groot grijs gebouw met weinig ramen. Beaney werd direct door twee agenten afgevoerd.

'Lopen jullie mee?' vroeg Hossam. 'Ik denk dat ik zometeen nog een verrassing voor Beaney heb.'

'Een verrassing?' vroeg Michelle. 'Is er iets wat wij nog niet weten?'

'Beaney wordt nu direct naar een verhoorkamer gebracht, zodat we hem meteen aan de tand kunnen voelen. Jullie mogen meekijken aan de andere kant van de spiegelwand, waar hij jullie niet kan zien. Omdat jullie al eerdere ervaringen met hem hebben, kunnen jullie ons misschien wijzen op onwaarheden of tegenstrijdigheden in zijn verhaal.'

Hossam hield de deur voor hen open en ze betraden een grote hal, waarin zich een lange balie bevond en waar geüniformeerde agenten, rechercheurs en ander personeel door elkaar liepen. Ze stapten in een lift die hen naar de vierde verdieping bracht. Hossam ging hen door een muffe gang met versleten tapijt op de vloer voor naar een kleine kamer, waar gedempt licht brandde. Aan de ene kant bevond zich een groot raam, de spiegelruit, waardoor ze de verhoorkamer konden zien. Walter Beaney zat in zijn eentje aan een lege tafel. Boven zijn hoofd draaide een grote ventilator. Bij de deur van de verhoorkamer stond een agent die hem met zijn handen op de rug in de gaten hield.

'Kan hij ons niet zien?' vroeg Vincent voor de zekerheid.

'Nee,' schudde Hossam. 'En hij kan ons ook niet horen. Maar wij hem wel,' wees hij naar enkele luidsprekers in de muur.

'En wat is nou die verrassing die u voor hem in petto had?' wilde Michelle weten.

'Even geduld nog.'

De deur van de verhoorkamer ging open en er kwam een rechercheur binnen die Michelle en Vincent niet eerder gezien hadden. Hij was van middelbare leeftijd en zijn gezicht ging gedeeltelijk schuil achter een zorgvuldig geknipte, zwarte baard. De mouwen van zijn witte overhemd had hij opgestroopt, waardoor zijn zwaar behaarde armen en gouden horloge zichtbaar waren. Hij legde een dossier voor zich op tafel en haalde een leesbril uit zijn borstzakje die hij voor op zijn neus zette. Zijn hoofd een beetje voorover buigend keek hij Beaney over de rand van zijn bril ernstig aan.

'Doet u het verhoor niet zelf?' vroeg Michelle op gedempte toon aan Hossam, alsof ze bang was dat Beaney haar zou horen.

Hij schudde zijn hoofd. 'Daar hebben we specialisten voor. Dat is mijn collega Hassan Bensalah. Je kunt op normale toon praten, hoor. Hij hoort ons echt niet.'

'Oké,' knikte Michelle terwijl ze een blik van verstandhouding wisselde met Vincent. Beiden waren nog nooit bij een politieverhoor aanwezig geweest en gespannen keken ze door de spiegelwand naar de rechercheur, die nu met Beaney begon te praten. Via de luidspreker kwam zijn stem metaalachtig de ruimte binnen. In perfect Engels begon hij wat algemene vragen te stellen, waar Beaney kortaf op antwoordde. Hij maakte een aangeslagen indruk. Tot Michelles verbazing gingen de vragen niet over de aanslag in de piramide, maar over de ontvoering van Moreau.

'Hoe weten jullie dat allemaal?' vroeg ze aan Hossam.

'Via Interpol,' antwoordde hij. 'We starten het verhoor met de gebeurtenissen in Parijs. We zijn namelijk erg benieuwd naar de connectie tussen de twee zaken. Hoe komt het dat een man die in Frankrijk gezocht wordt, opeens opduikt in Cairo en daar vervolgens opnieuw een delict pleegt dat op het eerste gezicht helemaal niets te maken lijkt te hebben met de eerdere gebeurtenissen?'

'Dat vraag ik me dus ook al de hele tijd af,' zei Michelle.

Ze wendden hun blik weer naar de verhoorkamer.

'U wordt in Frankrijk gezocht voor de ontvoering van dr. Nicolas Moreau,' hoorden ze Bensalah tegen Beaney zeggen. 'Wat hebt u daarop te zeggen?'

'De ontvoering van Nicolas Moreau?' reageerde Beaney verbaasd. Hij ging rechtop zitten en legde zijn armen op tafel. Zijn ongeïnteresseerde houding verdween als sneeuw voor de zon.

'Ik heb hem helemaal niet ontvoerd.'

Bensalah keek onverstoorbaar in zijn dossier. 'Ik lees hier dat de heer Moreau gevangen werd gehouden in een kelder onder de universiteit. U bent daar ook gesignaleerd. Bovendien heeft de heer Moreau verklaard dat u meerdere keren in zijn cel bent geweest om hem eten te brengen.'

'Dat klopt inderdaad. Ik heb hem een paar keer eten gebracht. Maar ik heb hem absoluut niet ontvoerd!'

De ondervrager liet een stilte vallen.

'Ik heb het niet gedaan,' herhaalde Beaney.

'Wie heeft het dan gedaan, volgens u?'

Beaney aarzelde even. 'Dat weet ik niet.'

'Als u de heer Moreau niet ontvoerd heeft, maar u hebt hem wel eten gebracht, dan moet u instructies hebben gehad. Van wie was dat?'

Beaney keek stuurs voor zich uit en leek na te denken over zijn antwoord. Bensalah had geen haast en gaf hem rustig de tijd.

In de aangrenzende kamer keek Vincent, die geen details kende, vragend naar Hossam.

'Ik heb het dossier ook gelezen,' zei de rechercheur peinzend. Met gefronste wenkbrauwen haalde hij de inhoud terug. 'Er stond in dat Moreau hem positief heeft geïdentificeerd in zijn cel. Hoe de ontvoering zelf is verlopen stond er niet in. Ik heb wel gelezen dat beveiligingscamera's hebben geregistreerd hoe hij de toegangspas van Moreau naar buiten smokkelde. Ook heeft hij biologisch materiaal gestolen uit het laboratorium van Moreau.'

'Dat biologisch materiaal had hij bij zich toen hij uit de piramide kwam,' zei Michelle. 'Het zat in die rugzak die hij heeft laten vallen. Moreau heeft het met uw toestemming meegenomen. De cellen liggen op dit moment op zijn hotelkamer.'

'We kunnen Moreau gewoon vragen wie hem ontvoerd heeft,' zei Hossam. 'Maar laten we eerst de rest van het verhoor afwachten. Misschien kunnen we zometeen zijn geheugen wat opfrissen.'

Hij zei er niet bij hoe hij dat dacht te gaan doen en vestigde zijn aandacht weer op de verhoorkamer.

'Ik kreeg telefonisch instructies,' zei Beaney. 'Maar ik weet niet van wie.'

Bensalah keek weer in het dossier. 'En hoe zit het met het ontvreemden van de toegangsbadge en het biologisch materiaal uit het laboratorium?'

'Daar kreeg ik ook instructies voor.' Beaney had zich weer achterover laten zakken en sloeg zijn armen over elkaar.

'U verdween plotseling van het toneel in Frankrijk om weer op te duiken in Cairo,' gooide Bensalah het over een andere boeg.

'Vanwaar uw reis naar Egypte?'

Beaney zweeg.

'Waarom wilt u niet vertellen wie uw opdrachtgever is?'

Beaney leek te twijfelen over wat hij moest zeggen. Hij staarde naar een hoek van de kamer en gaf geen antwoord.

'Was het soms een vrouw?' suggereerde Bensalah plotseling terwijl hij de reactie van Beaney scherp in de gaten hield.

Met een ruk draaide Beaney zijn hoofd.

'Een vrouw? Hoezo?' Hij probeerde nonchalant over te komen, maar zijn gezicht sprak boekdelen.

Bensalah liet een korte stilte vallen en keek hem indringend aan terwijl er een flauwe glimlach rond zijn lippen speelde.

Ook achter de spiegelruit was de reactie van Beaney niet onopgemerkt gebleven.

'Zag je dat?' zei Vincent. 'Hij schrok. Het leek alsof uw collega de juiste snaar raakte.'

Michelle had het ook gezien en knikte instemmend.

'Hij raakte zeker de juiste snaar,' sprak Hossam geheimzinnig. 'Let op wat er nu gaat gebeuren.'

In de verhoorkamer draaide Bensalah zich half om op zijn stoel en zei in het Arabisch iets tegen de agent die nog steeds bij de deur geposteerd stond. Deze knikte en verdween naar de gang. Bensalah stond op en begon langzaam door de kamer te ijsberen. Voor de spiegelruit bleef hij staan en streek zijn baard glad. Hij leek hen recht in de ogen te kijken. Michelle kreeg het gevoel dat ze werd aangestaard en had de neiging om een andere kant op te kijken. Bensalah glimlachte flauwtjes naar zijn publiek en draaide zich om toen de metalen deur van de verhoorkamer openzwaaide. De agent kwam weer binnen en werd gevolgd door een tweede agent die een blonde vrouw binnenbracht. De dame werd begeleid naar de tafel, waar ze beleefd doch dwingend op de stoel tegenover Beaney werd neergezet. De ene agent nam weer plaats bij de deur terwijl de ander zich vlak naast de tafel opstelde. Het viel Michelle op dat de vrouw duidelijk werd behandeld als verdachte en niet als advocaat of getuige. Desondanks keek ze koel en zelfverzekerd voor zich uit. Ze leek niet onder de indruk van haar verblijf op het politiebureau. Kalm keek ze Beaney aan. Deze reageerde stomverbaasd op haar onverwachte binnenkomst. Hij bleek haar zelfs te kennen.

'Karen!' riep hij vol ongeloof uit. 'Wat doe jij hier?'

'Dag Walter,' reageerde ze bedaard.

'Ze kennen elkaar!' riep Vincent. 'Wie is die vrouw?'

'Dit moet de verrassing zijn waar u het over had.' Michelle keek naar Hossam.

'Die vrouw,' zei Hossam terwijl hij zijn blik niet afwendde van wat er in de verhoorkamer gebeurde, 'is Karen Walker. Een Amerikaanse. Beaney en zij kennen elkaar uit Parijs.'

'En wat heeft zij met deze zaak te maken?' vroeg Michelle.

'Dat weten we niet precies,' antwoordde Hossam. 'We kregen een tip van Interpol. In Parijs hadden zich twee meisjes bij de politie gemeld met een vreemd verhaal. Ze zaten op een bankje in een park, toen er een onbekende langsliep die de telefoon van een van de meisjes teruggaf. Die zou op de grond zijn gevallen. Op het eerste gezicht niets vreemds, maar later ontdekten de meisjes dat er met hun telefoon naar een onbekend Amerikaans nummer was gebeld. Dat vonden ze eigenaardig, dus zijn ze naar de politie gestapt. Die kon daar in eerste instantie niets mee. De telefoon was niet eens gestolen en in het slechtste geval had iemand even ongevraagd gebruik gemaakt van hun telefoon. Dat is uiteraard ongewenst gedrag, maar het is niet echt een reden voor vervolging. Gelukkig heeft de politie wel alle gegevens genoteerd en uiteindelijk heeft iemand dat telefoonnummer door een database gehaald. Daaruit bleek dat Beaney, wiens telefoonverkeer al een tijdje gevolgd werd, ook regelmatig met dat nummer belde. Op dat moment gingen alle alarmbellen rinkelen en is de informatie doorgespeeld naar Interpol. Na een satellietpeiling bleek toen dat de bewuste Amerikaanse telefoon zich in Cairo bevond. Interpol heeft ons vanochtend op de hoogte gebracht en we waren in staat om haar een uur later op te pakken.'

Trots op dit knappe staaltje internationaal politiewerk keek Hossam zijn Europese gasten aan.

'Mijn complimenten,' zei Vincent. 'Maar we weten nog niet zeker of ze iets met deze zaak te maken heeft.'

'Nee,' schudde Hossam. 'Het staat wel vast dat ze Beaney kent. Bovendien begroetten ze elkaar zojuist bij hun naam, maar of ze iets met de gebeurtenissen in Parijs of Cairo te maken heeft, is daarmee nog niet bewezen. Aan de andere kant, het feit dat ze nu opeens in Egypte opduikt maakt haar in onze ogen wel verdacht. Laten we even luisteren naar wat ze te zeggen hebben.'

Iedereen vestigde zijn aandacht weer op de verhoorkamer. Bensalah had zijn dossier van de tafel gepakt en keek de twee verdachten beurtelings aan.

'Zo te zien kennen jullie elkaar,' stelde hij vast. 'Maar dat wisten we al, want volgens de informatie die we van Interpol hebben ontvangen, belden jullie regelmatig met elkaar. Hoe hebben jullie elkaar ontmoet?'

Karen nam onmiddellijk het initiatief. 'Ik heb hem via een wederzijdse vriendin ontmoet in een café in Parijs. Walter is onderzoeker in een laboratorium. Hij doet wetenschappelijk onderzoek naar biologische cellen en kan daar hele interessante verhalen over vertellen. We kennen elkaar sinds kort en we zijn min of meer bevriend geraakt, toch, Walter?'

Beaney leek nog steeds overrompeld door haar onverwachte verschijning.

'Eh, ja, dat klopt inderdaad.'

Bensalah fronste zijn wenkbrauwen.

'Wat is het doel van uw komst naar Egypte,' vroeg hij aan Karen.

'Ik ben hier op vakantie,' zei ze terwijl ze Bensalah met grote onschuldige ogen aankeek.

'Is het niet erg toevallig dat u juist Egypte als bestemming uitkiest?'

'Omdat Walter hier ook is, bedoelt u?'

Bensalah knikte.

'Nee, dat is inderdaad geen toeval. Walter vertelde dat hij voor zijn werk naar Cairo moest. Daardoor kwam ik op het idee om ook te gaan, maar niet speciaal voor hem. Ik werk momenteel in Europa, dus Egypte is nu relatief dichtbij. Dit is mijn kans om de piramides en al die andere beroemde oudheden te zien. Als ik straks weer terug in Amerika ben, vrees ik dat het er niet meer van zal komen. Natuurlijk hadden we wel afgesproken dat we elkaar hier zouden zien als Walter daar tijd voor had.'

'Wat een onzin,' riep Michelle. 'Ze liegt, dat zie je zo.'

Hossam knikte. 'Dit is geen sterk verhaal. Daar prikken we zo doorheen.'

In de verhoorkamer richtte Bensalah zich nu tot Beaney.

'Klopt dat, meneer Beaney? Zou u elkaar inderdaad ontmoeten in Cairo?'

Beaney keek onzeker naar Karen en knikte bevestigend.

Bensalah keek hen hoofdschuddend aan.

'Weten jullie wat ik denk?' vroeg hij op barse toon. Opeens liet hij al zijn vriendelijkheid varen en keek Karen vorsend aan. 'Ik denk dat u de contactpersoon van Walter Beaney was. U bent degene van wie hij zijn opdrachten kreeg. Helaas weet ik nog niet of u verantwoordelijk bent voor de ontvoering van Nicolas Moreau, maar u was in ieder geval op de hoogte. U wist ook dat hij hier in Cairo een aanslag wilde plegen, dus u bent helemaal niet op vakantie. Ik denk dat u medeplichtig bent aan een ernstig misdrijf.'

Karen keek hem nijdig aan. 'Wat? Twijfelt u aan mijn woorden? Ik heb geen idee wat Walter allemaal op zijn kerfstok heeft, maar ik heb er in ieder geval niets mee te maken.'

Bensalah keek haar spottend aan. 'Dus u hebt niets te maken met de ontvoering van Nicolas Moreau?'

Ze schudde geërgerd haar hoofd en begon in haar tas te rommelen, die ze blijkbaar had mogen houden.

'Walter heeft me verteld dat zijn baas vermist werd, maar toen was ik niet eens in Frankrijk. Op dat moment was ik nog thuis, in de States. Kijk maar.'

Ze haalde haar paspoort tevoorschijn en gaf het aan Bensalah. Die nam het document aan en begon erin te bladeren. Hij zocht de stempels op die de douaniers er bij haar binnenkomst in Frankrijk in hadden gezet en begon vervolgens in zijn dossier te bladeren. Hij liet zijn wijsvinger over de bladzijden gaan en bestudeerde daarna opnieuw de stempels in het paspoort. Blijkbaar had Karen de waarheid gesproken, want een beetje van zijn stuk gebracht keek hij haar aan. Toch had hij nog iets achter de hand.

'Walter Beaney heeft naar uw telefoonnummer gebeld in de periode dat u nog in Amerika zou zijn. Toen kenden jullie elkaar nog niet. Hoe verklaart u dat?'

'Dat telefoonnummer heb ik overgenomen van een Amerikaanse vriendin in Parijs die terugging naar huis. Walter kende haar al, dus dat is helemaal niet raar.'

'Waarom belt u in Frankrijk met een Amerikaans nummer? Dat is toch veel te duur?'

Karen haalde haar schouders op. 'Geen idee. Mijn bedrijf betaalt.'

'Ik wil even overleggen met mijn superieuren,' zei Bensalah kortaf. 'Ondertussen gaat u weer naar een aparte ruimte.'

Hij zei iets tegen de agent bij de tafel en verzocht Karen op te

410

staan. De agent leidde haar weer naar buiten en ook Bensalah verliet de ruimte. Beaney bleef alleen achter met de andere agent.

Enkele seconden later zwaaide de deur van de naastgelegen ruimte open en stapte Bensalah binnen met het dossier en het paspoort in zijn hand. Hossam keek hem vragend aan.

'Wat was dat nou, Hassan?'

Bensalah schudde niet begrijpend zijn hoofd. 'In het Interpol-dossier staat precies sinds wanneer Moreau vermist werd. Volgens de stempels in haar paspoort was ze toen inderdaad niet in Frankrijk,' zei hij hoofdschuddend.

Hossam nam het dossier en het paspoort van hem over en controleerde nogmaals de gegevens.

'Als dat zo is, en daar lijkt het inderdaad op, dan kunnen we haar weinig maken,' zuchtte hij. 'Er is misschien nog een mogelijkheid dat ze opdrachtgever op afstand was, maar ook daar hebben we geen harde bewijzen voor. De eerste de beste advocaat krijgt haar zonder problemen vrij.'

'Kunnen we niet even met Moreau zelf bellen?' opperde Vincent. 'Beaney beweert dat hij niet verantwoordelijk is voor de ontvoering en Karen Walker zegt dat ze er helemaal niets mee te maken heeft. Als er iemand is die hier meer over kan vertellen dan is dat het slachtoffer zelf. Nicolas Moreau is degene die weet wie hem ontvoerd heeft en wie er allemaal in zijn cel zijn geweest.'

Hossam knikte en bladerde verder in het dossier. 'Ik lees hier nu dat Moreau tijdens zijn ontvoering geblinddoekt was. De enige positieve identificatie die hij gedaan heeft is Walter Beaney, die regelmatig in zijn cel kwam. Ik kan nergens vinden dat Moreau daadwerkelijk heeft kunnen zien dat Beaney zijn ontvoerder was. Het wordt echter wel impliciet aangenomen. Ik denk inderdaad dat een telefoontje naar Moreau wat meer helderheid zou kunnen brengen.'

'Ik bel hem wel even,' bood Michelle aan en begon het nummer van Moreau op te zoeken. Ze bracht de telefoon naar haar oor. Hij ging over, maar er werd niet opgenomen. 'Voicemail. Eigenlijk vind ik het wel een beetje vreemd. Gisteravond is hij niet aan het diner verschenen en vanochtend ook al niet aan het ontbijt.'

'Bel de receptie van het hotel even,' zei Vincent. 'Tenzij hij de hele tijd op zijn kamer heeft gezeten, moeten ze hem gezien hebben.'

Ze knikte. Terwijl de telefoon overging, gaf Hossam het dossier en het paspoort terug aan Bensalah.

'Ik vrees dat we op dit moment weinig gronden hebben waarop we mevrouw Walker nog langer kunnen vasthouden,' concludeerde hij.

Bensalah knikte. 'Ze zei net dat ze een advocaat in de arm ging nemen, maar ik zal haar zeggen dat het niet nodig is. We zullen haar moeten laten lopen.'

'En toch is ze niet brandschoon,' zei Hossam. 'Er zijn te veel toevalligheden. Ze verbergt iets. Laten we er een mannetje op zetten. We houden haar nog even in de gaten.'

Bensalah knikte instemmend. Ondertussen had Michelle alweer opgehangen.

'Dit geloof je niet,' zei ze op bezorgde toon. 'Moreau is zoek. De schoonmaakster is zojuist op zijn kamer geweest. Zijn bed was onbeslapen en de buitendeuren stonden open. Hij is vannacht niet op zijn kamer geweest.'

Hossam fronste zijn wenkbrauwen. 'Wat is dit nu weer?'

'Ze hadden het net ontdekt. Ik heb gezegd dat ze meteen de politie moeten bellen, dus u zult het zo wel horen.'

43

Michelle en Vincent liepen met inspecteur Hossam hun hotel binnen. Nadat Hossam op het politiebureau aan Bensalah opdracht had gegeven om Karen Walker op vrije voeten te stellen, waren ze onmiddellijk in de auto gesprongen op weg naar het plateau van Gizeh. Iedereen was teleurgesteld dat er geen mogelijkheden waren om Karen Walker langer vast te houden, maar deze tegenvaller was naar de achtergrond verdrongen door het nieuws dat Nicolas Moreau vermist werd.

Bij de receptie werd Hossam aangeklampt door een collega. Blijkbaar was de recherche al met het onderzoek gestart. Hij liet zich even op de hoogte brengen en vertaalde vervolgens wat hij van de rechercheur had gehoord.

'Mijn collega's zijn bezig om de kamer van Moreau te onderzoeken. Het bed is inderdaad onbeslapen. Opvallende zaken tot nu toe zijn dat de tuindeuren openstonden en dat er een stenen beeldje op de grond is gevallen. Mijn collega's zijn begonnen om de directe omgeving van het hotel uit te kammen. Ook zullen ze de hotelgasten en het personeel ondervragen.'

'En de cellen? Zijn die ook weg?' vroeg Michelle.

'Daar hebben ze niets over gezegd. Ik zal het direct nagaan. Als jullie me nu willen excuseren.'

Hossam wilde snel op weg gaan naar de kamer van Moreau, maar draaide zich nog even om.

'Misschien heeft Walter Beaney er wel iets mee te maken,' bedacht hij zich. 'Die wilde natuurlijk de cellen terug. Ik laat rechercheur Bensalah aan hem vragen wat hij gisteravond deed.'

Michelle knikte en terwijl Hossam zich uit de voeten maakte, keek ze Vincent aan.

'En wat gaan wij doen?'

Vincent wees naar de ingang. Ze zagen dat Mark Enquist net met een rood aangelopen gezicht het hotel binnen kwam lopen. Hij hield zijn telefoon tegen zijn oor en voerde opgewonden een gesprek.

'Die is in de piramide geweest,' herinnerde Vincent zich. 'Ze zouden vandaag de noordschacht gaan verkennen.'

Enquist had hen nog niet opgemerkt, dus Vincent stak zijn hand naar hem op. Toen hij hen herkende verscheen er een brede glimlach op zijn gezicht. Hij beëindigde het telefoongesprek en kwam op hen af lopen.

'Ik heb goed nieuws! Laten we even ergens gaan zitten.'

Ze streken neer in een rustige hoek van de lobby, waar ze zich in comfortabele fauteuils lieten zakken. Vincent nam als eerste het woord en vatte kort samen wat er vandaag gebeurd was. Toen Enquist hoorde dat Beaney veilig achter slot en grendel zat, knikte hij goedkeurend, maar bij het bericht over de verdwijning van Moreau betrok zijn gezicht.

'Wat een vervelend nieuws. Ik dacht heel even dat het met de arrestatie van Beaney eindelijk afgelopen zou zijn met al die raadselachtige gebeurtenissen.'

'Helaas,' zei Vincent. 'De politie is druk bezig. Hopelijk vinden ze hem snel. Maar wat wilde jij nu eigenlijk vertellen?'

Enquist glimlachte veelbetekenend. De schittering was weer terug in zijn ogen.

'Het is ongelooflijk,' begon hij. 'Vanochtend hebben we Pyramid Explorer omhoog gereden in de noordschacht. Daar hadden we tot nu toe geen aandacht aan besteed. Die schacht begint hetzelfde als de zuidschacht. Twee meter horizontaal, daarna gaat het schuin omhoog. Na een tijdje maakt de noordschacht een scherpe bocht naar links, waarna het verder naar boven gaat. De gang is kaarsrecht. Explorer had er deze keer geen moeite mee, want we kwamen geen lastige obstakels tegen. Voor we het wisten waren we bij het einde van de schacht. En wat denk je?'

Enquist keek hen aan en liet hen raden.

'Weer een deur,' probeerde Vincent.

'Juist!' zei Enquist tot zijn verbazing. 'Aan het einde van de noordschacht bevindt zich precies dezelfde deur als we in de zuidschacht hebben gevonden. Een vergelijkbare witte deur met koperen handvatten.'

'Wat?' riep Vincent verbaasd uit. 'Dus er is echt een tweede deur?'

'Ja,' knikte hij. 'En hij bevindt zich op exact dezelfde afstand van de Koninginnekamer als de deur in de zuidschacht.'

'Dat kan geen toeval zijn.'

'Dat is zeker geen toeval. Het is de bekende symmetrie die we ook op andere plaatsen in de piramide zien.'

'Misschien leiden de beide schachten wel naar dezelfde verborgen ruimte bovenin de piramide,' speculeerde Vincent.

'Maar er is meer.'

'Oh?' Vincent en Michelle spitsten opnieuw hun oren.

'We hebben nóg iets ontdekt,' zei hij geheimzinnig zonder direct prijs te geven wat het was. 'Maar om het belang daarvan beter te begrijpen, moeten jullie eerst de voorgeschiedenis weten.' Enquist ging gemakkelijk in zijn stoel zitten en sloeg zijn ene been over het andere.

'De schachten zijn pas tegen het einde van de negentiende eeuw ontdekt door de Brit Waynman Dixon. Voor die tijd waren de openingen vanuit de Koninginnekamer aan het oog onttrokken doordat ze aan de binnenkant onzichtbaar waren dichtgemetseld. In tegenstelling tot de schachten vanuit de Koningskamer hebben de schachten vanuit de Koninginnekamer geen opening naar buiten toe, dus ze zijn duizenden jaren lang onontdekt gebleven. Tot Dixon ze in 1872 vond en openbrak. Hij trof drie objecten aan. Een bronzen haak, een kleine granieten bal en een afgebroken stukje hout. De haak en de bal kun je tegenwoordig zien in het British Museum in Londen, maar het stukje hout is helaas zoekgeraakt. Dat is jammer, want we kunnen de ouderdom van organisch materiaal nauwkeurig dateren met behulp van de koolstof C14-methode. Op die manier hadden we ook de werkelijke leeftijd van de piramide kunnen bepalen, want dat hout kan alleen maar zijn achtergelaten door de bouwers van de piramide. Dixon was namelijk de eerste die na al die eeuwen in de schacht keek.'

Vincent en Michelle luisterden aandachtig naar de uitleg van Enquist.

'Vanochtend hebben we een fantastische ontdekking gedaan,' zei hij terwijl hij hen indringend aankeek. 'Op het punt waar de noordschacht een scherpe bocht naar links maakt, ligt namelijk in het bovenste gedeelte van de gang een houten stok van ongeveer twee meter lengte. Die stok kan er niet vanaf de onderkant ingeduwd zijn, want daarvoor is de bocht in de schacht veel te scherp. Dan zou hij gebroken zijn. Hij moet dus zijn achtergelaten tijdens de bouw van de piramide. Dat kan niet anders.'

'Een stok?' zei Vincent verbaasd. 'Hoe komt een stok nou in de schacht terecht?'

415

'Dat vragen wij ons ook af. Misschien vormde de stok samen met de bal en de haak en wat ander onbekend materiaal dat Explorer onderweg heeft gefilmd wel een soort meetinstrument. Het meest waarschijnlijke scenario is dat een van de werklieden de stok in een vergevorderd stadium van de bouw in de schacht heeft laten vallen; op een moment dat het onmogelijk was om hem er nog uit te halen.'

'En heeft dat zoekgeraakte stukje hout er ook nog iets mee te maken?'

'Dat denk ik wel. Er zijn meerdere mogelijkheden. Dat stukje kan afgebroken zijn van de stok toen die door de schacht naar beneden viel, maar het kan ook zijn gebeurd terwijl Waynman Dixon de schacht onderzocht. We hebben namelijk ook een moderne ijzeren buis in de schacht gevonden, die er wèl vanaf de onderkant is ingeduwd. Hoewel Dixon geen melding heeft gemaakt van een ijzeren buis, zou het kunnen dat hij die buis gebruikt heeft om diep in de schacht te porren, waardoor er een stukje van de houten stok is afgebroken. Maar die metalen buis kan er ook later ingeduwd zijn. Dat weten we nog niet. In ieder geval is het opeens minder relevant wat er met dat stukje hout van Dixon is gebeurd, want nu hebben we die stok.'

Michelle had tot nu toe zwijgend geluisterd.

'Begrijp ik goed dat je met behulp van die houten stok de leeftijd van de piramide kunt bepalen?'

Vincent knikte. Enquist had het hem al een keer uitgelegd.

'Inderdaad. Als de ouderdom van die stok bepaald kan worden, weet je ook hoe oud de piramide is. Die moet dan namelijk gebouwd zijn in de periode waarin de boom groeide waar de stok vandaan komt.'

Michelle herinnerde zich het gesprek met Vincent en Moreau van gisteravond, waarin Vincent had uitgelegd waar Enquist werkelijk naar op zoek was.

'Vincent heeft me daar iets over verteld,' glimlachte ze. 'Maar ik las gisteren in het hotel een folder waarin stond dat de piramides ongeveer 4.500 jaar oud zijn. Hoe zit dat dan?'

'Dat is inderdaad de gangbare opinie,' zei Enquist die niet precies wist wat Vincent haar verteld had. 'Maar ik heb zo mijn vermoedens dat de piramide van Cheops en de Sfinx wel eens ouder zouden kunnen zijn dan we denken. Het is alleen erg moeilijk om dat te bewijzen, onder andere omdat er nooit enig gebruiksvoorwerp in de

416

piramide is gevonden waarmee we de ouderdom kunnen aantonen.'

Vincents telefoon rinkelde. Hij herkende het nummer van inspecteur Hossam.

'Vincent Albright.'

Hij luisterde even naar wat Hossam te zeggen had en keek toen Michelle aan.

'Herinner je je dat Bensalah tijdens het verhoor aan Karen Walker vroeg hoe het kon dat Beaney haar had gebeld op een tijdstip dat ze eigenlijk nog in Amerika zou moeten zijn?'

Ze knikte.

'De politie heeft inmiddels nagetrokken op wiens naam het telefoonabonnement staat. Het staat op naam van ene Lisa Abramowicz. Kennen we die?'

Michelle schudde haar hoofd en Enquist haalde zijn schouders op.

'Nee, die naam zegt ons niets,' zei Vincent in de telefoon.

44

Karen Walker slingerde haar handtas over haar schouder en liep het politiebureau uit. Op straat hield ze een taxi aan en stapte achterin. Terwijl de auto wegreed bij het bureau slaakte ze een diepe zucht. Dat was kantje boord geweest, maar ze had het er niet slecht vanaf gebracht, vond ze zelf. Het verhaal over haar paspoort en de telefoon van een vriendin had de politie geslikt, maar ze zouden het ongetwijfeld nader gaan uitzoeken. Ze moest vanaf nu zeer omzichtig te werk gaan om niet opnieuw in handen van de politie te vallen.

Het was ongelooflijk stom van Beaney geweest dat hij zich had laten pakken. Wat een sukkel was die jongen. De geplande aanslag in de piramide had hij ook al verprutst, dus eigenlijk had ze niets aan die idioot gehad. Zelfs de cellen was hij weer kwijtgeraakt. Ze was nog wel speciaal naar Egypte gestuurd om de cellen op te halen. Nou ja, Walter Beaney was toch maar een waterdrager. Nicolas Moreau bleek niet om te kopen, dus ze had hem gerekruteerd omdat hij een directe collega van Moreau was. Hij had vrije toegang tot het streng bewaakte laboratorium van de wetenschapper, waardoor hij goed had kunnen assisteren bij allerlei klusjes zoals het brengen van eten naar de kelder waar Moreau gevangen werd gehouden. Later had ze van het presidium opdracht gekregen om Beaney in te zetten op een nieuwe missie in Londen. Dat hij affiniteit had met miniatuurrobots was een onverwachte meevaller geweest. Ze lachte in zichzelf. Sommige dingen waren voorbestemd. Beaney had er niet zo'n trek meer in, maar ze had hem kunnen overhalen met een flinke som geld en met de loze belofte dat ze samen naar Amerika zouden verhuizen. Die onnozele ziel had haar verhaal voor zoete koek aangenomen.

Karen schrok op uit haar gedachten omdat de telefoon ging. Ze haalde hem uit haar tas en keek op het schermpje. *John Gallagher* las ze. Die liep natuurlijk ook nog rond. Hopelijk had hij goed nieuws.

'Met Lisa,' nam ze op.

'Dag Lisa, met John.'

'Hallo John. Hoe is het?'

'Het gaat wel. Ik weet eigenlijk niet of ik goed nieuws of slecht nieuws heb.'

'Vertel.'

'Moreau ging ervandoor met de cellen. Uiteindelijk vluchtte hij in paniek een piramide op, waar ik hem te pakken kreeg. Nadat ik de cellen van hem had afgepakt sloeg hij ze uit mijn handen, dus die glazen schaaltjes zijn kapotgevallen.'

'Kapotgevallen? Dus de cellen zijn er niet meer?'

'Nee.'

'Oh.' Lisa liet een korte stilte vallen. 'En Moreau?'

'Die is dood.'

'Wat?' Bij het horen van dit bericht trok Lisa's maag pijnlijk samen. 'Hoe komt dat?' bracht ze uit.

'Het was een ongeluk. Hij is van de piramide naar beneden gevallen.'

'Dat meen je niet,' riep ze woedend. 'Dus nu zitten we met een lijk opgescheept. Hoe heeft dit in godsnaam kunnen gebeuren? Zometeen heb je de politie op je dak. Heeft iemand het gezien?'

'Maak je geen zorgen. Er waren geen getuigen. Bovendien zal niemand Moreau ooit terugvinden.'

'Waar ben je? Ik kom onmiddellijk naar je toe.'

Ze luisterde naar het antwoord van Gallagher en hing op. Even staarde ze peinzend naar buiten. Toen tikte ze de chauffeur op zijn schouder.

'Kunt u even stoppen bij een winkel waar ze huishoudelijke apparatuur verkopen?'

De chauffeur knikte en ging langzamer rijden terwijl hij zoekend door de zijraampjes naar buiten keek. Na enkele minuten reed hij een zijstraat in en stopte voor een winkeltje dat gedeeltelijk aan het oog werd onttrokken door grote hoeveelheden plastic emmers, rieten manden, waterkokers en stofzuigers.

'Is dit wat u zoekt?' informeerde hij.

'Ja. Wacht hier even. Ik ben zo terug.'

Ze stapte uit de auto en liep de winkel binnen. Vijf minuten later nam ze weer plaats in de taxi en gaf de chauffeur opdracht om naar de rand van de stad te rijden. Ondertussen overdacht ze de situatie. Nu waren er dus twee secondanten die zich in de nesten hadden gewerkt. Wat zou het presidium hier wel niet van vinden? Beaney kon in ieder geval weinig kwaad meer uitrichten. Die zat veilig achter de tralies en kon een flinke straf tegemoet zien. Ze moest alleen oppassen dat hij de politie niet opnieuw op haar spoor zou brengen. Dat risico was echter niet zo groot, dacht ze, want Beaney kende haar als Karen Walker. Op die naam had ze een vals paspoort met nagemaakte stempels, waarmee ze ook inspecteur Bensalah om de tuin had weten te leiden. Ze was vanuit Amerika naar Frankrijk en later naar Egypte gereisd onder haar echte naam, Lisa Abramowicz. Maar wat moest ze nu met Gallagher? Zijn taak leek erop te zitten, dus hem had ze ook niet meer nodig. Vanaf nu vormde hij eigenlijk alleen maar een risico, want hij wist veel over haar en over de missie. Ze besloot om eerst maar eens te gaan luisteren naar wat er precies gebeurd was.

De taxi zette haar af bij het benzinestation dat Gallagher beschreven had. De onderzoekende blik van de taxichauffeur negerend, stapte Lisa uit. Ze keek om zich heen. Er stonden enkele auto's op hun beurt te wachten en tegen de groezelige muur van het winkeltje stonden twee mannen te roken. Er drong een scherpe benzinelucht door in haar neus die veel penetranter was dan gewoonlijk. Ze zag dat de grond rond de pompen donkerder gekleurd was dan verderop. Waarschijnlijk was de bodem ernstig vervuild met benzine. Ze liep op het gebouwtje af en keek door het raam naar binnen. In het winkeltje verkochten ze de gebruikelijke artikelen en er was een cafetaria waar een kok met vettig haar en een bezweet voorhoofd falafelballetjes stond te frituren. Van Gallagher was echter geen spoor te bekennen. Ze liep om het gebouwtje heen en zag dat er aan de achterkant een grote, stoffige parkeerplaats lag. Met haar hand boven haar ogen tegen de zon liet ze haar blik over de auto's gaan. Gallagher had gezegd dat ze moest uitkijken naar een oude, legergroene Landrover. Helemaal aan de andere kant van het terrein, ver verwijderd van de overige voertuigen en half verscholen achter wat struiken zag ze hem staan in de schaduw van een paar dorre bomen. Achter het stuur zat een donkere gestalte. Ze kon niet goed zien of het Gallagher was. Haastig begon ze het parkeerterrein over te steken. Toen ze dichterbij kwam, zag ze dat de roerloze, onderuitgezakte persoon in de cabine inderdaad John Gallagher was. Hij moest in slaap zijn gevallen. Achter de Landrover begon de woestijn, die zich uitstrekte tot aan de horizon. Het leek wel alsof Gallagher vanaf die grote droge vlakte rechtstreeks het parkeerterrein op was komen rijden.

'John!' riep ze van een afstandje.

Hij opende meteen zijn ogen en keek een ogenblik verdwaasd rond. Toen hij Lisa herkende veerde hij overeind en sprong direct uit de auto.

'Lisa!' riep hij opgelucht. 'Eindelijk. Goed dat je er bent.'

'Wat is er allemaal gebeurd, John? Is Moreau echt dood?'

Gallagher hief verontschuldigend zijn handen omhoog en gaf niet direct antwoord. Het leek wel alsof hij niet goed wist wat hij moest zeggen. Hij maakte een verwarde indruk, vond Lisa. Hij zag er ook een beetje verwilderd uit. Zijn haar was verwaaid en zat vol met zandkorrels. Onder zijn vermoeide ogen waren donkere wallen ontstaan en op zijn kleding zaten groezelige vlekken. Waren dat bloedvlekken?

'Het was een ongeluk,' stamelde hij. 'Het was niet mijn bedoeling.'

Hij liep naar Lisa toe en nam haar zwijgend in een stevige omhelzing. Ze rook zijn indringende zweetlucht en met afkeer voelde ze hoe hij zijn plakkerige lichaam tegen haar aandrukte. In de extreme middaghitte van de woestijnzon was elke aanraking haar te veel, dus ze wilde hem het liefst van zich afduwen. Toch vouwde ze haar armen om zijn nek en liet hem even begaan. Na enkele ogenblikken maakte ze zich los uit zijn greep en ging achterop de open laadklep van de Landrover zitten. Haar tas legde ze naast zich neer.

'Vertel nou eens rustig wat er gebeurd is, John. Ik begin langzamerhand erg nieuwsgierig te worden.'

Gallagher, die zich tijdens zijn terugtocht uit de woestijn pas echt had gerealiseerd wat hij gedaan had, begon met horten en stoten zijn verhaal te vertellen. Eigenlijk had hij nadat Moreau van de piramide naar beneden was gestort in een soort trance gehandeld. Het enige doel dat hij voor ogen had, was het laten verdwijnen van het lijk, zodat niemand ooit zou kunnen achterhalen wat er die nacht gebeurd was. Dat had hem op de been gehouden toen hij het lichaam van Moreau in stukken hakte. Nu hij vrijuit zijn verhaal kon doen bij Lisa brak hij. Hij besefte dat zijn daad onvergeeflijk was en liet leunend tegen het voertuig moedeloos zijn hoofd zakken.

'Oh, mijn God. Wat heb ik gedaan?'

Lisa had zijn verhaal met stijgende verbazing aangehoord. Wat was dit voor een psychopaat? Wie voerde er nu een lichaam aan de gieren? Ze besloot echter om nog even met hem mee te voelen.

'Dus Moreau zei dat hij de verloren cellen snel weer zou kunnen reproduceren?'

'Ja,' knikte Gallagher naar de grond starend. 'Ik werd woedend toen hij dat zei. Voor ik het wist had ik hem die duw gegeven. Het was een soort opwelling. Het idee dat iemand zo met het leven denkt te kunnen spelen maakte me furieus.'

Ze keek hem meelevend aan. 'Je hebt gestreden voor een goede zaak, dat is het belangrijkste. Maar er zijn grotere problemen die onze aandacht vragen.'

Niet begrijpend keek hij haar aan.

'We hebben er in Houston discussies over gevoerd. Die zogenaamde bewijzen voor de evolutietheorie waarover je in vrijwel elk schoolboek kunt lezen. We leren onze kinderen vaststaande feiten die nooit bewezen zijn. Die ideeën zijn er in de loop der jaren zo ingesleten dat iedereen ze voor waarheid aanneemt. Leraren realiseren zich niet eens dat hun studieboeken de feiten niet correct weergeven, omdat ze in datzelfde vastgeroeste patroon zitten.'

Lisa werd rood van ingehouden woede en schudde opgewonden haar hoofd. 'En wat me nog het meest stoort is dat elke scholier die evolutionaire plaatjes in zijn leerboek gelooft, terwijl de evolutietheorie allang is ingehaald door wetenschappelijke ontdekkingen die het tegendeel bewijzen. Maar dan is het kwaad al geschied. Alle scholieren leren de evolutietheorie als een feit. Die mening verandert meestal niet meer. Omdat ze onjuist zijn voorgelicht, blijven ze voor de rest van hun leven darwinisten.'

Plotseling toverde ze weer een glimlach op haar gezicht. 'Je hebt gedaan wat nodig was, John. God zal je vergeven.'

Ze strekte haar armen naar hem uit.

Gesterkt door haar woorden pakte Gallagher aarzelend de uitnodigend toegestoken handen vast en liet zich gewillig naar haar toeleiden. Lisa lachte hem verleidelijk toe, legde een hand in zijn nek en boog zich voorover om hem te zoenen. Langzaam bewogen hun hoofden zich naar elkaar toe, maar vlak voor hun lippen elkaar raakten hield Gallagher in en legde zijn wijsvinger op haar mond.

'Dit keer wel?' vroeg hij om te voorkomen dat hij wederom subtiel zou worden afgewezen.

Lisa knikte. Ze trok ruw het shirt uit zijn broek, legde haar handen op zijn buik en begon hem te zoenen. Dit was voor Gallagher het teken om alle remmen los te gooien. Hij sprong in de laadbak, legde haar op haar rug en ging op zijn knieën tussen haar gespreide benen zitten. Hij schoof haar lange witte plooirok omhoog tot op haar heupen en zette zijn handen naast haar schouders op de metalen bodem van de wagen. Terwijl hij zich voorover boog om haar opnieuw te zoenen, voelde hij zand tussen zijn vingers schuren. Dat was het zand dat hij in de laadbak had gestrooid om de bloedplas te bedekken waarin het lichaam van Moreau gelegen had. Ironisch genoeg lag Lisa precies op dezelfde plek. Het deerde hem niet. Het bloed was allang opgedroogd in de hete zon en dit was zijn kans met Lisa. Begerig schoof hij zijn gezonde hand onder haar blouse. Lisa deed intussen onhandige pogingen om zijn broek open te maken, maar slaagde daar niet in. Gallagher nam het van haar over. Terwijl hun lippen aan elkaar gekleefd bleven, gespte hij opgewonden zijn riem los.

Dit was het moment waarop Lisa had gewacht. Ze tastte om zich heen op zoek naar haar handtas. Innig doorzoenend verdween haar hand in de tas. Gallagher had niets in de gaten. Die had zijn riem inmiddels losgemaakt en begon gretig zijn gulp open te maken. Lisa voelde het handvat van het grote keukenmes dat ze tijdens de taxirit gekocht had en omklemde het stevig. Terwijl Gallagher zijn kruis wellustig tegen haar onderbuik duwde, trok ze het mes tevoorschijn en stootte het met kracht in de zijkant van zijn hals. Het was een goedkoop mes met een plastic handvat, maar omdat het nieuw was, was het vlijmscherp. Het lemmet doorkliefde moeiteloos Gallaghers halsslagader en luchtpijp. Door de kracht en snelheid waarmee Lisa had gestoken, kwam de punt van het lange mes aan de andere kant van zijn hals weer naar buiten. Een halve seconde lang keek hij haar met grote ogen niet begrijpend aan. Toen spoot het bloed er als een fontein uit en begon de stervende Gallagher rochelende geluiden te produceren. Vol afschuw duwde ze het steeds slapper wordende lichaam van zich af. Ze krabbelde overeind, sprong van de wagen en keek naar haar kleding. Zo te zien was haar blouse schoon gebleven, maar haar rechterhand en onderarm dropen van het bloed. Met bonkend hart keek ze door de cabine in de richting van het tankstation. Niemand te zien. Gallagher bewoog niet meer. Hij lag met opengeritste broek op zijn rug in een bloedplas. Het mes stak nog uit zijn hals en langs het lemmet drupte langzaam bloed op de bodem van de laadbak. In een dun straaltje liep het naar de hoek. Lisa veegde haar hand schoon met een oude lap dic ze in de cabine vond. Ze zorgde ervoor dat ze uit het zicht van het tankstation bleef en ging naast de achterbak op haar tenen staan, waardoor ze precies met haar armen bij Gallagher kon. Ze ritste zijn gulp dicht en maakte zijn riem weer vast. In de hoek van de laadbak zag ze een opgevouwen zeil liggen dat met een stuk touw bijeengehouden werd. Toen ze het zeil opende, viel er een bundeltje kleding uit. Dat moesten de kleren van Moreau zijn, realiseerde ze zich. Gallagher had dus niet alle sporen uitgewist. Met een sok veegde ze het handvat van het mes schoon en ze dekte het lichaam toe met het zeil. Vervolgens kroop ze achter het stuur en startte de motor. Een beetje onwennig gaf ze gas en stuurde de Landrover langzaam het parkeerterrein af, terug in de richting van Cairo.

Onderweg moest ze de wagen en het lichaam nog ergens onopvallend zien te dumpen. Daarna wilde ze een taxi nemen naar het vliegveld. De situatie was nu zo snel geëscaleerd dat het beter was om zo snel mogelijk het land te verlaten. Eenmaal op de snelweg trapte ze het gaspedaal diep in en keek nog even door het achterruitje in de laadbak. Gallagher was door zijn acties een veiligheidsrisico geworden. Als door een macaber complot lag hij nu achterin dezelfde wagen en onder hetzelfde zeil als zijn eigen slachtoffer gelegen had. Lisa richtte haar blik weer op de weg en staarde naar de horizon. Gods wegen waren ondoorgrondelijk.

45

Vincent nipte aan zijn versgeperste jus d'orange. Het sap prikkelde op zijn tong. Het leek wel alsof de sinaasappels een uur geleden in het vruchtbare Nijldal geplukt waren. Hij zat op het terras van het hotel aan een tafeltje in de schaduw te wachten op Michelle. Het was nog niet echt warm, maar de zonnestralen prikten al wel door het doek van de parasol heen. Qua temperatuur was dit het aangenaamste moment van de dag, vond hij. Wat je in Engeland een aangename lentedag zou noemen, hadden ze hier elke ochtend.

Even later verscheen Michelle. 'Goedemorgen,' lachte ze.

'Goedemorgen. Heb je goed geslapen?'

'Uitstekend.'

Vincent stond op en samen liepen ze langs het ontbijtbuffet.

'Toen we gisteren in El Moalakka waren,' begon Vincent toen ze weer aan tafel zaten, 'moest je je verhaal onderbreken omdat we opeens Walter Beaney zagen zitten. Maar eigenlijk vond ik het erg interessant wat je zei. Je had toch bepaalde twijfels bij de evolutietheorie?'

'Nou,' aarzelde ze, 'eigenlijk weet ik het niet. Sinds we die reportage over het onderzoek van Moreau maken, ben ik me gaan verdiepen in zijn vakgebied. Bijna alle gezaghebbende wetenschappers die onderzoek doen naar de oorsprong van het leven zijn het erover eens dat toeval geen rol heeft gespeeld bij het ontstaan van DNA en eiwitten. Het grote publiek, dat niet op de hoogte is van de werkelijke feiten, neemt vaak aan dat toeval wel een realistisch scenario is.'

'En volgens de geleerden is dat dus niet het geval?'

'Nee. Er zijn onderzoekers die in de wetenschappelijke literatuur op zoek zijn gegaan naar darwinistische verklaringen voor het ontstaan van de eerste levensvormen, maar ze hebben niets gevonden. Uiteraard troffen ze talloze beschrijvingen van complexe biologische structuren aan, waarbij onderzoekers zich leken te verbazen hoe dat allemaal vanzelf heeft kunnen ontstaan, maar een verklaring voor de manier waarop het daadwerkelijk moet zijn gegaan, is nergens te vinden.'

'Dat wist ik niet,' zei Vincent. 'Ik dacht eigenlijk dat het wel bekend zou zijn hoe het eerste leven ontstaan is.'

Michelle nam een slok thee en schudde haar hoofd.

'Hetzelfde geldt voor de manier waarop het heelal is ontstaan. Wetenschappers kunnen nauwkeurig vertellen wat er vanaf enkele nanoseconden na de oerknal tot aan de dag van vandaag precies is gebeurd met ons nog steeds uitdijende heelal. Elke gebeurtenis kunnen ze verklaren als het gevolg van een oorzaak die eraan ten grondslag ligt. Er is alleen geen allereerste oorzaak. De oorzaak achter het plotselinge ontstaan van ruimte, tijd, materie en energie is onbekend. De oerknal lijkt plaatsgevonden te hebben onder omstandigheden waar de alom geldende natuurwetten niet van toepassing zijn.'

Vincent knikte zwijgend en staarde naar de piramide, die uit de tuin van het hotel leek op te rijzen.

'Alleen de natuur kent het grote geheim,' zei hij na enkele ogenblikken. 'Mensen sterven, maar het leven gaat door. Individuen overlijden, maar de mensheid blijft bestaan. Over honderd of tweehonderd jaar weet niemand meer wie wij waren, maar ook na ons worden er elk voorjaar weer lammetjes geboren en krijgen de bomen nieuwe bladeren.'

Michelle herinnerde zich de woorden van Patrick Laurent.

'Dan zijn we onderdeel van het geheim geworden, want de atomen waaruit we waren opgebouwd vergaan niet. Die blijven eeuwig bestaan. En ook onze genen overleven ons, want die geven we door aan onze kinderen. Feitelijk gebruiken genen het menselijk lichaam slechts als tijdelijke behuizing.'

In gedachten verzonken keek ze voor zich uit. 'Mensen komen en gaan, maar de genen leeft voort.'

Op dat moment ging Vincents telefoon.

'Het is Hossam,' zei hij op het schermpje kijkend. 'Ik ben benieuwd of hij nog iets nieuws te melden heeft.'

Michelle knikte en nam een slok van haar hete thee. Ze zag dat Vincent met gefronste wenkbrauwen luisterde naar wat Hossam te zeggen had.

'Ik begrijp het,' zei hij na enkele ogenblikken. 'We komen er direct aan.'

Een beetje verbaasd hing hij op. 'We moeten naar het bureau.'

'Wat is er aan de hand?'

'Gisteravond laat hebben ze Karen Walker weer opgepakt.'

'Zo snel? Waarom?'

'Ze was op de luchthaven. Volgens Hossam probeerde ze het land te verlaten.'

'Maar waarom is ze dan opgepakt? Gisteren moesten ze haar nog laten lopen omdat er niets was wat ze haar ten laste konden leggen.'

'Maar nu wel. Ze zei toch dat de telefoon waarmee ze belde op naam van een vriendin stond, weet je nog?'

Michelle knikte. 'Lisa Abramowicz. Daar belde Hossam nog over.'

'Precies. Het blijkt nu dat het paspoort dat ze op de luchthaven bij zich had ook op naam staat van Lisa Abramowicz.'

Michelle keek hem aan. 'Dus dat betekent ...' begon ze.

'Dat Karen Walker misschien Lisa Abramowicz is,' maakte Vincent haar zin af. 'Hossam liet niet al te veel los. Hij wist in ieder geval nog niet wat nu haar echte identiteit is. Dat zijn ze aan het uitzoeken. Hij vroeg of we onmiddellijk naar het bureau wilden komen.'

'Oké,' zei Michelle en ze stond alvast op.

Vincent nam nog snel een slok koffie en samen liepen ze naar de uitgang van het hotel, waar zoals altijd een rijtje taxi's stond te wachten. Ze stapten in de voorste taxi en lieten zich naar het politiebureau brengen waar ze gisteren ook waren geweest. Tijdens het ritje speculeerden ze druk over de woorden van Hossam. Zou de politie er deze keer wel in slagen om bewijs aan te voeren tegen Karen Walker? En wie was Lisa Abramowicz? En wat was nu de werkelijke reden achter de aanslag in de piramide? Zou Beaney daar al iets over losgelaten hebben? Het bleef allemaal gissen.

Toen de taxi hen afzette bij het bureau liepen ze, benieuwd naar de laatste ontwikkelingen, snel naar binnen. Ze werden in de ontvangsthal opgewacht door een agent die hen naar dezelfde verhoorkamer bracht als waar ze de dag ervoor geweest waren. De man klopte kort op de deur. Vrijwel direct verscheen het hoofd van Hossam om de hoek. Hij wenkte hen binnen te komen.

Vincent en Michelle liepen de halfduistere kamer binnen en zagen in de kale ruimte aan de andere zijde van de spiegelwand Karen Walker en rechercheur Bensalah tegenover elkaar zitten. Terwijl de ondervrager aan het woord was, leunde ze met haar armen defensief over elkaar geslagen achterover. Zwijgend schudde ze haar hoofd en sloeg geïrriteerd haar ene been over het andere. Ze zag er bleek en vermoeid uit. Haar halflange haar werd slordig bijeenge-houden door een clip en enkele blonde lokken vielen in haar ge-zicht. Op haar kleding zaten donkere vegen. Ondanks alles leken haar ogen vuur te spuwen. De ingehouden woede was duidelijk af te lezen van haar gelaat.

'Haar echte naam is Lisa Abramowicz,' zei Hossam. 'Ze woont in Houston en is daar actief bij een grote kerkgemeenschap, Lake-wood Church. Het paspoort op naam van Karen Walker is vals.'

'Heeft ze al iets losgelaten?' wilde Michelle weten.

'Nee, integendeel. Alles wat we weten hebben we zelf achterhaald.'

'Hoe hebben jullie haar aangehouden?'

Terwijl hij het verhoor nauwlettend bleef volgen, legde Hossam kort uit wat er allemaal was gebeurd.

'Toen ze gisteren het bureau verliet, hebben we een mannetje achter haar aangestuurd. Ze nam een taxi naar een benzinestation aan de rand van de stad. Korte tijd later reed ze opeens in een Land-rover terug naar Cairo. In een buitenwijk heeft ze die wagen ergens op een parkeerterrein neergezet en een taxi naar het vliegveld ge-nomen. Mijn collega was helaas maar in zijn eentje, dus hij kon geen aandacht meer besteden aan de achtergelaten auto. Hij moest de taxi volgen. Op het vliegveld wilde ze een ticket naar Houston kopen onder haar echte naam, Lisa Abramowicz. Vanwege het tele-foonabonnement dat op die naam stond, was er al een internatio-nale waarschuwing uitgegaan. Op dat moment is ze aangehouden.'

'Lisa Abramowicz dus,' zei Vincent bedachtzaam. 'En ze laat niets los?'

'Nee, tot nu toe zwijgt ze als het graf. Maar nu komt het. Vannacht heeft de politie die Landrover geborgen. In de laadbak hebben ze een lijk gevonden van een tot nu toe onbekende westerse man. Mijn collega Bensalah heeft haar zojuist geconfronteerd met die vondst. Ze claimt nog steeds dat ze nergens iets mee te maken heeft, maar dat kan ze onmogelijk volhouden.'

'Een lijk?' vroeg Michelle met een angstig voorgevoel. Ze dacht onmiddellijk aan de nog steeds spoorloze Moreau. 'Toch niet van Nicolas Moreau?'

'Nee, niet van Moreau,' schudde Hossam. 'We hebben foto's ge-maakt die we naar Interpol hebben gestuurd ter identificatie.'

'Mogen wij die foto's zien?' vroeg Vincent. 'Misschien komt hij ons bekend voor.'

'Weet je dat zeker? Het zijn geen prettige foto's. Die man is om het leven gebracht met een messteek dwars door zijn hals. Het mes zit er nog in.'

Michelle huiverde. In wat voor misdaadfilm was ze toch terecht gekomen? Moord, ontvoering, afgerukte vingers, het leek in niets op het tv-wereldje dat ze bij France 2 gewend was. Schijnbaar waren de belangen groot.

'Laat maar zien,' zei Vincent. 'Als we kunnen helpen is het meegenomen.'

Hossam knikte. Hij draaide zich om en sloeg een dossier open dat achter hem op tafel lag. Hij bladerde even door een stapeltje foto's en nam er een uit die hij aan Vincent overhandigde. Nieuwsgierig pakte hij de foto aan. Michelle keek mee met een vreemde mengeling van belangstelling en afgrijzen. Wat ze zagen was een bleek gezicht dat vreemd contrasteerde met het donkere, warrige haar dat vol zat met witte zandkorrels. Het hoofd lag schuin op de romp. De mond hing scheef en de half geopende ogen keken levenloos naar beneden. Maar wat het meest in het oog sprong was het levensgrote keukenmes dat dwars door de bloederige hals heen stak. Het mes was bijna tot aan het handvat naar binnen geduwd, waardoor de punt er aan de andere kant weer uitkwam. De man was letterlijk aan het mes gespietst. Walgend staarden ze naar de gruwelijke foto.

'Ik had jullie gewaarschuwd,' zei Hossam toen hij hun reactie zag.

In plaats van zijn blik af te wenden bleef Vincent naar de foto staren.

'Wat is er?' vroeg Hossam. 'Ken je hem soms?'

'Ja,' antwoordde Vincent. 'Dood ziet hij er heel anders uit, maar ik weet het bijna zeker. Het is de man die al een hele tijd achter Enquist aanzit. We hebben hem nog achtervolgd bij de piramides, maar toen is hij ontsnapt. Waarschijnlijk is hij ook degene die ons in de auto op weg naar het Egyptisch Museum heeft overvallen en de usb-stick met opnames van Pyramid Explorer heeft gestolen.'

Hossam keek hem aan. 'Weet je dat zeker?'

'Vijfennegentig procent,' zei Vincent.

'We kunnen eenvoudig vaststellen of hij het werkelijk is,' zei Hossam. 'Als dit de man is die jullie achtervolgde, dan moet hij volgens mijn informatie een pink missen.'

Vincent keek hem aan. 'Natuurlijk! Hoe kon ik het vergeten.' Hossam boog zich bliksemsnel weer over het dossier en begon koortsachtig in de stapel met foto's te bladeren. 'Ik heb het lichaam nog niet gezien en de foto's van de sectie zijn net binnengekomen. Ik heb ze nog niet in detail kunnen bekijken.' Hij pikte er een uit en hield hem omhoog. Vincent keek naar de foto en ook Michelle wierp er een snelle blik op. Wat ze zagen was een close-up van een verbonden hand.

'Dit is de linkerhand van het slachtoffer,' zei Hossam.

'Dit maakt het allemaal alleen maar raadselachtiger,' zei Vincent. 'Dus Lisa Abramowicz en onze achtervolger hebben iets met elkaar te maken.'

'Laten we verder luisteren naar het verhoor,' zei Hossam.

Alle drie wendden ze hun hoofd weer naar de spiegelruit om te zien of rechercheur Bensalah al vorderingen maakte. Lisa zweeg blijkbaar nog steeds. Ze zat ongeïnteresseerd op haar stoel. Bensalah nam net enkele foto's uit zijn dossier en legde ze op een rijtje voor haar neer. Het waren foto's uit dezelfde serie als Hossam net had laten zien. Uitdrukkingloos staarde ze ernaar.

'U kunt toch niet blijven ontkennen dat u hier iets mee te maken hebt?' zei Bensalah. 'Zodra de resultaten van het sporenonderzoek binnen zijn, heeft ontkennen geen enkele zin meer. Wie is de man op die foto's?'

'Geen idee,' zei ze ongeduldig. 'Wacht maar. Ik heb machtige vrienden. Je kunt me niet lang meer vasthouden in dit land. Ik neem zo snel mogelijk het vliegtuig terug naar huis.'

Hossam schudde zijn hoofd. 'Ik ben benieuwd wie die machtige vrienden dan wel niet zijn. Ze heeft namelijk geen poot om op te staan.'

'Mag ik de rest van de foto's even bekijken?' vroeg Vincent.

Hossam knikte en pakte ze uit het dossier. Vincent nam het stapeltje aan. Terwijl hij met een half oog het verhoor bleef volgen, bladerde hij aandachtig door de foto's. Hij zag meerdere foto's van het slachtoffer, gemaakt vanuit verschillende posities, zowel details als overzichtsfoto's. Ook de oude Landrover zat ertussen.

Vincent werd er niet veel wijzer van. Lisa Abramowicz leek overduidelijk iets met het slachtoffer te maken te hebben, maar of ze nu de dader was of dat ze slechts medeplichtig was moest de politie maar uitzoeken. Hij wilde het stapeltje teruggeven aan Hossam en wierp nog een laatste blik op de foto die bovenop lag. Plotseling werd zijn aandacht getrokken. In het hoekje zag hij iets wat hem bekend voorkwam. Gefascineerd staarde hij naar foto. Het leek wel of de politiefotograaf op de cabine van de Landrover was gaan staan, want de foto was van bovenaf gemaakt zodat de hele laadbak zichtbaar was. Naast het lichaam van de vermoorde man lagen een hark, een schep, een zeil en nog wat klein gereedschap. Zijn aandacht werd echter getrokken door een bundeltje kleding in de hoek van de laadbak. Hij zag een donkerblauwe spijkerbroek, een T-shirt, een schoen; dingen die hem normaal niet eens zouden zijn opgevallen. Helemaal onderop de stapel lag een blouse die alleen maar zichtbaar was omdat een stuk van de mouw eronderuit stak. Ontzet keek Vincent naar het stukje textiel. Vergiste hij zich?

'Michelle,' zei hij gealarmeerd.

Verwonderd keek ze om.

'Die avond dat we Moreau voor het laatst zagen, je weet wel, in het hotel, weet je nog wat voor kleding hij toen droeg?'

'Eh, hoezo?' vroeg Michelle verontrust. Ze zag aan Vincents bezorgde gezichtsuitdrukking dat er iets aan de hand was.

'Ik ben bang dat ...' begon hij. Halverwege zijn zin stopte hij omdat hij eerst zeker wilde zijn van zijn zaak.

'De blouse die hij toen aanhad, hoe zag die eruit?'

'Die was rood. Vuurrood. Ik vond het nog zo'n uitbundige kleur voor een wetenschapper.'

Vincent overhandigde haar de bewuste foto.

'Was het deze kleur?' vroeg hij wijzend op de rode mouw.

Michelle hield haar adem in en keek naar de foto. Dit kon niet waar zijn. Toch had het stukje stof dat onder de andere kleren uitstak onmiskenbaar dezelfde felrode kleur als de blouse die Moreau had gedragen. Langzaam knikte ze.

'Hij droeg ook een spijkerbroek en een wit T-shirt,' herinnerde ze zich wijzend op de andere kledingstukken.

Langzaam drong het besef tot hen door dat er wel eens iets vreselijks gebeurd zou kunnen zijn met Moreau.

Hossam had meegeluisterd. 'Dus jullie hebben Nicolas Moreau gezien terwijl hij de kleren droeg die op deze foto staan?'

Michelle en Vincent keken elkaar aan. Wisten ze dat zeker?

'Zeer waarschijnlijk wel,' antwoordde Vincent.

'Dan heeft ze dus ook iets te maken met de verdwijning van

Moreau,' concludeerde Hossam. 'Dat moet rechercheur Bensalah weten. Dit is belangrijk.'

Hossam liep de deur uit om Bensalah erbij te halen.

'Ik heb hier geen goed gevoel over,' zei Michelle angstig. Ze dacht aan het bloederige mes op de foto's. 'Wat zou er gebeurd zijn met Moreau?'

'Het ziet er inderdaad niet rooskleurig uit,' moest Vincent bekennen. Eigenlijk zocht hij naar wat opbeurende woorden, maar hij zag in dat hij daar alleen maar valse hoop mee zou wekken. Zou die charmante dame in de verhoorkamer echt een meedogenloze moordenares zijn?

Hossam kwam weer binnen met Bensalah in zijn kielzog. Hij pakte de bewuste foto erbij en legde uit wat Vincent ontdekt had. Terwijl de drie mannen zich over de foto bogen, keek Michelle naar Lisa Abramowicz. Ze zat roerloos op haar stoel en staarde naar de onverstoorbare bewaker die wijdbeens met zijn handen op de rug bij de deur stond. Michelle dacht hetzelfde als Vincent. Was die vrouw, die er nu moe en een tikkeltje sjofel uitzag maar een sympathieke uitstraling had, werkelijk in staat om mensen om het leven te brengen? Ze nam haar eens goed op. Hoewel haar rok en blouse groezelig waren geworden, zag ze dat het dure kleren waren. Als je de vermoeide blik op haar gezicht wegdacht, bleef er een vriendelijk voorkomen over. Ze had slanke polsen en lange, gemanicuurde vingers. Aan elke hand droeg ze twee ringen. Michelles blik bleef rusten op de ring om haar linkerpink. Het was een kleine gouden ring met een felgroene smaragd erin. Haar hart sloeg een keer over. De ring! Lisa Abramowicz droeg dezelfde ring als op de foto's stond die Hossam eerder had laten zien tijdens de autorit van het vliegveld. De ring op de foto's van Hossam hoorde bij een afgerukte pink. En die afgerukte pink leek nu toe te behoren aan het slachtoffer in de laadbak van de Landrover! Er ging een tweede schok door haar heen. Plotseling wist ze ook weer waar ze de ring eerder had gezien. Dat was in Parijs!

'Inspecteur Hossam?' zei ze op dringende toon.

Hossam en Bensalah stonden aandachtig naar Vincent te luisteren, die net vertelde hoe ze Moreau de avond voor zijn verdwijning uitgebreid hadden gesproken en dat hij zeker wist dat Moreau een opvallende rode blouse met een wit T-shirt eronder had gedragen. De spijkerbroek kon hij zich niet herinneren.

'Maar ú weet wel zeker dat hij een spijkerbroek droeg, toch, mevrouw Rousseau?' vroeg Hossam. Het was hem blijkbaar ontgaan dat Michelle zojuist zijn aandacht probeerde te trekken. 'Eh, ja, dat weet ik zeker,' stamelde ze. 'Maar nogmaals, ik weet niet zeker of het *die* spijkerbroek was,' wees ze naar de foto. 'Ik weet ook niet zeker of het die blouse was. Maar het is wel erg toevallig dat we naast het slachtoffer dezelfde kleding hebben aangetroffen als Moreau droeg.'

'We gaan haar er direct mee confronteren,' besloot Hossam en hij wendde zich naar Bensalah. 'Is het duidelijk, Hassan? Kun je verder met het verhoor?'

'Er is nog iets,' zei Michelle vlug. 'Zien jullie die ring met de smaragd om haar linkerpink? Die ring stond ook op de foto's die u me heeft laten zien toen u ons van het vliegveld kwam halen.'

Hossam keek naar de handen van Lisa Abramowicz. Vincent volgde zijn blik. De inspecteur begon koortsachtig in zijn dossier te bladeren en trok na enig zoeken de foto tevoorschijn. Hij bestudeerde hem minutieus en keek vervolgens nog eens goed naar de ring om de vinger van Lisa Abramowicz.

'Ik denk dat je gelijk hebt. Goed gezien. Lisa Abramowicz en het slachtoffer dragen dezelfde ring. Dan moet er een connectie zijn. Aan de slag Hassan.'

'Er is nog een derde persoon die dezelfde ring draagt.'

Verbaasd keek Hossam haar aan. 'Dat heb je ook gezegd toen ik je de foto's voor de eerste keer liet zien. Maar toen kon je je niet herinneren bij wie je de ring eerder had gezien.'

'Klopt. Maar toen ik net de ring bij Lisa Abramowicz zag, wist ik het ineens.'

'Wie was het dan?' vroeg Vincent benieuwd.

'Jullie kennen hem niet,' zei ze. 'Het was in Parijs. Kort nadat Nicolas Moreau was verdwenen heb ik samen met mijn baas bij France 2, David Girard, een ontmoeting gehad op de universiteit. We hebben daar gesproken met de rector, Frédéric Dubois, en met het hoofd van de faculteit voor natuurwetenschappen, Patrick Laurent. Omdat Moreau plotseling was verdwenen, maakten ze zich zorgen dat zijn geheime ontdekking zou uitlekken. Ze waren bang dat een andere universiteit met de eer zou gaan strijken. Daarom hadden ze France 2 benaderd om een reportage te maken over het werk van professor Moreau. Ze wilden duidelijk maken dat de ontdekking was gedaan op de Sorbonne.'

Ze vertelde in het kort verder over de gebeurtenissen in Parijs.

'Maar wie droeg nu die gouden ring?' vroeg Hossam.

'Dat was professor Laurent.'

Vincent trok verbaasd zijn wenkbrauwen op. 'Dat is raar.'

'Maar nu ik erover nadenk,' peinsde Michelle, 'wordt er wel veel duidelijk.'

'Wat bedoel je?' vroeg Hossam.

'Beaney ontkent dat hij Moreau heeft ontvoerd. Hij zegt dat hij alleen een paar keer in de kelder is geweest om hem eten te brengen. Dat lijkt erg onwaarschijnlijk. Maar als Patrick Laurent ook in het complot zit, zou hij wel eens degene kunnen zijn die Moreau heeft ontvoerd. Hij kon immers overal vrij rondlopen. In dat geval heeft Beaney de waarheid gesproken. Bovendien ben ik een keer bijna door Laurent betrapt toen ik aan het rondkijken was in de proefdierenruimte. Die grenst aan de kamer waar de trap naar de ondergrondse gangen zich bevindt. Laurent liep vlak langs me heen en was toen plotseling verdwenen. Ik realiseer me nu ineens dat hij toen via de verborgen trap naar Moreau moet zijn gegaan.'

'Dat verklaart veel,' zei Vincent.

'Waarom zou Laurent hem willen ontvoeren?' vroeg Hossam.

'Van Olivier Leblanc, dat is de assistent van Moreau, heb ik begrepen dat Laurent zich heeft ingespannen om Beaney van Oxford naar de Sorbonne te halen. Beaney scheen een briljante student te zijn, dus ik dacht altijd dat ze hem goed konden gebruiken bij het cellenonderzoek van Moreau. Maar misschien zocht Laurent alleen iemand die vrij kon rondlopen in het laboratorium, zodat hij zelf buiten schot kon blijven. Misschien is Laurent juist degene die religieuze of morele bezwaren heeft tegen het onderzoek.'

'Mmm,' peinsde Hossam. 'Dus dan zou Laurent op een of andere manier Beaney voor zijn karretje gespannen moeten hebben. Laten we beginnen met het onderzoeken van zijn achtergrond.'

Hij pakte de hoorn van de telefoon die op tafel stond en tikte een intern nummer in. In onverstaanbaar Arabisch begon hij tegen een collega te praten, maar Michelle en Vincent vingen duidelijk de woorden *Patrick Laurent,* en *Parijs* op.

Vincent keek nog eens naar de foto van de ring. 'Ik begrijp iets niet. Als Laurent inderdaad die opvallende ring draagt, dan had Moreau hem toch ook moeten herkennen. Inspecteur Hossam heeft die foto's toch ook aan hem laten zien? Laurent en Moreau zijn nota bene collega's.'

'Dit is een vrouwending,' glimlachte Michelle alsof ze deel uitmaakte van een geheim complot. 'Mannen valt dit niet op.'

Hassan Bensalah had zich tot nu toe niet met het gesprek bemoeid. De bebaarde rechercheur had aandachtig meegeluisterd en goed naar de foto's gekeken. Voorafgaand aan het verhoor had hij het dossier nauwkeurig bestudeerd, dus hij kende alle details.

'Ik heb misschien een idee,' zei de ervaren ondervrager. 'Het is een gok, maar het pakt vaak goed uit.'

'Wat bedoel je?' vroeg Hossam.

'Lisa Abramowicz lijkt er het volste vertrouwen in te hebben dat haar machtige vrienden haar uit deze netelige situatie zullen verlossen. Ze maakt zich schijnbaar helemaal geen zorgen, terwijl de bewijzen tegen haar zich opstapelen. Ze laat voorlopig niet los wie die machtige vrienden zijn of in wat voor kringen ze zich bevinden, maar deze Patrick Laurent zou wel eens een van hen kunnen zijn. Ik ga haar zometeen confronteren met Laurent. Ik zeg dat de politie in Parijs hem heeft opgepakt en dat hij haar heeft laten vallen als een baksteen; dat hij haar beschuldigt van de moord op Moreau en van de moord op die persoon in de achterbak van de auto. Hopelijk valt dan het fundament onder haar vertrouwen weg. Je ziet vaak dat verdachten in dat soort uitzichtloze situaties versprekingen doen of zelfs bekentenissen afleggen om te redden wat er te redden valt.'

Hossam knikte. 'Probeer het maar. Wie weet.'

Er werd op de deur geklopt en er verscheen een man in burger. Hij overhandigde een vel papier aan Hossam en ze wisselden snel enkele woorden. Daarna vertrok hij weer.

Hossam keek even naar het printje en liet het toen aan de anderen zien. Er stond een enigszins vage kleurenfoto op.

Michelle herkende meteen het warrige krullenhoofd en de intelligente blik. 'Dat is Patrick Laurent,' riep ze uit.

'Dit kregen we zojuist doorgemaild van Interpol,' zei Hossam. 'De politie gaat bij hem langs om hem eens aan de tand te voelen, maar ze konden alvast bevestigen dat Laurent bekendstaat als een zeer gelovig man. Hij is niet alleen een gerespecteerd wetenschapper, maar hij schijnt ook een soort ambassadeursrol binnen de Franse Kerk te vervullen.'

'Wat heb ik je gezegd?' zei Michelle. 'Ik durf zelfs te wedden dat

Lisa Abramowicz ook een streng gelovige achtergrond heeft. Dat moet de reden zijn dat ze achter de cellen aanzitten. De beginselen van de Bijbel zijn in strijd met het creëren van leven.'

'En dat geldt ook voor de piramides,' voegde Vincent toe. 'Die zijn volgens Enquist ouder dan volgens de Bijbel mogelijk is. Moreau en Enquist doen beiden onderzoek dat tegen de leer van de Kerk ingaat.'

Hossam stond met stijgende verbazing te luisteren. 'Hoor je dat, Hassan?' zei hij tegen zijn collega. 'Volgens mij is het tijd om verder te gaan met het verhoor. Ik ben zeer benieuwd wat mevrouw Abramowicz hierop te zeggen heeft.'

'Ik weet genoeg,' knikte Bensalah en hij liep het kamertje uit.

De anderen keken gespannen toe hoe hij enige ogenblikken later weer plaatsnam tegenover Lisa Abramowicz. Door het wachten leek ze wat onzekerder te zijn geworden. Dit keer zat ze rechtop en schoof onrustig heen en weer op haar stoel.

Vanonder zijn borstelige zwarte wenkbrauwen keek Bensalah haar belangstellend aan. 'Mooie ring hebt u daar aan uw pink,' wees hij. 'Waar komt die vandaan?'

Lisa keek naar haar hand, maar gaf geen antwoord.

'Wist u dat het slachtoffer achterin de Landrover precies dezelfde ring droeg?'

Ze bleef zwijgen, maar ze kon de zenuwachtige blik in haar ogen niet verhullen.

'Hij had hem niet om toen hij vermoord werd, want hij is de ring samen met zijn pink verloren in Londen, maar het is precies dezelfde.'

'Ik heb geen idee hoe hij aan die ring komt,' zei ze toonloos.

'Maar kent u hem? Wie is het?'

Ze zweeg weer.

'We hebben nog iets anders gevonden in de laadbak van de Landrover. Er lag een stapeltje kleding in. Rode blouse, spijkerbroek, T-shirt. Volgens onze informatie behoort die kleding toe aan professor Nicolas Moreau, die sinds kort vermist wordt.'

'Vermist?'

'We vermoeden dat hij hier in Egypte opnieuw het slachtoffer is geworden van een misdrijf. Weet u daar iets van?'

Lisa Abramowicz leek te beseffen dat de politie steeds meer aanwijzingen verzamelde. Haar houding veranderde echter niet.

'Geen idee. Ik heb de man nog nooit gezien.'

Bensalah sloeg zijn armen over elkaar en leunde achterover. Zwijgend staarde hij Lisa een tijdje aan. Achter zijn baard speelde een geheimzinnig glimlachje.

Lisa schuifelde op en neer op haar stoel en leek niet te begrijpen wat er schuilging achter de zelfverzekerde houding van Bensalah.

'We hebben vanochtend nog iemand gesproken,' verbrak Bensalah de stilte.

Lisa keek hem vragend aan.

'Professor Laurent.'

'Patrick ...?' Snel slikte ze haar woorden in.

'Ja, Patrick Laurent. Hoofd van de faculteit der natuurwetenschappen aan de Sorbonne in Parijs.'

Lisa zweeg.

'We hebben professor Laurent gebeld en hem de situatie uitgelegd. Toen hij hoorde wat er allemaal gebeurd was, deed hij belastende uitspraken. Hij beschuldigde u niet alleen van de moord op de man die we achterin de Landrover hebben aangetroffen, maar ook van de moord op Nicolas Moreau. Zijn ontvoering zou u ook op uw geweten hebben. Bovendien beweerde hij dat u het brein bent achter de mislukte aanslag in de piramide van Cheops, waarbij de personen in de Koninginnekamer door het oog van de naald zijn gekropen omdat er een levensgevaarlijk gas zou worden gebruikt.'

Lisa Abramowicz schudde sprakeloos haar hoofd. Ze kreeg geen woord over haar lippen en het klamme zweet brak aan alle kanten uit. Verlamd door angst en paniek probeerde ze helder na te denken. Dus Patrick Laurent liet haar vallen. Wat eerder Beaney en Gallagher was overkomen, gebeurde nu met haar.

Ze had hem leren kennen via het wereldwijde netwerk van Lakewood Church. Laurent was een zeer charismatische man met een uitgesproken mening over het geloof, dat hij praktiseerde in de meest pure en traditionele vorm. In het dagelijks leven was hij een ingetogen wetenschapper, maar zodra hij over het geloof kon spreken onderging hij een soort gedaanteverwisseling waarbij hij veranderde in een gepassioneerd pleitbezorger van de Bijbel. Hij was niet getrouwd en leefde strikt celibatair. Dat had hij zichzelf opgelegd, want hij was helemaal geen priester. Laurent vond dat hij God het beste diende als hij afzag van alle lichamelijke verlangens. Lisa had uitvoerig met hem gesproken en voelde zich enorm tot hem aangetrokken. Dat had ertoe geleid dat Laurent haar na enkele inspirerende ontmoetingen in Houston en Parijs in vertrouwen was gaan nemen. Ze hadden een soort platonische relatie ontwikkeld. Hij had haar uitgelegd dat hij deel uitmaakte van een elitair, mondiaal gezelschap van gelovige leiders uit het bedrijfsleven, de politiek en de wetenschap dat zich *het presidium* noemde. Ze volgden wereldwijd alle ontwikkelingen die bedreigend zouden kunnen zijn voor de Kerk. Als de Kerk negatief in het nieuws dreigde te komen, waardoor blijvende schade aan het imago zou kunnen ontstaan, werd er krachtig ingegrepen.

Lisa had zich onmiddellijk aangetrokken gevoeld tot het gezelschap. Hoewel Laurent de identiteit van de overige leden zorgvuldig geheimhield, vond ze het een geweldig initiatief. Ze ergerde zich bijna dagelijks aan de negatieve berichtgeving in de media over het christelijke geloof, die in haar ogen altijd onterecht was. Daarnaast hoopte ze nader tot Laurent te komen. Misschien kon ze hem bewegen zijn vrijwillige celibaat op te geven om zo hun relatie naar een hoger niveau te tillen.

Laurent had haar opdracht gegeven om in Houston John Gallagher te werven voor het presidium. Daarna had hij haar naar Parijs gehaald om Walter Beaney in te palmen. Lisa had beide mannen probleemloos voor haar karretje gespannen. Ze waren allebei gevallen voor haar charmes en ze vond het geen enkel probleem om in naam van God gebruik te maken van de seksuele driften die mannen nu eenmaal altijd leken te hebben. Hij zou haar vergeven. Geraffineerd had ze John Gallagher en Walter Beaney precies zover laten komen dat ze dachten dat er meer inzat, maar haar maagdelijkheid bewaarde ze nog steeds voor de ware. Ze had stiekem gehoopt dat ze die inmiddels had ontmoet, maar nu liet hij haar dus genadeloos in de steek. Ze werd overvallen door een mengeling van teleurstelling, paniek en woede. Diep verontwaardigd en gekwetst verbrak ze haar stilzwijgen.

'Patrick Laurent heeft zelf Moreau ontvoerd!' riep ze. 'Ik ben nooit in die kelder geweest. Walter Beaney wel. Vraag het hem maar.'

Bensalah keek haar onderzoekend aan.

'Laurent heeft Moreau ontvoerd, zegt u? Maar waar is Moreau nu? Het enige wat we weten is dat hij vermist wordt en dat we waarschijnlijk zijn kleren hebben gevonden. Patrick Laurent beschuldigt u van moord.'

'Ik heb Moreau niet vermoord!' gilde Lisa buiten zichzelf van woede. 'Dat heeft John Gallagher gedaan. Gods toorn zal op hem neerdalen. Hij heeft het lichaam van Moreau mee de woestijn ingenomen. Jullie zullen hem nooit meer terugvinden.'

'Dus Moreau is dood?' vroeg Bensalah.

Lisa zakte verslagen ineen op haar stoel en knikte langzaam. Mismoedig staarde ze naar de grond.

'En wie is John Gallagher?' ging Bensalah verder terwijl hij in zijn dossier bladerde. Die naam kende hij nog niet.

'Die ligt achterin de Landrover,' zei ze zachtjes zonder op te kijken.

Bensalah keek haar verrast aan. De man met het mes door zijn hals was nog niet geïdentificeerd.

'Wie heeft hem vermoord?'

Lisa zei niets. Voorovergebogen op haar stoel sloeg ze haar handen voor haar gezicht en bleef zo een tijdje geëmotioneerd zitten. Bensalah gaf haar even de tijd en wachtte geduldig.

'Ik heb hem zo aangetroffen,' zei ze tenslotte.

'Wat was de relatie tussen jullie? Jullie droegen allebei dezelfde ring als Patrick Laurent.'

Lisa vertelde het verhaal over de organisatie van Laurent. Hoe ze hem kende, hoe ze bij het presidium betrokken was geraakt en wat de missie van de machtige personen achter het presidium was. Ondertussen probeerde ze zichzelf zoveel mogelijk vrij te pleiten.

'Het zenuwgas dat Walter Beaney wilde gebruiken in de piramide was ook afkomstig van Laurent. Hij is chemicus. Hij kon het gemakkelijk regelen.'

Ze keek Bensalah aan met een schuldbewuste blik in haar ogen.

'Ik wist niet dat ze zo ver wilden gaan,' besloot ze haar verhaal. 'Als ik dit eerder had geweten, was ik er allang uitgestapt.'

'En de ring?' vroeg Bensalah.

'Alle leden van het presidium dragen die ring,' zei ze terugdenkend aan het moment dat Laurent haar de ring na een kleine ceremonie in een Parijse kapel om de vinger had geschoven.

Achter de spiegelwand keek Vincent naar Michelle.

'Onbegrijpelijk. Dus het was allemaal in naam van haar geloof.'

Michelle keek zwijgend door de ruit naar de ineengezakte vrouw die met gebogen hoofd op haar stoel zat.

'Iedereen mag geloven wat hij wil,' zei ze hoofdschuddend. 'Maar het is absurd om het bestaan van God te willen bewijzen of anderen van zijn bestaan te willen overtuigen. Haar geloof zit niet dichter bij de waarheid dan alle andere vormen van geloof.' Vincent knikte. 'Het geloof maakt je geen moreel superieur mens. Het kan je helpen om een rechtschapen leven te leiden, maar ze zou zich moeten realiseren dat iedereen vanuit elke levensovertuiging goede dingen kan doen.'

'Amen,' zei Michelle met gemengde gevoelens. Lisa had een hele serie bekentenissen gedaan, maar ze werd hard getroffen door het bericht dat Moreau echt dood was. Ze had hem niet lang gekend, maar in die korte tijd had ze grote bewondering voor de wetenschapper gekregen.

Vincent pakte de foto van Gallagher er opnieuw bij. 'Wie zou hem vermoord hebben?'

'Dat zal het sporenonderzoek moeten uitwijzen,' zei Hossam.

Vincent keek naar Michelle die er aangeslagen uitzag en sloeg bemoedigend een arm om haar heen. 'Gaat het?'

Ze legde haar hoofd op zijn schouder. 'Wat ik me nu pas realiseer,' zei ze gedesillusioneerd, 'is dat we nooit zeker zullen weten of het Moreau daadwerkelijk gelukt was om het leven aan de praat te krijgen. Niemand zal weten of het echt mogelijk is om leven te creëren. De oorsprong van het leven, die reusachtige stap van levenloze chemische elementen naar levende, zich voortplantende organismen zal een mysterie blijven. Dàt het ooit gebeurd is, daarvan zien we dagelijks het bewijs, maar de wijze waarop blijft een van de grote onopgeloste raadsels van de mensheid.'

46

Mark Enquist zat op een krukje in de Koninginnekamer en tuurde ingespannen naar het beeldscherm voor zich. Peter Mueller zat naast hem en bediende de joystick van Pyramid Explorer, die langzaam omhoog reed door de noordschacht. Het was nu twee dagen geleden dat ze de houten stok hadden ontdekt en ze waren druk bezig een manier te bedenken om een stukje hout te bemachtigen voor verder onderzoek.

'Kijk,' zei Enquist. 'Daar ligt ie.'

Vincent en Michelle keken mee op het scherm. Na de eerste bekentenissen van Lisa Abramowicz leek het politieonderzoek in een stroomversnelling terecht te komen. Hossam had hen uitgebreid bedankt, waarna ze het bureau hadden verlaten. Hij had wel gevraagd of ze nog enkele dagen in Cairo konden blijven, zodat hij indien nodig nog gebruik zou kunnen maken van hun diensten.

Bij terugkeer in het hotel hadden ze Enquist weer getroffen die nog steeds vol was van zijn nieuwste ontdekking in de piramide. Vincent had zich in verband met zijn documentaire intensief verdiept in de geschiedenis van de piramides en had aan Enquist gevraagd of ze met hem mee naar de Koninginnekamer mochten om met eigen ogen een kijkje te nemen door de camera van Pyramid Explorer. Hij had hen beiden uitgenodigd om de volgende ochtend met hem mee te gaan.

Terwijl Pyramid Explorer omhoog kroop door de noordschacht, keek Vincent staand achter Enquist mee over zijn schouder. De smalle, schemerig verlichte gang zag er precies hetzelfde uit als de zuidschacht. De ongelijkmatige wanden leken identiek. Totdat Mueller het robotwagentje vlak voor een scherpe bocht tot stilstand liet komen. De noordschacht maakte hier een knik naar links en vanuit het bovenste gedeelte van de schacht zagen ze het uiteinde van een lange houten stok naar beneden steken. Mueller manoeuvreerde Explorer voorzichtig een stukje verder, zodat de camera om de hoek kon kijken. Vincent en Michelle gingen nu ook op een krukje zitten om het beter te kunnen zien. Ze zagen dat de schacht zijn weg naar boven vervolgde en tot buiten het bereik van de schijnwerper doorliep. De houten stok kon er onmogelijk vanaf het onderste gedeelte van de schacht zijn ingestoken; daar was hij veel te lang voor.

'Ik zie *twee* stokken,' merkte Michelle op.

'Ja,' knikte Enquist. 'Die onderste is de afgebroken ijzeren buis waarover ik verteld heb. Die is er vanuit de Koninginnekamer ingestoken.'

'Dus met behulp van die houten stok kun je de ouderdom van de piramide bepalen?'

'Inderdaad. De koolstof C14-methode is erg nauwkeurig.'

Vincent keek nog eens goed naar de beelden van Explorer. 'Waarom maakt deze schacht eigenlijk een bocht? De zuidschacht heeft dat niet. Die is kaarsrecht.'

'Dat vroeg ik me ook af toen ik het voor de eerste keer zag,' knikte Enquist en hij wees naar een grote kaart van de piramide die opengeslagen op tafel lag. 'Maar als je de dwarsdoorsnede van de piramide bekijkt zie je het meteen. De noordschacht loopt namelijk recht op de grote galerij af. De bouwers hebben hem eromheen moeten leiden.'

Vincent en Michelle keken naar de kaart en zagen het ook.

'Wat gaat er nu gebeuren?' vroeg Michelle. 'Gaan jullie proberen om de stok naar beneden te halen? Dat lijkt me een onmogelijke opgave.'

'Dat zal inderdaad lastig worden. Wat we willen proberen is om Pyramid Explorer een gedeelte van de stok te laten afboren. Afzagen zou nog beter zijn, maar dan hebben we meer tijd nodig om Explorer opnieuw om te bouwen. Een klein stukje zou al genoeg zijn om het te laten onderzoeken op ouderdom.'

'Stel je voor,' zei Michelle filosoferend. 'Het zou wereldschokkend zijn als die stok inderdaad veel ouder dan 4.500 jaar blijkt te zijn. Dat zou een compleet nieuw licht werpen op de ontstaansgeschiedenis van de mensheid.'

Vincent keek Enquist aan. 'Dan zou er voor het eerst keihard bewijs zijn voor die oude beschaving, Mark. Tot nu toe had je alleen nog maar aanwijzingen verzameld.'

'Wat voor aanwijzingen?' vroeg Michelle nieuwsgierig.

Vincent somde op. 'De kaart van Piri Reis, de ongelooflijk hoog ontwikkelde bouwkundige kennis van de oude Egyptenaren in een tijd dat er nog maar net beschavingen waren, de watererosie aan de Sfinx, de ontdekking van Robert Bauval aan het sterrenbeeld Orion en de kennis van precessie.'

Michelle keek Vincent en Enquist vragend aan. Dit was allemaal nieuwe informatie voor haar. Ze had geen idee waar Vincent het over had.

'Ik leg het allemaal nog wel een keer uit,' zei Enquist. 'Eerst gaan we een verzoek indienen bij de Supreme Council of Antiquities of we mogen proberen om een stukje hout van de stok af te halen.'

'Het is nog maar de vraag of we toestemming krijgen,' zei Peter Mueller.

'Oh ja?' vroeg Vincent verwonderd. 'Was Abbara dan niet blij met deze ontdekking?'

'Hij was hier gisteren,' legde Enquist uit. 'Hij vond het natuurlijk een fantastisch resultaat, maar de SCA weet inmiddels wat mijn doel is, dus het is inderdaad erg onzeker of ze een vergunning zullen afgeven.'

Vincent keek weer naar de monitor en staarde naar de mystiek verlichte gang die verderop overging in een allesverhullende duisternis. Vertwijfeld vroeg hij zich af of de Grote Piramide haar ecuwenoude geheim ooit prijs zou geven.

Epiloog

Eind jaren tachtig van de vorige eeuw raakte de Duitse ingenieur Rudolf Gantenbrink gefascineerd door de piramide van Cheops. Verwonderd vroeg hij zich af hoe het toch mogelijk was dat de Grote Piramide in deze tijd van enorme technologische ontwikkeling nog altijd meer vragen opwierp dan dat er beantwoord werden. Veel elementaire technische kwesties met betrekking tot het meest uitvoerig onderzochte historische object op aarde waren nog altijd onopgelost. In 1993 stuurde hij een robotwagentje uitgerust met een camera omhoog in de zuidschacht van de Koninginnekamer, waarbij hij op de deur stuitte die nog steeds bekendstaat als *Gantenbrink's door.* Hij onderzocht ook de noordschacht, maar strandde bij de scherpe bocht naar links die voor zijn robot een onneembare hindernis bleek. Een uitgebreid fotoverslag van deze expeditie is te vinden op zijn site www.cheops.org.

De Supreme Council of Antiquities achtte verder onderzoek aan de schachten noodzakelijk. Onder leiding van de Egyptische archeoloog Zahi Hawass, secretaris generaal van de SCA, werd in samenwerking met National Geographic Television een nieuwe robot ontwikkeld. In 2002 boorde dit voertuigje een klein gat in de geheime deur en manoeuvreerde een camera naar binnen. Wereldwijd waren miljoenen televisiekijkers tijdens een live-uitzending getuige van de vondst van een tweede deur in de zuidschacht. Later werd in de noordschacht op exact dezelfde locatie een identieke, gladgepolijste deur met koperen handvatten gevonden. Een verslag met foto's van de ontdekte deuren is te vinden op www.drhawass.com/events/mystery-hidden-doors-inside-great-pyramid-0.

De houten stok in de noordschacht ligt er nog steeds. De Supreme Council of Antiquities heeft jaren van voorbereiding gestoken in een expeditie om achter de tweede deur te kijken. Speculaties over wat er aangetroffen zou kunnen worden, variëren van het lichaam van Cheops tot documenten die een geheel nieuw licht kunnen werpen op de geschiedenis van de mensheid.